D0283623

La Roue du Temps

XVI

Alliances

Robert Jordan

La Roue du Temps

XVI

Alliances

Traduit de l'américain
par Simone Hilling

ÉDITIONS FRANCE LOISIRS

Titre original : *The Path of Daggers*
The Wheel of Time, volume 8

L'éditeur tient à saluer la mémoire de James Oliver Régney,
alias Robert Jordan, dont la disparition a bouleversé des millions
de lecteurs à travers le monde. Merci à lui pour cette immense saga
qui continue de nous enchanter.

Édition du Club France Loisirs,
avec l'autorisation des Éditions Fleuve Noir.

Éditions France Loisirs,
123, boulevard de Grenelle, Paris
www.franceloisirs.com

© 1998 by Robert Jordan.
Carte : Ellisa Mitchell
© 2008, Éditions Fleuve Noir, département d'Univers Poche,
pour la traduction française.
ISBN : 978-2-298-01642-0

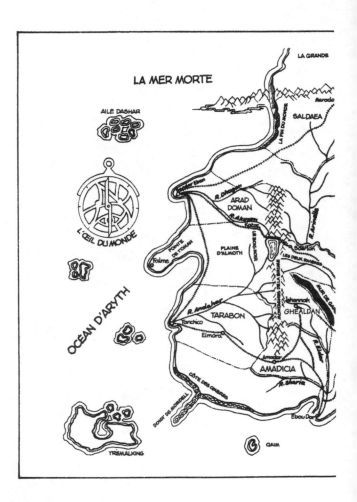

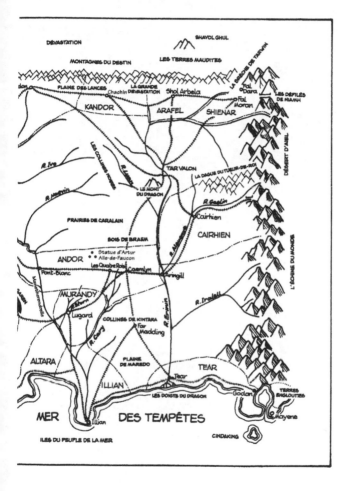

12.

Nouvelles alliances

Graendal regretta qu'il n'y ait pas un simple trans-cripteur parmi les objets qu'elle avait rapportés de l'Illian après la mort de Sammael. Cette Ère était le plus souvent effrayante, primitive et inconfortable. Mais certaines choses lui convenaient. Dans une cage en bambou de l'autre côté de la pièce, une centaine d'oiseaux au plumage multicolore chantaient mélo-dieusement, presque aussi beaux dans leurs volettements chamarrés que ses deux serviteurs en robes transpa-rentes qui attendaient de chaque côté de la porte, le regard fixé sur elle, impatients de la servir. Même si les lanternes n'éclairaient pas autant que les boules fluorescentes, elles donnaient un éclat barbare aux dorures en écailles de poisson du plafond. Bien qu'elle eût préféré prononcer les mots de vive voix, les cou-cher finalement sur le papier lui procurait un plaisir semblable à celui qu'elle ressentait en dessinant. Les caractères de cette Ère étaient assez simples, et le style facile à imiter.

Paraphant avec panache – sans utiliser son vrai nom, bien sûr – elle sécha l'encre avec du sable, plia l'épaisse feuille de papier et la scella d'un des sceaux

11

de diverses tailles alignés sur sa table de travail. La Main et l'Épée de l'Arad Doman imprimés sur un cercle irrégulier de cire vert et bleu.

— Apportez cela au Seigneur Ituralde, dit-elle. Faites diligence et ne lui parlez pas de ce que je vous ai dit.

— Aussi vite qu'un cheval pourra me porter, ma Dame. Nazran s'inclina en prenant la lettre, caressant d'un doigt une fine moustache noire surmontant un sourire charmeur. Carré et très hâlé, en tunique bleue bien coupée, il était beau ; mais pas tout à fait assez.

— J'ai reçu cela de Dame Tuva, qui est morte de ses blessures après m'avoir confié qu'elle était cour-sier pour le compte d'Alsalam et avait été attachée à un Homme Gris.

— Assurez-vous qu'il y a du sang humain dessus, l'admonesta-t-elle.

Elle doutait fort que quiconque fût capable de dis-tinguer du sang humain d'un autre, mais elle avait eu trop de surprises pour prendre un risque inutile.

— Suffisamment pour que ce soit réaliste, sans pour autant gâcher mon écriture.

Il s'inclina une fois de plus, ses yeux s'attardant chaleureusement sur elle. Dès qu'il se redressa, il se hâta vers la porte, ses bottes claquant sur les dalles de marbre jaune. Il ne remarqua pas les domestiques dont les yeux ardents étaient rivés sur elle, ou il feignit de ne pas les voir, bien qu'il ait été autrefois l'ami du jeune homme. Il n'avait fallu qu'une touche de Compulsion pour que Nazran devienne aussi soumis qu'eux, sans parler de l'espoir de jouir encore de ses charmes. Elle rit doucement. Enfin, il croyait en avoir joui. S'il avait été juste un peu plus beau, cela aurait été possible. Dans ce cas-là, il aurait été totalement inutile pour d'autres activités. Il épuiserait son cheval jusqu'à ce que mort s'ensuive pour arriver jusqu'à Ituralde, et si ce message, apporté par un proche cousin d'Alsalam, émanant du Roi lui-même, et que des Hommes Gris cherchaient à intercepter, ne satisfaisait pas l'ordre du Grand Seigneur d'accroître le chaos partout, c'est que rien ne le satisferait à part le malefeu. Et cela servirait ses fins du même coup. Ses propres fins. La main de Graendal s'empara du seul anneau sur la table qui n'était pas un sceau, une simple bande en or qui n'allait qu'à son petit doigt. Ç'avait été une bonne surprise que de trouver un *angreal* à sa taille parmi les affaires de Sammael alors que al'Thor et ses chiots qui se donnaient le nom d'Asha'man, entraient et sortaient sans discontinuer des appartements de Sammael dans le Grand Palais du Conseil. Ils les avaient vidés de tout ce qu'elle n'avait pas pris. Ces chiots étaient tous dangereux, surtout al'Thor. Et elle ne voulait pas que *quiconque* pût établir le moindre rapport entre elle et Sammael. Pourtant, elle devait accélérer le rythme de réalisation de ses propres plans, et s'éloigner du désastre de Sammael.

Brusquement, une fente verticale argentée apparut à l'autre bout de la pièce, scintillant sur les tentures murales suspendues entre les lourds miroirs dorés, puis un carillon cristallin résonna. Surprise, elle haussa les sourcils. Quelqu'un se rappelait les politesses d'une autre Ère, semblait-il. Se levant, elle enfila en force l'anneau d'or à son petit doigt, tout contre une bague en rubis, et embrassa la *saidar* par son intermédiaire, avant de canaliser la toile qui ferait retentir un carillon si quiconque voulait ouvrir un portail. L'*angreal* n'ajoutait pas grand-chose à sa puissance, pourtant, quiconque pensait connaître sa force subirait un choc.

Le portail s'ouvrit. Deux femmes, en robes de soie noir et rouge presque identiques, le franchirent prudemment. Moghedien avança lentement, ses yeux noirs à l'affût des pièges, lissant de la main ses larges jupes, mais en retenant la *saidar*. Graendal continua à embrasser la Source, elle aussi. La compagne de Moghedien, une jeune femme petite aux longs cheveux argent et aux yeux d'un bleu éclatant, jeta à peine un coup d'œil en direction de Graendal. À son maintien, on aurait pu la prendre pour une Première Conseillère contrainte de supporter la compagnie de modestes paysans, et bien décidée à ignorer leur présence. Quelle sotte fille d'imiter l'Araignée ! Le rouge et le noir ne convenaient pas à son teint, et elle aurait dû mettre davantage en valeur son opulente poitrine.

— Graendal, je vous présente Cyndane, dit Moghedien. Nous sommes… nous travaillons ensemble.

Elle ne sourit pas en présentant la jeune femme hautaine, à l'inverse de Graendal. Joli nom pour une fille plus que jolie, mais quel caprice du destin avait poussé une mère de cette époque à donner à sa fille un nom signifiant « Dernière Chance » ? Le visage de Cyndane demeurait lisse et froid, mais ses yeux flamboyaient. On aurait dit une magnifique poupée sculptée dans la glace, dissimulant des feux intérieurs. Il semblait qu'elle connût le sens de son nom et qu'elle ne l'aimât pas.

— Qu'est-ce qui vous amène, vous et votre amie, Moghedien ? demanda Graendal.

L'Araignée était bien la dernière personne qu'elle s'attendait à voir sortir de l'ombre.

— Ne craignez pas de parler devant mes domestiques.

Elle fit un geste, et les deux serviteurs qui se tenaient près de la porte se prosternèrent, face contre terre. Ils ne seraient pas tombés raides morts sur son ordre, mais presque.

— Quel intérêt vous inspirent-ils alors que vous détruisez tout ce qui pourrait être intéressant en eux ? demanda Cyndane, traversant la pièce avec arrogance.

Elle se tenait très droite, de toute sa hauteur.

— Savez-vous que Sammael est mort ?

Au prix d'un léger effort, Graendal resta imperturbable. Elle avait pris cette fille pour une Amie du Ténébreux que Moghedien s'était attachée pour faire ses commissions, peut-être une noble persuadée que son titre avait de l'importance. Mais maintenant, vue de près… La fille était plus puissante qu'elle dans le Pouvoir Unique ! Même à son époque, c'était peu commun chez les hommes et très rare chez les femmes. Immédiatement, elle modifia instinctivement son intention de nier tout contact avec Sammael.

— Je m'en doutais, dit-elle, gratifiant Moghedien d'un sourire hypocrite par-dessus la tête de sa compagne.

Que savait-elle au juste ? Où l'Araignée avait-elle déniché une fille dont la puissance dépassait tellement la sienne, et pourquoi voyageaient-elles ensemble ? Moghedien avait toujours été jalouse de toute personne plus puissante qu'elle.

— Il avait l'habitude de me rendre visite pour que je l'aide dans la réalisation de ses plans farfelus. Je ne refusais jamais directement, car vous savez que Sammael est – était – un homme dangereux quand on s'opposait à lui. Il venait me voir régulièrement tous les deux ou trois jours, et quand ses visites se sont interrompues, j'ai supposé qu'il lui était arrivé quelque chose de grave. Qui est cette jeune fille, Moghedien ? C'est une trouvaille remarquable.

La jeune fille se rapprocha encore, levant sur elle des yeux de feu.

— Elle vous a dit mon nom. C'est tout ce que vous avez besoin de savoir.

Cette fille savait qu'elle parlait à une Élue, et pourtant, son ton restait de glace. Même avec sa puissance, ce n'était pas une simple Amie du Ténébreux. À moins qu'elle ne fût folle.

— Avez-vous prêté attention au temps, Graendal ? Brusquement, Graendal réalisa que Moghedien laissait la jeune fille animer la conversation, s'effaçant jusqu'au moment où elle aurait besoin de soutien. Et Graendal l'avait laissée faire !

— Je suppose que vous n'êtes pas venue pour m'annoncer la mort de Sammael, Moghedien, dit-elle d'un ton tranchant. Ou pour parler de la pluie et du beau temps. Vous savez que je sors rarement.

La nature était indisciplinée, capricieuse. Il n'y avait même pas de fenêtres dans cette pièce, ni dans toutes celles qu'elle occupait.

— Que voulez-vous ?

La brune se déplaçait latéralement le long du mur, entourée de l'aura de la *saidar*. Avec le plus grand naturel, Graendal se plaça de façon à les voir toutes les deux.

— Vous faites une erreur, Graendal.

Un sourire glacé allongea à peine les lèvres pleines de Cyndane ; elle s'amusait.

— De nous deux, c'est moi qui commande. Elle n'est pas en odeur de sainteté auprès de Moridin, à cause de ses erreurs récentes.

Croisant les bras sur ses épaules, Moghedien la gratifia d'un regard noir qui valait une confirmation orale. Soudain, les grands yeux de Cyndane s'ouvrirent encore plus grand, et elle déglutit, frissonnante.

Le regard furibond de Moghedien se fit malicieux.

— Vous commandez pour le moment, ricana-t-elle. Votre place à ses yeux ne vaut guère mieux que la mienne.

Puis elle sursauta et frissonna à son tour en se mordant les lèvres.

Est-ce que Moridin se jouait d'elles ? se demanda Graendal. La pure haine qu'elle lisait sur leurs visages ne paraissait pas feinte. De toute façon, elle verrait bientôt si ça leur plaisait de servir de jouets. Se frottant les mains machinalement, frottant l'*angreal* à son doigt, elle s'approcha d'un fauteuil sans quitter des yeux les deux femmes. La douceur de la *saidar* qui

17

l'envahit la réconforta. Non qu'elle en eût besoin, mais il y avait là quelque chose de bizarre. Le haut dossier abondamment sculpté et doré faisait ressembler son fauteuil à un trône, tout en n'étant pas différent des autres fauteuils de la pièce.

S'adossant à son siège, elle croisa les jambes, un pied ballant paresseusement, à l'image d'une femme parfaitement à son aise. Elle déclara d'un ton blasé.

— Puisque vous commandez, mon enfant, dites-moi qui est cet homme qui s'est donné le nom de « Mort ». Qui est-il ?

— Moridin est Nae'blis.

La voix était calme, froide et arrogante.

— Le Grand Seigneur a décidé qu'il était temps que vous serviez le Nae'blis, vous aussi.

Graendal se redressa en sursaut.

— C'est ridicule, dit-elle, incapable de réprimer la colère qui teintait sa voix. Un homme dont je n'ai jamais *entendu* parler aurait été nommé Régent sur Terre du Grand Seigneur ?

Elle ne se formalisait pas quand les autres cherchaient à la manipuler – en général, elle parvenait toujours à retourner leurs manigances contre eux – mais là, Moghedien devait la prendre pour une imbécile ! Elle ne doutait pas que Moghedien dirigeât en sous-main cette odieuse fille, malgré ses prétentions, malgré les regards assassins qu'elles se lançaient.

— Je sers le Grand Seigneur et moi-même, et personne d'autre ! Je pense que vous devriez vous retirer maintenant toutes les deux, et aller jouer ailleurs. Vos petits jeux pourraient divertir Demandred. Ou Semirhage ? Soyez prudentes quand vous canaliserez en partant. J'ai installé des toiles inversées, alors faites attention à ne pas vous prendre les pieds dedans.

C'était un mensonge crédible, c'est pourquoi cela lui fit un choc quand Moghedien canalisa soudain, éteignant toutes les lampes et plongeant la pièce dans le noir. Instantanément, Graendal s'éjecta de son fauteuil, pour ne pas être à l'endroit où elles l'avaient vue la dernière fois, et elle canalisa aussi en même temps, tissant une toile de lumière suspendue d'un côté, sphère d'un blanc pur qui projeta des ombres sanglantes autour d'elle et éclaira nettement les deux femmes. Sans hésitation, elle canalisa une fois de plus, tirant toute la force du petit anneau. Elle n'en avait pas besoin, ou très peu, mais elle voulait profiter de tous ses avantages. Ah, elles voulaient l'attaquer ! Un filet de Compulsion se resserra sur chacune avant qu'elles n'aient eu le temps de bouger.

Elle avait tissé des filets assez solides pour blesser. Les femmes la regardèrent avec adoration, les yeux dilatés et bouche bée d'adulation, comme hypnotisées. Maintenant, elles lui appartenaient et elle pouvait les commander. Si elle leur ordonnait de se couper la gorge, elles le feraient. Soudain, Graendal réalisa que Moghedien n'embrassait plus la Source. Tant de Compulsion devait avoir provoqué un tel choc en elle qu'elle l'avait lâchée. Près de la porte, ses serviteurs n'avaient pas bougé, bien sûr.

— Maintenant, dit-elle, légèrement oppressée, vous allez répondre à mes questions.

Elle voulait savoir, entre autres, qui était ce Moridin, si un tel homme existait, et d'où sortait cette fille. Mais une question piquait sa curiosité par-dessus tout.

— Qu'espériez-vous gagner ainsi, Moghedien ? demanda-t-elle. Il se peut que je décide de nouer définitivement ce filet de Compulsion. Vous paierez cette tentative de subversion en me servant, *moi*.

— Non, par pitié, gémit Moghedien en se tordant les mains.

Elle se mit à pleurer !

— Vous nous tueriez tous ! Je vous en supplie, servez le Nae'blis. C'est pour ça que nous sommes venues. Pour que vous vous mettiez au service de Moridin !

Dans la pâle lumière, le visage de la jeune fille n'était plus qu'un masque de terreur, et elle haletait, déglutissant avec effort.

Soudain mal à l'aise, Graendal ouvrit la bouche. Cette situation était de plus en plus absurde. La Vraie Source s'évanouit. Le Pouvoir Unique la quitta, et la pièce se retrouva plongée dans le noir. Brusquement, les oiseaux pépièrent, frénétiques, battant furieusement des ailes contre les barreaux en bambou.

Derrière elle, une voix résonna, râpeuse comme une pierre qu'on pulvérise.

— Le Grand Seigneur a pensé que vous ne les croiriez peut-être pas, Graendal. Le temps où vous pouviez suivre votre propre chemin est passé.

Une boule de… quelque chose… apparut dans l'air, un globe noir et mort, mais une lumière argentée emplit la pièce. Les miroirs ne luisaient pas et parurent ternes sous cette clarté. Les oiseaux s'immobilisèrent, se turent. Elle sut qu'ils s'étaient figés de terreur.

Elle resta stupéfaite devant le Myrddraal debout devant elle, pâle et sans yeux, vêtu d'un noir plus foncé que la boule, et plus large qu'aucun qu'elle eût jamais vu. Ce devait être à cause de lui qu'elle ne sentait plus la Source, mais c'était impossible ! Sauf que... D'où venait cette étrange sphère de lumière noire sinon de lui ? Elle n'avait jamais éprouvé la même peur que les autres devant le regard d'un Myrddraal. Pourtant, ses mains se levèrent d'elles-mêmes, et elle s'efforça de les baisser pour ne pas se couvrir le visage. Jetant un coup d'œil vers Moghedien et Cyndane, elle eut un mouvement de recul. Elles avaient adopté la même posture que ses domestiques prosternés face contre terre devant le Myrddraal.

Elle remua les lèvres en un effort pour s'humecter la bouche.

— Vous êtes un messager du Grand Seigneur ? dit-elle d'une voix calme, mais faible.

Elle n'avait jamais entendu parler d'une chose pareille : le Grand Seigneur envoyant un message par l'intermédiaire d'un Myrddraal, et pourtant... Moghedien était lâche, et elle rampait aussi ardemment que la fille. Et il y avait la lumière. Graendal se surprit à regretter que sa robe fût si décolletée. Ridicule, bien sûr ; l'appétit des Myrddraals pour les femmes était bien connu, mais elle faisait partie des... Une fois de plus, son regard dériva vers Moghedien.

Le Myrddraal avança d'une démarche ondulée, ne lui prêtant apparemment aucune attention. Sa longue cape noire pendait dans son dos, immobile malgré ses mouvements. Aginor pensait que ces créatures étaient décalées dans ce monde, « légèrement déphasées par rapport au temps et à la réalité », disait-il, quoi que cela signifiât.

— Je suis Shaidar Haran.

S'arrêtant près des domestiques, il les saisit chacun au collet.

— Quand je parle, considérez que vous entendez la voix du Grand Seigneur des Ténèbres.

Ses mains se resserrèrent, provoquant un bruit étonnamment fort d'os brisés. Le jeune homme mourut dans un spasme, les jambes agitées de convulsions. La jeune femme devint simplement toute flasque. C'étaient deux de ses plus beaux serviteurs. Le Myrddraal se redressa au-dessus des cadavres.

— Je suis sa main en ce monde, Graendal. Quand vous vous trouvez devant moi, vous êtes devant lui.

Graendal réfléchit intensément, bien que vite. Elle ressentait la peur, cette émotion qu'elle était davantage habituée à inspirer aux autres qu'à éprouver elle-même, mais elle savait la contrôler. Bien que n'ayant jamais commandé des armées comme certains autres Élus, elle était courageuse et le danger ne lui était pas étranger, pourtant, il ne s'agissait pas là d'une menace en l'air. Moghedien et Cyndane étaient toujours prosternées sur les dalles de marbre, Moghedien visiblement agitée de tremblements. Graendal croyait ce Myrddraal. Ou quoi que ce soit qu'il fût véritablement. Le Grand Seigneur commençait à intervenir plus directement dans les événements, comme elle l'avait craint. Et s'il apprenait ses manigances avec Sammael… S'il choisissait de passer à l'action, très bien ; parier qu'il ne savait pas était stupide à ce stade.

D'un mouvement fluide, elle s'agenouilla devant le Myrddraal.

— Qu'attendez-vous de moi ?

Sa voix avait retrouvé sa puissance. La flexibilité n'était pas de la lâcheté ; ceux qui ne pliaient pas devant le Grand Seigneur s'y voyaient contraints par la force. Voire cassés en deux.

— Devrais-je vous appeler Grand Maître, ou préférez-vous un autre titre ? demanda-t-elle. Je ne me sentirais pas à mon aise en m'adressant à la main du Grand Seigneur comme je m'adresserais à lui-même.

Le Myrddraal s'esclaffa. Le rire ressemblait au bruit de la glace qu'on pile. Les Myrddraals ne riaient jamais.

— Vous êtes plus brave que la plupart. Et plus sage. Shaidar Haran suffira pour vous. Aussi longtemps que vous vous rappellerez qui je suis. Aussi longtemps que vous ne laisserez pas votre bravoure dominer votre peur.

Tandis qu'il lui donnait ses ordres – d'abord une visite à Moridin, semblait-il ; elle devrait se méfier de Moghedien, et peut-être aussi de Cyndane, qui voudraient se venger du bref usage qu'elle avait fait de la Compulsion. Elle doutait que la jeune fille fût plus indulgente que l'Araignée et décida de ne pas parler de la lettre envoyée à Rodel Ituralde. Rien de ce qu'il disait n'indiquait que ses actions déplaisaient au Grand Seigneur, et elle devait toujours considérer sa propre situation. Moridin, qui soit-il, était peut-être Nae'blis aujourd'hui, mais demain serait un autre jour.

Ballottée par les mouvements cahotiques de la calèche d'Arilyn, Cadsuane se raidit et tira suffisamment le rideau en cuir d'une des fenêtres pour voir dehors. Une petite pluie fine tombait sur le Cairhien d'un ciel gris chargé de nuages noirs et de vents tourbillonnants. Et le vent n'affectait pas que le ciel. Des rafales hurlantes secouaient la calèche plus que le mouvement du véhicule. Des gouttelettes lui piquèrent la main, froides comme de la glace. Si l'atmosphère se refroidissait encore, il allait neiger. Elle resserra sa cape de laine qu'elle avait été bien contente de retrouver, au fond de ses fontes. La température allait encore baisser.

Les toits pointus en ardoise et les rues pavées de la cité luisaient de pluie, et peu de gens bravaient la violence du vent, bien qu'il ne soufflât pas si fort. Une femme conduisait un char tiré par un bœuf à petits coups d'aiguillon, aussi patiente que sa bête, mais la plupart des piétons, bien enveloppés dans leur cape et le capuchon rabattu sur la tête, s'écartèrent devant une chaise à porteurs qui passa à toute vitesse, sa bannière flottant au vent. Comme la femme avec son bœuf, d'autres ne voyaient aucune raison de se presser. En plein milieu de la rue, un immense Aiel fixait le ciel, incrédule, indifférent au crachin qui le trempait, si absorbé dans sa contemplation qu'un audacieux malandrin coupa les cordons de sa bourse et détala sans que sa victime s'en aperçoive. Une femme, que sa montagne de boucles désignait comme une noble, marchait lentement, sa cape et son capuchon flottant au vent. C'était peut-être la première fois qu'elle se trouvait à pied dans la rue, mais, le visage inondé de pluie, elle riait. Du seuil de sa parfumerie, la patronne regardait dehors avec désespoir ; elle ferait peu d'affaires aujourd'hui. La plupart des colporteurs avaient déserté l'endroit pour la même raison, mais il restait une poignée de bonimenteurs, vantant leur thé chaud ou leurs friands à la viande, tout en abritant leurs plateaux sous des auvents de fortune.

Deux chiens affamés sortirent en courant d'une ruelle, les pattes raides et le poil hérissé, aboyant et grondant en direction de la calèche. Cadsuane laissa le rideau retomber. Les chiens semblaient reconnaître aussi facilement que les chats les femmes capables de canaliser, mais ils paraissaient penser qu'elles *étaient* des chats, bien que d'une taille différente. Les deux femmes assises en face d'elle continuaient leur conversation.

— Pardonnez-moi, disait Daigian, mais la logique est indéniable.

Elle baissa la tête d'un air d'excuse, ce qui fit osciller sur son front la pierre de lune attachée à une fine chaîne d'argent dans ses longs cheveux noirs. Elle tripota les crevés blancs de sa jupe noire, et s'exprima rapidement, comme pour éviter d'être interrompue.

— Si vous acceptez l'idée que la canicule perpétuelle était l'œuvre du Ténébreux, le changement de temps est sûrement dû à autre chose. Le Ténébreux n'aurait pas cédé. Vous pourriez objecter qu'il a décidé de geler ou de noyer le monde au lieu de le rôtir, mais pourquoi ? Si la chaleur avait continué jusqu'au printemps, le nombre des morts aurait sans doute dépassé celui des vivants, tout comme si la neige tombait en été. Par conséquent, logiquement, une autre main que la sienne doit être à l'œuvre.

Son manque d'assurance était parfois pénible, mais, comme toujours, Cadsuane trouva sa logique imparable. Elle aurait seulement voulu savoir qui en était le responsable et dans quel but.

— Paix ! murmura Kumira. J'aimerais mieux entendre une once de preuve tangible qu'une tonne de votre logique d'Ajah Rouge.

Elle était brune elle-même, quoique exempte des défauts habituels de cette Ajah. Élégante, les cheveux courts, elle était réaliste et avait le sens pratique. Cette observatrice avisée ne s'égarait jamais dans ses pensées au point de perdre de vue le monde qui l'entourait. Kumira n'eut pas plus tôt fini de parler, qu'elle tapota le genou de Daigian d'une main gracieuse, et lui fit un sourire qui transforma son regard perçant en regard chaleureux. Les Shienarans étaient des gens polis, dans l'ensemble. Elle veillait à ne pas offenser ses interlocuteurs. Au moins, pas volontairement.

— Appliquez plutôt votre esprit à ce que nous pouvons faire au sujet des sœurs prisonnières des Aiels. Si quelqu'un en est capable, c'est bien vous.

Cadsuane renifla avec dédain.

— Elles méritent leur sort.

Elle n'avait pas été autorisée à s'approcher des tentes des Aiels, ni aucune de ses compagnes, mais certaines des imbéciles qui avaient juré allégeance au jeune al'Thor s'étaient aventurées dans le vaste campement, et étaient revenues livides, partagées entre l'indignation et l'écœurement. Normalement, l'affront fait à la dignité des Aes Sedais, quelles que fussent les circonstances, l'aurait mise en fureur ; pas maintenant. Pour atteindre son but, elle aurait fait sortir nues dans la rue toutes les sœurs de la Tour. Comment s'apitoyer sur le sort de celles qui avaient tout gâché ?

Kumira ouvrit la bouche pour protester bien qu'elle connût ses sentiments, mais Cadsuane poursuivit, calme et implacable.

— Elles pleureront peut-être assez pour expier toutes les erreurs qu'elles ont faites. Elles ne sont plus entre nos mains, mais si elles étaient dans les miennes, peut-être que je les *donnerais* aux Aiels. Oubliez-les, Daigian, et utilisez votre belle intelligence pour suivre la voie que je vous ai indiquée.

Les joues pâles de la Cairhienine rougirent à ce compliment. Louée soit la Lumière, elle ne réagissait pas ainsi, sauf avec d'autres sœurs. Kumira se taisait, le visage lisse, les mains sur les genoux. Elle était morose pour l'instant, mais elle ne le restait jamais longtemps. C'étaient exactement les deux femmes qu'il fallait à Cadsuane aujourd'hui.

La calèche pencha vers l'arrière en abordant la longue rampe qui montait au Palais du Soleil.

— Rappelez-vous ce que je vous ai dit, dit-elle aux deux autres. Et faites attention !

Elles acquiescèrent, ne pouvant guère faire autrement, et Cadsuane hocha la tête. Si besoin était, Cadsuane en ferait de la chair à pâtée, mais elle ne voulait pas les perdre à cause d'une imprudence.

La calèche franchit les portes du palais sans encombre. Les gardes reconnurent les armoiries d'Arilyn sur la porte, et surent qui voyageait. Cette calèche était venue au palais plus d'une fois au cours de la semaine. À l'instant même où les chevaux s'immobilisèrent, un valet de pied au regard anxieux, en livrée noire sans ornements, ouvrit la porte, un parapluie en toile sombre à la main. La pluie en dégoulinait des bords sur sa tête nue, mais le parapluie n'était pas destiné à son usage.

Palpant rapidement les ornements oscillants de son haut chignon, pour s'assurer qu'ils étaient tous là – elle n'en perdait jamais un seul, parce qu'elle y faisait attention –, Cadsuane rassembla les anses de son panier à ouvrage en osier rangé sous son siège, et descendit. Une demi-douzaine d'autres valets de pied attendaient derrière le premier, parapluies ouverts. Autant de passagers n'auraient pas pu voyager confortablement dans cette calèche, mais les laquais ne voulaient pas être pris en défaut, et ceux qui étaient en trop ne s'éloignèrent qu'après s'être assurés qu'elles n'étaient que trois.

Manifestement, on avait vu la calèche arriver. Des serviteurs et des servantes en livrée noire formèrent une haie d'honneur sur les dalles or et bleu foncé du grand hall d'entrée au haut plafond voûté. Ils se précipitèrent pour prendre leurs capes, leur tendant des linges chauds au cas où elles auraient eu besoin de se sécher le visage et les mains, et leur offrir du vin

chaud sentant bon les épices dans des tasses en porcelaine du Peuple de la Mer. Cette boisson que l'on servait l'hiver, était justifiée par la brusque chute de
température. Après tout, c'était l'hiver. Enfin.

Trois Aes Sedais attendaient à l'écart au milieu des
massives colonnes carrées de marbre noir, devant de
grandes frises représentant des batailles, sans doute
importantes pour les Cairhienins. Mais Cadsuane
ignora les trois femmes pour le moment. L'un des
jeunes serviteurs avait un petit ornement rouge et or
brodé sur sa tunique, au niveau du cœur, un animal
qu'on appelait un Dragon. Corgaide, la femme grave
et grisonnante qui commandait les domestiques du
Palais du Soleil, n'arborait aucun ornement, à part le
lourd trousseau de clés suspendu à sa ceinture. Les
autres n'avaient aucune décoration non plus sur leurs
vêtements. C'était Corgaide, la Détentrice des Clés,
qui donnait le ton aux domestiques. Elle autorisait
quand même le jeune homme à porter sa broderie ; ce
qui n'était pas négligeable. Cadsuane lui parla discrètement, lui demandant une chambre où elle pourrait se
consacrer à sa broderie sans être dérangée. À cette
requête, la femme ne cilla pas. Mais il faut dire qu'elle
avait sans doute fait face à des demandes encore plus
étranges depuis qu'elle officiait dans ce palais.

Tandis que les domestiques chargés des capes et
des plateaux saluaient et se retiraient, Cadsuane se
tourna enfin vers les trois sœurs debout au milieu des
colonnes. Toutes les trois la regardaient, ignorant
Kumira et Daigian. Corgaide se tenait largement à
l'écart, respectant leur droit à l'intimité.

— Je ne m'attendais pas à vous voir vous promener à votre guise, dit Cadsuane. Je croyais que les Aiels menaient la vie dure à leurs apprenties.

Faeldrin réagit à peine, d'un léger mouvement de tête, qui fit cliqueter doucement les perles de ses fines tresses, mais Merana rougit d'embarras et crispa les mains sur ses jupes. Les événements avaient bouleversé Merana si profondément que Cadsuane n'était pas certaine qu'elle s'en remettrait jamais. Bera était pratiquement imperturbable comme toujours.

— La plupart d'entre nous ont eu leur congé pour la journée, à cause de la pluie, répondit Bera avec calme.

Elle était robuste, et avec sa robe simple et bien coupée en drap fin, un imbécile sans discernement l'aurait trouvée plus à sa place à la ferme que dans un palais. Bera avait l'esprit acéré et une volonté de fer, et Cadsuane ne pensait pas qu'elle ait commis deux fois la même erreur. Comme la plupart des sœurs, elle n'était pas encore remise d'avoir rencontré Cadsuane Melaidhrin en chair et en os, mais elle ne se laissait pas aveugler par l'admiration. Après une courte pause, elle reprit :

— Je ne comprends pas pourquoi vous revenez sans cesse, Cadsuane. À l'évidence, vous attendez quelque chose de nous, mais si vous ne nous dites pas ce que c'est, nous ne pouvons pas vous venir en aide. Nous savons ce que vous avez fait pour le Seigneur Dragon (elle trébucha un peu sur le titre, ne sachant toujours pas comment appeler le jeune homme), mais il est évident que vous êtes venue au Cairhien à cause de lui, et tant que vous ne nous direz pas pourquoi et quelles sont vos intentions, vous ne pourrez recevoir aucune aide de notre part.

Faeldrin, une autre Sœur Verte, sursauta à ce ton audacieux, mais elle acquiesça de la tête avant que Bera ait fini de parler.

— Vous devez comprendre cela aussi, ajouta Merana, son calme retrouvé. Si nous décidons que nous devons vous contrer, nous le ferons.

Le visage de Bera ne changea pas, mais la bouche de Faeldrin se durcit brièvement. Peut-être qu'elle n'était pas d'accord, et qu'elle ne voulait pas trop en dire.

Cadsuane les gratifia d'un sourire pincé. Leur dire quoi et pourquoi ? Si *elles* décidaient ? Jusque-là, elles étaient parvenues à se fourrer dans les fontes du jeune al'Thor, pieds et poings liés, même Bera. Piètre recommandation pour les laisser décider ne fût-ce que ce qu'elles devaient porter en se levant !

— Je ne suis pas venue pour vous voir, dit-elle. Mais je suppose que Kumira et Daigian apprécieraient votre compagnie, puisque vous avez votre congé pour la journée. Si vous voulez bien m'excuser.

Faisant signe à Corgaide de la précéder, elle lui emboîta le pas, ne jetant un coup d'œil derrière elle qu'une seule fois. Bera et les autres escortaient rapidement Kumira et Daigian, sans les traiter comme des invitées de marque. Elles les poussaient plutôt comme un troupeau d'oies. Cadsuane sourit. La plupart des sœurs avaient à peine plus de considération pour Daigian que pour une Irrégulière et la traitaient à peine mieux qu'une servante. En cette compagnie, Kumira n'avait guère plus de prestige. L'individu le plus soupçonneux n'aurait jamais imaginé qu'elles étaient là pour convaincre quiconque de quoi que ce soit. Daigian servirait le thé et garderait le silence tant qu'on ne lui adresserait pas la parole – et exercerait sa belle intelligence sur tout ce qu'elle entendrait. Kumira les laisserait toutes parler avant elle, sauf Daigian, trierait et enregistrerait chaque mot, chaque geste et chaque grimace. Bera et les autres respecteraient le serment qu'elles avaient prêté au jeune homme, bien entendu ; mais dans quelle mesure ? C'était là la question. Même Merana répugnerait peut-être à se montrer rebelle. C'était regrettable, mais cela leur laissait une marge considérable de manœuvre. Ou bien elles se feraient manipuler.

Les domestiques en livrée noire qui se hâtaient dans les larges couloirs tendus de tapisseries s'effacèrent devant Corgaide et Cadsuane, qui avancèrent au milieu des révérences et des courbettes faites au-dessus des paniers, plateaux, et brassées de linge. À la façon dont ils regardaient Corgaide, Cadsuane soupçonna que leur déférence s'adressait autant à la Détentrice des Clés qu'à l'Aes Sedai. Il y avait peu d'Aiels. Les hommes ressemblaient à d'immenses lions aux yeux durs, et les femmes, à de grands léopards aux yeux glacés. Certains de ces regards les suivirent avec une froideur capable de faire tomber la neige qu'annonçait la pluie, mais d'autres Aiels la saluèrent gravement de la tête, et une femme aux yeux farouches alla même jusqu'à lui sourire. Elle n'avait jamais prétendu être responsable du sauvetage de leur *Car'a'carn*, mais les

32

faits relatés trop souvent finissaient par être déformés, et cette conviction lui valait plus de respect qu'à toute autre sœur, et surtout plus de liberté de mouvement dans le Palais. Elle se demanda ce qu'ils penseraient s'ils savaient que, l'eût-elle devant elle en cet instant, elle aurait eu du mal à s'empêcher de le battre jusqu'à le couvrir de cloques ! À peine plus d'une semaine après qu'il avait failli se faire tuer, il était parvenu à l'éviter, et avait rendu sa tâche encore plus difficile, s'il fallait en croire la moitié de ce qu'on racontait. Dommage qu'il n'ait pas été élevé à Far Madding. Mais cela aurait peut-être mené à une autre catastrophe.

La chambre où l'introduisit Corgaide était douillettement chaude, avec une cheminée à chaque extrémité où brûlait un bon feu, et des lampes allumées dont les flammes, se reflétant dans de grands tubes en verre, chassaient la grisaille du jour. Manifestement, Corgaide avait donné l'ordre de la préparer pendant qu'elle attendait dans le hall d'entrée. Au même moment, une servante pénétra dans la pièce avec du thé, du vin chaud et des petits gâteaux glacés au miel.

— Y aura-t-il autre chose pour votre service, Aes Sedai ? demanda Corgaide, pendant qu'elle posait son panier à ouvrage sur une table dont le plateau et les pieds étaient ornés de dorures.

Et de sculptures, comme la corniche, abondamment dorée elle aussi. Quand elle venait au Cairhien, Cadsuane se sentait comme un poisson rouge dans un aquarium. Et malgré la lumière et la chaleur de la pièce, le ciel gris et la pluie ruisselant sur les hautes fenêtres étroites renforçaient encore cette impression.

— Le thé me suffira, dit-elle. Mais voulez-vous prévenir Alanna que je désire la voir. Sans délai.

Corgaide fit la révérence, faisant cliqueter de son trousseau de clés, et déclara qu'elle irait elle-même chercher Alanna Sedai. Elle sortit, impassible, s'interrogeant sans doute sur le sens caché de cette requête. Cadsuane préférait parler sans détour dans la mesure du possible. Et elle avait ainsi trompé bien des gens qui, se jugeant malins, n'avaient pas cru qu'elle pensait exactement ce qu'elle disait.

Ouvrant son panier à ouvrage, elle en sortit son tambour, enveloppé dans une pièce de broderie inachevée. Le panier contenait des pochettes intérieures destinées à des objets n'ayant rien à voir avec la couture. Un miroir, un peigne et une brosse en ivoire, un encrier hermétiquement fermé et une plume dans son étui, plus un certain nombre de choses qu'elle avait trouvé utile d'avoir sous la main au cours des ans, y compris quelques-unes qui auraient étonné quiconque aurait eu le cran de fouiller dans son panier. Non qu'elle le perdît souvent de vue. Posant délicatement sur la table sa boîte à fil en argent, elle choisit les écheveaux qu'il lui fallait et s'assit, dos à la porte. Le motif central de sa broderie était terminé : il représentait une main d'homme serrant l'ancien symbole des Aes Sedais. Des fissures traversaient le disque blanc et noir, et on ne pouvait pas dire si la main s'efforçait de le recoller ou de l'écraser. Elle savait quelle était son intention, mais le temps dirait où était la vérité.

Enfilant une aiguille, elle se mit au travail sur un motif secondaire, une rose rouge. Roses, étoiles et soleils alternaient avec marguerites et flocons de neige, séparés par des frises d'orties et de ronces aux longues épines. Une fois l'ouvrage terminé, l'effet serait saisissant.

Avant qu'elle ait fini la moitié d'un pétale, un éclair reflété par le couvercle plat de sa boîte à fil attira son œil. Elle avait disposé la boîte de façon à refléter la porte. Elle ne leva pas les yeux de son ouvrage. Alanna se tenait derrière elle, le regard furibond. Cadsuane continua à broder tranquillement, mais en surveillant le reflet du coin de l'œil. Deux fois Alanna s'était retournée comme pour partir, mais enfin, elle se redressa, s'armant visiblement de courage.

— Entrez, Alanna.

Sans lever la tête, Cadsuane lui fit signe de se placer devant elle.

— Mettez-vous là.

Alanna s'empressa d'obéir, ce qui la fit sourire. Il y avait des avantages à être un personnage légendaire.

Alanna, l'air boudeur, entra avec raideur, faisant froufrouter ses jupes de soie, puis s'arrêta à l'endroit indiqué.

— Pourquoi persistez-vous à me harceler ? demanda-t-elle. Je ne peux pas vous en dire plus que je ne l'ai déjà fait. Et si je pouvais, je ne sais pas si je le ferais ! Il appartient à…

Elle se tut brusquement, se mordant les lèvres, mais elle aurait aussi bien pu achever sa phrase. Le jeune al'Thor lui appartenait ; il était son Lige. Elle avait l'impudence de le penser !

— Je n'ai parlé de votre crime à personne, dit Cadsuane calmement, mais seulement parce que je n'ai pas trouvé de raisons de compliquer les choses.

Levant les yeux sur Alanna, elle poursuivit avec douceur.

— Si vous croyez que cela signifie que je ne vais pas vous évider comme un chou, réfléchissez à deux fois.

Alanna se raidit. L'aura de la *saidar* l'entoura brusquement.

— Si vous voulez vous comporter tout à fait bêtement.

Cadsuane sourit. D'un sourire glacé. Elle ne se donna pas la peine d'embrasser la Source elle-même. Un de ses ornements de coiffure, des croissants d'or entrelacés, oscilla, frais, sur sa tempe.

— Jusqu'à présent, vous avez été préservée. Mais ma tolérance a des bornes. En fait, elle ne tient plus qu'à un fil.

Alanna lissa machinalement la soie bleue de sa jupe, en proie à un conflit intérieur. Brusquement, l'aura du Pouvoir s'éteignit autour d'elle, et elle détourna la tête si brusquement que ses longs cheveux oscillèrent.

— Je n'ai rien d'autre à dire, affirma-t-elle, maussade. Il était blessé, puis il ne l'était plus, mais je ne crois pas qu'une sœur l'ait Guéri. Les blessures que personne ne peut fermer sont toujours là. Il voyage partout, mais il est toujours dans le Sud. Quelque part en Illian, je crois, mais à cette distance, il pourrait aussi bien être à Tear, pour ce que j'en sais. Il n'y a rien d'autre, Cadsuane. Absolument rien !

Prenant garde à la chaleur de la théière, Cadsuane se remplit une tasse, tâtant la porcelaine pour évaluer sa température. Comme elle pouvait s'y attendre avec une théière an argent, le liquide avait rapidement refroidi. Elle canalisa brièvement pour le réchauffer. Le thé avait un goût de menthe trop prononcé ; elle pensa que les Cairhienins utilisaient la menthe excessivement. Elle n'en proposa pas une tasse à Alanna. Il Voyageait. Comment ce garçon avait-il pu redécouvrir ce secret que la Tour Blanche avait perdu depuis la Destruction ?

— Vous me tiendrez parfaitement informée, n'est-ce pas, Alanna.

Ce n'était pas une question.

— Regardez-moi, ma fille ! Si vous *rêvez* de lui, je veux connaître ces rêves dans tous leurs détails !

Les yeux d'Alanna brillèrent de larmes contenues.

— À ma place, vous auriez fait la même chose !

Cadsuane fronça les sourcils sur sa tasse. C'était possible. Il n'y avait pas de différence entre ce qu'Alanna avait fait et un homme prenant une femme de force, mais, que la Lumière lui pardonne, elle en aurait peut-être fait autant, si elle avait pensé que ça l'aiderait à atteindre son objectif. Maintenant, elle n'avait plus l'intention d'obliger Alanna à lui transmettre le lien. Alanna avait prouvé à quel point celui-ci était inutile pour contrôler Rand al'Thor.

— Ne me faites pas trop attendre, Alanna, dit Cadsuane d'un ton glacial.

Alanna appartenait à la lignée de Moiraine et Elaida, les sœurs qui sabotaient et gâchaient tout ce qu'elles auraient dû raccommoder, pendant qu'elle-même était à la poursuite de Logain Ablar et de Mazrim Taim. Cette réflexion n'arrangea pas son humeur.

— Je vous tiendrai parfaitement informée, soupira Alanna, avec une moue de gamine.

Cadsuane eut envie de la gifler. Alanna portait le châle depuis près de quarante ans ; elle aurait dû grandir davantage. Bien sûr, elle était originaire d'Arafel. À Far Madding, peu de filles de vingt ans boudaient et faisaient la moue autant qu'une Arafeline.

Brusquement, Alanna ouvrit grand les yeux, alarmée, et Cadsuane constata qu'un autre visage se reflétait dans le couvercle de sa boîte. Reposant sa tasse sur le plateau et son tambour à broder sur la table, Cadsuane se leva et pivota vers la porte, sans se presser, mais sans lambiner ni jouer au chat et à la souris non plus, comme elle l'avait fait avec Alanna.

— En avez-vous terminé avec elle ? dit Sorilea en entrant.

La Sagette à la peau parcheminée et aux cheveux blancs s'adressait à Cadsuane, mais avait les yeux fixés sur Alanna. Elle planta ses poings sur ses hanches, faisant cliqueter ses bracelets, et son châle glissa jusqu'à ses coudes.

Cadsuane ayant confirmé qu'elle en avait terminé, Sorilea fit un geste impérieux à Alanna qui sortit avec raideur. Avec indignation aurait été plus juste, le visage boudeur et irrité. Sorilea la suivit des yeux en fronçant les sourcils. Cadsuane l'avait déjà rencontrée, lors de brèves et néanmoins intéressantes entrevues. Parmi tous ceux qu'elle avait croisés dans sa vie, Sorilea était une des rares qu'elle avait trouvées formidables. À certains égards, elle se sentait son égale. Elle soupçonnait Sorilea d'avoir le même âge qu'elle, peut-être plus, chose qu'elle avait toujours crue impossible.

Alanna n'eut pas plus tôt disparu que Kiruna apparut sur le seuil, retroussant ses jupes de soie grise dans sa hâte, et inspectant le couloir dans la direction où Alanna était partie. Elle portait un plateau d'or richement orné, supportant une aiguière à long col encore plus ouvragée, et, incongrûment, deux minuscules tasses émaillées blanches.

— Pourquoi Alanna court-elle ? dit-elle. J'aurais fait plus vite, Sorilea, mais…

Elle vit alors Cadsuane et ses joues s'empourprèrent. Cet embarras paraissait bizarre sur cette femme gigantesque.

— Posez le plateau sur la table, dit Sorilea. Et retournez auprès de Chaelin. Elle vous attend pour votre leçon.

Kiruna le posa, évitant le regard de Cadsuane. Tandis qu'elle se retournait pour partir, Sorilea lui prit le menton entre ses doigts osseux.

— Vous commencez à faire de véritables efforts, ma fille, lui dit la Sagette fermement. Si vous continuez, vous réussirez très bien. Très bien. Allez maintenant. Chaelin n'est pas aussi patiente que moi.

Sorilea agita la main en direction du couloir, mais Kiruna ne bougea pas, la regardant un long moment d'un air bizarre. Si Cadsuane avait émis une hypothèse, elle aurait dit que Kiruna était contente du compliment et surprise de l'être. La femme aux cheveux blancs ouvrit la bouche, alors Kiruna se secoua et sortit précipitamment. Un numéro remarquable.

— Croyez-vous vraiment qu'elle apprendra vos méthodes pour tisser la *saidar* ? dit Cadsuane, dissimulant son incrédulité.

Kiruna et les autres lui avaient parlé de ces leçons, mais bien des tissages des Sagettes étaient très différents de ceux enseignés à la Tour Blanche. La première méthode enseignée pour tisser une chose particulière se gravait dans votre esprit ; c'est pourquoi l'apprentissage d'une deuxième semblait presque impossible, et même quand on y parvenait, le tissage ne marchait jamais aussi bien. C'était une des raisons pour lesquelles certaines sœurs n'accueillaient pas les Irrégulières à bras ouverts, quel que fût leur âge ; elles avaient souvent déjà appris trop de choses dont elles ne pouvaient pas se débarrasser.

Sorilea haussa les épaules.

— Peut-être. L'assimilation d'une seconde méthode est assez difficile sans les mouvements de mains que vous faites, vous autres Aes Sedais. Kiruna doit surtout apprendre que c'est elle qui possède sa fierté, et non sa fierté qui la possède. Quand elle l'aura compris, elle sera très puissante.

Approchant une chaise en face de celle de Cadsuane, elle la lorgna avec perplexité, puis elle s'assit. Elle semblait presque aussi raide et mal à l'aise que Kiruna tout à l'heure, mais elle fit impérieusement signe à Cadsuane de s'asseoir, en femme volontaire habituée au commandement.

Cadsuane réprima un gloussement et prit place. Il était bon de ne pas oublier que, Irrégulières ou non, les Sagettes étaient loin d'être d'ignorantes sauvages.

40

Bien sûr, elles connaîtraient des difficultés. Quant aux mouvements de mains… Peu avaient canalisé en sa présence, mais elle avait remarqué qu'elles créaient des tissages sans les gestes qu'utilisaient les sœurs. Les mouvements de mains ne faisaient pas vraiment partie du tissage, pourtant, en un sens, ils en faisaient partie quand même, parce qu'ils participaient à l'apprentissage du tissage. Peut-être avait-il existé autrefois des Aes Sedais qui pouvaient, par exemple, lancer une boule de feu sans aucun mouvement, mais si tel avait été le cas, elles étaient mortes depuis longtemps et leur enseignement avec. Aujourd'hui, certaines choses ne pouvaient pas se faire sans les gestes appropriés. Certaines sœurs prétendaient reconnaître à ces gestes qui avait dispensé son enseignement à une autre sœur.

— Enseigner quoi que ce soit à n'importe laquelle de nos nouvelles apprenties a été difficile dans le meilleur des cas, poursuivit Sorilea. Sans vous offenser, vous autres Aes Sedais, vous prêtez des serments, semble-t-il, que vous vous efforcez immédiatement de contourner. Alanna Mosvani est particulièrement difficile.

Soudain, elle fixa sur Cadsuane le regard pénétrant de ses yeux verts.

— Comment pouvons-nous punir ses manquements volontaires sans nuire au *Car'a'carn* ?

Cadsuane croisa les mains sur ses genoux. Elle avait du mal à dissimuler sa surprise. Et voilà pour le secret du crime d'Alanna. Mais pourquoi Sorilea lui faisait-elle comprendre qu'elle savait ? Peut-être qu'une révélation en appelait une autre.

41

— Le lien n'agit pas de cette façon, dit-elle. Si vous la tuez, il mourra, sur-le-champ ou peu après. De plus, il aura conscience de ce qui lui arrive, mais il ne le sentira pas vraiment. Et à la distance où il se trouve maintenant, il n'en sera que vaguement conscient.

Sorilea hocha lentement la tête. Elle toucha le plateau doré, puis retira sa main. Elle avait l'air aussi dur qu'une statue, mais Cadsuane soupçonna qu'Alanna aurait une mauvaise surprise la prochaine fois qu'elle donnerait libre cours à sa colère, ou qu'elle se mettrait à bouder en bonne Arafeline. Mais c'était sans importance. Seul le garçon importait.

— La plupart des hommes prennent ce qu'on leur offre, si c'est séduisant et agréable, dit Sorilea. Autrefois, nous pensions que Rand al'Thor était comme eux. Malheureusement, il est trop tard pour changer d'attitude. Maintenant, il se méfie de tout ce qui lui est offert. Aujourd'hui, si je voulais qu'il accepte une chose, je devrais feindre de répugner à la lui donner. Si je voulais rester près de lui, je simulerais l'indifférence au fait de le revoir ou non.

Une fois de plus, les yeux verts se fixèrent sur Cadsuane, comme des vrilles. Pas pour voir ce qui se passait dans sa tête. Sorilea ne le savait que trop.

Malgré tout, Cadsuane se sentit excitée par les possibilités qui s'offraient à elle. Si elle s'était demandé si Sorilea voulait la sonder, tous ses doutes s'étaient évanouis. Et on ne sondait pas quelqu'un de cette façon si on n'espérait pas parvenir à un accord quelconque.

— Croyez-vous qu'un homme doit se montrer dur ? risqua-t-elle. Ou fort ?

À son intonation, elle entendait clairement la différence.

Une fois de plus, Sorilea toucha le plateau, un sourire imperceptible faisant frémir ses lèvres.

— La plupart des hommes ne voient pas la différence, Cadsuane Melaidhrin. Pourtant le fort résiste et le dur se brise.

Cadsuane respira. Elle aurait blâmé celui qui aurait osé prendre ce risque. Mais elle, elle l'avait fait.

— Ce garçon les plonge dans la confusion, dit-elle. Il a besoin d'être fort, mais il s'oblige à devenir de plus en plus dur, trop dur déjà. Il continuera tant qu'on ne l'arrêtera pas. Il a oublié ce que c'est que de rire, sauf par amertume ; il n'a plus aucune larme dans le corps. S'il ne retrouve le rire et les larmes, le monde va au désastre. Il doit apprendre que même le Dragon Réincarné est un homme de chair et d'os. S'il va à la Tarmon Gai'don dans cet état, sa victoire serait aussi catastrophique que sa défaite.

Sorilea écoutait intensément, et garda le silence même quand Cadsuane se tut. Ses yeux verts la scrutaient.

— Votre Dragon Réincarné et votre Dernière Bataille ne figurent pas dans nos prophéties, dit enfin Sorilea. Nous avons essayé de faire prendre conscience de son sang à Rand al'Thor, mais je crains qu'il ne nous considère que comme une lance de plus. Si une lance se casse dans votre main, vous ne vous arrêtez pas pour la pleurer, vous en prenez une autre. Vous et moi, nous ne visons peut-être pas des cibles très éloignées.

— Peut-être, dit Cadsuane, prudente. Mais des cibles, même très proches, peuvent être très différentes.

Brusquement l'aura de la *saidar* entoura la Sagette parcheminée, assez faiblement pour que Daigain paraisse à côté modérément puissante. Mais la force de Sorilea ne résidait pas dans le Pouvoir.

— Il est une chose que vous pourrez trouver utile, dit-elle. Je ne peux pas m'en servir, mais je peux tisser le flux pour vous montrer.

Elle disposa de minces écheveaux de Pouvoir qui se mirent en place et se fondirent les uns dans les autres, trop faibles pour faire ce à quoi ils étaient destinés.

— Cela s'appelle Voyager, dit Sorilea.

Cette fois, la mâchoire de Cadsuane s'affaissa. Alanna, Kiruna et les autres niaient avoir enseigné aux Sagettes comment se lier et bien d'autres choses encore qu'elles semblaient soudain savoir, et Cadsuane avait supposé que les Aiels étaient parvenus à les arracher aux sœurs prisonnières dans leurs tentes. Mais cela, c'était…

Impossible, aurait-elle dit. Pourtant, elle ne croyait pas que Sorilea mentait. Il lui tardait d'essayer ce tissage elle-même. Même si elle avait su avec certitude où était ce maudit garçon, c'est lui qui devait venir à elle. Sorilea avait raison sur ce point.

— C'est un immense cadeau, dit-elle lentement. Je n'ai rien de comparable à vous offrir.

Cette fois, il n'y eut aucun doute sur le sourire furtif sur les lèvres de Sorilea. Elle savait parfaitement que Cadsuane lui était redevable. Prenant à deux mains la lourde aiguière dorée, elle remplit soigneusement les deux tasses blanches d'eau claire, sans en renverser une goutte.

— Je vous offre le serment de l'eau, dit-elle solennellement. Par lui, nous ne ferons plus qu'une pour réapprendre à Rand al'Thor le rire et les larmes.

Elle but quelques gorgées, et Cadsuane l'imita.

— Maintenant, nous sommes liées et ne faisons plus qu'une.

Et si leurs cibles se révélaient très différentes ? Cadsuane ne sous-estimait pas Sorilea, ni comme amie ni comme ennemie, mais elle savait quelle cible elle devait viser à tout prix.

13.

Planer comme des flocons de neige

Au nord, la pluie diluvienne qui avait martelé l'est de l'Illian toute la nuit obscurcissait l'horizon. Dans le ciel, de gros nuages noirs menaçants roulaient. Le vent battait les capes, faisait claquer les bannières au sommet de la crête comme des fouets, la blanche Bannière du Dragon et la rouge Bannière de la Lumière, et les oriflammes multicolores des nobles de l'Illian, du Cairhien et du Tear. Les nobles restaient entre eux, en trois groupes distincts et largement espacés, couverts d'or et d'acier, de soies, de velours et de dentelles, mais tous regardaient autour d'eux, mal à l'aise. Même les chevaux les mieux dressés secouaient la tête et piaffaient dans la boue. Le vent froid semblait encore plus glacial après la canicule qu'il avait remplacée si soudainement, et la pluie avait été un choc après une si longue sécheresse. Ils avaient tous prié pour que cesse cette sécheresse, mais restaient perplexes face à ces tempêtes implacables qui avaient exaucé leurs prières. Certains jetaient un regard en douce vers Rand, se demandant peut-être si *lui* aussi y avait répondu. Cette idée le faisait rire doucement, amèrement.

Il flatta son hongre noir d'une main gantée de cuir, heureux que Tai'daishar reste calme. L'énorme animal était aussi immobile qu'une statue, tout en attendant la pression du cavalier sur ses reins ou ses flancs. Il était bon que la monture du Dragon Réincarné semblât aussi calme que son maître, comme s'ils flottaient ensemble dans le Vide. Même avec le Pouvoir Unique qui faisait rage, feu, glace et mort en lui, il avait à peine conscience du vent qui, pourtant, arrachait les pans de sa cape, pénétrait sa tunique de soie verte couverte d'or inadaptée à ce mauvais temps. À son flanc, les blessures l'élançaient, l'ancienne et la nouvelle se confondant. Mais cela aussi était lointain, c'était la chair d'un autre homme. Les pointes acérées de la Couronne d'Épées, ces petites lames cachées au milieu des feuilles de laurier en or, lui piquaient les tempes qui auraient pu être celles d'un autre. Même la souillure du *saidin* semblait moins gênante qu'autrefois ; elle était toujours aussi infâme et répugnante, mais elle avait perdu tout intérêt. En revanche, les regards des nobles posés sur son dos étaient palpables.

Déplaçant la poignée de son épée, il se pencha en avant. D'ici, il voyait le massif de basses collines boisées à un demi-mile vers l'est aussi nettement qu'avec une lunette. Le terrain était plat, avec pour seul relief ces collines boisées et cette crête dressée au milieu de la lande. Le hallier le plus proche assez dense pour mériter ce nom se trouvait à dix miles. Seuls des arbres presque dénudés et battus par la tempête, et des fouillis de broussailles étaient visibles au flanc des collines. Mais il savait ce qu'ils cachaient. Deux mille, peut-être trois mille hommes, que Sammael avait rassemblés là pour l'empêcher de prendre l'Illian.

L'armée s'était désintégrée après avoir appris la mort de l'homme qui l'avait levée, la disparition de Mattin Stepaneos, peut-être lui aussi dans la tombe, et la présence d'un nouveau roi en Illian. Beaucoup étaient retournés dans leurs foyers, mais à peu près autant étaient restés. Ceux-là s'étaient regroupés, par bandes de vingt ou trente. Mais elles pouvaient constituer une grande armée si elles se rassemblaient en un seul corps. Armée ou compagnies, on ne pouvait pas les laisser écumer la campagne. Le temps pesait comme du plomb sur ses épaules. Il n'y avait jamais assez de temps, mais peut-être que cette fois-ci... Feu, glace et mort.

Que ferais-tu ? pensa-t-il. *Es-tu là ?* Puis, plein de doute et haïssant ce doute, *As-tu jamais été là ?* Seul un profond silence lui répondit dans le vide qui l'entourait. Mais n'entendait-il pas un rire de dément dans les moindres recoins de son cerveau ? Ou l'imaginait-il, comme la sensation que quelqu'un regardait par-dessus son épaule, sur le point de lui toucher le dos ? Ou les couleurs qui tourbillonnaient juste hors de portée de sa vue, et disparaissaient ? Il se sentait devenir fou. Son pouce ganté glissa sur les gravures serpentines du Sceptre du Dragon. Les longs pompons vert et blanc sous la pointe de lance polie s'agitaient sous le vent. Feu, glace et mort viendraient.

— J'irai leur parler moi-même, annonça-t-il, provoquant des remous.

Le Seigneur Gregorin, l'écharpe verte du Conseil des Neuf en travers de son plastron doré, talonna vivement son hongre blanc aux chevilles fines, s'éloignant des Illianers, suivi de Demetre Marcolin, Premier Capitaine des Compagnons, sur un solide alezan. Marcolin était le seul qui ne portait ni tissu de soie ni dentelles, le seul en armure astiquée, bien que le casque conique attaché au pommeau de sa selle s'ornât de trois fines plumes dorées. Le Seigneur Marac souleva ses rênes et les laissa retomber, hésitant, en voyant qu'aucun autre des Neuf ne bougeait. À cause de sa large carrure et de son arrivée récente au Conseil, il donnait plus souvent l'impression d'être un artisan qu'un seigneur, malgré les riches soies apparentes sous son armure luxueuse, et les flots de dentelle qui en dépassaient. Les Hauts Seigneurs Weiramon et Tolmeran s'éloignèrent ensemble des Tairens, aussi couverts d'or et d'argent qu'aucun des Neuf, de même que Rosana, récemment élevée au rang de Haute Dame, et arborant un plastron portant le Faucon-et-les-Étoiles de sa Maison. Deux autres firent mine de les suivre, mais restèrent en arrière, l'air préoccupé. Aracome, mince comme une lame, Maraconn aux yeux bleus, et Gueyam à demi chauve, étaient des hommes morts ; ils ne le savaient pas encore, mais malgré leur désir d'être au centre du pouvoir, ils craignaient que Rand ne les tue. Parmi tous les Cairienins, seul le Seigneur Semaradrid s'avança, sur un cheval gris qui avait connu des jours meilleurs, en armure cabossée aux dorures écaillées. Il avait le visage dur, les joues creuses, la tête rasée et poudrée comme un simple soldat, et ses yeux noirs brillaient de mépris pour les grands Tairens.

Une atmosphère lourde pesait sur ce rassemblement. Tairens et Cairhienins se haïssaient. Illianers et Tairens se méprisaient. Seuls les Cairhienins et les Illianers s'entendaient à peu près, mais on sentait quand même des tensions entre eux. Leurs deux nations ne partageaient pas la longue histoire sanglante qu'avaient en commun Tear et Illian, mais les Cairhienins en armure et armés étaient toujours des étrangers sur le sol de l'Illian, tolérés à contrecœur dans le meilleur des cas, et encore, seulement parce qu'ils suivaient Rand. Malgré les grimaces, les susceptibilités et le brouhaha ambiant, parmi les capes qui battaient au vent, ils avaient un but commun.

— Majesté, dit vivement Gregorin, je vous supplie de me laisser y aller à votre place. Moi, ou le Premier Capitaine Marcolin.

La barbe au carré découvrant sa lèvre supérieure encadrait un visage rond creusé d'inquiétude.

— Ces hommes doivent être informés que vous êtes le Roi – les proclamations sont lues dans tous les villages, à tous les carrefours au moment même où nous parlons – et s'ils ne sont pas au courant, ils pourraient ne pas manifester le respect qui convient à votre couronne.

Marcolin, prognathe et rasé de près, étudiait Rand de ses yeux noirs profondément enfoncés dans les orbites, ne trahissant rien de ce qui se passait derrière son visage impassible. Le loyalisme des Compagnons était réservé à la couronne d'Illian, et Marcolin était assez vieux pour se rappeler que Tam al'Thor, Second Capitaine, avait été son supérieur, mais il était le seul à savoir ce qu'il pensait de Rand al'Thor devenu roi.

— Mon Seigneur Dragon, déclama Weiramon en s'inclinant, sans attendre que Gregorin ait terminé.

Il déclamait toujours, et même à cheval, il avait l'air de se pavaner. Ses velours brodés, ses soies rayées et ses flots de dentelles recouvraient presque entièrement son armure, et sa barbe grise et pointue émettait des senteurs florales d'huiles parfumées.

— Cette canaille n'est pas digne de l'attention personnelle du Seigneur Dragon. Il faut lâcher les chiens sur les chiens, voilà mon avis. Laissez les Illianers les tailler en pièces. Ils n'ont rien fait pour vous servir jusqu'à présent, sauf jacasser.

On pouvait lui faire confiance pour transformer en insulte son accord avec Gregorin. Tolmeran était assez mince pour faire paraître Weiramon corpulent, et assez sombre pour ternir l'éclat de sa tenue. Loin d'être un imbécile, et bien qu'étant rival de Weiramon, il acquiesça de la tête. Lui non plus ne portait pas les Illianers dans son cœur.

Semaradrid gratifia les Tairens d'un rictus, mais c'est à Rand qu'il s'adressa, arrivant sur les talons de Weiramon.

— Ce rassemblement est dix fois plus important que toutes les bandes que nous avons rencontrées jusqu'à présent.

Il ne se souciait pas du Roi d'Illian, et très peu du Dragon Réincarné, si ce n'est que Rand avait la possibilité d'attribuer à qui il voulait le trône du Cairhien, et Semaradrid espérait qu'il le donnerait à un homme qu'il pourrait suivre au lieu de le combattre.

— Ils doivent être restés fidèles à Brend, sinon ils ne seraient pas demeurés si nombreux ensemble. Je crains que le dialogue avec eux ne soit qu'une perte de temps, mais si vous devez parler, laissez-moi encercler d'acier leur position, pour qu'ils sachent le prix qu'ils auront à payer s'ils ne marchent pas droit.

Rosana foudroya Semaradrid. Svelte, sans être grande, elle atteignait pourtant presque sa taille, et la couleur de ses yeux rappelait le bleu de la glace. Elle non plus n'attendit pas qu'il ait fini, et elle s'adressa à Rand.

— Je suis allée si loin et j'ai trop investi en vous pour vous voir ici mourir pour rien, dit-elle brutalement.

Elle n'était pas plus bête que Tolmeran, et elle avait revendiqué un siège aux conseils des Hauts Seigneurs, bien qu'une Haute Dame de Tear le fît rarement, et le qualificatif de « brutale » lui allait bien. Malgré l'armure que portaient la plupart des femmes de la noblesse, aucune ne conduisait ses hommes d'armes au combat, mais Rosana avait une masse d'armes attachée à sa selle, et parfois, Rand pensait qu'elle aurait aimé avoir l'occasion de s'en servir.

— Je doute que ces Illianers manquent de flèches, dit-elle et il n'en faut qu'une seule pour tuer, même le Dragon Réincarné.

Avec une moue pensive, Marcolin hocha la tête avant de se ressaisir, puis échangea un regard stupéfait avec Rosana, l'un plus étonné que l'autre d'être d'accord avec un ennemi de toujours.

— Ces paysans n'auraient jamais trouvé le cran de rester groupés sans encouragements, poursuivit Wei-ramon d'une voix suave, ignorant Rosana.

Il lui était facile d'ignorer ce qu'il ne désirait ni voir ni entendre. Lui, il était bête.

— Puis-je suggérer à mon Seigneur Dragon d'en chercher l'origine chez ces fameux Neuf ?

— Je proteste contre les insultes de ce porc de Tai-ren ! gronda Gregorin, portant la main à son épée. Je proteste énergiquement.

— Ils sont trop nombreux cette fois, dit Semaradrid au même instant. La plupart vous attaqueront dès que vous leur aurez tourné le dos.

La direction de son regard indiquait qu'il pouvait aussi bien parler des Tairens que des hommes cachés dans les collines. Peut-être était-ce le cas.

— Mieux vaut les tuer et en finir !

— Ai-je sollicité vos avis ? dit sèchement Rand d'une voix dure.

Le silence se fit, uniquement rompu par le claque-ment des capes et des bannières malmenées par le vent. Soudain, il fit face à des visages impassibles, dont quelques-uns étaient gris d'inquiétude. Ils ne savaient pas qu'il tenait le Pouvoir, mais ils le connais-saient. Tout ce qu'ils savaient était faux, alors autant les laisser dans cette ignorance.

— Vous m'accompagnerez, Gregorin, dit-il d'une voix plus neutre, mais encore un peu rude.

Ils ne connaissaient que l'acier. S'il relâchait sa vigilance, ils se retourneraient contre lui.

— Et vous aussi, Marcolin. Les autres resteront ici. Dashiva ! Hopwil !

Tous ceux qui n'avaient pas été désignés firent précipitamment reculer leur monture quand les deux Asha'man rejoignirent Rand à cheval. Et les Illianers eurent un regard envieux sur les hommes en noir, comme s'ils voulaient rester eux aussi. Corlan Dashiva, le visage menaçant, marmonnait entre ses dents comme il le faisait souvent. Chacun savait que le *saidin* rendait fou, tôt ou tard, et Dashiva avait le physique de l'emploi, avec ses longs cheveux dénoués flottant au vent, s'humectant les lèvres et secouant la tête. D'ailleurs, Eben Hopwil, seize ans tout juste, les joues encore marquées par l'acné, avait le regard fixe, et dans le vague. Et Rand savait pourquoi.

À l'approche des Asha'man, Rand ne put s'empêcher de pencher la tête pour écouter ce qu'il entendait à l'intérieur de son crâne. Alanna était là, bien sûr ; sans que le Vide ou le Pouvoir n'altérât son murmure. La distance atténuait un peu la perception de cette présence – il avait conscience qu'elle existait, loin dans le Nord – pourtant, il y avait quelque chose de plus aujourd'hui, qu'il avait senti imperceptiblement plusieurs fois ces derniers temps. Un murmure choqué peut-être, ou même indigné, un souffle subtil qu'il ne parvenait pas à décrypter. Pour qu'il le perçoive à cette distance, elle devait le ressentir fortement. Peut-être qu'il lui manquait. En revanche, elle ne lui manquait pas. Il ignorait Alanna plus facilement qu'autrefois. Elle était là, mais sans la voix qui criait au meurtre et à la mort chaque fois qu'elle voyait un

Asha'man. Lews Therin était parti. À moins que ce fût lui qui provoquait cette sensation que quelqu'un fixait sa nuque et lui effleurait l'épaule. À qui appartenait ce rire rauque de dément tout au fond de ses pensées ? À lui ? L'homme avait été là, présent !

Il s'aperçut que Marcolin l'observait, ainsi que Gregorin, s'efforçant de ne pas en avoir l'air.

— Pas encore, leur dit-il avec ironie, et il faillit éclater de rire en constatant qu'ils avaient compris immédiatement.

Ils parurent trop soulagés pour l'interpréter différemment. Il n'était pas fou. Pas encore.

— Venez, leur dit-il, mettant Tai'daishar au trot pour descendre la pente.

Même accompagné par les hommes qui le suivaient, il se sentait seul, et malgré le Pouvoir, il avait l'impression d'être vide.

Des parcelles de broussailles denses et de longues traînées d'herbe sèche s'étendaient entre la crête et les collines formant un tapis luisant jaune et brun, aplati par la pluie. Quelques jours auparavant, le sol avait été si assoiffé qu'il aurait pu absorber une rivière tout entière sans que cela se remarque. Puis les pluies torrentielles étaient arrivées, envoyées par le Créateur retrouvant enfin sa miséricorde, ou par le Ténébreux dans un accès d'humour noir ; lequel des deux ? Il ne savait pas. Les sabots des chevaux faisaient gicler des gerbes de boue à chaque pas. Il espérait que cette intervention ne durerait pas longtemps. Il avait un peu de temps devant lui, d'après ce que lui avait dit Hopwil. Quelques semaines peut-être, avec de la chance. Or il lui fallait des mois. Par la Lumière, des années qu'il n'aurait jamais !

Son acuité auditive ayant été accrue par le Pouvoir, il distinguait une partie de ce que disaient ses compagnons derrière lui. Gregorin et Marcolin, enserrés dans leurs capes, chevauchaient côte à côte et parlaient à voix basse des hommes auxquels ils allaient s'affronter et de la peur du combat. Ils ne doutaient pas de les écraser s'ils résistaient, mais ils redoutaient l'effet que ça provoquerait sur Rand, et la réaction de Rand au sujet d'Illian, si les Illianers le combattaient maintenant que Brend était mort. Ils ne parvenaient toujours pas à nommer Brend sous son véritable nom, Sammael. La seule idée qu'un Réprouvé avait gouverné l'Illian les effrayait encore plus que le fait d'être gouvernés maintenant par le Dragon Réincarné.

Dashiva, avachi sur sa selle comme un débutant, marmonnait entre ses dents dans l'Ancienne Langue, qu'il parlait et lisait aussi couramment qu'un érudit. Rand en connaissait des bribes, mais pas assez pour comprendre ce qu'il grommelait. Il se plaignait sans doute du temps, car bien qu'il fût paysan, Dashiva n'aimait être au grand air que par beau temps.

Seul Hopwil chevauchait en silence, haussant les sourcils sur quelque chose d'invisible au-delà de l'horizon, ses cheveux et sa cape flottant au vent, comme ceux de Dashiva. De temps en temps, il serrait machinalement la poignée de son épée. Rand dut s'y reprendre à trois fois avant qu'il ne sursaute et talonne son alezan pour rejoindre Tai'daishar.

Rand l'observa attentivement. Le jeune homme – ce n'était plus un adolescent malgré son âge – avait pris du poids depuis que Rand le connaissait, même si son nez et ses oreilles semblaient faits pour un plus grand gaillard. Un Dragon rouge orné d'or faisait maintenant pendant à l'Épée d'argent de son haut col, comme pour Dashiva. Un jour, il avait dit qu'il rirait de joie pendant une année entière quand on lui décernerait le Dragon. Mais il regarda Rand sans ciller comme s'il voyait à travers lui.

— Vous rapportez de bonnes nouvelles, lui dit Rand.

Il dut faire un effort pour ne pas écraser le Sceptre du Dragon dans son poing.

— Vous avez fait du beau travail.

Il savait que les Seanchans reviendraient, mais n'avait pas envisagé que ça serait si vite. Quand il avait découvert que les marchands illianers avaient été au courant de l'invasion depuis des jours sans en informer les Neuf – la Lumière les préserve de perdre une occasion de profit parce que trop de gens connaîtraient la nouvelle ! –, il avait été à un cheveu de raser la ville jusqu'à ses fondations. Mais la nouvelle était bonne, autant qu'elle pouvait l'être en ces circonstances. Hopwil avait Voyagé jusqu'à la campagne environnante d'Amador, où les Seanchans semblaient attendre, digérant peut-être ce qu'ils avaient avalé. Fasse la Lumière qu'ils s'en étouffent ! Il se força à desserrer sa main qui tenait le Sceptre du Dragon.

— Si les nouvelles de Morr sont en partie aussi bonnes, j'aurai le temps de pacifier l'Illian avant de m'occuper d'eux.

Et aussi d'Ebou Dar ! Que la Lumière brûle les Seanchans ! Ils le détournaient de sa mission, ce dont il n'avait nul besoin. Mais il ne pouvait pas se permettre de les ignorer.

Hopwil se taisait, se contentant de le regarder.

— Êtes-vous bouleversé parce que vous avez dû tuer des femmes ?

Desora, des Musara Reyns, et Lamelle, des Miagonas et... Rand s'efforça d'interrompre la litanie qui commençait à se dérouler machinalement, envahissant le Vide. De nouveaux noms y figuraient, qu'il ne se rappelait pas y avoir ajoutés. Laigin Arnault, une Sœur Rouge qui était morte en tentant de le capturer à Tar Valon. Elle n'avait sûrement pas sa place dans cette liste, pourtant, elle l'avait revendiquée. Colavaere Saighan, qui s'était pendue en refusant la justice. Et bien d'autres encore. Des hommes étaient morts par centaines, par milliers, sur son ordre ou de sa main. Mais c'étaient les visages de femmes qui hantaient ses cauchemars. Chaque nuit, il s'obligeait à affronter leurs regards accusateurs. Peut-être étaient-ce ces yeux-là qu'il sentait sur lui ces derniers temps.

— Je vous ai parlé des *damanes* et des *sul'dams*, dit-il, pondéré, bien qu'à l'intérieur il rageait, le feu tissant des toiles d'araignée autour de la vacuité du Vide.

Que la Lumière me réduise en cendres, j'ai tué plus de femmes que n'en pourraient contenir tous vos cau-

chemars ! Mes mains sont noires du sang de toutes ces femmes ! Il ne dit pas qu'Hopwil aurait dû éviter de les tuer. Trop tard pour ça.

— Je doute que même une *damane* ait su comment imposer un écran à un homme. Vous n'aviez pas le choix.

Et mieux valait qu'elles soient toutes mortes plutôt que certaines en réchappent et répandent la nouvelle qu'il existait un homme capable de canaliser.

Distraitement, Hopwil toucha sa manche gauche, où une brûlure du tissu se fondait dans le noir de la tunique. Les combats contre les Seanchans avaient été longs et difficiles.

— J'ai empilé les cadavres dans un trou, dit-il d'une voix monocorde. Avec les chevaux et tout le reste. Et j'y ai mis le feu. Des cendres blanches flottaient au vent comme de la neige. Ça ne m'a rien fait du tout.

À son ton, Rand décela qu'il mentait, mais Hopwil devait apprendre. Et il apprenait. Ils devaient assumer ce qu'ils étaient, un point c'est tout. *Liah*, des Cosaida Chareens, écrit en lettres de feu. *Moiraine Damodred*, gravé dans l'âme au fer rouge. Une Amie du Ténébreux, sans nom, seulement un visage, qui était morte de sa main près de…

— Majesté, dit Gregorin à voix haute, tendant le bras devant lui.

Un homme sortit des arbres au pied de la colline la plus proche, et se tint là, dans une attitude de défi. Armé d'un arc, il était coiffé d'un casque à pointe en acier, et vêtu d'une cotte de mailles ceinturée qui lui tombait presque jusqu'aux genoux.

Rand éperonna Tai'daishar pour aller à sa rencontre, débordant de Pouvoir. Le *saidin* pouvait le protéger des hommes.

De près, l'archer n'était pas aussi impressionnant. Son casque et sa cotte étaient piqués de rouille. Il était trempé, avec de la boue jusqu'aux cuisses, et ses longs cheveux dégoulinants de pluie collaient à son visage étroit. Il eut une toux caverneuse, et essuya son long nez du revers de la main. Mais son arc, qu'il avait protégé de la pluie, était tendu. Et les pointes de ses flèches dépassant du carquois semblaient sèches également.

— C'est vous le chef ? demanda Rand.

— On peut dire ça, répondit l'archer avec lassitude. Pourquoi ?

Les autres rejoignirent Rand au galop. Il se mit à piétiner d'un pied sur l'autre, avec des yeux de blaireau affolé. Mais les blaireaux peuvent être dangereux, quand ils se sentent acculés.

— Surveillez votre langage, manant ! aboya Gregorin. Vous parlez à Rand al'Thor, le Dragon Réincarné, Seigneur du Matin et Roi d'Illian ! À genoux devant votre roi ! Quel est votre nom ?

— C'est lui, le Dragon Réincarné ? interrogea l'homme d'un ton dubitatif.

Détaillant Rand du regard, depuis sa Couronne d'Épées jusqu'à ses bottes, s'attardant un instant sur le Dragon doré qui bouclait sa ceinture, il hocha la tête, comme il s'était attendu à quelqu'un de plus vieux ou de plus imposant.

— Seigneur du Matin, vous dites ? Notre roi n'a jamais porté ce titre, dit-il, sans même s'agenouiller ni se présenter.

Gregorin s'assombrit en entendant son intonation, et peut-être aussi parce que l'écuyer niait par là même la souveraineté de Rand. Marcolin fit un hochement de tête, comme s'il n'en attendait pas moins.

On entendit soudain un crissement de feuilles détrempées au milieu des arbres. Immédiatement, il sentit le *saidin* affluer en Hopwil. Cessant de regarder dans le vague, le jeune homme scrutait intensément l'orée du bois, une lueur démente dans les yeux. Dashiva, muet, repoussant ses cheveux de son visage, avait l'air de s'ennuyer. S'inclinant sur sa selle, Gregorin ouvrit la bouche en colère. Le feu et la glace, mais pas encore la mort.

— Paix, Gregorin.

Rand n'éleva pas la voix, mais il tissa les flux, Air et Feu, pour qu'elle porte loin et qu'elle se réverbère bruyamment sur le rideau d'arbres.

— Mon offre est généreuse.

L'archer réagit à ce son en titubant, et le cheval de Gregorin broncha. Les hommes cachés au milieu des arbres avaient dû entendre distinctement.

— Déposez les armes ! Ceux qui veulent rentrer chez eux le pourront. Ceux qui préfèrent me suivre le pourront aussi. Mais aucun homme ne partira d'ici avec ses armes s'il ne me suit pas. Je sais que vous êtes tous des hommes honorables, et que vous avez répondu à l'appel de votre Roi et du Conseil des Neuf pour défendre l'Illian, mais c'est moi votre Roi à présent, et je ne tolérerai pas qu'un seul d'entre vous soit tenté de devenir un bandit.

Marcolin hocha la tête avec conviction.

— Et les Fidèles du Dragon qui incendient les fermes ? s'écria une voix effrayée qui venait des arbres. Ce sont eux les bandits, qu'ils soient réduits en cendres !

— Et vos Aiels ? cria un autre. Il paraît qu'ils pillent des villages entiers !

D'autres voix d'hommes invisibles firent chorus, toutes se plaignant de la même chose, Aiels et Fidèles du Dragon, sauvages et bandits sanguinaires. Rand grinça des dents.

Quand les cris se turent, l'archer dit :

— Vous voyez ?

Puis il toussa, éructa et cracha par terre, soit pour se dégager les poumons, soit pour accentuer ses paroles. Il donnait une image pitoyable, recouvert de rouille et trempé comme il l'était. Il se tenait cependant très droit, tendu comme la corde de son arc, ignorant le regard fulminant de Rand comme celui de Gregorin.

— Vous nous demandez de rentrer chez nous désarmés, sans pouvoir nous défendre, nous et nos familles, pendant que vos gens incendient, pillent et tuent. On dit que la tempête arrive, ajouta-t-il, l'air étonné par cette remarque.

— Les Aiels dont vous parlez sont mes ennemis !

Cette fois, ce ne fut pas une toile d'araignée de flammes, mais des masses compactes de fureur qui s'enroulèrent autour du Vide. La voix de Rand était glacée ; elle claquait comme le fouet de l'hiver. La tempête arrivait ? Par la Lumière, c'était lui, la tempête !

— *Mes* Aiels les pourchassent. Mes Aiels pourchassent les Shaidos, et Davram Bashere et la plupart des Compagnons pourchassent les bandits, quel que soit le nom qu'ils se donnent ! Je suis le Roi d'Illian, et je ne permettrai à personne de troubler la paix du pays.

— Même si ce que vous dites est vrai…, commença l'archer.

— C'est vrai ! dit sèchement Rand. Vous avez jusqu'à midi pour vous décider.

L'archer fronça les sourcils, hésitant. À moins que les nuages ne se dissipent, il aurait du mal à savoir quand il serait midi. Rand ajouta, implacable :

— Décidez sagement !

Faisant pivoter Tai'daishar, il éperonna le hongre et partit au galop sans attendre les autres.

À contrecœur, il lâcha le Pouvoir, se forçant à ne pas s'y cramponner comme à une planche de salut, la vie et la souillure le quittant en même temps. Un instant, sa vue se dédoubla, et le monde tangua. Ce dysfonctionnement était apparu récemment, et Rand s'inquiétait qu'il fasse partie de la maladie qui tuait les hommes capables de canaliser, mais le vertige ne durait jamais plus de deux secondes. Il regrettait d'avoir à lâcher le Pouvoir. Le monde semblait se ternir. Non, il devenait vraiment terne, et parfois pis encore. Les couleurs étaient délavées et le ciel semblait plus petit. Il avait désespérément envie de saisir de nouveau la Source et d'en extraire le Pouvoir Unique. C'était toujours la même chose quand le Pouvoir le quittait.

Il n'eut pas plus tôt lâché le *saidin* que la rage bouillonna en lui, brûlante, presque autant que le Pouvoir. Les Seanchans ne suffisaient donc pas, ou tous les brigands qui se cachaient derrière son nom ? C'étaient des distractions mortelles qu'il n'avait pas le luxe de se permettre. Sammael le combattait-il du fond de sa tombe ? Avait-il semé les Shaidos pour qu'ils poussent comme des épines là où Rand posait la main ? L'homme n'avait pas voulu *croire* qu'il mourrait. Et si la moitié des histoires qu'entendait Rand étaient vraies, il y avait d'autres Shaidos au Murandy, en Altara et la Lumière seule savait où ! De nombreux Shaidos prisonniers parlaient d'une Aes Sedai. La Tour Blanche était-elle impliquée d'une façon ou d'une autre ? Ne le laisserait-elle donc jamais en paix ? Jamais.

Comme il était absorbé à combattre sa fureur, il ne vit pas Gregorin et les autres qui le rattrapaient. Quand ils arrivèrent en haut de la crête, parmi les nobles qui patientaient, il tira sur ses rênes si brusquement que Tai'daishar se cabra, faisant jaillir des gerbes de boue. Les nobles firent reculer leurs montures, à l'écart du cavalier et de sa monture.

— Je leur ai donné jusqu'à midi, annonça-t-il. Surveillez-les. Je ne veux pas qu'ils se fractionnent en cinquante petites bandes qui nous glisseraient entre les mains. Je serai dans ma tente.

Sans leurs capes balayées par le vent, ils auraient pu ressembler à des statues, immobiles, comme s'il leur avait demandé de les surveiller personnellement. Il se moquait qu'ils restent là jusqu'à ce qu'ils gèlent ou qu'ils fondent.

Sans ajouter un mot, il descendit au petit trot le versant opposé de la crête, suivi des deux Asha'man en noir et de ses porte-bannières illianers. Feu, glace et mort arrivaient. Mais lui, il était acier.

14.

Un message du M'Hael

À un mile à l'ouest de la crête s'étendaient les camps. Les hommes et leurs chevaux, à proximité des feux, les bannières claquant au vent et les tentes étaient regroupés par nationalités et par Maisons. Chaque camp, véritable lac de boue, était séparé des autres par des parcelles de lande broussailleuse. Les hommes, montés ou à pied, regardaient Rand croiser les bannières au galop, puis reportaient leurs regards vers les autres camps pour observer les réactions. En présence des Aiels, ces hommes n'avaient dressé qu'un immense camp, réunis seulement par le fait qu'ils n'étaient pas des Aiels. Même s'ils s'en défendaient, ils craignaient les Aiels. Le monde disparaîtrait si Rand ne réussissait pas. Mais il ne se faisait pas d'illusions ; ce n'était pas à lui que ces hommes étaient fidèles, et ils croyaient tous que le sort du monde pouvait s'accommoder de leur désir d'or, de gloire ou de pouvoir. Une poignée à peine croyait en lui, mais pour la plupart, ils le suivaient parce qu'ils le craignaient encore plus que les Aiels. Peut-être plus qu'ils ne redoutaient le Ténébreux, en qui certains ne croyaient pas vraiment – ils ne pouvaient imaginer qu'il bouleverserait le monde plus encore. Ils avaient Rand devant les yeux, et ça, ils le croyaient. Rand l'acceptait maintenant. Trop de batailles l'attendaient pour qu'il livre un combat perdu d'avance. Tant qu'ils suivraient et obéiraient, il s'en contenterait.

Le plus grand des camps (qui n'était pas le sien) appartenait aux Compagnons Illianers, en tuniques vertes à crevés jaunes, à proximité des Défenseurs de la Pierre Tairens ; en tuniques à manches bouffantes rayées noir et or et d'un nombre égal de Cairhienins issus d'une quarantaine de Maisons différentes, vêtus de couleurs sombres, certains arborant une oriflamme au-dessus de leur tête. Ils cuisinaient sur des feux différents, dormaient chacun de leur côté, attachaient leurs chevaux séparément et se lorgnaient avec méfiance, se mélangeant malgré tout. La sécurité du Dragon Réincarné était sous leur responsabilité, et ils prenaient leur rôle au sérieux. N'importe lequel pouvait le trahir, mais pas sous les yeux des autres. Les vieilles haines et les nouvelles aversions provoqueraient une trahison avant même que le traître ne prenne le temps de réfléchir.

Un cercle d'acier montait la garde autour de la tente de Rand, un immense cône entièrement couvert d'abeilles brodées au fil d'or. Elle avait appartenu à son prédécesseur, Mattin Stepaneos, et lui avait échu avec la couronne, en un sens. Les Compagnons, coiffés de brillants casques coniques, se tenaient debout à côté des Défenseurs en casques striés, et des Cairhienins en casques cloches, ignorant le vent, la visière dissimulant leur visage, la hallebarde inclinée exactement selon le même angle. Aucun ne cilla quand Rand tira sur les rênes, mais une volée de domestiques accourut pour les servir, lui et les Asha'man. Une femme osseuse, en gilet vert et jaune de palefrenier du Palais Royal d'Illian, prit sa bride tandis qu'un homme au nez bulbeux, en livrée noir et or de la Pierre de Tear, lui tenait l'étrier. Tout en lui témoignant de la déférence, ils se regardaient en chiens de faïence. Boreane Carivin, une petite femme pâle et trapue en robe noire, lui tendit d'un air solennel un plateau de linges humides d'où s'élevait de la buée. Cairhienine, elle observa les deux autres pour s'assurer qu'ils s'acquittaient bien de leur tâche malgré l'animosité mutuelle qu'ils parvenaient mal à dissimuler.

Ôtant ses gantelets, Rand écarta du geste le plateau de Boreane. Assis devant la tente sur un banc richement sculpté, Damer Flinn se leva quand Rand mit pied à terre. Chauve, avec une couronne de cheveux blancs effilés, Flinn avait davantage l'air d'un vieillard que d'un Asha'man. Un vieil homme ridé à la jambe raide, qui connaissait mieux le vaste monde que la ferme. L'Épée suspendue à sa ceinture ne semblait pas déplacée, mais plutôt normale chez un ancien soldat de la Garde de la Reine. Rand lui accordait sa confiance plus qu'à tout autre. Flinn lui avait sauvé la vie, après tout.

Flinn le salua, le poing sur le cœur. Dès que Rand lui eut répondu d'un hochement de tête, il s'avança en boitillant et attendit que les palefreniers se soient éloignés avec les chevaux avant de lui parler à voix basse.

— Torval est ici. Envoyé par le M'Hael, dit-il. Il voulait attendre dans la tente du conseil. J'ai dit à Narishma de le surveiller.

C'était l'ordre que Rand avait donné, sans trop savoir pourquoi ; aucun homme venant de la Tour Noire ne devait rester seul. Hésitant, Flinn tripota le Dragon épinglé à son col noir.

— Il n'était pas content d'apprendre que nous sommes tous montés en grade.

— Pas content, tiens, tiens, dit doucement Rand, coinçant ses gants dans sa ceinture.

Et parce que Flinn avait toujours l'air hésitant, il ajouta :

— Vous l'avez tous mérité.

Il avait prévu d'envoyer un Asha'man à Taim – le chef, le M'Hael ainsi que les Asha'man l'avaient baptisé – mais maintenant Torval pourrait lui transmettre son message. La tente du Conseil ?

— Faites apporter des rafraîchissements, ordonna-t-il à Flinn, puis il fit signe à Dashiva et Hopwil de le suivre.

Flinn salua une fois de plus, mais Rand s'éloignait déjà, la boue noire giclant sous ses bottes. Aucune acclamation ne s'éleva dans les hurlements du vent. Il se rappela la dernière fois qu'il avait été acclamé. Ce n'était pas un souvenir de Lews Therin. Si Lews Therin avait jamais existé. Il y eut un éclair de couleur à peine perceptible, comme l'impression que quelqu'un était sur le point de vous toucher par-derrière. Il se ressaisit difficilement.

La tente du Conseil était un immense pavillon à rayures rouges, autrefois dressé dans les Plaines de Maredo, et aujourd'hui planté au milieu du camp de Rand, entouré de trente toises de sol nu. Ici, il n'y avait jamais de gardes, sauf si Rand s'y trouvait avec les nobles. Quiconque essayant de s'y glisser clandestinement aurait été vu instantanément par des milliers d'yeux indiscrets. Au sommet de leurs hautes hampes, trois bannières étaient disposées en triangle autour de la tente, le Soleil Levant du Cairhien, les Trois Croissants de Tear et les Abeilles Dorées d'Illian, et au-dessus du toit écarlate, flottaient, plus haut que les autres, la Bannière du Dragon et la Bannière de la Lumière. Elles ondulaient et claquaient au vent, et les parois de la tente tremblaient sous les rafales. À l'intérieur, des tapis frangés multicolores couvraient le sol. Il n'y avait qu'un seul meuble, une immense table ouvragée de sculptures et de dorures, incrustée d'ivoire et de turquoise. Le plateau disparaissait presque sous un fouillis de cartes.

Torval leva la tête des cartes, s'apprêtant manifestement à réprimander les intrus qui débarquaient. Proche de l'âge mûr, et grand comparé à tous, mis à part Rand et les Aiels, il avait un regard glacé et son nez pointu semblait frémir d'indignation. Le Dragon et l'Épée brillaient au col de sa tunique, sous la lumière des torchères. Il était en tunique de soie noire, assez bien coupée pour un Seigneur. Son épée avait des garnitures d'argent rehaussées d'or, et une gemme rouge scintillait sur le manche. Une autre luisait à l'un de ses doigts. On ne peut pas dresser des hommes à devenir des armes sans qu'ils ne deviennent arrogants, pourtant Rand n'aimait pas Torval. Mais il faut dire qu'il n'avait nul besoin des mises en garde de Lews Therin pour se méfier des hommes en noir. Jusqu'où faisait-il confiance, même à Flinn ? Pourtant, il devait les diriger. Les Asha'man étaient son œuvre, sa responsabilité.

Quand Torval vit Rand, il se redressa avec désinvolture et salua, modifiant à peine son expression. La première fois que Rand l'avait vu, il avait une bouche qui semblait ricaner.

— Mon Seigneur Dragon, dit-il avec l'accent du Tarabon, d'un ton avec lequel il aurait accueilli un égal, ou avec la condescendance envers un subordonné.

Sa prétentieuse révérence s'adressait également à Dashiva et Hopwil.

— Je vous félicite pour la conquête de l'Illian. Grande victoire, n'est-ce pas ? Il aurait dû y avoir du vin pour vous accueillir, mais ce jeune… consacré… ne semble pas comprendre les ordres.

Dans son coin, Narishma frémit, faisant tinter les clochettes attachées au bout de ses longues tresses. Au soleil du sud, il avait pris un teint très hâlé, mais certaines choses chez lui n'avaient pas changé. Plus âgé que Rand, son visage le faisait paraître plus jeune qu'Hopwil. Une rougeur de rage plutôt que d'embarras lui monta aux joues. On sentait chez lui la fierté profonde, mais discrète, de porter depuis peu l'Épée au col. Torval lui sourit, d'un sourire à la fois amusé et inquiétant. Dashiva s'esclaffa, puis se tut.

— Que venez-vous faire ici, Torval ? demanda Rand.

Il jeta ses gantelets et le Sceptre du Dragon sur les cartes. Il délia ensuite son ceinturon et son épée au fourreau, qu'il posa sur les cartes que Torval n'avait aucune raison d'étudier. Nul besoin de la voix de Lews Therin.

Haussant les épaules, Torval sortit une lettre de la poche de sa tunique et la tendit à Rand.

— De la part du M'Hael.

Le papier épais était blanc comme la neige, et le sceau, apposé dans un large ovale de cire bleue, était parsemé de paillettes d'or. On aurait presque pu penser que la lettre venait du Dragon Réincarné en personne. Mazrim Taim avait bonne opinion de lui.

— Taim vous fait dire que ce qu'on raconte sur des Aes Sedais qui accompagneraient une armée du Murandy, c'est vrai. D'après la rumeur, elles se seraient révoltées contre Tar Valon…

Le ricanement de Torval était lourd d'incrédulité.

— … et elles marcheraient vers la Tour Noire. Bientôt, elles pourraient devenir une menace.

Rand brisa entre ses doigts le sceau magnifique.

— Elles se dirigent vers Caemlyn, non vers la Tour Noire. Nous ne sommes donc pas visés. Mes ordres étaient clairs. Laissez les Aes Sedais tranquilles, sauf si elles vous provoquent.

— Mais comment pouvez-vous être sûr qu'elles ne représentent pas un danger ? insista Torval. Peut-être vont-elles à Caemlyn, comme vous dites, mais si vous vous trompez, nous ne le saurons pas avant qu'elles attaquent.

— Torval pourrait avoir raison, dit pensivement Dashiva. Je ne peux pas dire que je ferais confiance à des femmes qui m'ont enfermé dans une boîte. De plus, celles-là n'ont prêté aucun serment. À moins qu'elles ne l'aient fait depuis ?

— J'ai dit, laissez-les tranquilles.

Rand abattit violemment ses mains sur la table, et Hopwil sursauta de surprise. Dashiva fronça les sourcils, irrité, avant de se ressaisir aussitôt. Mais Rand ne s'intéressait pas à l'humeur de Dashiva. Par chance – il en était certain – sa main s'était posée sur le Sceptre du Dragon. Son bras trembla du désir de le brandir et de frapper Torval en plein cœur. Absolument nul besoin de Lews Therin.

— Les Asha'man sont une arme que j'emploie si nécessaire et non pas chaque fois que Taim est effarouché quand une poignée d'Aes Sedais dînent dans la même auberge. S'il le faut, je reviendrai à la Tour Noire pour bien faire comprendre mes ordres.

— Je suis certain que ça n'est pas nécessaire, répliqua vivement Torval.

Enfin, quelque chose avait effacé son sourire dédaigneux. Il ferma les yeux un instant, ouvrit timidement les mains, comme pour s'excuser. Il était manifestement effrayé.

— Le M'Hael voulait juste vous informer. Vos ordres sont lus tous les matins lors des Directives Matinales, après le Credo.

— Alors, c'est très bien.

Rand parla calmement, s'efforçant de ne pas froncer les sourcils. C'était son précieux M'Hael que craignait

Torval, et non le Dragon Réincarné. Il redoutait que Taim le prenne mal si quelque chose dans ses paroles attirait la colère de Rand sur la tête du M'Hael.

— Parce que je tuerai n'importe lequel d'entre vous qui s'approchera de ces femmes au Murandy. Vous agirez quand je vous le dirai.

Torval s'inclina avec raideur en murmurant :

— À vos ordres, mon Seigneur Dragon.

Il essayait de sourire, mais il pinçait le nez et s'efforçait d'éviter discrètement les regards. Dashiva s'esclaffa une nouvelle fois, et Hopwil arbora un sourire en coin.

Narishma, quant à lui, ne prêta pas attention au revers que venait d'essuyer Torval. Il regarda Rand sans ciller, comme s'il sentait en lui des courants profonds que les autres ne percevaient pas. La plupart des femmes et beaucoup d'hommes le considéraient juste comme un beau garçon, alors que, par moments, ses immenses yeux semblaient en savoir plus que tous les autres.

Rand lâcha le Sceptre du Dragon et ouvrit la lettre qu'il lissa de la main, sans même trembler. Torval eut un sourire acide, sans rien remarquer. Contre la paroi de la tente, Narishma remua pour se détendre.

Les rafraîchissements arrivèrent, puis, en une procession majestueuse dont Boreane avait pris la tête, une longue file d'Illianers, de Cairhienins et de Tairens arrivèrent, tous vêtus de leur livrée respective. Un domestique portait un plateau d'argent, chargé d'un pichet différent pour chaque sorte de vin, et deux autres l'accompagnaient, avec un plateau de timbables en argent pour le punch chaud et les vins aux épices, et de fins gobelets en verre soufflé pour les autres. Un valet pincé, habillé en vert et jaune, tenait un plateau uniquement destiné au remplissage des gobelets et des timbales, secondé par une femme brune en noir et or qui lui tendait les pichets. Il y avait à profusion des noix et des fruits confits, du fromage et des olives. On avait préposé à chaque mets un domestique différent. Sous la direction de Boreane, ils exécutèrent un ballet bien rôdé, avec force révérences et courbettes, se succédant à mesure qu'ils avaient terminé leurs offrandes.

Acceptant une timbale de vin aux épices, Rand se percha sur un coin de la table. Il la posa près de lui sans y toucher et se concentra sur la lettre. Il n'y avait pas d'adresse, pas de préambule d'aucune sorte. Taim détestait, même s'il s'en défendait, donner un titre honorifique à Rand.

« J'ai l'honneur de vous informer qu'il y a maintenant vingt-neuf Asha'man, quatre-vingt-dix-sept Consacrés et trois cent vingt-deux Soldats enrôlés à la Tour Noire. Il y a eu une poignée de déserteurs, malheureusement, dont les noms ont été rayés des listes, mais les pertes pendant l'entraînement sont acceptables.

« J'ai maintenant une cinquantaine de recruteurs sur le terrain en permanence, avec pour résultat que nous comptons presque tous les jours trois ou quatre hommes de plus. Dans quelques mois, la Tour Noire sera l'égale de la Tour Blanche, ainsi que je l'avais prévu. Dans un an, Tar Valon tremblera devant nos effectifs.

« J'ai procédé moi-même à la cueillette des mûres. Petit massif épineux, mais avec une abondance surprenante de fruits pour sa taille.

Mazrim Taim
M'Hael. »

Rand grimaça, et écarta de son esprit le... massif de mûres. Ce qui devait être fait, serait fait. Le monde entier payait le prix de son existence. Il lui donnerait sa vie, mais le monde entier devrait payer.

En outre, il y avait d'autres raisons de grimacer. Trois ou quatre nouvelles recrues par jour ? Taim était optimiste. Certes, à ce rythme, il y aurait bientôt davantage d'hommes capables de canaliser que d'Aes Sedais, mais c'était compter sans les années de formation qu'avait suivies même la plus jeune des sœurs. Une partie de cet enseignement concernait spécifiquement les hommes capables de canaliser. Il n'envisageait pas une rencontre entre Asha'man et Aes Sedais, sachant qu'elle aurait été sanglante et n'aurait suscité que des regrets. Il n'avait pas l'intention de diriger les Asha'man contre la Tour Blanche, quoi qu'en pensât Taim, qui s'accommodait de cette idée, dans la mesure où elle inspirait la plus grande circonspection à Tar Valon. Un Asha'man était calibré pour tuer. S'ils étaient suffisamment nombreux pour tuer au bon moment et au bon endroit, et s'ils vivaient assez longtemps pour en arriver là, il ne leur en demandait pas plus.

— Combien de déserteurs, Torval ? demanda-t-il calmement.

Il s'empara de sa timbale de vin et en but une gorgée, comme si la réponse n'avait pas d'importance. Le breuvage aurait dû le réchauffer, mais le gingembre et la muscade lui laissèrent un goût amer dans la bouche.

— Combien de pertes à l'entraînement ?

Torval s'était ressaisi lui-même à l'arrivée des rafraîchissements, se frottant les mains et haussant un sourcil devant le choix des vins, affectant de connaître les meilleurs avec des manières de seigneur. Dashiva avait pris le premier gobelet venu, et le contemplait maintenant, les yeux furibonds, comme si c'était de la piquette. Désignant l'un des plateaux, Torval pencha pensivement la tête, ayant déjà préparé sa réponse.

— Dix-neuf déserteurs jusqu'à présent. Le M'Hael a ordonné qu'on les tue à vue, et qu'on rapporte leur tête pour l'exemple.

Picorant un morceau de poire confite dans le plateau qu'on lui présentait, il l'avala d'une bouchée, puis sourit.

— En ce moment, trois têtes pendent à l'Arbre au Traître.

— Très bien, dit Rand d'une voix monocorde.

Il était impossible, voire dangereux, d'accorder sa confiance à des déserteurs. Et ils ne pouvaient pas continuer à vivre. Même si tous les soldats cachés dans les collines s'échappaient ensemble, ils étaient moins dangereux qu'un homme seul entraîné à la Tour Noire. L'Arbre au Traître ? Taim s'y connaissait pour trouver des noms expressifs. Mais les hommes avaient besoin de décorations, de symboles et de noms, des tuniques noires et des épingles honorifiques pour maintenir la cohésion de leur groupe. Jusqu'au moment de mourir.

— La prochaine fois que je viendrai à la Tour Noire, je veux voir toutes les têtes des déserteurs.

Une autre bouchée de poire confite, prête à être engloutie, tomba des doigts de Torval et tacha le devant de sa belle tunique.

— Ce genre de châtiment pourrait gêner le recrutement, dit-il lentement. Les déserteurs ne savent pas à l'avance qu'ils déserteront.

Rand soutint son regard jusqu'à ce que Torval baisse les yeux.

— Combien de pertes à l'entraînement ? répéta-t-il.

L'Asha'man au nez pointu hésitait.

— Combien ?

Narishma se pencha, fixant un regard pénétrant sur Torval. Hopwil aussi. Les domestiques continuaient leur ballet bien réglé, présentant leurs plateaux à des hommes qui ne les voyaient plus. Boreane, voyant Nashima absorbé dans la conversation, en profita pour s'assurer que son gobelet contenait davantage d'eau chaude que de vin aux épices.

Torval haussa les épaules, désinvolte.

— Cinquante et un en tout. Treize calcinés, et vingt-huit morts sur place. Pour le reste... Le M'Hael met quelque chose dans leur vin, et ils ne se réveillent pas.

Tout d'un coup, le ton se fit malicieux.

— Cela peut survenir brusquement, à n'importe quel moment. Un homme s'est mis à hurler que des araignées lui rampaient sous la peau, deux jours après l'avoir bu.

Il eut un sourire pervers pour Narishma et Hopwil, mais c'est aux deux autres qu'il s'adressa, les regardant alternativement.

— Vous voyez ? Inutile de vous angoisser si vous glissez dans la folie. Vous ne nuirez à personne. Vous vous endormirez… à jamais. Plus charitable que vous laisser fou, et coupé du Pouvoir, non ?

Narishma le fixait, tendu comme une corde de harpe, son gobelet oublié à la main. De nouveau, Hopwil fronçait les sourcils sur quelque chose qu'il était le seul à voir.

— Plus charitable, dit Rand d'un ton neutre, reposant sa timbale sur la table.

Quelque chose dans le vin. *Mon âme est noire de sang et damnée.* Il ne s'agissait pas d'une pensée dure ou amère, mais d'un simple constat.

— La charité à laquelle tout homme a droit, Torval.

Le sourire cruel de Torval s'évanouit. Il haleta. Les calculs étaient faciles à faire : un homme sur dix anéanti, un homme sur cinquante fou, et d'autres qui suivraient. On n'en était qu'au début, et il n'y avait aucun moyen de savoir avant le jour de sa mort si on avait forcé le destin. Sauf qu'à la fin le destin vous rattrapait toujours, d'une façon ou d'une autre. Et Torval vivait aussi sous cette menace.

Brusquement, Rand prit conscience de la présence de Boreane. Il lui fallut un moment pour voir l'expression de son visage, et quand il la comprit, il ravala les dures paroles qui lui étaient montées aux lèvres.

Comment osait-elle avoir pitié de lui ? Croyait-elle que la Tarmon Gai'don se gagnerait sans faire couler le sang ? Les Prophéties du Dragon exigeaient des fleuves de sang !

— Laissez-nous, lui dit-il.

Elle rassembla les domestiques en silence. Il y avait toujours de la compassion dans ses yeux quand elle les dirigea vers la porte.

Rand ne trouva rien à dire pour alléger l'atmosphère. La pitié affaiblissait aussi sûrement que la peur, or ils devaient rester forts comme l'acier pour pouvoir affronter ce qui les attendait. C'était son œuvre, sa responsabilité.

Perdu dans ses pensées, Narishma contemplait la vapeur qui s'élevait de son vin, et Hopwil s'efforçait toujours de regarder au-delà des parois de la tente. Torval coulait à Rand des regards en coin, s'efforçant d'afficher son rictus dédaigneux. Seul Dashiva semblait impassible, les bras croisés, et observant Torval comme il l'aurait fait d'un cheval proposé à la vente.

Dans ce pénible silence qui se prolongeait, surgit un jeune homme en noir, trapu, ébouriffé par le vent, le Dragon et l'Épée épinglés à son col. Aussi jeune qu'Hopwil, pas encore en âge de se marier, Fedwin Morr arborait une grande ferveur et des yeux de chat en chasse qui se sait pourchassé aussi. Il avait changé depuis peu.

— Les Seanchans quitteront bientôt Ebou Dar, déclara-t-il en saluant. Ensuite, ils ont l'intention d'attaquer l'Illian.

Brusquement tiré de ses sombres ruminations, Hopwil sursauta et déglutit. Une fois de plus, Dashiva s'esclaffa, d'un rire sans joie cette fois-ci.

Hochant la tête, Rand prit le Sceptre du Dragon. Après tout, c'était un souvenir des Seanchans. Les Seanchans dansaient sur leur propre musique, mais pas celle qui lui plaisait.

Si Rand accueillit la nouvelle en silence, il n'en fut pas de même pour Torval. Retrouvant son rictus, il haussa un sourcil méprisant.

— C'est eux qui vous l'ont dit ? demanda-t-il d'un ton moqueur. Ou avez-vous appris à lire dans les esprits ? Laissez-moi vous dire une chose, mon garçon. J'ai combattu les Amadiciens et les Domanis, et je peux vous dire qu'aucune armée qui vient de prendre une cité plie aussitôt bagage pour partir mille miles plus loin ! Plus de mille miles ! Mais peut-être pensez-vous qu'ils savent Voyager ?

Morr encaissa ces moqueries calmement. Il passa simplement le pouce sur la poignée de son épée.

— J'ai parlé avec quelques-uns d'entre eux, dont la plupart étaient des Tarabonais. Des troupes arrivent par bateau tous les jours, ou presque.

Bousculant Torval pour s'approcher de la table, il le scruta d'un regard pénétrant.

— Tous passent leur chemin chaque fois qu'un individu à l'accent traînant ouvre la bouche.

Torval, en colère, ouvrit la sienne. Mais son cadet poursuivit précipitamment, s'adressant à Rand.

— Ils postent des soldats tout le long des Monts de Venir, par petits groupes de cinq cents, parfois mille.

Ils sont déjà à la Pointe d'Arran. Ils achètent ou réquisitionnent tous les chariots et charrettes qu'ils trouvent dans un rayon de vingt lieues autour d'Ebou Dar, et tous les animaux nécessaires pour les tirer.

— Des charrettes ! s'écria Torval avec dérision. Des chariots ! Est-ce à dire qu'ils ont l'intention d'ouvrir une foire ? Et quel idiot ferait passer ses troupes par la montagne, alors qu'il y a partout d'excellentes routes ?

Remarquant que Rand l'observait, il se tut, fronçant les sourcils, soudain hésitant.

— Je vous avais dit de garder profil bas, Morr, dit Rand, avec une pointe de colère dans la voix.

Le jeune Asha'man dut reculer quand Rand sauta à bas de la table.

— Je ne vous ai jamais dit d'aller demander leurs plans aux Seanchans. Seulement d'ouvrir les yeux et les oreilles, et de garder profil bas.

— J'ai été discret. Je ne portais pas mes insignes.

Le regard de Morr ne changea pas face à Rand, à la fois traqué et aux aguets. Il semblait bouillonner intérieurement. Si Rand ne l'avait pas connu, il aurait pensé que Morr tenait le Pouvoir, luttant pour survivre au *saidin*, qui lui donnait dix fois la vie.

— Si les hommes avec qui j'ai parlé savaient vers où ils partaient, aucun ne me l'a dit, mais devant une chope de bière, ils se plaignaient d'être toujours en mouvement sans jamais s'arrêter. À Ebou Dar, ils éclusaient toute la bière qu'ils trouvaient aussi vite qu'ils pouvaient, parce qu'ils allaient se remettre en marche, disaient-ils. Et ils rassemblaient des chariots, comme j'ai dit.

Il débita cela tout à trac, puis serra les dents quand il eut fini, comme pour retenir des mots qui tentaient de lui échapper.

Souriant soudain, Rand lui serra l'épaule.

— Beau travail. Les chariots auraient suffi, mais c'est du beau travail. Les chariots, c'est important, ajouta-t-il, se tournant vers Torval. Si une armée se nourrit sur le pays, elle mange ce qu'elle trouve. Ou ne mange pas si elle ne trouve rien.

Torval n'avait pas bronché en apprenant que les Seanchans étaient à Ebou Dar. Mais si cette nouvelle était parvenue à la Tour Noire, pourquoi Taim n'en avait-il pas parlé ? Rand espéra que son sourire n'était pas convenu.

— Il est plus difficile d'organiser les trains de ravitaillement, mais dans ce cas-là, on est sûr d'avoir de l'avoine pour les chevaux et des haricots pour les hommes. Les Seanchans sont très organisés.

Fouillant parmi les cartes, il trouva celle qu'il cherchait et la déplia, fixant un bord avec son épée, et celui opposé avec le Sceptre du Dragon. La côte entre Ebou Dar et l'Illian lui sauta aux yeux, bordée sur presque toute sa longueur de collines et de montagnes, parsemée de villages de pêcheurs et de petites villes. Les Seanchans étaient organisés. Ebou Dar était en leur possession depuis à peine plus d'une semaine, mais les Yeux-et-Oreilles des marchands écrivaient dans leurs rapports que la reconstruction des dommages subis pendant l'invasion était bien avancée, qu'on construisait des maisons de santé pour les malades, qu'on fournissait du travail et de la nourriture aux pauvres et aux réfugiés de l'intérieur. Des patrouilles parcouraient les rues et la campagne environnante, de sorte que personne n'avait à craindre les malandrins et les coupe-jarrets. Les marchands étaient bien accueillis, et la contrebande avait été réduite à sa plus simple expression, voire anéantie totalement, à la surprise de ces honnêtes marchands illianers. Quelles étaient maintenant les intentions des Seanchans ?

Les autres se rassemblèrent autour de la table pendant que Rand étudiait la carte. Des routes étaient tracées le long de la côte, de la taille des modestes sentiers broussailleux semblables à des chemins de transhumance. Les larges routes commerciales se trouvaient à l'intérieur des terres, contournant les dénivellements, à l'abri des colères de la Mer des Tempêtes.

— Des hommes contrôlant ces montagnes pourraient rendre le passage difficile sur les routes intérieures, dit-il enfin. Ils rendent ainsi ces routes aussi sûres que les rues citadines. Vous avez raison, Morr. Ils viennent en Illian.

S'appuyant sur ses poings, Torval foudroya Morr d'avoir raison alors qu'il avait tort. Péché mortel, peut-être, aux yeux de Torval.

— Même dans ce cas, il faudra des mois avant qu'ils n'arrivent jusqu'ici, dit-il, maussade. Une centaine d'Asha'man, ou même une cinquantaine, placés en Illian, peuvent détruire n'importe quelle armée du monde avant qu'un seul homme ait traversé la frontière.

— Je doute qu'une armée avec des *damanes* soit détruite aussi facilement qu'on tue des Aiels en pleine préparation d'une bataille et attaqués par surprise, dit

Rand calmement. Torval se raidit. De plus, je dois défendre tout l'Illian, et pas seulement la cité.

Ignorant Torval, Rand traça du doigt des lignes sur la carte. Une étendue maritime de vingt lieues séparait la Pointe d'Arran et la cité d'Illian, jusqu'au rivage opposé de la Mer de Kabal, où, prétendaient les capitaines de vaisseaux d'Illian, les lignes de sonde ne touchaient pas le fond à un mile à peine du rivage. Là, les navires étaient facilement retournés par les vagues déferlant vers le nord pour marteler la côte, avec des brisants de quinze toises de haut. Par ce temps, ce serait encore pis. En contournant la Mer, il y avait deux cents miles à couvrir pour arriver à la cité, même par le chemin le plus court. Mais si les Seanchans partaient de la Pointe d'Arran, ils pouvaient atteindre la frontière en deux semaines en dépit des orages. Peutêtre même moins. Mieux valait combattre en un lieu de son choix. Son doigt glissa le long de la côte méridionale de l'Altara, le long de la chaîne de Venir, jusqu'à l'endroit où les montagnes s'abaissaient en collines au voisinage d'Ebou Dar. Cinq cents soldats ici, un millier là. Il était tentant de constituer un tel collier de perles le long des montagnes. Un violent coup de semonce pouvait les rejeter vers Ebou Dar, ou les clouer sur place en attendant de deviner ce qu'ils mijotaient. Ou...

— Il y avait autre chose, dit brusquement Morr, avec la même précipitation. On m'a parlé d'une sorte d'arme utilisée par les Aes Sedais. J'ai découvert où elle sévissait, à quelques miles de la cité. Le sol était calciné, tout avait été rasé dans un rayon de plus de trois cents toises, avec, plus loin, des vergers incendiés. Et le sable avait fondu, formant des plaques de verre. Le *saidin* était pire à cet endroit.

Torval agita vers lui une main dédaigneuse.

— Il pouvait y avoir des Aes Sedais dans les parages quand la ville est tombée, exact ? Ou peut-être que les Seanchans eux-mêmes ont commis ces destructions. Une sœur avec un *angreal* pourrait…

Rand l'interrompit.

— Que voulez-vous dire par « le *saidin* était pire à cet endroit » ?

Dashiva remua, lorgnant bizarrement Morr, et tendant le bras comme pour saisir le jeune homme. Rand l'écarta sans ménagement.

— Que voulez-vous dire, Morr ?

Morr le regarda, la bouche pincée, sa main montant et descendant sur la poignée de son épée. À l'intérieur de son crâne, la chaleur semblait prête à exploser. Et maintenant, de la sueur perlait sur son visage.

— Le *saidin* était… étrange, dit-il d'une voix rauque et saccadée. Même pire là-bas – je pouvais le sentir… dans l'air ambiant –, mais étrange partout autour d'Ebou Dar. Et même à cent miles de distance. Je devais le combattre ; il n'était pas comme d'habitude. Il semblait vivant. Parfois… Parfois, il ne faisait pas ce que je voulais. Parfois il… il faisait autre chose. C'est vrai ! Je ne suis pas fou ! C'est la vérité !

Le vent se mit à souffler en rafales hurlantes, secouant les parois de la tente. Morr se tut. Narishma bougea la tête, faisant tinter ses clochettes, qui se turent elles aussi.

— Ce n'est pas possible, marmonna entre ses dents Dashiva rompant le silence. Ce n'est pas possible.

— Qui sait ce qui est possible ? dit Rand. Moi pas ! Et vous ?

Surpris, Dashiva releva brusquement la tête, tandis que Rand se tournait vers Morr, adoucissant sa voix.

— Ne vous inquiétez pas, mon garçon.

Sa voix n'était pas douce – ça, il ne le pouvait plus – mais se voulait plutôt rassurante.

Son œuvre. Sa responsabilité.

— Vous serez avec moi lors de la Dernière Bataille. Je vous le promets.

Le jeune homme hocha la tête, puis se passa la main sur le visage, étonné de la voir humide. Enfin, il jeta un coup d'œil vers Torval, qui s'était figé comme une statue en pierre. Morr était-il au courant pour le vin ? C'était une chance, compte tenu des choix proposés. Une grâce, petite et amère.

Rand ramassa la missive de Taim, la plia et la fourra dans sa poche. Un sur cinquante devenait fou, et ce n'était pas fini. Morr serait-il le suivant ? Dashiva ne tarderait pas. Les regards d'Hopwil prirent un nouveau sens, ainsi que le silence habituel de Narishma. La folie ne consistait pas toujours à crier parce qu'on sentait des araignées dans sa tête. Il avait demandé un jour, à quelqu'un de fiable, comment laver la souillure du *saidin*. Et on lui avait répondu par une devinette. Herid Fel avait affirmé que la devinette énonçait « des principes solides, à la fois en haute philosophie et en philosophie naturelle », mais il n'avait vu aucun moyen de l'appliquer au problème en question. Herid Fel avait-il été assassiné parce qu'il était parvenu à résoudre l'énigme ? Rand avait une petite idée de la réponse, mais cette hypothèse pouvait se révéler catastrophique s'il se trompait. Devinettes et hypothèses n'apportaient aucune réponse, pourtant il devait agir. Si la souillure n'était pas lavée d'une façon ou d'une autre, la Tarmon Gai'don verrait peut-être un monde déjà anéanti par les fous. Ce qui devait être fait le serait.

— Ce serait merveilleux, dit Torval, dans un murmure. Mais comment quelqu'un pourrait-il, à part le Créateur ou…

Il ne termina pas, mal à l'aise.

Rand n'avait pas réalisé qu'il avait ruminé tout haut. Les yeux de Narishma, ceux de Morr et d'Hopwil brillaient maintenant tous également d'un espoir soudain. Dashiva semblait frappé par la foudre. Rand espéra qu'il n'en avait pas trop dit. Certains secrets devaient rester cachés. Y compris ce qu'il allait faire maintenant.

Bien vite, Hopwil se précipita vers son cheval pour aller sur la crête donner des ordres aux nobles, Morr et Dashiva coururent chercher Flinn et les autres Asha'man, pendant que Torval s'apprêtait à Voyager, pour repartir vers la Tour Noire donner de nouveaux ordres à Taim. Narishma resta le dernier. Pensant aux Aes Sedais, aux Seanchans et aux armes, Rand le renvoya aussi, avec des instructions qui lui firent pincer les lèvres.

— Ne parlez à personne, termina Rand, en serrant très fort le bras de Narishma. Et ne me désobéissez pas. Même pas d'un cheveu.

— Je ne vous trahirai pas, dit Narishma sans ciller. Après un bref salut, il s'éloigna.

Dangereux, murmura une voix dans la tête de Rand. *Oh ! oui, très dangereux, peut-être trop dangereux. Mais cela peut marcher ; c'est possible. De toute façon, vous devez tuer Torval maintenant. Vous le devez.*

Weiramon entra dans la tente du Conseil, écartant de l'épaule Gregorin et Tolmeran, puis Rosana et Sema-radrid, tous impatients d'annoncer à Rand que les hommes cachés dans les collines avaient finalement pris une sage décision. Il était là, riant aux larmes. Lews Therin était revenu. Ou alors, il était déjà devenu fou. Que ce soit l'un ou l'autre, c'était une raison de rire.

15.

Plus fort que la loi écrite

Au plus profond de la nuit, Egwene s'éveilla, embrumée par un sommeil agité et peuplé de rêves d'autant plus troublants qu'elle n'arrivait pas à se les rappeler. Ses rêves lui avaient toujours paru intelligibles et nets comme des mots imprimés sur le papier, mais ceux-là étaient troubles et effrayants. Ça lui arrivait trop souvent ces derniers temps. Ils lui donnaient l'envie de courir, de fuir, elle ignorait quoi, mais toujours mal à l'aise, nauséeuse, et même tremblante. Au moins, elle n'avait pas mal à la tête. Elle pensait cependant qu'ils avaient une signification, sans pouvoir les interpréter. Elle y voyait Rand, portant différents masques, jusqu'à ce que l'un de ces faux visages ne fût plus un masque, mais lui-même. Perrin et Tinker, la hache et l'épée au poing, se taillant frénétiquement un chemin dans les ronces sans se rendre compte qu'il y avait un précipice juste devant eux. Les ronces hurlaient avec des voix humaines qu'ils n'entendaient pas. Mat, pesant des Aes Sedais sur les deux plateaux d'une immense balance, et de sa décision dépendait... Elle ne savait pas quoi ; quelque chose de vaste ; le monde peut-être. Il y avait eu d'autres rêves, la plupart douloureux. Ses derniers rêves sur Mat étaient pâles et pleins de souffrance, comme des ombres projetées par des cauchemars, presque comme si Mat lui-même n'était pas réel. Cela lui faisait craindre pour lui, abandonné à Ebou Dar, et la plongeait dans une agonie de remords de l'avoir envoyé là-bas, sans parler du pauvre vieux Thom Merrilin. Mais les rêves oubliés étaient les pires, elle en était certaine.

Des chuchotements l'avaient réveillée, et la pleine lune encore haut dans le ciel projetait assez de clarté pour qu'elle distingue deux femmes qui se disputaient à l'entrée de la tente.

— La pauvre femme a mal à la tête tout le jour, et ne trouve que peu de repos la nuit, murmurait Halima avec véhémence, les poings sur les hanches. Ça peut attendre jusqu'au matin.

— Je ne veux pas discuter avec vous, dit Siuan, d'une voix glacée comme l'hiver, repoussant sa cape dans son dos avec sa main, comme pour se préparer au combat. Elle était habillée pour la saison, en gros drap de laine, porté sans doute sur autant de couches de vêtements qu'il en pouvait tenir dessous.

— Écartez-vous, et vite, ou vos tripes me serviront d'appâts pour la pêche ! Et enfilez des vêtements décents !

Gloussant doucement, Halima se redressa et se planta encore plus fermement devant Siuan. Sa chemise de nuit blanche collait à ses formes, mais restait assez décente. Même s'il paraissait miraculeux qu'elle ne gèle pas dans cette fine étoffe de soie. Les charbons du brasero s'étaient éteints depuis longtemps, et ni la tente souvent rapiécée, ni les couches de tapis sur le sol ne conservaient longtemps la chaleur. Une pâle buée sortait de leurs bouches.

Rejetant ses couvertures, Egwene s'assit avec lassitude sur son étroit lit de camp. Halima était une femme de la campagne, avec un mince verni d'éducation ; elle ne réalisait pas toujours la déférence due aux Aes Sedais ou même à quiconque. Elle parlait de la même façon aux Députées et aux sages-femmes de son village, riant et les regardant dans les yeux, avec une attitude décontractée qui choquait parfois. Siuan passait ses journées à s'effacer devant des femmes qui, une année auparavant, exécutaient immédiatement ses ordres, souriant et s'inclinant devant presque toutes les sœurs du camp. Beaucoup lui attribuaient toujours la plupart des troubles de la Tour Blanche, et pensaient qu'elle n'avait pas assez souffert pour réparer ses erreurs. Cela aurait mis l'orgueil de n'importe qui à rude épreuve. Les réunir revenait à jeter une lanterne allumée dans le chariot d'un Illuminateur. Mais Egwene espérait éviter l'explosion. De plus, Siuan ne serait pas venue au milieu de la nuit si ce n'avait pas été nécessaire.

— Retournez vous coucher, Halima.

Étouffant un bâillement, Egwene se pencha, cherchant à tâtons sous son lit ses bas et ses souliers. Elle ne canalisa pas pour allumer la lampe. Il valait mieux que personne ne sache que l'Amyrlin ne dormait pas.

— Allez vous coucher. Vous avez besoin de repos.

Halima protesta, peut-être plus énergiquement qu'elle n'aurait dû devant le Siège d'Amyrlin, mais retourna bientôt sur l'étroite couchette qu'on avait installée pour elle sous la tente. Il restait peu de place pour bouger, avec une table de toilette, une psyché, un fauteuil et quatre grands coffres empilés les uns sur les autres. Ils contenaient les vêtements que les Députées lui offraient à profusion, n'ayant pas encore réalisé que, malgré sa jeunesse, Egwene n'était quand même plus assez jeune pour se laisser éblouir ou distraire par des soies et des dentelles. Halima se coucha en chien de fusil, scrutant la nuit, pendant qu'Egwene se passait à la hâte un peigne en ivoire dans les cheveux, enfilait de grosses mitaines, et jetait une cape doublée de renard sur sa chemise de nuit en laine, qu'elle aurait supportée encore plus épaisse par ce temps. Sans ciller, les yeux d'Halima brillaient dans le noir au reflet de la lune.

Egwene ne la croyait pas jalouse de sa place auprès du Siège d'Amyrlin, si modeste fût-elle, et la Lumière savait qu'elle n'était pas cancanière, mais Halima était innocemment curieuse de tout, que cela la concerne ou non. Une raison suffisante pour écouter Siuan ailleurs. Tout le monde savait maintenant que Siuan avait pris le parti d'Egwene, si l'on peut dire mais à contrecœur, pensait-on, et parce qu'elle ne pouvait guère faire autrement. Quel pitoyable personnage était-elle devenue, attachée à la femme détentrice du titre qui avait été le sien, une femme qui n'était guère plus qu'une marionnette dont les Députées se disputaient les ficelles. Siuan était assez humaine pour en éprouver quelque ressentiment. Mais jusque-là, elles étaient parvenues à cacher que les conseils de Siuan étaient loin d'être judicieux. Elle supportait donc la pitié et les ricanements du mieux qu'elle pouvait, et tout le monde la croyait transformée à l'image de son visage par ses expériences. Cette croyance devait perdurer, sinon Romanda et Lelaine, et sans doute tout le reste de l'Assemblée, l'auraient éloignée d'Egwene – et ses conseils avec elle.

Dehors, le froid saisit Egwene au visage et s'insinua sous sa cape. Sa chemise aurait pu être aussi mince que celle d'Halima pour la protection qu'elle lui offrait. Malgré ses robustes chaussures en cuir et en bois, elle eut l'impression d'être pieds nus. Des vrilles d'air glacé s'enroulèrent à ses oreilles, imprégnant la fourrure qui doublait son capuchon. N'aspirant qu'à son lit, il lui fallut toute sa concentration pour ignorer le froid. Des nuages filaient dans le ciel, et la clarté de la lune jouait sur le gel couvrant le sol d'une mince couche blanche, sur laquelle se détachaient en noir les tertres des tentes et les formes plus hautes des chariots bâchés, où de longs patins remplaçaient les roues. Beaucoup de chariots n'étaient pas comme à l'accoutumée garés à côté des tentes, mais abandonnés là où on les avait déchargés. Personne n'avait le cœur de demander aux cochers cet effort supplémentaire à la fin de la journée. Rien ne bougeait, à part les ombres projetées par la lune. Les larges ruisseaux asséchés, servant de sentiers à travers le camp, étaient déserts. Le silence était si prégnant et profond qu'elle regretta presque de le rompre.

— Que se passe-t-il ? demanda-t-elle doucement, avec un regard méfiant vers la tente la plus proche, que partageaient ses servantes, Chesa, Meri et Selame.

Elle était aussi sombre et silencieuse que les autres. L'épuisement jetait sur le camp une couverture aussi épaisse que la neige.

— Pas une nouvelle révélation contre la Famille, j'espère.

Elle fit claquer sa langue de contrariété. Ses paroles révélaient qu'elle était épuisée, elle aussi, par de trop longues chevauchées dans le froid et le manque de sommeil.

— Je suis désolée, Siuan.

— Inutile de vous excuser, Mère, dit Siuan, à voix basse, vérifiant que personne ne les observait dans l'ombre.

Ni l'une ni l'autre n'avaient envie de discuter de la Famille devant l'assemblée.

— Je sais que j'aurais dû vous prévenir plus tôt, mais cela m'avait semblé sans importance. Je ne pensais pas que ces filles parleraient jamais à l'une d'elles. Il y a tant de choses à vous dire. Je suis obligée de choisir ce qui est important.

Egwene réprima difficilement un soupir. C'était presque mot pour mot les excuses que Siuan lui avait déjà servies. Plusieurs fois. Ce qu'elle voulait dire, c'est qu'elle tentait de faire assimiler en quelques mois à Egwene vingt ans d'expérience d'Aes Sedai, dont dix comme Amyrlin. Parfois, Egwene avait l'impression d'être une oie qu'on gave pour le marché.

— Eh bien, qu'y a-t-il d'important ce soir ?

— Gareth Bryne attend dans votre bureau.

Siuan durcit le ton sans élever la voix, comme chaque fois quelle parlait du Seigneur Bryne. Elle secoua la tête en colère à l'intérieur de son capuchon, et émit un sifflement de chat hérissé.

— Il est arrivé en pleine tempête de neige, il m'a tirée du lit, m'a à peine donné le temps de m'habiller et m'a jetée en croupe. Il ne m'a rien dit ; il m'a juste déposée à la limite du camp et m'a envoyée vous chercher, comme si j'étais une servante !

Egwene réprima un espoir naissant. Elle avait eu trop de déceptions, et ce qui amenait Bryne au milieu de la nuit, c'était plus probablement un désastre que ce qu'elle espérait. Quelle distance jusqu'à la frontière de l'Andor ?

— Allons voir ce qu'il veut.

Se dirigeant vers la tente que tout le monde appelait le bureau de l'Amyrlin, elle resserra sa cape autour d'elle. Elle réfléchit aux paroles de Siuan.

— Vous ne dormiez donc pas dans votre propre tente ? s'enquit-elle, prudente.

Les rapports de Siuan avec le Seigneur Bryne ressemblaient à ceux d'une servante avec son maître, d'une façon très spéciale, mais Egwene espérait que Siuan ne laissait pas son orgueil obstiné la conduire à lui accorder certaines privautés. Pourtant, il n'y avait pas si longtemps, elle n'aurait jamais cru que Siuan accepterait cette situation. Elle ne comprenait toujours pas pourquoi.

Reniflant bruyamment, Siuan donna un coup de pied dans ses jupes, et faillit tomber quand sa chaussure glissa. La neige, tassée par d'innombrables piétinements, s'était rapidement transformée en une épaisse couche de glace. Egwene avançait prudemment.

Chaque jour apportait son lot de fractures que les sœurs, épuisées par les déplacements, devaient Guérir. Lâchant à moitié sa cape, elle lui offrit son bras, autant pour garder l'équilibre que pour soutenir Siuan. Qui l'accepta en maugréant.

— Le temps que j'aie fini de cirer ses bottes de rechange et sa deuxième selle, il était trop tard pour revenir à ma tente en pataugeant dans la neige. Non qu'il m'ait offert autre chose que des couvertures dans un coin. Pas Gareth Bryne ! Il m'a laissé les sortir moi-même du coffre, pendant qu'il allait la Lumière sait où ! Les hommes sont insupportables, et celui-là est le pire de tous !

Sans reprendre haleine, elle changea de sujet.

— Vous ne devriez pas laisser Halima dormir dans votre tente. C'est une paire d'oreilles de plus dont il faut vous méfier ; et fureteuse, de surcroît. En plus, vous aurez de la chance si à votre retour, vous ne la trouvez pas en train de *recevoir* un soldat.

— Je suis très contente que Delana puisse se passer d'Halima la nuit, dit Egwene avec fermeté. J'ai besoin d'elle. À moins que vous ne pensiez que Nisao réussirait mieux à Guérir mes maux de tête lors d'une seconde tentative.

Les doigts d'Halima semblaient extraire la souffrance de sa tête ; sans ça, elle n'aurait pas pu dormir du tout. L'intervention de Nisao n'avait eu aucun effet, et c'était la seule Jaune à qui Egwene osait confier son problème. Quant aux autres… Sa voix se fit encore plus sévère.

— Je m'étonne que vous écoutiez encore ces ragots, ma fille. Le fait que les hommes regardent une femme ne veut pas dire qu'elle les encourage, comme vous devriez le savoir. J'en ai vu plus d'un vous regarder avec un grand sourire.

Avec le temps, il lui était plus facile d'adopter ce ton.

Siuan lui coula un regard en coin, stupéfaite, et murmura peu après des excuses qui étaient peut-être sincères. Qu'elles le soient ou non, Egwene les accepta. Le Seigneur Bryne n'arrangeait rien à l'humeur de Siuan, et avec Halima par-dessus le marché, Egwene pensa qu'elle s'en tirait bien en ne prenant pas une attitude plus sévère. Siuan elle-même lui avait dit qu'elle ne devait pas tolérer les sottises, et les siennes encore moins.

Bras dessus, bras dessous, elles continuèrent à peiner dans la neige, le froid gelant leur haleine et pénétrant leur chair. La neige était une malédiction et un enseignement. Elle entendait toujours Siuan discourir sur ce qu'elle appelait la Loi des Conséquences Imprévues, plus forte que toute loi écrite. *Que vos actes aient ou non l'effet désiré, ils auront au moins trois conséquences que vous n'aurez pas prévues, et au moins l'une d'elles sera déplaisante.*

Les premières petites pluies avaient provoqué la stupéfaction, bien qu'Egwene ait informé l'Assemblée que la Coupe des Vents avait été retrouvée et utilisée. C'est à peu près tout ce qu'elle pouvait risquer de leur révéler à propos de ce qu'Elayne lui avait dit dans le *Tel'aran'rhiod*. Trop de choses survenues à Ebou Dar étaient de nature à la déstabiliser, et sa position était déjà suffisamment précaire. Une explosion de joie avait retenti quand les premières gouttes étaient tombées. Elles avaient stoppé leur convoi à midi, on avait fait des feux de joie et donné un banquet, on avait dit des prières d'action de grâces chez les sœurs, et dansé chez les soldats et les servantes. Certaines Aes Sedais avaient dansé aussi.

Quelques jours plus tard, le crachin s'était transformé en pluies diluviennes et en violentes tempêtes. La température avait chuté, et les tempêtes s'étaient transformées en blizzard. Elle se rappelait que la distance qu'elles couvraient autrefois en un jour – Egwene grinçant des dents à la lenteur de leur progression – leur en prenait cinq dorénavant, même quand le ciel n'était que nuageux. Quand il neigeait, elles ne bougeaient pas du tout.

Comme elles approchaient de la petite tente du bureau de l'Amyrlin, une ombre bougea près d'un grand chariot. Egwene retint son souffle. L'ombre devint une silhouette dont le capuchon glissa assez pour révéler le visage de Leane, puis disparut dans le noir.

— Elle va monter la garde.

— Parfait, dit Egwene.

Elle aurait pu la prévenir avant. Elle avait craint que ce fût Romanda ou Lelaine !

Le bureau de l'Amyrlin était plongé dans le noir, mais le Seigneur Bryne attendait patiemment, debout, enveloppé dans sa cape, ombre parmi les ombres. Embrassant la Source, Egwene canalisa, non pas pour allumer une chandelle ou la lanterne attachée au piquet central, mais pour créer une petite sphère de lumière pâle qu'elle suspendit au-dessus de la table pliante qui lui servait de bureau. Toute petite et très pâle, elle risquait peu d'être vue de l'extérieur et pouvait être éteinte aussi rapidement qu'une pensée. Egwene ne pouvait pas se permettre qu'on la découvre.

Au cours des ans, selon les générations, les Amyrlins avaient régné par la force, ou avaient réussi un équilibre avec l'Assemblée ; d'autres encore avaient eu aussi peu de pouvoir qu'elle, ou même moins en de rares occasions. Plusieurs avaient gaspillé leur pouvoir et amoindri leur influence. Cependant, très peu d'entre eux avaient trahi leur camp. Egwene aurait bien voulu savoir comment avaient procédé Myriam Copan et le reste des renégates. Même si leur histoire avait été écrite un jour, les pages avaient disparu depuis longtemps.

S'inclinant avec respect, Bryne ne s'étonna pas qu'elle manifestât de la méfiance. Il savait à quel risque elle s'exposait en le rencontrant secrètement. Dans une large mesure, elle avait confiance en cet homme solide à la chevelure grisonnante, au visage dur et parcheminé, et pas seulement parce qu'elle ne pouvait pas faire autrement. Il portait une cape en drap rouge, doublée de martre et bordée de la Flamme de Tar Valon, cadeau de l'Assemblée. Pourtant, au cours des semaines passées, il avait fait comprendre sans ambages et à plusieurs reprises que, en dépit de l'avis de l'Assemblée – il n'était pas assez aveugle pour l'ignorer ! –, elle était l'Amyrlin et qu'il suivrait l'Amyrlin. Oh, il ne l'avait jamais affirmé directement, mais avait procédé par allusions soigneusement formulées qui ne laissaient aucun doute. Il y avait presque autant de courants d'opinion dans le camp que d'Aes Sedais, dont certains étaient assez forts pour le faire tomber ou pour embourber Egwene encore davantage si l'Assemblée apprenait cette rencontre. Il était celui à qui elle se fiait le plus, à l'exception de Siuan et de Leane, d'Elayne et de Nynaeve, peut-être même plus qu'à toutes les sœurs qui lui avaient juré secrètement allégeance. Elle aurait aimé avoir le courage de lui faire totalement confiance. La sphère lumineuse projetait des ombres pâles et changeantes.

— Vous avez des nouvelles, Seigneur Bryne ? demanda-t-elle, réprimant de faux espoirs.

Elle imaginait qu'il pourrait apporter en pleine nuit une douzaine de messages différents, truffés d'écueils et de pièges : Rand aurait décidé d'ajouter d'autres couronnes à celle de l'Illian ; les Seanchans avaient pris une autre cité, ou la Bande de la Main Rouge serait soudain passée à l'action de son propre chef au lieu de surveiller discrètement les Aes Sedais, ou...

— Une armée est apparue dans le Nord, Mère, répondit-il avec calme, ses mains gantées posées légèrement sur la poignée de sa longue épée.

Une armée au nord, et davantage de neige, ça revenait au même.

— Des Andorans principalement, mais avec une forte proportion de Murandiens. Mes éclaireurs m'ont rapporté la nouvelle il y a moins d'une heure. Pelivar est à la tête de cette armée, et Arathelle est avec lui, de même que les Hauts Sièges des deux plus puissantes

Maisons d'Andor, et au moins quarante autres Maisons les accompagnent. Ils se dirigent vers le sud à marches forcées, semble-t-il. Si vous continuez au même rythme, ce que je vous déconseille vivement, nous devrions les affronter de plein fouet dans deux jours ou trois tout au plus.

Egwene s'obligea à rester impassible, dissimulant son soulagement. Ce qu'elle espérait le plus arrivait enfin. Curieusement, ce fut Siuan qui soupira, plaquant trop tard une main gantée sur sa bouche. Bryne fronça les sourcils en la regardant. Elle se ressaisit aussitôt, et recouvrit une entière sérénité d'Aes Sedai qui fit presque oublier son visage juvénile.

— Avez-vous des scrupules à combattre vos compatriotes andorans ? demanda Siuan. Parlez, mon ami. Ici, je ne suis pas votre blanchisseuse.

Malgré tout, on décelait une fissure dans cette sérénité apparente.

— À vos ordres, Siuan Sedai, dit-il sans aucune ironie.

Cependant, la bouche de Siuan se durcit, son calme apparent s'envolant rapidement. Il la salua sans ostentation.

— Je combattrai tous ceux que me désignera la Mère, bien sûr.

Il n'en dit pas plus. Les hommes apprenaient à se montrer prudents en présence des Aes Sedais. Les femmes aussi. Egwene se dit que la prudence était devenue chez elle une seconde nature.

— Et si nous stoppons notre avance ? dit-elle. Et que nous nous arrêtons ici ?

Siuan et Leane lui avaient toujours fourni des plans d'action précis. Aussi, Bryne s'étonna-t-il qu'elle tâtonnât maintenant aussi prudemment que sur les sentiers gelés du camp.

Il répondit sans hésitation.

— Si vous avez un moyen de les détourner, ce serait parfait. Mais dès demain, ils atteindront une excellente position défensive : un flanc défendu par la Rivière Armahn, l'autre par une vaste tourbière, avec de petits cours d'eau à l'avant pour briser une éventuelle attaque. Pelivar s'y installera pour attendre ; il connaît son métier. Arathelle jouera son rôle dans les négociations, mais elle lui laissera les piques et les épées. Nous ne pouvons pas y arriver avant lui, et d'ailleurs, le terrain ne nous favorisera pas là-bas, avec lui au nord. Si vous voulez combattre, je conseille de nous replier sur cette crête que nous avons laissée derrière nous il y a deux jours. Nous pouvons y arriver en bon ordre avant eux si nous partons à l'aube. Pelivar réfléchirait à deux fois avant de venir nous y attaquer, même s'il avait trois fois plus de troupes.

Remuant ses orteils presque gelés à l'intérieur de ses bas, Egwene soupira de contrariété. Il y avait une différence entre ne pas laisser le froid vous toucher et ne pas le sentir. Choisissant ses mots avec précaution, sans se laisser distraire par la température, elle demanda :

— Est-ce qu'ils parlementeront ? Y aura-t-il une chance de négocier ?

— Sans doute, Mère. Les Murandiens comptent à peine. Ils ne sont là que pour profiter des avantages de la situation, comme ceux que j'ai dans mes rangs. C'est Pelivar et Arathelle qui mènent la danse. Si j'avais à parier, je dirais qu'ils veulent seulement vous empêcher de pénétrer en Andor.

Il hocha la tête, lugubre.

— Mais ils combattront, s'il le faut, peut-être même s'ils doivent affronter des Aes Sedais et pas seulement des soldats. Je suppose qu'ils ont entendu les mêmes rumeurs que nous au sujet de cette bataille, quelque part dans l'Est.

— Tripes de poisson ! gronda Siuan.

Et voilà pour la sérénité.

— Des rumeurs et des cancans ridicules ne constituent pas la preuve qu'une bataille a eu lieu dans l'Est, espèce de lourdaud, et même si ç'avait été le cas, des sœurs ne s'y seraient pas mêlées !

Cet homme la rendait toujours folle.

Bryne sourit comme il le faisait souvent quand Siuan perdait son sang-froid. Dans des circonstances différentes et émanant de quelqu'un d'autre, Egwene aurait qualifié ce sourire d'affectueux.

— Il vaut mieux pour nous qu'ils les croient, dit-il à Siuan avec douceur.

Elle s'assombrit, comme s'il avait ricané.

Pourquoi une femme généralement raisonnable laissait-elle Bryne la mettre dans tous ses états ? Quelle qu'en fût la raison, Egwene n'avait pas de temps à consacrer à la question pour le moment.

— Siuan, je vois que quelqu'un a oublié d'emporter le vin chaud. Il n'a pas pu tourner par ce temps. Réchauffez-le pour nous, je vous prie.

Elle n'aimait pas rabaisser Siuan devant Bryne, mais il fallait la reprendre en main, et cela lui sembla la façon la plus anodine de le faire. Vraiment, elles n'auraient pas dû laisser le pichet d'argent sur sa table.

Elle ne protesta pas, mais à son air accablé, vite réprimé, on n'aurait jamais cru qu'on lui avait demandé de laver le linge de Bryne. Sans commentaire, elle canalisa légèrement pour réchauffer le vin dans le pichet d'argent, remplit vivement deux timbales propres en argent, et tendit la première à Egwene. Elle garda l'autre pour elle et la but tout en regardant le Seigneur Bryne, le laissant se servir lui-même.

Se réchauffant les doigts au contact de sa timbale, Egwene ressentit un pincement d'irritation. Cela faisait peut-être partie de la réaction longtemps différée de Siuan à la mort de son Lige. Elle pleurait encore de temps en temps sans raison apparente, même si elle essayait de s'en cacher. Egwene écarta fermement cette pensée. Ce soir, c'était une fourmilière comparée à une montagne.

— Je veux éviter une bataille si c'est possible, Seigneur Bryne. L'armée est destinée à Tar Valon, non à faire la guerre ici. Envoyez un messager pour organiser une entrevue dès que possible entre le Siège d'Amyrlin, le Seigneur Pelivar, Dame Arathelle et quiconque vous jugerez bon d'y participer. Pas ici. Notre modeste camp ne les impressionnerait guère. J'ai bien dit, dès que possible. Je n'aurais aucune objection à ce que ce soit demain, si c'est faisable.

— Je crains que ce ne soit impossible, Mère, dit-il doucement. Si je leur envoie des émissaires dès mon retour au camp, ils ne m'apporteront pas de réponse avant demain soir.

— Alors, je propose que vous y retourniez immédiatement. Par la Lumière, ce qu'elle avait froid aux mains et aux pieds. Et aussi au ventre. Mais sa voix conserva son calme.

— Et je veux que vous cachiez aussi longtemps que possible à l'Assemblée notre rencontre et l'existence de cette armée.

Cette fois, elle lui demandait de prendre un risque aussi grand qu'elle-même. Gareth Bryne était l'un des meilleurs généraux vivants, mais les Députées lui reprochaient de ne pas commander l'armée à leur convenance. Au début, elles lui avaient été reconnaissantes de son ralliement, car son nom avait attiré de nouvelles recrues. Maintenant, les effectifs comptaient plus de trente mille soldats, et il en arrivait tous les jours depuis qu'il neigeait. Elles pensaient peut-être qu'il n'était plus indispensable, et certaines parmi elles croyaient n'avoir jamais eu besoin de lui. Pour cette mission que lui confiait Egwene, elles ne se contenteraient pas de le congédier. Il risquait de se faire pendre pour trahison.

Il ne cilla pas, évitant de poser des questions auxquelles elle ne répondrait probablement pas. Ou peut-être en connaissait-il déjà les réponses.

— Il n'y a pas beaucoup de circulation entre mon camp et le vôtre, mais trop de soldats sont déjà au courant pour que cela reste longtemps secret. Enfin, je ferai ce que je pourrai.

Aussi simple que ça. Ce serait le premier pas sur la route qui l'amènerait au Siège d'Amyrlin de Tar Valon, ou la livrerait aux mains de l'Assemblée, la laissant simplement décider si c'était Romanda ou Lelaine qui dictait leur conduite aux Députées. Un moment si crucial aurait dû être salué de sonneries de trompettes, ou au moins, de quelques coups de tonnerre. C'était toujours comme ça dans les légendes.

Egwene laissa la sphère lumineuse s'évanouir. Tandis que Bryne se retournait pour partir, elle lui saisit le bras. Elle eut l'impression de serrer une grosse branche d'arbre à travers sa manche.

— Encore une question, Seigneur Bryne. Vous ne comptez sans doute pas assiéger Tar Valon avec des hommes épuisés par de longues marches. Combien de temps leur faut-il pour se reposer avant l'attaque ?

Pour la première fois, il fit une pause, et elle regretta de ne plus avoir assez de lumière pour voir son visage. Elle crut qu'il fronçait les sourcils.

— Même sans compter les gens payés par la Tour, la nouvelle d'une armée en marche vole aussi vite que les faucons, répondit-il lentement. Elaida saura au jour près quand nous arriverons, et elle ne nous donnera pas une heure de répit. Savez-vous qu'elle augmente la Garde de la Tour ? La portant à cinquante mille, apparemment. Il nous faudrait un mois pour nous reposer et récupérer complètement. Dix jours suffiraient, mais un mois serait préférable.

107

Elle hocha la tête et lui lâcha le bras. Cette remarque anodine sur la Garde de la Tour avait fait mouche. Il savait que l'Assemblée et les Ajahs lui disaient ce qu'elle avait besoin de savoir, et rien de plus.

— Vous avez raison, je suppose, dit-elle d'une voix monotone. Nous n'aurons pas le loisir de nous reposer une fois que nous serons à Tar Valon. Envoyez vos émissaires les plus rapides. Il n'y a pas de problème, n'est-ce pas ? Est-ce que Pelivar et Arathelle les recevront ? demanda-t-elle un soupçon de sincère anxiété.

Un combat imminent entraînerait, entre autres, la ruine de ses plans.

Bien qu'elle ne décelât aucun changement dans la voix de Bryne, elle crut quand même y détecter une nuance apaisante.

— Tant qu'il y aura assez de lumière pour qu'ils voient une plume blanche, ils cesseront le combat et écouteront. Il faut que je parte, Mère. La route est longue et le terrain difficile pour arriver jusqu'à eux, même avec des chevaux de remonte.

Dès que les rabats de la tente retombèrent derrière lui, Egwene poussa un profond soupir. Elle avait les épaules crispées et elle s'attendait au retour de ses migraines d'un instant à l'autre. Généralement, la présence de Bryne la détendait, comme si elle absorbait son assurance. Ce soir, elle l'avait manipulé, et elle pensait qu'il s'en était rendu compte. Il était très observateur pour un homme. Mais trop de choses étaient en jeu pour lui faire totalement confiance. Elle attendait qu'il se déclare ouvertement, peut-être en prêtant serment, à l'instar de Myrelle et des autres.

Bryne suivait l'Amyrlin, et l'armée suivait Bryne. S'il pensait qu'elle allait sacrifier des hommes inutilement, quelques mots de lui la livreraient à l'Assemblée, rôtie comme un cochon sur un plat. Elle but une longue rasade, sentant la chaleur du vin aux épices se répandre dans son corps.

— Ce serait mieux qu'ils le croient, marmonna-t-elle. Même si je ne fais rien d'autre, Siuan, j'espère au moins pouvoir nous libérer des Trois Serments.

— Non ! aboya Siuan, outrée. Toute tentative aurait des effets désastreux, et si vous réussissiez… Que la Lumière nous protège ; si vous réussissiez, vous détruiriez la Tour Blanche.

— Qu'est-ce que vous allez chercher ? Je m'efforce de respecter les Serments, Siuan, puisque nous ne pouvons pas faire autrement – pour l'instant – mais les Serments ne nous aideront guère contre les Seanchans. Si les sœurs doivent être en danger de mort avant de rendre coup pour coup, ce n'est qu'une question de temps avant que nous soyons toutes mortes ou prisonnières.

Un instant, elle sentit de nouveau le collier de l'*adam* autour de son cou, comme un chien en laisse. Un chien obéissant et bien dressé. Maintenant, elle appréciait l'obscurité, qui dissimulait ses tremblements. Le visage de Siuan était caché dans le noir, à part sa bouche qui remuait sans émettre un son.

— Ne me regardez pas ainsi, Siuan.

Il était plus facile d'être furieuse qu'effrayée, plus facile de dissimuler la peur sous la colère. Elle ne serait *plus jamais* ainsi tenue en laisse !

— Vous avez tiré bénéfice en étant libérée des Serments. Si vous n'aviez pas menti dans votre barbe, nous serions toutes à Salidar, sans armée, à nous croiser les bras en attendant un miracle. Enfin, vous. Elles ne m'auraient jamais élue Amyrlin sans votre mensonge à propos de Logain et des Rouges. Elaida régnerait sans partage, et un an plus tard, personne ne se souviendrait qu'elle a usurpé le Trône d'Amyrlin. C'est *elle* qui détruirait la Tour, j'en suis sûre. Vous savez qu'elle a menti au sujet de Rand. Je ne m'étonnerais pas qu'elle ait essayé de le kidnapper à l'heure qu'il est. Enfin, peut-être pas le kidnapper, mais elle aurait tenté quelque chose. Sans doute que les Aes Sedais seraient en train de se battre contre les Asha'man, et au diable la Tarmon Gai'don menaçant à l'horizon !

— J'ai menti quand ça m'a semblé nécessaire, dit Siuan en un souffle. Au moment opportun.

Les épaules affaissées, elle parlait comme si elle confessait des crimes qu'elle ne voulait pas avouer à elle-même.

— Parfois, je pense que ce m'est devenu trop facile de décider de ce qui est nécessaire et opportun. J'ai menti à presque tout le monde, sauf à vous. Mais n'allez pas croire que je n'en ai pas eu envie. Pour vous pousser à prendre une décision, ou vous empêcher d'une prendre une autre. Ce n'est pas le désir de garder votre confiance qui m'a arrêtée.

Siuan tendit les mains dans le noir, suppliante.

— La Lumière seule sait ce que votre confiance et votre amitié signifient pour moi, mais il ne s'agit pas de ça. Ce n'était pas non plus la conviction que vous m'écorcheriez vive et me renverriez si vous vous en aperceviez. J'ai réalisé que je devais respecter les Serments envers quelqu'un, ou que je serais complètement perdue. C'est pourquoi je ne vous mens pas, ni à Gareth Bryne non plus, quoi qu'il m'en coûte. Et dès que je pourrai, Mère, je jurerai de nouveau sur la Baguette aux Serments.

— Pourquoi ? demanda doucement Egwene.

Siuan avait pensé à lui mentir ? Elle l'aurait écorchée vive pour ça, mais sa colère était tombée.

— Je ne tolère pas le mensonge, Siuan. Normalement. Mais c'est parfois nécessaire.

Le temps passé chez les Aiels lui revint brusquement à l'esprit.

— Tant que vous acceptez d'en payer le prix, en tout cas. J'ai vu des sœurs punies pour beaucoup moins. Vous êtes la première d'un nouveau genre d'Aes Sedai, Siuan, libre et sans entraves. Je vous crois quand vous dites que vous ne me mentez pas.

Au Seigneur Bryne non plus ? Bizarre.

— Pourquoi renoncer à votre liberté ?

— Renoncer ? dit Siuan en riant. Ce serait ne renoncer à rien.

Elle se redressa. Sa voix reprit de la force, puis de la passion.

— Les Serments sont ce qui fait de nous davantage qu'un groupe de femmes se mêlant des affaires du monde. Les Serments maintiennent notre cohésion. C'est un ensemble de règles fixes qui nous lient les unes aux autres, un fil unique qui court à travers

111

chaque sœur, vivante ou morte ; jusqu'à celle qui, la première, a posé les mains sur la Baguette aux Serments. Ce sont eux qui font de nous des Aes Sedais, et non la *saidar*. N'importe quelle Irrégulière peut canaliser. Les hommes interprètent ce que nous disons de six façons différentes, mais quand une sœur dit : « C'est ainsi », ils *savent* que c'est vrai et ils ont confiance grâce aux Serments. À cause des Serments, aucune Reine ne craint que les sœurs dévastent ses cités. Le plus misérable sait qu'il est en sécurité auprès d'une sœur, sauf s'il cherche à lui nuire. Oh, les Blancs Manteaux prétendent qu'elles mentent, et certaines personnes ont d'étranges idées sur ce qu'entraînent les Serments ! Mais il existe peu d'endroits où une sœur ne peut pas aller et être écoutée, grâce aux Serments. Les Trois Serments sont l'essence d'une Aes Sedai, le *cœur* de sa profonde nature. Jetez cela aux orties, et nous ne serons plus que du sable emporté par la marée. Renoncer ? Je serai gagnante.

Egwene fronça les sourcils.

— Et les Seanchans ?

Qu'était une Aes Sedai ? Depuis le jour de son arrivée à Tar Valon, elle avait travaillé pour le devenir, mais elle n'avait jamais réfléchi à ce qui *faisait* d'une femme une Aes Sedai.

Siuan se remit à rire, quoique cette fois-ci de manière ironique et un peu lasse. Elle hocha la tête. Dans l'ombre ou la lumière, elle semblait fatiguée.

— Je ne sais pas, Mère. La Lumière me pardonne, je ne sais pas. Mais nous avons survécu aux Guerres Trolloques, aux Blancs Manteaux, à Artur Aile-de-

Faucon, et à bien d'autres choses. Nous trouverons sûrement un moyen d'anéantir les Seanchans. Sans nous détruire nous-mêmes.

Egwene n'en était pas si sûre. Au camp, beaucoup de sœurs pensaient que les Seanchans étaient si dangereux qu'assiéger Elaida pouvait attendre au risque de cimenter Elaida sur le Siège d'Amyrlin. Beaucoup d'autres semblaient penser que restaurer l'unité de la Tour Blanche à tout prix, ferait disparaître les Seanchans. La survie perdait une grande partie de son attrait s'il s'agissait d'une survie en laisse, et la laisse d'Elaida ne serait guère moins contraignante que celle des Seanchans. Ce que c'était *qu'être* Aes Sedai.

— Inutile de garder Gareth Bryne à l'écart, dit soudain Siuan. Il est le tourment fait homme, c'est vrai. Par principe, je vais lui frotter les oreilles chaque matin et deux fois chaque soir. Vous pouvez tout lui dire. Ce serait avantageux pour nous, s'il comprenait. Il vous croit sur parole, et cela lui noue l'estomac de se demander si vous savez ce que vous faites. Il ne le montre pas, mais je le vois bien.

Soudain, des pièces cliquetèrent dans l'esprit d'Egwene, comme un puzzle qui se défait. Des pièces choquantes. Siuan était *amoureuse* de cet homme ! Rien d'autre n'avait de sens. Tout ce qu'elle connaissait de leurs rapports prit une signification nouvelle. Ça n'était pas forcément mieux. Une femme amoureuse met souvent sa cervelle au placard en présence de l'aimé. Elle l'avait vérifié elle-même. Où *était* Gawyn ? Allait-il bien ? Était-il au chaud ? Assez ! C'en était trop, étant donné de qu'elle avait à dire. Elle prit sa plus belle voix d'Amyrlin, assurée et autoritaire.

— Vous pouvez frictionner les oreilles du Seigneur Bryne ou partager son lit, Siuan, mais vous vous *surveillerez* avec lui. Vous tairez ce qu'il ne doit pas encore savoir. Comprenez-vous ?

Siuan se redressa d'un seul coup.

— Je n'ai pas l'habitude de laisser ma langue claquer à tous les vents comme une voile qui fasseye, dit-elle avec véhémence.

— Je suis très heureuse de l'entendre, Siuan.

Bien qu'elles semblent du même âge, Siuan aurait pu facilement être sa mère. À cet instant précis, Egwene eut l'impression que leurs âges s'étaient inversés. C'était la première fois que Siuan traitait avec un homme, non en tant qu'Aes Sedai, mais en tant que femme. *Quelques années à me croire amoureuse de Rand*, pensa Egwene, ironique, *quelques mois à me consumer pour Gawyn, et je connais tout ce qu'il y a à savoir.*

— Je crois que nous en avons terminé ici, dit-elle, donnant le bras à Siuan. Venez.

Bien que les parois de la tente ne les aient guère protégées du froid, les dents de l'hiver les assaillirent dès qu'elles en sortirent. Se reflétant sur la glace, le clair de lune était presque suffisant pour pouvoir lire. Bryne avait disparu comme s'il n'avait jamais été là. Leane apparut, le temps de dire qu'elle n'avait vu personne, sa mince silhouette emmitouflée sous des couches de laine, puis elle s'éloigna dans la nuit, le regard aux aguets. Personne n'était au courant d'aucun rapport entre Egwene et Leane, et tout le monde croyait Siuan et Leane à couteaux tirés.

Resserrant sa cape le mieux possible avec une seule main, Egwene partit accompagnée de Siuan dans la direction opposée à Leane, s'efforçant d'ignorer le froid. Elle ouvrait l'œil pour repérer une quelconque présence qui aurait semblé inhabituelle à cette heure-ci.

— Le Seigneur Bryne avait raison de dire qu'il vaudrait mieux que Pelivar et Arathelle croient à ces histoires, dit-elle à Siuan. Ou du moins qu'elles les fassent hésiter. À combattre ou à faire autre chose que parler. Croyez-vous qu'ils verraient d'un bon œil une visite d'Aes Sedais ? Siuan, vous m'écoutez ?

Siuan sursauta et cessa de regarder dans le vague. Jusqu'à présent, elle avait marché sans problèmes. Surprise par ces paroles, elle glissa et faillit tomber sur le chemin gelé. Elle reprit son équilibre de justesse pour ne pas entraîner Egwene avec elle.

— Oui, Mère. Bien sûr que j'écoute. Ils ne le verraient peut-être pas exactement d'un bon œil, mais je doute qu'ils renvoient des Aes Sedais.

— Alors, vous allez réveiller Beonin, Anaiya et Myrelle. Elles partiront dans l'heure. Si le Seigneur Bryne attend une réponse dès demain soir, le temps presse.

Dommage qu'elle ne sût pas exactement où se trouvait cette armée, mais le fait d'interroger Bryne aurait éveillé ses soupçons. Ses Liges la trouveraient facilement. Elles en avaient cinq à elles trois.

Siuan écouta ses instructions en silence. Il ne s'agissait pas seulement de tirer les trois sœurs de leur sommeil. L'aube venue, Shariam et Carlinya, Morvrin et Nisao auraient toutes quelque chose à raconter au petit déjeuner. Les graines devaient être semées, celles qu'on n'avait pas pu semer de peur qu'elles n'éclosent trop tôt, ou qu'elles aient trop peu de temps pour germer.

— Ce sera un plaisir de les sortir de leurs couvertures, dit Siuan quand elle eut terminé. Si j'ai à me promener dans cette tenue…

Lâchant le bras d'Egwene, elle se retourna pour partir, puis s'immobilisa, le visage sérieux, grave même.

— Je sais que vous voulez être une seconde Gerra Kishar… ou peut-être une Sereille Bagand. Vous en avez l'étoffe. Mais ne prenez pas pour modèle Shein Chunla. Bonne nuit, Mère. Dormez bien.

Egwene la suivit des yeux, silhouette fantomatique enveloppée dans sa cape, glissant sur le sentier en marmonnant presque assez fort pour qu'on l'entende. Gerra et Sereille avaient laissé le souvenir de deux Amyrlins parmi les plus grandes. Elles avaient élevé l'influence et le prestige de la Tour Blanche à des hauteurs rarement atteintes depuis l'époque d'avant Artur Aile-de-Faucon. Toutes les deux contrôlaient de main de maître la Tour Blanche, Gerra en créant des factions rivales, Sereille par la force de sa volonté. Pour Shein Chunla, c'était une autre histoire. Elle avait gaspillé le pouvoir du Siège d'Amyrlin, et s'était aliéné la plupart des sœurs de la Tour. Le monde croyait que Shein était morte pendant son mandat, près de quatre cents ans plus tôt, mais en fait, on avait soigneusement caché qu'elle avait été destituée et exilée à vie. Même si l'histoire secrète passait rapidement sur certains événements, il était très vraisemblable qu'après sa quatrième tentative de restauration, ses geôliers l'avaient étouffée dans son sommeil avec un oreiller. Egwene frissonna, se persuadant que c'était à cause du froid.

Elle fit volte-face et revint lentement vers sa tente. « Dormez bien » ? La lune énorme était bas dans le ciel, et il restait des heures avant que l'aube ne pointe. Elle n'était pas sûre de pouvoir dormir.

16.

Absences inattendues

Le lendemain, avant le lever du soleil, Egwene convoqua l'Assemblée de la Tour. À Tar Valon, cela aurait donné lieu à des cérémonies considérables. Depuis leur départ de Salidar, elle en avait quand même maintenu certaines, malgré les difficultés du voyage. Mais ce jour-là, Siuan alla simplement de tente en tente pour annoncer que l'Amyrlin appelait l'Assemblée à siéger.

Dans la grisaille précédant l'aube, dix-huit femmes se tenaient là, debout, en demi-cercle sur la neige pour écouter Egwene, toutes emmitouflées contre le froid qui gelait leur haleine.

D'autres sœurs s'étaient placées derrière elles, quelques-unes au début. Comme personne ne leur avait dit de partir, le groupe s'était agrandi, répandant autour de lui un bourdonnement discret de conversations. Peu de sœurs se risquaient à contrarier une Députée, et encore moins toute l'Assemblée. Les Acceptées, en cape et robe à bandes de couleurs, qui étaient apparues derrière les Aes Sedais, parlaient très peu, bien sûr, encore moins que les novices bien plus nombreuses qui n'étaient pas de corvées. Au fil du temps, le camp s'était peuplé d'autant de novices que de sœurs, si bien que beaucoup ne possédaient pas la cape blanche réglementaire et que la plupart se contentaient d'une simple jupe blanche à la place d'une robe de novice. Certaines sœurs pensaient qu'elles devraient revenir à l'ancienne tradition, et laisser les candidates venir à elles, et la plupart regrettaient les années passées, quand elles étaient moins nombreuses. Egwene elle-même frissonnait presque en pensant à ce que la Tour aurait pu être. C'était un changement pour lequel Siuan n'avait pas d'objection.

Au milieu du rassemblement, Carlinya sortit de derrière une tente et se figea à la vue d'Egwene et des Députées. La Sœur Blanche, qui symbolisait le sang-froid incarné, resta bouche bée, rougissant avant de s'éloigner à la hâte, en regardant par-dessus son épaule. Egwene réprima une grimace. Tout le monde était trop concerné par ce qu'elle allait faire ce matin-là pour l'avoir remarqué, mais tôt ou tard, quelqu'un s'en apercevrait.

Rejetant en arrière sa cape aux broderies délicates pour révéler l'étroite étole bleue de la Gardienne, Sheriam fit à Egwene une révérence aussi cérémonieuse que le permettaient ses vêtements volumineux et prit place près d'elle. Emmitouflée dans des couches de drap fin et de soie, la femme aux cheveux de flamme était l'image même de la sérénité. Sur un signe d'Egwene, elle fit un pas en avant et entonna à voix haute et claire l'ancienne formule rituelle.

— « Elle vient ! Elle vient ! La Gardienne des Sceaux, la Flamme de Tar Valon, le Siège d'Amyrlin ! Attendez toutes, car elle vient ! »

Cela semblait quelque peu déplacé en la circonstance. De plus, elle ne « venait » pas, elle était déjà là. Les Députées gardaient le silence, dans l'expectative. Certaines fronçaient les sourcils avec impatience, ou tripotaient nerveusement leurs capes ou leurs jupes.

Egwene repoussa aussi sa cape, dévoilant l'étole aux sept bandes de couleur drapée autour de son cou. Elle devait à la moindre occasion rappeler à ces femmes qu'elle était véritablement le Siège d'Amyrlin.

— Tout le monde est fatigué de voyager par ce temps, commença-t-elle pas aussi fort que Sheriam, mais assez pour être entendue de toutes.

Elle ressentit un frisson qui lui donna le vertige. Pas très différent de la nausée.

— J'ai décidé que nous ferons halte ici pendant deux jours, peut-être trois.

Toutes les têtes se levèrent, soudain intéressées. Elle espéra que Siuan se trouvait dans la foule. Elle s'efforçait de respecter les Serments.

— Les chevaux ont aussi besoin de repos, et beaucoup de chariots doivent être réparés. La Gardienne prendra les mesures nécessaires.

Elle était maintenant au cœur du sujet.

Elle ne s'était attendue à aucun argument contradictoire ni aucune discussion, et il n'y en eut pas. Ce qu'elle avait dit à Siuan n'était pas exagéré. Trop de sœurs avait espéré qu'un miracle leur éviterait de marcher sur Tar Valon sous les yeux du monde. Mêmes celles, intimemement convaincues qu'Elaida devait être chassée pour le bien de la Tour, et malgré tout ce qu'elles avaient fait, se raccrochaient au plus petit espoir que ce miracle se produise.

L'une de ces dernières, Romanda, n'attendit pas que Sheriam prononce la formule clôturant la session. Dès qu'Egwene eut fini, Romanda, l'air juvénile avec son chignon gris dissimulé par son capuchon, s'éloigna nonchalamment. Magla, Saroiya et Varilin détalèrent derrière elle, leurs capes dans le vent. Pour autant qu'elles pouvaient détaler, s'enfonçant dans la neige jusqu'à la cheville tous les deux pas. Elles firent de leur mieux malgré tout. Députées ou non, elles semblaient toutes ne respirer qu'avec la permission de Romanda. Quand Lelaine vit que celle-ci s'en allait, elle rassembla du geste Faiselle, Takima et Lyrelle, et s'éloigna sans un regard en arrière, comme un cygne suivi de trois oisons anxieux. Si elles n'étaient pas aussi fermement sous l'emprise de Lelaine que les trois autres l'étaient de Romanda, elles n'en étaient pas loin. D'ailleurs, le reste des Députées attendit à peine que Sheriam prononce la formule de clôture.

— « Partez maintenant dans la Lumière. »

Egwene se retourna pour partir, son Assemblée de la Tour se dispersant déjà dans toutes les directions. Le frisson s'intensifia. Proche de la nausée.

— Trois jours, murmura Sheriam, offrant sa main à Egwene pour l'aider à passer une ornière, plissant ses yeux verts en amande, l'air interrogateur. Je suis surprise, Mère. Pardonnez-moi, mais vous avez refusé presque chaque fois que j'ai proposé de nous arrêter plus d'un jour.

— Revenez me voir quand vous aurez discuté avec les charrons et les maréchaux-ferrants. Nous n'irons pas loin avec des chevaux épuisés et des chariots qui tombent en pièces.

— À vos ordres, Mère, répondit Sheriam, pas vraiment soumise, mais tout à fait obéissante.

Le terrain était aussi traître que la nuit précédente, et elles glissaient par moments. Bras dessus, bras dessous, elles avançaient lentement. Sheriam soutenait Egwene plus que nécessaire, mais discrètement. Le Siège d'Amyrlin ne devait pas tomber sur le derrière sous les regards de cinquante sœurs et de cent domestiques, mais on ne pouvait pas non plus la soutenir comme une invalide.

La plupart des Députées qui avaient juré allégeance à Egwene, Sheriam comprise, l'avaient fait par peur et pour se protéger. Si l'Assemblée apprenait qu'elles avaient envoyé des sœurs pour tenter d'influencer les Aes Sedais de Tar Valon en leur faveur, et pire, qu'elles le lui avaient caché de peur qu'il y ait des Amies du Ténébreux parmi les Députées, elles passeraient le reste de leurs jours en pénitence ou en exil. C'est pourquoi les femmes qui avaient cru faire danser Egwene comme une marionnette, après avoir perdu la plus grande part de leur influence à l'Assemblée, s'étaient retrouvées obligées de jurer de lui obéir. C'était rare, même dans l'histoire secrète. Les sœurs étaient censées obéir à l'Amyrlin, mais lui faire allégeance était une autre histoire. La plupart en semblaient encore retournées, mais elles obéissaient. Peu d'entre elles étaient aussi mauvaises que Carlinya, mais Egwene avait entendu Beonin claquer des dents la première fois qu'elle avait vu Egwene avec des Députées qui venaient de lui prêter serment. Morvrin semblait stupéfaite chaque fois que son regard croisait celui d'Egwene, comme si elle n'en croyait pas ses yeux. Nisao, quant à elle, paraissait ne jamais cesser de froncer les sourcils. Anaiya faisait claquer sa langue à l'idée du secret, et Myrelle se troublait souvent, mais Sheriam s'était installée de fait et pas seulement de nom dans le rôle de Gardienne des Chroniques d'Egwene.

— Puis-je suggérer de profiter de l'occasion pour voir ce que la campagne environnante peut nous offrir en fait de nourriture et de fourrage, Mère ? Nos réserves diminuent.

Sheriam fronça les sourcils avec anxiété.

— Surtout le sel et le thé, quoique je doute d'en trouver ici.

— Faites ce que vous pouvez, dit Egwene d'un ton conciliant.

Elle trouvait curieux de penser maintenant qu'elle avait été béate d'admiration devant Sheriam, et effrayée à l'idée de lui déplaire. Pour étrange que cela parût, maintenant qu'elle n'était plus Maîtresse des Novices, ni obligée de tirer et de pousser Egwene pour l'obliger à faire ce qu'elle voulait, Sheriam semblait plus heureuse.

— J'ai toute confiance en vous, Sheriam, dit-elle à sa Gardienne, qui rayonna de plaisir en entendant ce compliment.

À l'est, le soleil ne s'élevait pas encore au-dessus des tentes et des chariots, mais le camp bouillonnait d'activité. Façon de parler. Le petit déjeuner terminé, les cuisinières lavaient la vaisselle, aidées par une horde de novices. Les jeunes femmes semblaient se réchauffer un peu à récurer énergiquement les marmites avec de la neige, mais les cuisinières paraissaient épuisées, se frictionnant les reins, s'arrêtant pour soupirer, ou parfois resserrer leur cape et fixer lugubrement la neige. Des domestiques frissonnants, qui avaient commencé à démonter les tentes et charger les chariots dès la fin de leur rapide repas, se précipitaient maintenant pour remonter les tentes et sortir les coffres des chariots. Les animaux qui avaient été harnachés étaient maintenant emmenés par des palefreniers fatigués qui marchaient la tête basse. Egwene entendit quelques ronchonnements émanant d'hommes qui n'avaient pas remarqué qu'il y avait des sœurs à proximité, mais presque tous étaient trop fatigués pour se plaindre.

La plupart des Aes Sedais dont les tentes étaient toujours dressées, avaient disparu à l'intérieur. Les autres donnaient des instructions aux ouvriers, ou se hâtaient sur les sentiers gelés, s'occupant de leurs affaires personnelles. Elles seules affichaient aussi peu de lassitude que leurs Liges, qui semblaient avoir dormi tout leur saoul en ce beau jour de printemps. Egwene soupçonnait que c'était ainsi qu'une sœur tirait de la force de son Lige, sans préjudice de ce qu'elle pouvait faire avec le lien. Quand votre Lige refusait d'avouer qu'il avait froid et faim, vous n'aviez plus qu'à faire de même.

Morvrin apparut à un carrefour, tenant Takima par le bras. Peut-être pour se soutenir, bien que Morvrin soit suffisamment charpentée pour que sa compagne paraisse minuscule à son côté, elle semblait avoir besoin de soutien. C'était peut-être pour empêcher Takima de s'enfuir ; Morvrin était tenace quand elle s'était fixé un but. Egwene fronça les sourcils. Morvrin pouvait très bien chercher une Députée pour son Ajah, la Brune, mais Egwene pensait que Janya ou Escarade auraient été des candidates plus crédibles. Elles disparurent toutes les deux derrière un chariot bâché sur patins, Morvrin se penchant pour parler à l'oreille de sa compagne. Impossible de savoir si Takima écoutait.

— Quelque chose ne va pas, Mère ?

Egwene arbora un sourire qu'elle savait crispé.

— Pas plus que d'habitude, Sheriam. Pas plus que d'habitude.

Sheriam quitta le Bureau de l'Amyrlin pour exécuter les ordres d'Egwene, et Egwene y entra et trouva le travail qu'on lui avait préparé. Elle se serait étonnée qu'il en soit autrement. Selame apportait un plateau sur la table de travail. Très mince, avec son corsage et ses manches brodés de perles multicolores, et son long nez hautain, elle ne ressemblait guère à une servante au premier abord, mais elle avait fait le nécessaire. Deux braseros pleins de charbons rougeoyants réchauffaient un peu l'atmosphère, bien que la plus grande partie de la chaleur s'envolât par le trou de fumée vers le haut de la tente. Des herbes sèches répandues sur les braises donnaient une odeur agréable à la fumée qui n'était pas entraînée à l'extérieur. Le plateau de la veille avait disparu, la lanterne et les chandelles de suif avaient été mouchées. Personne n'allait laisser une tente assez ouverte pour laisser entrer la lumière du jour.

Siuan était déjà là, elle aussi, avec une pile de papiers dans les bras et une trace d'encre sur le nez. Son poste de secrétaire leur fournissait une raison de communiquer entre elles en public, et Sheriam lui avait volontiers cédé cette tâche. Pourtant, Siuan elle-même ronchonnait souvent. Pour une femme qui avait rarement quitté la Tour depuis qu'elle y était entrée comme novice, elle manifestait une répugnance extra-ordinaire à rester à l'intérieur. Pour l'instant, elle donnait l'image d'une femme qui prenait son mal en patience et voulait que tout le monde s'en aperçoive.

Malgré son nez hautain, Selame fit tant de cour-bettes et de manières que prendre la cape et les mitaines d'Egwene se transforma en une petite cérémonie ponctuée de remarques pleines de sollicitude : est-ce que la Mère souhaitait allonger ses jambes, ou devait-elle aller lui chercher sa robe de chambre, ou peut-être rester là au cas où la Mère aurait besoin d'elle ? À tel point qu'Egwene dut la mettre pratiquement dehors. Le thé avait un goût de menthe. Par ce temps ! Selame était éprouvante, et on ne pouvait guère dire qu'elle était loyale, mais elle essayait.

Elle n'avait pas le temps de paresser en prenant le thé. Egwene rajusta son châle et prit place derrière sa table, tirant machinalement sur le pied de sa chaise pour qu'il ne se replie pas sous elle comme il le faisait souvent. Siuan se percha en face d'elle sur un tabouret branlant. Pendant ce temps-là, le thé refroidissait. Elles ne parlèrent pas de plans, de Gareth Bryne ou d'espoirs ; ce qui pouvait être fait pour le moment l'avait été. Les rapports et les difficultés s'étaient accumulés pendant qu'elles étaient en marche, et la fatigue les avait empêchées de s'en occuper à l'étape. Maintenant qu'elles étaient arrêtées, elle ne pouvait plus les remettre à plus tard. Une armée qui les attendait n'y changeait rien.

Parfois, Egwene se demandait comment on pouvait trouver tant de papier alors que tout était si rare. Les rapports que lui tendait Siuan détaillaient principalement ce qui leur manquait. En plus de la liste établie par Sheriam, il leur fallait du charbon, des clous et du fer pour les maréchaux-ferrants et les charrons, du cuir et du fil goudronné pour les selliers, l'huile à brûler, des chandelles et cent autres choses, parmi lesquelles le savon. Et le reste, des souliers aux tentes, s'usait. L'ensemble était répertorié dans la grande écriture de Siuan, de plus en plus agressive à mesure que le besoin était plus pressant. Son rapport sur leurs finances semblait avoir été plaqué sur la page avec fureur. Il n'y avait rien à faire pour y remédier.

Parmi les papiers de Siuan figuraient plusieurs propositions de Députées, suggérant des moyens de résoudre le problème pécuniaire. Ou plutôt, informant Egwene de ce qu'elles comptaient proposer à l'Assemblée. Toutes ces propositions présentaient peu d'avantages et beaucoup d'inconvénients. Moria Karentanis suggérait de cesser de verser leur solde aux soldats, une idée dont Egwene croyait que c'était le plus sûr moyen de voir l'armée s'évaporer comme la rosée du matin sous un beau soleil d'été. Malind Nachenin conseillait un appel aux nobles locaux, qui prenait plutôt l'aspect d'une obligation, et qui leur aurait mis toute la population locale à dos, de même que la proposition de Salita, consistant à lever une taxe sur tous les villages et les villes qu'elles traversaient.

Froissant les trois propositions dans sa main, Egwene les brandit devant Siuan, regrettant que ce ne soit pas les gorges des trois sœurs qu'elle serrait.

— Pensent-elles *toutes* que tout doit aller selon leurs souhaits, sans tenir compte des réalités ? Par la Lumière, ce sont *elles* qui se comportent comme des enfants !

— La Tour a souvent réussi à transformer ses souhaits en réalité, dit Siuan avec suffisance. Certaines diraient que vous ignorez la réalité vous aussi, ne l'oubliez pas.

Egwene renifla dédaigneusement. Heureusement, quoi que votât l'Assemblée, aucune proposition ne pouvait être promulguée sans un décret de sa part. Même dans cette situation contraignante, elle avait encore un peu de pouvoir. Si peu, mais c'était mieux que rien.

— L'Assemblée est-elle toujours aussi difficile, Siuan ?

Siuan hocha la tête, remuant un peu sur son tabouret bancal pour trouver un meilleur équilibre.

— Ça pourrait être pire. Rappelez-moi de vous parler de l'Année des Quatre Amyrlins ; c'était environ cent cinquante ans après la fondation de Tar Valon. À l'époque, le fonctionnement normal de la Tour rivalisait avec ce qui se passe aujourd'hui. Toutes les mains cherchaient à s'emparer du gouvernail. Pendant une partie de l'année, il y eut deux Assemblées de la Tour rivales à Tar Valon. Presque comme maintenant. Pratiquement tout le monde finit par le regretter, y compris une partie de celles qui pensaient qu'elles allaient sauver la Tour. Certaines auraient peut-être réussi, si elles n'étaient pas tombées dans des sables mouvants. La Tour a quand même survécu, bien entendu. Elle est toujours là.

Beaucoup d'événements historiques avaient eu lieu durant plus de trois mille ans, la plupart effacés ou cachés à presque tous les yeux, mais Siuan semblait les connaître parfaitement dans leurs moindres détails. Elle devait avoir passé une grande partie de ses années à la Tour *enterrée* dans ces histoires secrètes. Elle éviterait le destin de Shein si elle le pouvait. Mais elle ne resterait pas telle qu'elle était actuellement, à peine mieux lotie que Cemaile Sorenthaine. Longtemps avant la fin de son règne, la décision la plus importante laissée à la discrétion de Cemaile avait été la façon de s'habiller. Elle *devrait* demander à Siuan de lui raconter l'Année des Quatre Amyrlins, mais l'idée ne la réjouissait pas.

L'inclinaison changeante du rayon de lumière entrant par le trou de fumée annonça que midi approchait, mais la pile de papiers de Siuan semblait n'avoir presque pas diminué. Toute interruption aurait été la bienvenue, même la découverte prématurée de son plan. Enfin, peut-être pas ça.

— Affaire suivante, Siuan, grommela-t-elle.

Un mouvement imperceptible attira le regard d'Aran'gar, et, plissant les yeux, elle scruta le camp de l'armée à travers les arbres. On eût dit un anneau obscur entourant les tentes des Aes Sedais. Une rangée de chariots sur patins avançait lentement vers l'est, escortés par des cavaliers. Un pâle soleil se reflétait sur les armures et les lances. Elle ne put s'empêcher de ricaner. Des lances et des chevaux ! Une masse primitive qui n'allait pas plus vite qu'un piéton, conduite par un homme qui ne savait pas ce qui se passait à cent miles de là. Des Aes Sedais ? Elle pouvait les détruire toutes, et même en mourant, elles ne sauraient pas qui les tuait. Bien sûr, elle ne leur survivrait pas longtemps. Cette pensée lui donna le frisson. Le Grand Seigneur n'accordait pas souvent une seconde chance, et elle ne voulait pas gâcher la sienne.

Attendant que les cavaliers aient disparu dans la forêt, elle retourna vers le camp, repensant machinalement à ses rêves nocturnes. Derrière elle, la neige dissimulerait ce qu'elle venait de cacher jusqu'à la fonte du printemps, ce qui suffisait largement. Devant elle, quelques hommes du camp la remarquèrent enfin et, interrompant leur tâche, se redressèrent pour la regarder. Malgré elle, elle leur sourit et lissa sa jupe sur ses hanches. Il lui était difficile de se rappeler ce qu'avait été la vie quand elle était un homme ; avait-elle été un de ces imbéciles si faciles à manipuler ? Traverser cette foule avec un cadavre sans être vue avait été difficile, mais elle apprécia la promenade de retour.

La matinée se poursuivit, inondée par un flot constant de papiers, jusqu'à ce qu'interviennent les incontournables rituels quotidiens auxquels Egwene s'attendait. En effet, elle avait déjà prévu qu'il ferait un froid glacial, qu'il neigerait, qu'il y aurait des nuages et du vent. Et qu'elle aurait la visite de Romanda et de Lelaine.

Fatiguée d'être assise, Egwene se leva pour se dégourdir les jambes quand Lelaine entra en coup de vent, Faolin sur les talons. Un air glacial s'engouffra dans la tente avant que le rabat ait repris sa place. Avec un regard circulaire légèrement réprobateur, Lelaine ôta lentement ses gants tout en laissant à Faolin le soin de la débarrasser de sa cape doublée de lynx. Mince et digne en soie bleu foncé, avec des yeux inquisiteurs, on aurait cru qu'elle se trouvait dans sa propre tente. Sur un geste désinvolte, Faolin, le vêtement dans les bras, se retira avec déférence dans un coin de la tente, rejetant sa cape en arrière d'un mouvement d'épaules. À l'évidence, elle se tenait prête à obéir instantanément à un autre geste de la Députée. Ses traits sombres affichaient une docilité résignée qui ne lui ressemblait pas.

La réserve de Lelaine se fissura un instant, par un sourire chaleureux adressé à Siuan. Elles avaient été amies autrefois. Lelaine avait été jusqu'à proposer à Siuan la même situation qu'avait acceptée Faolin, le soutien et le bras protecteur d'une Députée face aux ricanements et aux accusations d'autres sœurs. Effleurant la joue de Siuan, Lelaine murmura des paroles pleines de sympathie. Siuan rougit, une expression d'incertitude stupéfaite sur le visage. Egwene était certaine que ce n'était pas un faux-semblant. Siuan trouvait difficile d'affronter ce qui avait vraiment changé en elle, et encore plus la façon dont elle s'y adaptait.

Lelaine lorgna avec méfiance le tabouret devant la table, et, comme d'habitude, renonça à un siège aussi instable. Alors seulement, elle daigna constater la présence d'Egwene, d'une imperceptible inclinaison de tête.

— Mère, nous devons parler du Peuple de la Mer, dit-elle, d'un ton un peu trop ferme s'adressant au Siège d'Amyrlin.

Jusque-là, le cœur d'Egwene avait battu à tout rompre. C'est seulement quand il reprit son rythme normal qu'elle réalisa qu'elle avait craint que Lelaine sache ce que le Seigneur Bryne lui avait dit. Ou même l'entrevue qu'il organisait. Mais l'instant suivant, sa gorge se serra. Le Peuple de la Mer ? Sûrement que l'Assemblée n'était pas au courant du marché insensé qu'Elayne et Nynaeve avaient accepté. Elle n'imaginait pas ce qui leur avait inspiré ce désastre, ni comment elle allait y remédier.

L'estomac noué, elle reprit place derrière la table, sans rien révéler de ce qu'elle ressentait. Le pied de sa chaise se replia, manquant la précipiter par terre avant qu'elle ne le redresse. Elle espéra qu'elle n'avait pas rougi.

— Le Peuple de la Mer à Caemlyn ou à Cairhien ?

Oui, cela sonnait suffisamment calme et posé.

— À Cairhien, dit Romanda d'une voix claire qui sonna comme un carillon. Cairhien, naturellement.

Son entrée fit paraître Lelaine presque hésitante, sa forte présence emplissant brusquement la tente. Malgré sa beauté, son visage ne semblait pas fait pour le sourire.

Theodrin la suivit, et Romanda ôta théâtralement sa cape et la jeta dans les bras de la fluette sœur, d'un geste autoritaire qui la fit détaler dans le coin de la tente opposé à Faolin. Faolin semblait maussade, alors que les yeux en amande de Theodrin étaient grands ouverts, comme si elle était perpétuellement stupéfaite, et sa mâchoire semblait toujours sur le point de s'affaisser. Comme Faolin, sa place dans la hiérarchie des Aes Sedais aurait justifié un poste plus prestigieux, mais ni l'une ni l'autre ne l'obtiendraient avant longtemps.

Le regard impérieux de Romanda s'arrêta un instant sur Siuan, comme si elle envisageait de l'expédier dans un coin elle aussi, puis passa sur Lelaine, presque dédaigneux, avant de s'arrêter sur Egwene.

— Mère, il semble que ce jeune homme ait parlé avec le Peuple de la Mer. À Cairhien, les Yeux-et-Oreilles des Jaunes en sont tout excités. Avez-vous idée de ce qui peut l'intéresser chez les Atha'an Miere ?

Malgré le titre de Mère, Romanda ne semblait pas s'adresser au Siège d'Amyrlin, mais il faut dire que c'était son habitude. Aucun doute sur l'identité de « ce jeune homme ». Toutes les sœurs du camp admettaient que Rand était le Dragon Réincarné, mais quiconque les aurait entendues en parler aurait pensé qu'il s'agissait d'un jeune voyou indiscipliné, capable d'arriver à un dîner ivre mort et de vomir sur la nappe.

— Elle peut difficilement savoir ce que ce garçon a dans la tête, dit Lelaine avant qu'Egwene n'ait pu ouvrir la bouche, avec un sourire qui n'avait rien de chaleureux cette fois. S'il y a une réponse à trouver, Romanda, ce sera à Caemlyn. Là-bas, les Atha'an Miere ne sont pas séquestrées sur un navire, et je doute sérieusement que leurs hauts dignitaires s'éloignent autant de la mer pour diverses missions. Il se peut qu'elles s'intéressent à lui. Elles doivent savoir qui il est maintenant.

Romanda lui rendit son sourire, qui aurait pu couvrir de givre les parois de la tente.

— Inutile d'énoncer l'évidence, Lelaine. La question est de savoir comment le découvrir.

— J'étais sur le point de résoudre ce problème quand vous avez fait irruption, Romanda. La prochaine fois que la Mère rencontrera Elayne ou Nynaeve dans le *Tel'aran'rhiod*, elle leur donnera ses instructions. Merilille peut découvrir ce que désirent les Atha'an Miere, ou peut-être ce que fait le garçon, quand elle arrivera à Caemlyn. Dommage que les filles n'aient pas pensé à établir des heures de rendez-vous régulières, mais nous devons faire avec. Merilille pourra rencontrer une Députée dans le *Tel'aran'rhiod* quand elle sera au courant.

Lelaine eut un petit geste qui signifiait à l'évidence que c'était elle la Députée en question.

— Je pense que Salidar serait l'endroit idéal.

Romanda eut un reniflement amusé. Mais, là encore, sans aucune chaleur.

— Il est plus facile de donner des instructions à Merilille que de la voir y obéir, Lelaine. Elle sait qu'elle aura à répondre à des questions gênantes, je suppose. Cette Coupe des Vents aurait dû nous être apportée pour que nous l'étudiions. À mon avis, aucune des sœurs d'Ebou Dar n'avait de grandes capacités dans la Danse des Nuages, et vous voyez le résultat dans ce soudain changement de temps. J'ai pensé à interroger l'Assemblée au sujet de toutes les personnes concernées.

Brusquement, sa voix devint lisse comme le beurre.

— Si j'ai bonne mémoire, vous avez soutenu la candidature de Merilille.

Lelaine se redressa d'un seul coup, les yeux lançant des éclairs.

— J'ai soutenu celle que les Grises ont mise en avant, Romanda, et rien de plus, dit-elle, indignée. Comment aurais-je pu imaginer qu'elle déciderait d'utiliser la Coupe là-bas, et d'inclure dans le cercle des Irrégulières du Peuple de la Mer ! Comment a-t-elle pu croire qu'elles en savaient autant que les Aes Sedais sur la manipulation du climat ?

Sa colère dérapait. Elle se défendait contre sa plus farouche adversaire à l'Assemblée, la seule véritable. Et, le pire pour elle, c'est qu'elle était d'accord avec elle au sujet du Peuple de la Mer. Elle était d'accord, c'était incontestable, mais en convenir verbalement était une autre histoire.

Romanda laissa son sourire glacial s'accentuer tandis que Lelaine pâlissait de fureur. Elle rajusta ses jupes couleur bronze avec un soin méticuleux. Pendant ce temps-là, Lelaine cherchait comment retourner la situation.

— Nous verrons quel est l'avis de l'Assemblée, dit-elle enfin. Jusqu'à ce que la question vienne à l'ordre du jour, il vaut mieux que Merilille ne rencontre aucune des Députées impliquées dans sa sélection. Même la plus petite suggestion de collusion éveillerait la méfiance. Vous conviendrez que c'est moi qui dois lui parler, j'en suis convaincue.

Lelaine pâlit, mais d'une pâleur différente. Elle ne semblait pas avoir peur, mais Egwene la voyait presque faire le décompte des voix. La collusion était une accusation presque aussi grave que celle de trahison, et n'exigeait que le consensus minimum. Elle pourrait sans doute l'éviter, mais les discussions seraient longues et acrimonieuses. La faction de Romanda pouvait s'élargir et provoquer d'innombrables problèmes, que les plans d'Egwene portent ou non leurs fruits. Et elle ne pouvait rien faire pour arrêter ces sœurs, à moins de révéler ce qui s'était réellement passé à Ebou Dar. Autant leur demander de la laisser accepter l'offre qu'avaient reçue Faolin et Theodrin.

Egwene prit une profonde inspiration. Elle pouvait au moins éviter le choix de Salidar comme lieu de rencontre dans le *Tel'aran'rhiod*. C'était là qu'elle retrouvait Elayne et Nynaeve maintenant, ce qui n'était pas arrivé depuis des jours. Avec des Députées omniprésentes dans le Monde des Rêves, il semblait difficile de trouver un endroit désert.

— La prochaine fois que je verrai Elayne ou Nynaeve, je leur transmettrai vos instructions concernant Merilille. Je vous ferai savoir quand elle sera prête à vous rencontrer.

C'est-à-dire jamais, une fois qu'elle en aurait terminé avec ces instructions.

Les deux têtes des Députées pivotèrent vers elle, et deux paires d'yeux la fixèrent. Elles avaient oublié sa présence ! S'efforçant de rester impassible, elle réalisa qu'elle tapait du pied avec irritation, et s'arrêta. Elle comprit qu'elle devait accepter leur jugement un peu plus longtemps. Un tout petit peu plus longtemps. Au moins, elle n'était plus écœurée. Juste furieuse.

Chesa fit irruption au milieu du silence avec le déjeuner d'Egwene sur un plateau recouvert d'un linge. La peau sombre, ronde et jolie dans la fleur de l'âge, Chesa témoignait dignement le respect qui lui était dû. Vêtue d'une robe grise à col en dentelle, elle s'inclina avec simplicité.

— Pardonnez-moi de vous déranger, Mère, Aes Sedais, mais Meri semble avoir disparu.

Elle fit claquer sa langue, exaspérée, en posant le plateau sur la table. Disparaître semblait improbable pour Meri. Cette femme revêche désapprouvait autant ses fautes que celles des autres.

Romanda fronça les sourcils, mais ne dit rien. Après tout, elle ne pouvait pas manifester trop d'intérêt pour une servante d'Egwene. Surtout quand cette femme était une espionne à sa solde. Comme Selame pour Lelaine. Egwene évita de regarder Faolin et Theodrin, qui se tenaient sagement debout dans leur coin, comme des Acceptées et non comme les Aes Sedais qu'elles étaient.

Chesa ouvrit la bouche, puis la referma, peut-être intimidée par les Députées. Egwene fut soulagée quand elle fit une nouvelle révérence et sortit en murmurant : « Avec votre permission, Mère ». Les conseils de Chesa étaient toujours indirects en présence d'une autre sœur, mais pour le moment, la dernière chose que désirait Egwene était un discret encouragement à manger pendant que c'était chaud.

Lelaine reprit, comme si elles n'avaient pas été interrompues.

— L'important, c'est de savoir ce que veulent les Atha'an Miere, dit-elle avec fermeté. Ou ce que fait le garçon. Il veut peut-être devenir leur roi, à elles aussi.

Tendant les bras, elle permit à Faolain de lui enfiler sa cape, ce que fit la jeune femme avec soin.

— Vous n'oublierez pas de me dire s'il vous vient des idées sur la question, Mère ?

C'était à peine une requête.

— J'y réfléchirai longuement, répondit Egwene.

Ce qui ne signifiait pas qu'elle partagerait ses réflexions. Elle aurait voulu un embryon de réponse. Les Atha'an Miere considéraient Rand comme le Coramoor de leurs prophéties, elle le savait, même si l'Assemblée l'ignorait, mais ce qu'il voulait d'elles ou ce qu'elles voulaient de lui, elle n'en avait pas la moindre idée. D'après Elayne, les Atha'an Miere qui l'accompagnaient n'en savaient rien. Ou ne le disaient pas. Egwene regrettait presque qu'il n'y eût pas une poignée d'Atha'an Miere au camp. Presque. D'une façon ou d'une autre, ces Pourvoyeuses-de-Vent allaient causer des problèmes.

Sur un signe de Romanda, Theodrin se précipita avec sa cape, comme électrisée. L'attitude de Romanda révélait qu'elle était chagrinée que Lelaine se soit ressaisie.

— Vous n'oublierez pas de dire à Merilille que je désire lui parler, Mère, dit-elle d'un ton autoritaire.

Durant un bref instant, les deux Députées se dévisagèrent, oubliant que Egwene était l'objet de leur mutuelle animosité. Elles sortirent sans lui dire un mot, se bousculant quasiment pour avoir la préséance jusqu'au moment où Romanda se glissa dehors la première, entraînant Theodrin dans son sillage. La rage aux dents, Lelaine précipita Faolin dehors puis la suivit.

Siuan poussa un profond soupir, sans faire aucun effort pour dissimuler son soulagement.

— Avec votre permission, Mère, marmonna Egwene, ironique. S'il vous plaît, Mère. Vous pouvez vous retirer, mes filles.

Avec une longue expiration, elle se renversa sur sa chaise, qui s'écroula aussitôt. Elle se releva lentement, rabattit vivement ses jupes et rajusta son châle. Heureusement, ça n'était pas arrivé devant les deux autres.

— Allez vous chercher quelque chose à manger, Siuan. Et rapportez votre repas ici. Nous avons encore une longue journée devant nous.

— Certaines chutes font moins mal que d'autres, dit Siuan, comme se parlant à elle-même, avant de se baisser pour sortir.

Elle évita de peu les remontrances d'Egwene.

Quand elle fut de retour, elles mangèrent des petits pains rassis, des lentilles mélangées à des carottes dures et des petits morceaux de viande qu'Egwene n'examina pas de trop près. Il n'y eut que quelques interruptions, pendant lesquelles elles se turent, feignant d'étudier des rapports. Chesa revint pour prendre le plateau et, plus tard, pour changer les chandelles en ronchonnant. Ça ne lui ressemblait pas.

— Qui aurait pensé que Selame disparaîtrait aussi ? marmonna-t-elle, comme si elle réfléchissait tout haut. Pour aller batifoler avec des soldats, je parie. Cette Halima a une mauvaise influence.

Un jeune homme maigrichon au nez morveux renouvela les charbons éteints des braseros – l'Amyrlin était mieux chauffée que les autres, mais cela ne voulait pas dire grand-chose. Il trébucha sur ses bottes et, déglutissant, regarda Egwene avec une expression qui lui sembla assez gratifiante après la visite des deux Députées. Sheriam se présenta pour demander si Egwene avait d'autres instructions. Apparemment, elle était disposée à rester là. Peut-être que les secrets qu'elle détenait la rendaient nerveuse ; en tout cas, elle dardait des regards anxieux autour d'elle.

C'était son lot, et Egwene ne savait pas exactement si c'était parce que personne ne dérangeait l'Amyrlin sans raison, ou parce que tout le monde savait que les vraies décisions étaient prises à l'Assemblée.

— Je ne sais quoi penser de ce rapport sur des soldats partis de Kandor pour aller vers le sud, dit Siuan, dès que les rabats de la tente furent retombés derrière Sheriam. C'est le seul qui en parlé, et les gens des Marches s'éloignent rarement de la Dévastation. Comme n'importe quel imbécile le sait, ce n'est pas le genre de nouvelle qu'on irait inventer.

Elle ne lisait plus maintenant.

Jusqu'à présent, Siuan était parvenue à conserver un fragile contrôle sur le réseau d'Yeux-et-Oreilles de l'Amyrlin. Des rapports, des rumeurs et des commérages lui arrivaient en un flot continu, qu'elle et Egwene devaient étudier avant de décider quoi transmettre à l'Assemblée. Leane avait son propre réseau, qui rajoutait ses informations au flot des autres. La plupart de ces nouvelles étaient transmises à l'Assemblée – il y avait certaines choses que l'Assemblée devait savoir, et rien ne garantissait que les Ajahs transmettraient les renseignements de leurs propres agents – mais il fallait quand même tout filtrer, pour détecter ce qui pouvait être dangereux ou servir à détourner l'attention de leur véritable objectif.

Ces derniers temps, peu de nouvelles étaient bonnes. De Cairhien émanaient certaines rumeurs selon lesquelles les Aes Sedais s'étaient alliées avec Rand, ou pis, le servaient, mais au moins celles-ci pouvaient être écartées d'emblée. Les Sagettes ne disaient pas grand-chose de Rand ou de quiconque lié à lui, mais d'après elles, Merana attendait son retour, et les sœurs du Palais du Soleil, où Rand conservait son premier trône, s'entendaient largement à propager ces histoires.

D'autres éveillaient le doute. Un imprimeur d'Illian affirmait avoir la preuve que Rand avait tué Mattin Stepaneos de ses propres mains, et détruit le corps à l'aide du Pouvoir Unique, tandis qu'une débardeuse prétendait avoir vu l'ancien Roi, pieds et poings liés, transporté, roulé dans un tapis, à bord d'un vaisseau qui avait appareillé pendant la nuit avec la bénédiction de la Garde du Port. La première hypothèse était la plus vraisemblable, mais Egwene espéra qu'aucun des agents des Ajahs n'avait eu vent de la même histoire. Le nom de Rand n'était déjà que trop terni aux yeux des sœurs.

Et cela continua. Les Seanchans semblaient s'enraciner à Ebou Dar, face à une très faible résistance. C'était à prévoir, dans un pays où le rayonnement de la reine ne s'étendait qu'à quelques journées de cheval de la capitale, mais l'idée n'était guère réjouissante. Les Shaidos semblaient omniprésentes, mais les rapports les concernant arrivaient toujours par ricochet. La plupart des sœurs pensaient que la dispersion des Shaidos était l'œuvre de Rand, malgré les dénégations des Sagettes, rapportées par Sheriam. Bien entendu, personne n'avait envie d'examiner de trop près les prétendus mensonges des Sagettes. Personne ne voulait les rencontrer dans le *Tel'aran'rhiod*, sauf les sœurs ayant prêté serment à Egwene, à condition qu'on leur en donnât l'ordre. Anaiya qualifiait ironiquement ces rencontres de « leçons concentrées d'humilité », et cela ne semblait pas l'amuser du tout.

— Il ne peut pas y avoir tellement de Shaidos, marmonna Egwene.

Cette fois-ci, on n'avait pas parfumé d'herbes le deuxième seau de charbon. Les braises mouraient lentement, et la fumée lui piquait les yeux. Canaliser pour l'évacuer dissiperait en même temps le peu de chaleur qui restait.

— Les faits qu'on leur attribue doivent être l'œuvre de bandits.

Après tout, qui pouvait savoir si c'était à cause des bandits ou à cause des Shaidos qu'un village avait été déserté par ses habitants ? Surtout avec des rumeurs de troisième ou cinquième main.

— Il y a suffisamment de bandits dans les parages pour en expliquer certaines.

La plupart d'entre eux se faisaient appeler les Fidèles du Dragon, ce qui n'arrangeait rien. Elle remua les épaules pour détendre ses muscles noués.

Elle réalisa soudain que Siuan regardait dans le vague, si intensément qu'elle semblait prête à glisser de son tabouret.

— Siuan, vous vous endormez ? Nous avons peut-être travaillé toute la journée, mais il ne fait pas encore nuit.

On voyait effectivement du jour par le trou de fumée, mais il pâlissait rapidement.

Siuan cligna des yeux.

— Je suis désolée. Je réfléchissais à l'opportunité de vous faire part de certaines choses. À propos de l'Assemblée.

— L'Assemblée ! Siuan, si vous savez quelque chose sur l'Assemblée… !

— Je ne *sais* rien, l'interrompit Siuan. Je soupçonne seulement, ajouta-t-elle, claquant sa langue de contrariété. Et je ne soupçonne même pas vraiment. Enfin, je ne sais pas quoi soupçonner. Mais je vois quelque chose prendre forme.

— Alors, vous feriez bien de m'en parler, dit Egwene.

Siuan s'était révélée très habile à détecter des tendances là où tout le monde ne voyait que faits aléatoires.

Remuant sur son tabouret, Siuan se pencha, très concentrée.

— Voilà. À part Romanda et Moria, les Députées choisies à Salidar sont... sont trop jeunes.

Beaucoup de choses avaient évolué chez Siuan, mais parler de l'âge d'autres sœurs la mettait toujours mal à l'aise.

— Escaralde est la plus âgée, et je suis sûre qu'elle n'a guère dépassé les soixante-dix ans. Je ne peux pas en être certaine sans consulter les livres des novices de Tar Valon, ou qu'elle nous le dise elle-même, mais j'en suis aussi certaine qu'on peut l'être. Il est rare qu'il y ait eu à l'Assemblée plus d'une Députée au-dessous de cent ans, et nous en avons neuf !

— Mais Romanda et Moria sont *nouvelles*, dit Egwene avec douceur, posant ses coudes sur la table.

La journée avait été longue.

— Et ni l'une ni l'autre ne sont jeunes. Nous devrions nous féliciter de la jeunesse des autres, grâce à quoi j'ai peut-être été élue.

Elle aurait pu rappeler à Siuan qu'elle-même avait été élue Amyrlin quand elle avait la moitié de l'âge d'Escaralde, mais ce rappel aurait été cruel.

— Peut-être, dit Siuan, têtue. Romanda était certaine d'être à l'Assemblée. Je doute qu'il existe une Sœur Jaune qui oserait parler contre elle pour une présidence. Et Moria... Elle ne se cramponne pas à Lelaine, mais Lelaine et Lyrelle pensaient sûrement qu'elle le ferait. Je ne sais pas. Mais écoutez-moi bien. Quand une sœur est élevée trop jeune, il y a une raison. Y compris lors de mon élévation, ajouta-t-elle après une profonde inspiration.

La douleur de sa perte passa sur son visage, celle du Siège d'Amyrlin, certainement, et peut-être la douleur de toutes ses souffrances. Cette expression disparut aussitôt. Egwene pensa qu'elle n'avait jamais connu de femme aussi forte que Siuan Sanche.

— Cette fois-ci, il y avait suffisamment de choix parmi les sœurs ayant l'âge requis, et je pense que les cinq Ajahs sauront trancher. Il y a une ligne de conduite qui se dessine, et j'ai l'intention de la découvrir.

Egwene n'était pas d'accord. Le changement était palpable, que Siuan voulût le voir ou non. Elaida avait dérogé à la coutume, sur le point de transgresser la loi en usurpant la place de Siuan. Les sœurs avaient fui la Tour et l'avaient fait savoir. Un changement inédit. Les sœurs les plus âgées étaient plus attachées aux anciennes coutumes, mais certaines devaient bien voir que tout évoluait. C'est sans doute pourquoi des femmes plus jeunes, plus ouvertes aux nouveautés, avaient été choisies. Devait-elle ordonner à Siuan de cesser de perdre son temps sur cette affaire ? Siuan avait suffisamment à faire. Ou était-ce lui faire une faveur que de la laisser continuer ? Elle désirait tellement prouver que les changements qu'elle voyait n'arrivaient pas vraiment.

Avant qu'Egwene ait pu prendre une décision, Romanda entra, écartant le rabat de la tente. Dehors, de longues ombres s'étiraient sur la neige. La nuit arrivait vite. Le visage de Romanda était aussi sombre que les ombres. Elle fixa sur Siuan un regard noir et aboya sèchement :

— Dehors !

Egwene hocha imperceptiblement la tête, mais Siuan était déjà debout. Elle trébucha, puis sortit presque en courant. Une sœur dans la situation de Siuan devait obéir à toute sœur de la force de Romanda dans le Pouvoir, pas seulement à une Députée.

Laissant retomber le rabat de la tente, Romanda embrassa la Source. L'aura de la *saidar* l'entoura, et elle tissa un écran autour de la tente, sans même feindre d'en demander l'autorisation à Egwene.

— Vous êtes une imbécile ! dit-elle d'une voix grinçante. Jusqu'à quand pensiez-vous pouvoir garder ce secret ? Les soldats bavardent, mon enfant. Les hommes parlent toujours trop. Bryne aura de la chance si l'Assemblée ne plante pas sa tête au bout d'une pique !

Egwene se leva lentement, lissant sa jupe. Elle s'attendait à cette scène, mais elle devait procéder avec prudence. La partie était loin d'être jouée, et tout pouvait se retourner contre elle en un éclair. Elle devait faire semblant d'être innocente jusqu'au moment où elle pourrait cesser de feindre.

— Dois-je vous rappeler, ma fille, que l'incorrection envers le Siège d'Amyrlin est un crime, dit-elle en guise de réponse.

Elle avait simulé si longtemps et elle était si près du but.

— Le Siège d'Amyrlin !

Romanda traversa la tente et s'arrêta près d'Egwene. L'idée d'approcher encore plus près lui traversa l'esprit.

— Vous êtes un bébé ! Votre derrière se rappelle encore votre dernière fessée de novice ! Après ça, vous aurez de la chance si l'Assemblée ne vous met pas au coin avec quelques joujoux. Si vous voulez éviter cela, vous m'écouterez et vous ferez ce que je vous dirai. Asseyez-vous !

Egwene bouillait intérieurement, mais elle s'assit. Le moment n'était pas encore venu.

Hochant sèchement la tête, mais l'air satisfait, Romanda planta ses poings sur ses hanches et regarda Egwene de toute sa hauteur, comme une tante très sévère sermonnant une nièce indisciplinée. Ou un bourreau affligé d'une rage de dents.

— Cette entrevue avec Pelivar et Arathelle doit avoir lieu, maintenant qu'elle est organisée. Ils attendent le Siège d'Amyrlin, et ils le verront. Vous irez avec toute la pompe et la dignité que justifie votre titre. Et vous leur direz que je parlerai à votre place, après quoi vous tiendrez votre langue ! Il vous faudra de la poigne pour les écarter de notre chemin. Lelaine sera là d'un instant à l'autre, pour, sans aucun doute, se mettre en avant. Mais rappelez-vous dans quelle situation elle est. J'ai passé la journée à parler avec d'autres Députées, et il semble très probable que l'échec de Merilille et Merana sera attribué à Lelaine à la prochaine session de l'Assemblée. Ainsi, si vous avez quelque espoir d'acquérir l'expérience qu'il vous faut pour mériter votre châle, il repose sur moi ! Me comprenez-vous ?

— Je comprends parfaitement, dit Egwene, d'un ton qu'elle espérait docile.

Si elle laissait Romanda parler à sa place, il ne subsisterait plus aucun doute. L'Assemblée et le monde entier sauraient qui tenait Egwene al'Vere au collet.

Les yeux de Romanda semblèrent lui vriller un trou dans la tête avant qu'elle ne la hochât sèchement.

— Je l'espère. J'ai l'intention de chasser Elaida du Siège d'Amyrlin, et je ne laisserai pas ruiner mes projets parce qu'une gamine croit qu'elle en sait assez pour traverser la rue sans qu'on la tienne par la main.

Avec un grognement, elle resserra sa cape autour d'elle et sortit en coup de vent. L'écran disparut avec elle.

Egwene s'assit et regarda l'entrée de la tente, en fronçant les sourcils. Une gamine ? Que cette femme soit réduite en cendres, elle était le Siège d'Amyrlin ! Que ça leur plaise ou non, elles l'y avaient élevée, et elles devraient vivre avec ! Attrapant l'encrier en pierre, elle le lança sur le rabat de la tente.

Lelaine recula précipitamment évitant de justesse la pluie d'encre.

— Colère, colère, dit-elle en entrant d'un ton moqueur.

Sans plus demander la permission que Romanda, elle embrassa la Source et tissa un écran pour que personne ne puisse les entendre. Alors que Romanda semblait furieuse, Lelaine eut l'air contente d'elle, frottant ses mains gantées en souriant.

— Je suppose que je n'ai pas besoin de vous dire que votre petit secret est éventé. C'est très mal de la part du Seigneur Bryne, mais il est trop précieux pour le condamner à mort. C'est mon avis et c'est heureux pour lui. Voyons voir. J'imagine que Romanda vous a dit que l'entrevue avec Pelivar et Arathelle aurait lieu, et que vous devriez la laisser parler en votre nom. Est-ce exact ?

Egwene remua sur son siège, mais Lelaine agita une main désinvolte à son adresse.

— Inutile de répondre. Je connais Romanda. Malheureusement pour elle, j'ai appris cette nouvelle avant elle, et au lieu de venir vous trouver aussitôt, j'ai réuni les autres Députées. Désirez-vous savoir ce qu'elles en pensent ?

Egwene serra les poings sur ses genoux, où elle espéra que Lelaine ne les verrait pas.

— Je pense que vous allez me le dire.

— Vous n'êtes pas en situation d'employer ce ton avec moi, dit sèchement Lelaine, qui reprit aussitôt son sourire. L'Assemblée est mécontente de vous. Très mécontente. Quel que soit le châtiment dont Romanda vous a menacée, je peux l'exécuter. Romanda, d'autre part, a contrarié beaucoup de Députées par sa brutalité. Aussi, à moins que vous ne désiriez vous retrouver avec encore moins d'autorité que vous n'en avez actuellement, Romanda sera très surprise, demain, quand vous me nommerez pour parler en votre nom. Il est difficile de croire que Pelivar et Arathelle ont été assez bêtes pour prendre cette initiative, mais ils s'enfuiront la queue entre les jambes quand j'en aurai terminé avec eux.

— Comment saurai-je que vous ne mettrez pas ces menaces à exécution ?

Egwene espéra que ses grommellements irrités pourraient passer pour de la maussaderie. Par la Lumière, comme elle était lasse de ces intrigues !

— Parce que je le dis, déclara sèchement Lelaine. Ne savez-vous pas depuis le temps que vous n'êtes vraiment en charge de rien ? C'est l'Assemblée qui commande, et c'est entre Romanda et moi. Dans cent ans, vous serez peut-être digne du châle, mais pour l'instant, restez tranquillement assise, croisez les mains, et laissez une autre qui sait ce qu'elle fait déposer Elaida.

Après le départ de Lelaine, Egwene se remit à contempler l'entrée de la tente. Cette fois, elle ne laissa pas sa colère la submerger. *Vous serez peut-être digne du châle.* Presque la même chose que Romanda avait dite. *Une autre qui sait ce qu'elle fait.* Se faisait-elle des illusions sur elle-même ? Une gamine, qui ruinait ce qu'une femme d'expérience pouvait réussir facilement ?

Siuan se glissa dans la tente, et resta debout, l'air soucieux.

— Gareth Bryne vient de m'annoncer que l'Assemblée est au courant, dit-elle, ironique. Sous prétexte de me demander ses chemises ! Ah, lui et ses chemises ! L'entrevue est fixée à demain, près d'un lac à cinq heures d'ici vers le nord. Pelivar et Arathelle sont déjà en route. Aemlyn aussi. C'est une troisième Maison très puissante.

— C'est plus que Romanda et Lelaine ont jugé bon de me révéler, dit Egwene, tout aussi ironique.

Non. Cent ans passés pieds et poings liés, ou cinquante ans, ou cinq, et elle ne serait plus bonne à rien. Si elle devait devenir digne du châle, c'était maintenant.

— Oh, sang et cendres, grogna Siuan. Je ne supporte pas ça ! Qu'est-ce qu'elles ont dit ? Comment ça s'est passé ?

— À peu près comme nous le pensions.

Egwene sourit, en proie à un étonnement qui se manifesta aussi dans sa voix.

— Siuan, elles n'auraient pas pu mieux me livrer l'Assemblée si elles m'avaient dit comment faire.

Les dernières lueurs du jour s'éteignaient quand Sheriam approcha de sa tente, plus petite encore que celle d'Egwene. Et si elle n'avait pas été la Gardienne, elle aurait dû la partager. Se baissant pour entrer, elle n'eut que le temps de réaliser qu'elle n'était pas seule quand on l'isola avec un écran et qu'on la projeta à plat ventre sur son lit de camp. Abasourdie, elle voulut crier, mais un coin de sa couverture s'introduisit de lui-même dans sa bouche. Sa robe et sa chemise jaillirent loin de son corps, comme une bulle de savon qui éclate.

Une main caressa ses cheveux.

— Vous étiez censée m'informer, Sheriam. Cette fille mijote quelque chose, et je veux savoir ce que c'est.

Il lui fallut du temps pour convaincre son interlocuteur qu'elle avait déjà dit tout ce qu'elle savait, qu'elle ne garderait jamais rien pour elle, pas un mot, pas un murmure. Quand enfin elle se retrouva seule, elle resta pelotonnée sur son lit, soignant ses meurtrissures. Elle regrettait amèrement d'avoir jamais adressé la parole à une seule sœur de l'Assemblée.

17.

Sur la glace

Le lendemain matin, bien avant l'aube, une colonne sortit du camp des Aes Sedais, se dirigeant vers le nord, dans un silence que seuls rompaient les crissements des selles et les craquements de la glace sous les sabots des montures. De temps en temps, un cheval s'ébrouait ou un harnais cliquetait, puis le silence retombait. La lune était basse sur l'horizon, mais le ciel étincelant d'étoiles et le sol couvert de glace dissipaient un peu l'obscurité. Quand les premières lueurs du jour apparurent à l'est, elles chevauchaient déjà depuis une bonne heure, sans avoir parcouru beaucoup de chemin. En terrain découvert, Egwene laissait Daishar aller au petit galop, projetant autour de lui des gerbes de neige, mais la plupart du temps, les chevaux avançaient au pas, et lentement, dans des forêts clairsemées où la neige s'était accumulée en épaisses congères au sol et en épaisses couches sur les branches. Chênes et pins, nyssas et lauréoles, et d'autres arbres qu'elle ne reconnut pas, faisaient encore plus grise mine qu'au temps de la canicule et de la sécheresse. Aujourd'hui, c'était la Fête d'Abram, mais il n'y aurait pas de gâteaux au miel. La Lumière veuille que ce jour réserve des surprises à certaines.

Le soleil se leva et monta dans le ciel, pâle boule dorée n'irradiant aucune chaleur. Chaque inspiration mordait la gorge, chaque expiration sortait en un nuage de buée. Il soufflait un vent vif et glacial. À l'ouest, de gros nuages noirs roulaient vers l'Andor. Elle éprouva de la compassion pour ceux qui subiraient le poids de ces nuages, et du soulagement parce qu'ils s'éloignaient. Un jour d'attente supplémentaire aurait été pure folie. Elle n'avait pas dormi de la nuit, non pas à cause de ses migraines, mais plutôt à cause de sa nervosité. L'anxiété et la peur s'étaient infiltrées comme l'air froid sous la tente. Pourtant elle n'était pas fatiguée. Elle avait l'impression d'être un ressort comprimé, une pendule remontée à bloc, pleine d'une énergie qui ne demandait qu'à exploser. Par la Lumière, tout pouvait encore capoter.

La colonne était impressionnante, derrière la bannière de la Tour Blanche : la blanche Flamme de Tar Valon et les sept oriflammes de couleurs différentes, une pour chaque Ajah. La bannière avait été confectionnée en secret à Salidar et avait été rangée au fond d'un coffre, dont l'Assemblée gardait la clé. Elle ne pensait pas que les Députées l'auraient sortie, n'était le besoin de solennité de ce jour. Mille cavaliers en armures à mailles les escortaient, avec un arsenal de lances, épées, haches et massues rarement vu au sud des Marches. Ils étaient commandés par un Shienaran borgne, portant un cache-œil de couleurs vives, qu'elle avait rencontré une fois, il y avait, lui semblait-il, une éternité. Uno Nomesta scrutait les arbres à travers sa visière, comme s'il soupçonnait chacun de cacher une embuscade, et ses hommes, très droits sur leur selle, semblaient tout aussi vigilants.

Devant eux, presque hors de vue au milieu des arbres, chevauchait un groupe de cavaliers protégés seulement par leurs casques et leurs plastrons. Les capes voltigeaient au vent. Une main gantée sur les rênes, l'autre tenant un arc, ils ne pouvaient pas resserrer leur cape autour d'eux pour garder un peu de chaleur. Il y en avait d'autres plus loin à l'avant, sur les côtés et à l'arrière, un millier en tout, qui reconnaissaient et inspectaient le terrain. Gareth Bryne ne s'attendait pas à des embuscades des Andorans, mais il lui était arrivé de se tromper, disait-il, et puis il y avait les Murandiens. Et il y avait aussi la possibilité qu'ils rencontrent des assassins à la solde d'Elaida, ou des Amis du Ténébreux. La Lumière seule savait quand un Ami du Ténébreux pouvait décider de tuer, et pourquoi. D'ailleurs, bien qu'en toute logique, les Shaidos soient loin, personne ne semblait jamais savoir où ils se trouvaient avant que le massacre ne commence. Même des bandits auraient pu se faire la main sur une troupe trop réduite. Le Seigneur Bryne n'était pas homme à prendre des risques inutiles, et Egwene s'en félicitait. Aujourd'hui, elle voulait avoir autant de témoins que possible.

Elle chevauchait devant la bannière, Sheriam, Siuan et Bryne à ses côtés. Les autres semblaient absorbés dans leurs pensées. Bryne était parfaitement détendu sur sa selle, la buée de son souffle givrant sur la visière de son casque, pourtant Egwene le voyait inspecter calmement le terrain, gravant tous les reliefs dans sa mémoire, au cas où il s'y battrait. Siuan se tenait sur son cheval avec tant de raideur qu'elle serait moulue bien avant d'arriver à destination. Elle fixait le nord comme si elle voyait déjà le lac, et parfois, elle hochait la tête ou la secouait, comme se parlant à elle-même. Elle n'aurait pas fait ça à moins d'être mal à l'aise. Sheriam n'en savait pas plus que les Députées sur ce qui se préparait, pourtant, elle semblait encore plus nerveuse que Siuan, remuant constamment sur sa selle en grimaçant.

Immédiatement derrière la bannière, venait l'Assemblée de la Tour au grand complet, en colonne par deux, les Députées vêtues de riches velours et de soies brodées, de fourrures et de capes ornées d'une grande Flamme dans le dos. Ces femmes qui portaient rarement d'autre bijou que l'anneau du Grand Serpent arboraient aujourd'hui les plus belles gemmes que recelaient les coffres du camp. La cohorte de leurs Liges était encore plus splendide, grâce à leurs capes de couleurs irisées. Parfois, certains semblaient disparaître derrière ces capes inquiétantes en mouvement. Les domestiques suivaient, deux ou trois pour chaque sœur, sur les meilleurs chevaux qu'on avait pu leur trouver. Ils auraient pu passer eux-mêmes pour de petits nobles si certains n'avaient pas guidé une bête de somme. Tous les coffres du camp avaient été dévalisés pour leur trouver des vêtements multicolores.

Peut-être parce qu'elle était l'une des rares Députées sans Lige, Delana avait amené avec elle Halima, sur une fougueuse jument blanche. Elles chevauchaient côte à côte, presque genou contre genou. Parfois, Delana se penchait pour lui dire quelque chose à voix basse, mais Halima semblait trop excitée pour écouter. Halima était la secrétaire de Delana, mais tout le monde pensait que celle-ci l'avait prise à son service par charité, ou peut-être par amitié, quelque improbable que fût un tel sentiment entre la sœur blonde pleine de dignité, et la brune paysanne au tempérament de feu. Egwene avait vu l'écriture d'Halima, hésitante comme celle d'un enfant en plein apprentissage. Aujourd'hui, sa tenue rivalisait avec celle des sœurs, avec des gemmes égalant facilement celles de Delana. Chaque fois qu'une rafale ouvrait sa cape, elle exhibait généreusement sa poitrine presque nue, en riait, puis prenait son temps pour refermer les pans de sa cape, affectant de ne pas sentir le froid plus que les sœurs.

Pour une fois, Egwene apprécia tous les vêtements qu'elle avait reçus en cadeau, qui lui permettaient de surpasser toutes les sœurs en élégance. Elle était vêtue de soie bleu et vert à crevés blancs, brodée de perles, comme le dessus de ses gants. À la dernière minute, Romanda lui avait apporté une cape bordée d'hermine, et Lelaine, un collier et des boucles d'oreilles en émeraude et opale. Les pierres de lune de ses cheveux venaient de Janya. Aujourd'hui, l'Amyrlin devait être resplendissante. Même Siuan semblait prête pour le bal, en velours bleu et dentelle crème, avec un large bandeau de perles autour du cou et d'autres perles tressées dans ses cheveux.

Romanda et Lelaine étaient à la tête des sœurs, si proches du porte-bannière que celui-ci regardait nerveusement par-dessus son épaule et rapprochait parfois sa monture du cavalier qui le précédait. Egwene parvint à ne pas regarder en arrière plus d'une ou deux fois, mais elle sentait leurs regards entre ses omoplates. Chacune croyait que ses membres étaient entravés et devait se demander à qui appartenaient les cordes qui l'avaient attachée. Oh, Lumière, cela ne pouvait pas mal tourner. Pas maintenant.

À part la colonne, presque rien ne bougeait dans le paysage couvert de neige. Un faucon plana un moment dans le ciel bleu et froid avant de partir vers l'est. Deux fois, Egwene vit des renards à queue noire trotter au loin, toujours revêtus de leur fourrure d'été, puis disparaître au milieu des arbres. Un lièvre bondissant juste sous les sabots de Bela fit cabrer la jument hirsute, et Siuan jappa et se cramponna aux rênes comme si Bela allait s'emballer. Naturellement, Bela se contenta d'un hennissement de reproche, mais avança péniblement. Le grand hongre rouan d'Egwene se cabra davantage, bien que le lièvre ne soit pas passé près de lui.

Siuan grommela entre ses dents après la fuite du lièvre, et il fallut un bon moment avant qu'elle ne relâche ses rênes. Être à cheval la mettait toujours de mauvaise humeur – elle voyageait dans un chariot aussi souvent que possible – mais elle avait été rarement aussi grincheuse. Inutile de regarder plus loin que le Seigneur Bryne ou les regards noirs qu'elle lui lançait, pour savoir pourquoi.

S'il remarqua les regards de Siuan, Bryne ne le montra pas. Seul de la colonne à ne pas être en grand apparat, il était comme toujours vêtu simplement avec des habits un peu fripés, comme un roc qui avait fait face à bien des tempêtes et survivrait à bien d'autres encore. Pour une raison inconnue, Egwene se félicitait qu'il eût résisté à toutes les tentatives pour le vêtir superbement. Elles avaient vraiment besoin de faire grande impression, mais elle le trouvait assez impressionnant comme ça.

— Belle matinée pour monter, dit Sheriam au bout d'un moment. Rien de tel qu'une bonne promenade dans la neige pour éclaircir les idées.

Elle avait parlé tout haut, et détourna les yeux en souriant de Siuan qui grommelait toujours.

Siuan ne dit rien – elle ne pouvait guère la rembarrer devant tant de monde – mais elle lança à Sheriam un regard noir, qui promettait de vives paroles pour plus tard. La femme aux cheveux de flamme se retourna brusquement sur sa selle à la limite de grimacer. Aile, sa jument gris pommelé, galopa sur quelques pas et Sheriam la calma d'une main presque trop ferme. Elle avait manifesté peu de gratitude envers la femme qui l'avait nommée Maîtresse des Novices, et comme la plupart de celles qui se trouvaient dans cette situation, elle avait des raisons de blâmer Siuan. C'était le seul défaut qu'Egwene lui avait trouvé depuis la prestation de serment. Enfin, en tant que Gardienne, elle avait argué qu'elle n'avait pas à prendre des ordres de Siuan, comme celles qui avaient juré, mais Egwene avait vu tout de suite où cela la mènerait. Ce n'était pas la première fois que Sheriam essayait de lancer une pique. Siuan insistait pour régler ses affaires elle-même avec Sheriam, et sa fierté était trop fragile pour qu'Egwene lui refuse cette requête, à moins que la situation ne devienne incontrôlable.

Egwene aurait bien voulu trouver le moyen d'aller plus vite. Siuan se remit à grommeler, et Sheriam, à l'évidence, cherchait quelque chose à dire sans risquer de se faire rembarrer. Tous ces marmonnements et ces regards en coin finirent par agacer Egwene. Au bout d'un moment, même le calme impérial de Bryne commença à s'effriter. Elle se surprit à réfléchir à des remarques qui pourraient la déstabiliser. Malheureusement – ou peut-être heureusement – elle ne croyait pas que ce soit possible. Mais si ça durait plus longtemps, elle craignait d'exploser d'impatience.

Le soleil continua son ascension vers le zénith. Les miles s'étiraient avec une pénible lenteur, quand enfin, l'un des cavaliers de tête se retourna en levant la main. Après quelques brefs mots d'excuse à Egwene, Bryne le rejoignit au galop. Bien que son solide hongre, Voyageur, galopât lentement dans la neige lourde, il rattrapa les hommes de tête. Bryne échangea quelques mots avec eux, puis les renvoya vers les arbres, et attendit qu'Egwene et les autres arrivent à sa hauteur.

Romanda et Lelaine les rejoignirent. Elles n'accordèrent pratiquement aucune attention à Egwene, fixant Bryne avec cette froide sérénité qui déconcertait tant d'hommes en présence d'Aes Sedais. Sauf que chacune coula à l'autre un regard en coin d'un air dubitatif. Elles semblaient à peine savoir ce qu'elles faisaient. Egwene espéra qu'elles étaient à moitié aussi nerveuses qu'elle ; elle se satisferait de cela.

Ces regards calmes et froids coulèrent comme la pluie sur ce roc. Il s'inclina légèrement devant elles, puis s'adressa à Egwene.

— Ils sont déjà là, Mère.

Ils s'y attendaient.

— Ils ont avec eux autant de soldats que nous, mais ils se trouvent sur la rive nord du lac. J'ai envoyé des éclaireurs pour m'assurer qu'ils ne vont pas chercher à nous encercler, mais en vérité, je pense que c'est très improbable.

— Espérons que vous avez raison, dit sèchement Romanda.

— Votre discernement a changé, comparé à ces derniers temps, Seigneur Bryne, ajouta Lelaine, d'un ton glacial et mordant.

— Si vous le dites, Aes Sedai.

De nouveau, il s'inclina légèrement, mais sans se détourner d'Egwene. Comme Siuan, il avait pris ouvertement son parti maintenant, du moins en ce qui concernait l'Assemblée. Si seulement elles ignoraient à quel point.

— Encore une chose, Mère, poursuivit-il. Talmanes est au lac, lui aussi. Avec une centaine d'hommes de la Bande, sur la rive orientale. Pas assez pour provoquer des troubles s'il le voulait, et il y a peu de chances qu'il le veuille, à mon avis.

Egwene se contenta de hocher la tête. Pas assez pour provoquer des troubles ? Talmanes y suffirait à lui seul ! Elle eut un goût de bile dans la bouche. Ça-ne-pouvait-pas-capoter-maintenant !

— Talmanes ! s'écria Lelaine, toute sérénité envolée.

Elle devait être aussi tendue qu'Egwene.

— Comment a-t-il eu vent de cette entrevue ? Si vous avez inclus des Fidèles du Dragon dans votre stratagème, Seigneur Bryne, vous apprendrez bientôt ce qu'il en coûte d'aller trop loin.

— C'est une honte ! renchérit aussitôt Romanda. Vous dites que vous venez seulement d'apprendre sa présence ? S'il en est ainsi, votre réputation est aussi enflée qu'un abcès !

Aujourd'hui, le calme des Aes Sedais n'était qu'un mince vernis pour certaines, semblait-il.

Elles poursuivirent dans la même veine, mais Bryne continua à chevaucher, impassible, murmurant de temps en temps un « comme vous dites, Aes Sedai » quand il avait à répondre quelque chose. Le matin, il avait entendu pire de la part d'Egwene et n'avait pas réagi davantage. Siuan finit par grogner, puis s'empourpra quand les Députées la regardèrent, surprises. Egwene faillit hocher la tête. Siuan était amoureuse, incontestablement. Et il fallait qu'elle lui en parle ! Pour une raison inconnue, Bryne sourit, mais peut-être simplement parce qu'il n'était plus l'objet de l'attention des Députées.

Les arbres firent place à une étendue, plus vaste cette fois. Il n'y avait plus de temps à perdre à des discours inutiles.

Hormis un large cercle de grands roseaux bruns et de massettes pointant à travers la neige, rien n'annonçait un lac. Cela aurait pu être une vaste prairie, vaguement ovale. À quelque distance des arbres, sur le lac gelé, se dressait un grand dais bleu soutenu par de hauts mâts. Se tenait tout autour une petite foule, avec, plus loin, des domestiques gardant des chevaux. La brise agitait un épais bouquet de bannières et d'oriflammes multicolores, et apportait des cris étouffés qui ne pouvaient être que des ordres. D'autres serviteurs s'affairaient. Apparemment, ils n'étaient pas arrivés depuis assez longtemps pour avoir terminé leur installation.

À environ un mile, on voyait de nouveau des arbres, et le pâle soleil qui faisait luire des reflets métalliques. Pas mal de métal brillait le long de la rive nord. À l'est, presque aussi proche que le dais, la centaine d'hommes de la Bande ne faisaient aucun effort pour se dissimuler, debout près de leurs montures à courte distance des massettes. Quelques-uns tendirent le bras vers la Flamme de Tar Valon quand elle apparut. Les gens du pavillon s'immobilisèrent pour regarder.

Egwene s'avança sans hésitation sur la glace recouverte de neige, aussi éclatante qu'un bouton de rose sous le soleil – ce vieil exercice de novice. Elle n'embrassa pas la *saidar*, mais elle apprécia le calme qui s'empara d'elle.

Siuan et Sheriam la suivirent, puis les Députées et leurs Liges, et enfin les domestiques. Le Seigneur Bryne et le porte-bannière furent parmi les soldats les deux seuls à les escorter. Les cris qui s'élevaient derrière elle lui indiquèrent qu'Uno mettait ses cavaliers en position le long de la rive. Les hommes plus légèrement armés furent déployés de chaque côté, pour parer les embuscades. L'une des raisons pour lesquelles le lac avait été choisi comme lieu de rendez-vous, était que la glace ne pouvait supporter qu'un nombre limité de chevaux, diminuant ainsi les risques. Bien sûr, le pavillon hors de portée des arcs pouvait être atteint par le Pouvoir Unique, sauf s'il restait hors de vue. Sauf que le plus grand imbécile du monde se savait en sécurité à moins qu'il ne menace une sœur. Egwene expira profondément, et retrouva tout son calme.

En temps normal, pour accueillir l'Amyrlin, des serviteurs auraient dû se précipiter avec des boissons chaudes, des briques enveloppées dans des linges, des Seigneurs et des Grandes Dames prenant eux-mêmes ses rênes et celles de sa suite, avec un baiser sur la joue en souvenir d'Abram. Tout visiteur d'un certain rang aurait dû être pris en charge par des domestiques. Personne ne bougea dans le pavillon. Bryne démonta et prit Daishar par la bride, pendant que le jeune homme qui avait renouvelé les charbons la veille tint l'étrier à Egwene. Son nez coulait encore. Malgré cela, avec sa tunique de velours rouge légèrement trop grande pour lui, il surpassait en élégance tous les nobles qui se tenaient sous le dais. Ceux-ci étaient habillés en gros drap de laine orné de broderies, de soies et de dentelles. Ils avaient sans doute eu du mal à trouver des vêtements adaptés à la saison quand la neige avait commencé à tomber et qu'ils étaient déjà en marche. La vérité, c'est que le jeune morveux aurait pu rivaliser avec un Rétameur.

On avait déployé des tapis sur le sol du pavillon, et allumé des braseros, mais le vent emportait à la fois la fumée et la chaleur. Deux rangées de fauteuils se faisaient face pour les délégations, huit de chaque côté. Certains nobles échangèrent des regards consternés, et certains serviteurs se tordirent les mains, se demandant quoi faire. Ils n'auraient pas dû.

Les fauteuils étaient dépareillés, bien que tous de la même taille. Aucun n'était plus bancal ou mieux décoré qu'un autre. Le jeune morveux et d'autres serviteurs allaient et venaient sous les regards soucieux des nobles, sans même un « excusez-moi », pour installer ceux destinés aux Aes Sedais puis se précipitaient pour aider à décharger les chevaux de bât. Personne n'avait encore prononcé un mot.

On apporta d'autres sièges pour que toutes les Députées et Egwene puissent s'asseoir. De petits bancs, bien cirés et brillants comme des miroirs, chacun placé au-dessus d'un coffre couvert d'un linge de la couleur de l'Ajah de la Députée, furent alignés sur toute la longueur du pavillon. Le coffre d'Egwene, placé devant les autres, était drapé d'un linge à rayures multicolores, comme son châle. Une activité fébrile avait régné pendant la nuit, pour trouver de la cire d'abeille et des tissus aux couleurs adéquates.

Quand Egwene et les Députées prirent place, elles se retrouvèrent un pied plus haut que tous les autres. Le plus modeste fermier aurait offert un baiser et un verre à un vagabond le jour de la Fête d'Abram. Elles n'étaient pas du même rang. Elles étaient des Aes Sedais.

Les Liges se tenaient derrière leur Aes Sedai respective. Siuan et Sheriam encadraient Egwene. Les sœurs rejetèrent ostensiblement leur cape en arrière et ôtèrent leurs gants, pour signifier que le froid ne les affectait pas, contrairement aux nobles qui resserraient frileusement leurs capes autour d'eux. Dehors, la Flamme de Tar Valon flottait au vent.

Il y eut quelques regards étonnés quand Egwene prit place sur le siège réservé à l'Amyrlin. Personne n'eut l'air vraiment stupéfait. *Ils ont tous entendu parler d'une Amyrlin adolescente, je suppose*, pensa-t-elle avec ironie. Il y avait déjà eu des reines plus jeunes, y compris en Andor et au Murandy. Elle hocha calmement la tête, et Sheriam désigna la rangée de fauteuils en face d'elles. Peu importait qui était arrivé le premier ou avait dressé le pavillon, il ne subsistait aucun doute sur la responsable de cette entrevue. Sur celle qui commandait.

Bien entendu, ça n'était pas très bien perçu. Il y eut un moment d'hésitation silencieuse, pendant lequel les nobles cherchèrent le moyen de se rétablir sur un pied d'égalité, et nombre de grimaces quand ils réalisèrent que c'était impossible. Le visage fermé, quatre hommes et quatre femmes s'assirent, rajustant avec des gestes de colère leurs capes et leurs jupes. Des nobles de moindre rang se placèrent, debout, derrière eux. À l'évidence Andorans et Murandiens ne se portaient pas mutuellement dans leurs cœurs. D'ailleurs, les Murandiens, hommes et femmes, grommelèrent et se bousculèrent pour la préséance aussi farouchement qu'ils bousculèrent leurs « alliés » du Nord. Des regards noirs furent dirigés à l'adresse des Aes Sedais, et certains froncèrent les sourcils sur Bryne, debout sur le côté, son casque sous le bras. Il était très connu des deux côtés de la frontière, et respecté même par ceux qui auraient bien voulu le voir mort. C'était du moins le cas avant qu'il prenne le commandement de l'armée des Aes Sedais. Il ignora les regards acides comme il avait ignoré les remarques désobligeantes des Députées.

Un autre homme restait à l'écart des deux camps. Pâle, une demi-main plus grand qu'Egwene, en tunique sombre et plastron, il avait le haut du crâne rasé et portait une longue écharpe rouge nouée au bras gauche. Sa tunique gris foncé arborait une main rouge sur le cœur. Talmanes était debout en face de Bryne, appuyé contre un mât du pavillon dans une attitude désinvolte et arrogante, et observait, impassible. Egwene aurait bien voulu savoir ce qu'il faisait là, et ce qu'il avait dit avant son arrivée. En tout cas, il fallait qu'elle lui parle. Si c'était possible, en privé.

Un homme en tunique rouge, mince et hâlé, assis au milieu de la rangée de fauteuils, se pencha en avant et ouvrit la bouche mais Sheriam le devança, annonçant à voix haute et claire :

— Mère, puis-je vous présenter, d'Andor, Arathelle Renshar, Haut Siège de la Maison Renshar. Pelivar Coelan, Haut Siège de la Maison Coelan. Aemlyn Carand, Haut Siège de la Maison Carand, et son époux, Culham Carand.

Chacun hocha froidement la tête à l'énoncé de son nom, sans plus. Pelivar était l'homme mince en rouge ; il perdait ses cheveux sur le devant. Sheriam poursuivit sans faire de pause. Heureusement que

Bryne lui avait fourni les noms de ceux qui avaient été choisis pour prendre la parole.

— Puis-je vous présenter, du Murandy, Donel do Fearna a'Lordeine, Cian do Mehon a'Macansa, Paitr do Fearna a'Conn, Segan do Avharin a'Roos.

Les Murandiens semblèrent accuser l'absence de titre encore plus que les Andorans. Donel, plus couvert de dentelle qu'aucune des femmes, frisait farouchement sa longue moustache, et Paitr semblait vouloir arracher la sienne. Segan faisait la moue et ses yeux noirs lançaient des éclairs, tandis que Cian émettait un grognement.

— Vous êtes en présence de la Gardienne des Sceaux. Vous êtes devant la Flamme de Tar Valon. Vous pouvez présenter vos supplications au Siège d'Amyrlin.

Parfait. Cela ne leur plut pas le moins du monde. Avant, Egwene les trouvait revêches, mais maintenant, tout simplement lugubres. Ils avaient peut-être cru pouvoir feindre qu'elle n'était pas l'Amyrlin. Il fallait leur donner une leçon. Bien sûr, elle devait d'abord s'occuper de l'Assemblée.

— Il existe des liens très anciens entre l'Andor et la Tour Blanche, dit-elle à haute et intelligible voix. Les sœurs ont toujours été les bienvenues en Andor et au Murandy. Pourquoi donc amenez-vous une armée contre les Aes Sedais ? Vous intervenez là où les nations et les trônes n'osent pas s'avancer. Des souverains sont tombés pour s'être mêlés des affaires des Aes Sedais.

Cela semblait suffisamment menaçant, que Myrelle et les autres aient ou non préparé la voie. Avec un peu de chance, elles ne tarderaient pas à arriver au camp, sans que personne ne le sache. À moins qu'un de ces nobles ne prononce un nom qu'il ne fallait pas. Ce qui lui ferait perdre l'avantage vis-à-vis de l'Assemblée. Mais à côté de tout le reste, c'était un fétu de paille comparé à une meule de foin.

Pelivar échangea un regard avec la femme assise près de lui, qui finit par se lever. Malgré les rides qui marquaient son visage, il était facile de voir qu'Arathelle avait été très belle dans sa jeunesse. Sa chevelure grisonnait maintenant, et son regard était aussi dur que celui d'un Lige. Ses mains gantées de rouge retenaient sa cape de chaque côté. Pinçant les lèvres, elle scruta la rangée des Députées, puis s'adressa, au-delà de la tête d'Egwene, aux sœurs installées derrière elle. Grinçant des dents, Egwene arbora une expression attentive.

— Nous sommes ici précisément parce que nous ne voulons pas nous mêler des affaires de la Tour Blanche, dit-elle, faisant preuve d'une autorité qui n'était pas surprenante pour le Haut Siège d'une puissante Maison, mais sans l'hésitation à laquelle on aurait pu s'attendre, même d'un Haut Siège, en face de tant de sœurs, sans parler de l'Amyrlin en personne. Si tout ce que nous avons entendu dire est vrai, alors, vous permettre de traverser l'Andor serait interprété par la Tour Blanche comme une aide ou même une alliance, au mieux. Si nous ne nous opposons pas à vous, nous saurons ce que ressent la grappe dans le pressoir.

Plusieurs Murandiens la regardèrent en fronçant les sourcils. Personne au Murandy n'avait tenté d'empêcher le passage des sœurs. Très vraisemblablement, personne n'avait envisagé les conséquences de leur passage dans un autre pays.

Arathelle poursuivit, comme si elle ne les avait pas remarqués, mais Egwene en doutait.

— Au mieux... nous avons entendu... des rapports... selon lesquels des Aes Sedais et des Gardes de la Tour seraient en route pour l'Andor en secret. « Rumeurs », devrait-on dire, mais elles arrivent de tous les côtés. Aucun d'entre nous ne désire voir une bataille entre Aes Sedais en Andor.

— La Lumière nous en préserve et nous en protège ! s'exclama Donel, au bord de l'apoplexie.

Paitr hocha la tête, encourageant, et Cian eut l'air de vouloir bondir.

— Personne ici ne veut voir cela ! cracha Donel. Pas entre Aes Sedais ! J'ai entendu ce qui s'est passé dans l'Est ! Et ces sœurs... !

Egwene respira un peu mieux quand Arathelle l'interrompit fermement.

— S'il vous plaît, Seigneur Donel. Vous parlerez à votre tour.

Elle se retourna vers Egwene – ou plutôt vers les Députées sans attendre sa réponse, le laissant postillonner d'indignation, pendant que les trois autres Murandiens lui lançaient des regards noirs. Elle-même semblait parfaitement calme, en femme qui ne fait qu'exposer les faits, sachant qu'ils devaient les voir tous du même œil.

— Comme je le disais, c'est le pire qu'on puisse craindre, s'il faut ajouter foi à ces rumeurs. Et même si elles sont fausses. Des Aes Sedais peuvent se rassembler secrètement en Andor, avec les Gardes de la Tour. Des Aes Sedais avec une armée sont prêtes à entrer en Andor. Assez souvent, quand la Tour Blanche semblait viser une cible, nous apprenions qu'elle en visait une autre depuis le début. J'ai du mal à imaginer que même la Tour Blanche aille jusque-là, mais s'il est une cible qu'il faut absolument atteindre, c'est bien la Tour Noire.

Arathelle frissonna, et Egwene pensa que ce n'était pas à cause du froid.

— Une bataille entre Aes Sedais pourrait dévaster le pays à des miles à la ronde. *Cette* bataille pourrait ruiner la moitié de l'Andor.

Pelivar se leva d'un bond.

— En deux mots, vous devez passer ailleurs, dit-il, d'une voix étonnamment aiguë, mais aussi ferme que celle d'Arathelle. Si je dois mourir pour défendre mes terres et mon peuple, mieux vaut que ce soit ici que là où mes terres et mon peuple pourraient mourir avec moi.

Il se tut sur un geste apaisant d'Arathelle, et se laissa retomber dans son fauteuil. Les yeux durs, il ne semblait pas mollir. Aemlyn, une femme corpulente emmitouflée de drap sombre, l'approuva de la tête, comme son mari à la mâchoire carrée.

Donel fixait Pelivar comme si cette idée ne lui était jamais venue, et il n'était pas le seul. Certains des Murandiens debout se mirent à discuter à voix haute,

171

jusqu'à ce que les autres les fassent taire, parfois en brandissant le poing. Qu'est-ce qui leur avait pris de joindre leurs forces à celles des Andorans ?

Egwene prit une profonde inspiration. Un bouton de rose s'épanouissant sous le soleil. Ils ne l'avaient pas reconnue comme le Siège d'Amyrlin – Arathelle l'avait ignorée autant qu'il se pouvait sans l'insulter carrément – pourtant ils lui avaient donné tout ce qu'elle pouvait espérer. Du calme. Romanda et Lelaine s'imaginèrent qu'elle désignerait l'une d'elles pour diriger les négociations. Elles se demandaient laquelle, et cela devait leur mettre l'estomac en tire-bouchon. Il n'y aurait pas de négociations. Il ne pouvait pas y en avoir.

— Elaida, dit-elle d'une voix neutre, regardant Arathelle puis tous les nobles chacun à leur tour, est une usurpatrice qui a violé ce qui fait le fondement même de la Tour Blanche. Je suis le Siège d'Amyrlin.

Elle s'étonna elle-même de parler avec tant de hauteur et de sang-froid, mais pas aussi surprise qu'elle l'aurait été autrefois. Que la Lumière lui vienne en aide, elle *était* le Siège d'Amyrlin.

— Nous partons à Tar Valon pour déposer Elaida et la juger, mais c'est l'affaire de la Tour Blanche, et non la vôtre, sauf pour connaître la vérité. Et ce que vous appelez la Tour Noire, c'est aussi notre affaire ; les hommes capables de canaliser ont toujours concerné la Tour Blanche. Nous nous occuperons d'eux selon ce que nous déciderons le moment venu, mais je peux vous assurer que ce temps n'est pas encore arrivé. Des affaires plus importantes ont la priorité.

Derrière elle, elle entendit des mouvements parmi les Députées. Certaines devaient être très agitées. Quelques-unes avaient suggéré qu'elles pouvaient annihiler la Tour Noire en passant. Aucune ne croyait qu'elle comportait plus d'une douzaine d'hommes, malgré les rumeurs ; il était tout à fait impossible que des *centaines* d'hommes aient *envie* de canaliser. Et aussi, elles avaient maintenant réalisé qu'Egwene ne nommerait ni Romanda ni Lelaine pour parler en son nom. Arathelle fronça les sourcils, peut-être percevant quelque chose dans l'air. Pelivar remua, sur le point de se lever une fois de plus, et Donel se redressa d'un air agressif. Il n'y avait rien à faire d'autre que continuer.

— Je comprends votre inquiétude, poursuivit-elle sur le même ton cérémonieux, et je vais m'efforcer de l'apaiser.

Quel était cet étrange appel aux armes de la Bande Rouge ? Oui. C'était le moment de jeter les dés.

— En ma qualité de Siège d'Amyrlin, je vous donne cette garantie : nous allons rester où nous sommes pendant un mois pour nous reposer, puis nous quitterons le Murandy, mais nous ne franchirons pas la frontière d'Andor. Après ça, nous ne perturberons plus le Murandy, et l'Andor n'aura pas à subir notre présence. Je suis certaine, ajouta-t-elle, que les Dames et les Seigneurs murandiens pourvoiront à nos besoins contre espèces sonnantes et trébuchantes. Nous payons raisonnablement bien.

Il n'était pas possible de faire plier les Andorans si cela signifiait que les Murandiens voleraient les chevaux et les caravanes de ravitaillement.

Les Murandiens, regardant, gênés, autour d'eux, semblaient déchirés entre deux partis à prendre. Il y avait beaucoup d'argent à gagner en ravitaillant une armée aussi grande, mais d'autre part, qui pouvait marchander avec succès ce que cette armée avait à offrir ? Donel semblait à la limite du malaise, tandis que Cian paraissait compter dans sa tête. Des murmures s'élevèrent parmi les assistants. Plus que des murmures, car Egwene comprit presque ce qu'ils disaient.

Elle avait envie de regarder par-dessus son épaule. Le silence des Députées était assourdissant. Siuan avait le regard fixe, les mains crispées sur ses jupes pour s'empêcher de regarder derrière elle. Au moins, elle savait d'avance à quoi s'attendre. Sheriam, qui n'en savait rien, regardait les Andorans et les Murandiens avec un calme royal, comme si elle l'avait su.

Egwene devait leur faire oublier la jeune fille qu'ils avaient devant les yeux, pour qu'ils écoutent la femme qui tenait fermement les rênes du pouvoir. Si elle ne les tenait pas maintenant, elle n'y arriverait jamais ! Elle raffermit sa voix.

— Comprenez-moi bien. J'ai pris ma décision. C'est à vous de l'accepter ou d'affronter les conséquences de votre refus.

Quand elle se tut, une brève rafale de vent se mit à hurler, secouant le dais, tiraillant les vêtements. Egwene rajusta calmement sa coiffure. Certains nobles frissonnèrent et resserrèrent leur cape autour d'eux. Elle espéra qu'ils ne frissonnaient pas que de froid.

Arathelle échangea des regards avec Pelivar et Aemlyn, et tous trois scrutèrent les Députées avant de hocher lentement la tête. Ils croyaient qu'elle ne faisait que répéter les mots que les Députées lui avaient mis dans la bouche ! Egwene faillit soupirer de soulagement.

— Il en sera comme vous le désirez, dit la noble aux yeux durs, s'adressant de nouveau aux Députées. Nous ne doutons pas de la parole des Aes Sedais, bien sûr, mais vous comprendrez que nous restions ici également. Parfois, ce qu'on entend est déformé. Non que ce soit le cas ici, j'en suis sûre. Mais nous resterons jusqu'à votre départ.

Donel avait vraiment l'air nauséeux. Sans doute que ses terres étaient proches. Les armées andoranes au Murandy avaient rarement payé quoi que ce soit.

Egwene se leva et entendit derrière elle le froissement des robes des sœurs qui l'imitaient.

— C'est donc convenu. Nous devrons vous quitter bientôt si nous voulons regagner nos lits avant la nuit, mais nous avons encore un peu de temps devant nous, et l'utiliserons pour nous connaître un peu mieux maintenant, afin d'éviter bien de futurs malentendus.

Et cela lui donnerait peut-être l'occasion d'approcher Talmanes.

— Oh ! encore une chose que vous devez savoir. Le livre des novices est maintenant ouvert à toute femme, quel que soit son âge, qui réussit les tests.

Arathelle cligna des yeux. Pas Siuan qui resta impassible, mais Egwene crut entendre un faible gémissement. Ça ne faisait pas partie de ce qu'elles avaient prévu, mais le moment ne serait jamais plus propice.

— Venez. Je suis certaine que vous voudrez tous vous entretenir avec les Députées. Sans cérémonie.

Sans attendre que Sheriam lui offre sa main, elle se leva. Elle avait presque envie de rire. La veille, elle avait eu peur de ne jamais atteindre son but. Elle était à mi-chemin de son objectif, et ce n'avait pas été aussi difficile que ce qu'elle craignait. Bien sûr, il restait l'autre moitié du chemin.

18.

Une vocation spéciale

Egwene se leva, et, pendant quelques instants, personne ne bougea. Puis Andorans et Murandiens foncèrent vers les Députées, presque comme un seul homme. Apparemment, une Amyrlin adolescente – simple marionnette et figure de proue ! – n'avait aucun intérêt devant ces visages d'une éternelle jeunesse qui leur disaient au moins qu'ils parlaient vraiment à des Aes Sedais. Deux ou trois seigneurs et dames se regroupaient autour de chaque Députée, certains avançant un menton autoritaire, d'autres penchant la tête d'un air mal assuré, mais tous insistant pour être entendus. Le vent emportait la buée de leurs haleines, et faisait voltiger les capes qu'ils oubliaient de resserrer, tant ils étaient concentrés sur leurs questions. Siuan aussi se retrouva coincée par un Seigneur Donel cramoisi, qui fulminait et la saluait avec raideur.

Egwene écarta Sheriam de l'homme aux petits yeux, et lui murmura rapidement :

— Renseignez-vous discrètement au sujet de ces sœurs et des Gardes de la Tour en Andor.

Dès qu'elle fut libérée, Donel la prit à partie. Sheriam

sembla d'abord perplexe, mais elle fut rassurée rapidement. Donel cligna des yeux, mal à l'aise, quand ce fut elle qui se mit à le questionner, *lui*.

Romanda et Lelaine regardaient Egwene à travers la foule, avec des visages qu'on aurait cru sculptés dans la glace, mais chacune était entreprise par deux nobles qui désiraient… quelque chose. Peut-être l'assurance qu'il n'y avait pas de piège caché dans les paroles d'Egwene. Certes, elles détesteraient leur donner cette certitude, mais elles auraient beau éluder et tergiverser – elles n'y manqueraient pas –, elles seraient bien forcées de les rassurer, à moins de répudier Egwene sur-le-champ. Et même ces deux-là n'iraient pas aussi loin. En tout cas, pas ici, en public.

Siuan se glissa près d'Egwene, son visage affichant l'image de la docilité. Sauf qu'elle dardait les yeux dans toutes les directions, sans doute pour voir Romanda ou Lelaine venir s'emparer d'elles, oubliant la loi, la coutume, les convenances, et l'assistance.

— Shein Chunla, murmura-t-elle.

Egwene acquiesça de la tête, tout en cherchant Talmanes du regard. La plupart des hommes et quelques femmes étaient assez grands pour le cacher. Et avec tout ce monde qui bougeait… Elle se haussa sur la pointe des pieds. Où était-il passé ?

Segan se planta devant elle, les poings sur les hanches, lorgnant Siuan d'un air dubitatif. Egwene reposa vivement ses talons par terre. L'Amyrlin ne pouvait pas se comporter comme une gamine au bal en train de chercher un danseur. Un bouton de rose qui s'épanouit. Calme… Sérénité… Au diable tous les hommes !

Svelte avec de longs cheveux noirs, Segan semblait née irascible, ses lèvres pleines figées en une moue perpétuelle. Sa robe en beau drap bleu était faite pour tenir chaud, mais elle avait trop de broderies vertes sur le corsage, et ses gants étaient assez criards pour un Rétameur. Elle toisa Egwene de la tête aux pieds, la bouche boudeuse, l'air aussi incrédule que lorsqu'elle regardait Siuan.

— À propos de ce que vous avez dit sur le livre des novices, dit-elle brusquement, pensiez-vous à des femmes de n'importe quel âge ? Alors, n'importe qui peut devenir Aes Sedai ?

Cette question était chère au cœur d'Egwene, et elle désirait vraiment lui donner la réponse – en même temps qu'une bonne claque pour ses doutes. Au même instant, par une courte brèche dans la foule, elle aperçut Talmanes au fond du pavillon, en conversation avec Pelivar ! Ils se faisaient face, très raides, comme des chiens de garde prêts à montrer les crocs, tout en surveillant les alentours pour s'assurer que personne n'approchait assez près pour les entendre.

— N'importe quelle femme de n'importe quel âge, ma fille, répondit-elle distraitement.

Pelivar ?

— Merci, dit Segan, qui ajouta avec hésitation : Mère.

Elle esquissa une révérence avant de s'éloigner à la hâte. Egwene la suivit des yeux. Eh bien, c'était un début !

Siuan grogna.

— Je n'ai rien contre le fait de naviguer dans les Doigts du Dragon, de nuit si c'est indispensable, marmonna-t-elle entre ses dents. Nous en avons discuté et évalué les dangers. De toute façon, il semble que nous n'ayons pas le choix. Mais faut-il que vous allumiez un feu sur le pont juste pour rendre les choses intéressantes ? Il ne vous suffit pas de prendre les poissons-lions au filet, il faut encore que vous glissiez une épinoche dans votre corsage. Vous ne vous contentez pas de patauger au milieu d'un banc de brochets argentés…

Egwene l'interrompit.

— Siuan, je crois que je devrais dire au Seigneur Bryne que vous êtes follement amoureuse de lui. Ce serait la moindre des choses qu'il en soit averti, non ?

Les yeux de Siuan lui sortirent de la tête. Elle remua les lèvres, mais il n'en sortit qu'une sorte de borborygme. Egwene lui tapota l'épaule.

— Vous êtes Aes Sedai, Siuan. Tachez de conserver un peu de dignité. Et renseignez-vous sur ces sœurs de l'Andor.

De nouveau, la foule s'écarta, et elle revit Talmanès, qui s'était déplacé entre-temps, mais toujours au fond du pavillon. Et seul cette fois.

S'efforçant de ne pas presser le pas, elle marcha dans sa direction, laissant Siuan qui écumait toujours. Un jeune et beau serveur aux cheveux noirs, dont les amples chausses n'arrivaient pas à cacher tout à fait des mollets bien galbés, présenta à Siuan un gobelet d'argent fumant sur un plateau. D'autres domestiques circulaient avec des plateaux d'argent. On offrait des rafraîchissements, bien qu'un peu tardivement. Il était beaucoup trop tard pour le baiser de paix. Elle n'entendit pas ce que dit Siuan en prenant un gobelet d'un geste brusque, mais à la façon dont le beau serveur sursauta et se confondit en courbettes, elle n'avait pas dû mâcher ses paroles. Egwene soupira.

Debout, les bras croisés, Talmanes observait les allées et venues avec un sourire amusé qui n'atteignait pas ses yeux. Il semblait prêt à bondir, mais son regard était fatigué. À son approche, il esquissa une révérence respectueuse, et lui dit avec une pointe d'ironie :

— Vous avez modifié une frontière aujourd'hui.

Il resserra sa cape pour se protéger du vent glacial.

— La frontière a toujours été... fluide... entre l'Andor et le Murandy, quoi qu'en disent les cartes, mais les Andorans ne sont jamais venus si nombreux dans le Sud. Sauf pendant la Guerre des Aiels et la Guerre des Blancs Manteaux, en tout cas. À ce moment-là, ils ne faisaient que traverser. Quand ils seront restés ici un mois, une nouvelle frontière sera tracée sur les cartes. Regardez les Murandiens se démener servilement auprès de Pelivar et de ses compagnons, autant qu'auprès des sœurs. Ils espèrent se faire de nouveaux amis pour une nouvelle vie.

Pour Egwene, qui s'efforçait d'observer mine de rien ceux qui pouvaient la regarder elle-même, il semblait que tous les nobles, Andorans et Murandiens, étaient agglutinés autour des sœurs, résolus à leur parler. En tout cas, elle avait en tête des affaires plus pressantes que le tracé d'une frontière. Pour elle, sinon pour les nobles. À l'exception de rares instants, on ne voyait aucune Députée sauf le haut d'un crâne. Seules Halima et Siuan semblaient remarquer sa présence. Un brouhaha, rappelant un troupeau d'oies qui cacardent, emplissait l'atmosphère. Elle baissa la voix et choisit ses mots avec soin.

— Les amis sont toujours importants, Talmanes. Vous avez été un grand ami pour Mat, et pour moi aussi, je pense. J'espère que ça n'a pas changé et que vous n'avez dit à personne ce qu'il fallait taire.

Par la Lumière, elle était anxieuse, ou elle n'aurait pas été aussi directe. Bientôt, elle allait lui demander de quoi ils avaient discuté, lui et Pelivar !

Heureusement, il ne se moqua pas de son franc-parler de villageoise, mais il y pensa peut-être. Il l'étudia avec sérieux avant de répondre, à voix basse. Lui aussi était prudent.

— Tous les hommes ne cancanent pas. Dites-moi, quand vous avez envoyé Mat dans le Sud, saviez-vous ce que vous feriez ici aujourd'hui ?

— Comment aurais-je pu il y a deux mois ? Non, les Aes Sedais ne sont pas omniscientes, Talmanes.

Elle avait espéré alors que quelque chose la mettrait à la place qu'elle occupait maintenant. Elle avait élaboré des plans en ce sens, mais elle ne savait pas encore ce qu'elle ferait aujourd'hui. Elle espérait aussi qu'il ne cancane pas. Certains hommes s'en abstenaient.

Romanda se dirigea vers elle, d'un pas ferme et le visage fermé. Arathelle l'intercepta, saisissant la Députée Jaune par le bras et refusant de la lâcher malgré son air stupéfait.

— Me direz-vous au moins où est Mat ? demanda Talmanes. En route vers Caemlyn avec la Fille-Héritière ? Pourquoi êtes-vous surprise ? Une serveuse parle à un soldat quand ils vont puiser de l'eau au même ruisseau. Même s'il est un affreux Fidèle du Dragon, ajouta-t-il avec ironie.

Par la Lumière ! Les hommes étaient vraiment... maladroits... par moments. Les meilleurs trouvaient toujours le moyen de dire ce qu'il ne fallait pas, voire de poser une mauvaise question. Sans parler d'encourager les servantes à bavarder. Cela aurait été tellement plus facile pour elle si elle avait pu mentir ; mais il lui avait donné assez de marge pour contourner les Serments. La moitié de la vérité suffirait à l'empêcher de partir ventre à terre pour Ebou Dar. Peut-être moins de la moitié.

Dans le coin opposé du pavillon, Siuan était en conversation avec un grand jeune homme roux à la moustache en croc, qui la lorgnait, aussi dubitatif que Segan. En général, les nobles reconnaissaient une Aes Sedai à son apparence. Mais il n'occupait qu'une partie de l'attention de Siuan. Elle lançait constamment de brefs regards vers Egwene. Plus facile. Expéditif. Ce que c'était que d'être Aes Sedai. Elle n'avait pas *su* pour aujourd'hui, elle espérait seulement ! Egwene expira, irritée. Que cette femme soit réduite en cendres !

— Il était à Ebou Dar la dernière fois que j'ai eu des nouvelles, murmura-t-elle. Mais maintenant, il doit se diriger vers le nord aussi vite que possible. Il croit toujours qu'il doit me sauver, Talmanes, et

Matrim Cauthon ne raterait pas l'occasion d'être sur place pour pouvoir affirmer que je l'ai dit.

Talmanes n'eut pas l'air surpris.

— C'est ce que je pensais, soupira-t-il. Je... sens... quelque chose... depuis des semaines maintenant. Et certains de la Bande aussi. Ce n'est pas pressant, mais c'est toujours là. L'impression qu'il a besoin de moi, et que je devrais regarder vers le sud. C'est vraiment étrange, de suivre un *ta'veren*.

— Je suppose, acquiesça-t-elle, espérant que son incrédulité ne se voyait pas.

C'était déjà assez bizarre de penser que Mat-le-Vaurien était devenu le chef de la Bande de la Main Rouge, et encore plus qu'il était *ta'veren*. Mais sans doute qu'un *ta'veren* devait être présent, ou au moins tout proche, pour exercer une telle influence.

— Mat se trompait quand il croyait que vous aviez besoin qu'on vienne à votre secours. Vous n'avez jamais pensé à m'appeler à votre aide, n'est-ce pas ?

Il parlait toujours à voix basse, mais elle regarda quand même si personne n'écoutait. Siuan les observait toujours. Et Halima aussi. Paitr était bien trop proche d'elle, se rengorgeant et paradant en frisant sa moustache – à la façon dont il regardait sa robe, il ne l'avait pas prise pour une sœur, c'était certain ! – mais elle ne lui accordait qu'une partie de son attention, dardant des regards en coin en direction d'Egwene tout en adressant à Paitr des sourires chaleureux. Tous les autres semblaient occupés, et aucun n'était assez près pour écouter.

— Le Siège d'Amyrlin pouvait difficilement courir se cacher, n'est-ce pas ? Mais il y a eu des moments où c'était réconfortant de savoir que vous étiez là, avoua-t-elle à contrecœur. Le Siège d'Amyrlin n'était pas censé avoir besoin d'un refuge, mais ça n'avait pas d'importance dans la mesure où aucune Députée ne le savait.

— Vous *avez été* un ami, Talmanes. J'espère que cela continuera. Sincèrement.

— Vous avez été plus... ouverte... avec moi que je ne l'espérais, dit-il lentement, alors je vais vous confier quelque chose.

Son visage resta de marbre – pour tout observateur, il était aussi naturel qu'avant – mais sa voix ne fut plus qu'un murmure.

— Le Roi Roedran m'a approché au sujet de la Bande. Il espère être le premier vrai roi du Murandy. Il veut nous engager. Normalement, je n'aurais pas donné suite, mais il n'y a jamais assez d'argent et avec ce... cette *sensation* que Mat a besoin de nous... Il vaut peut-être mieux que nous restions au Murandy. Il est clair que vous avez ici tout sous la main.

Il se tut quand une jeune servante leur fit une révérence en leur présentant du vin chaud. Elle s'était vêtue d'un beau drap vert finement brodé, avec une cape fourrée de lapin tacheté. D'autres domestiques du camp aidaient aussi au service, sans aucun doute pour s'occuper au lieu de rester à grelotter sans rien faire. Le visage rond de la jeune femme était figé par le froid.

Talmanes l'écarta du geste et resserra sa cape autour de lui, mais Egwene prit un gobelet pour se donner le temps de réfléchir. La Bande n'était plus vraiment nécessaire. Les sœurs continuaient à ronchonner, mais elles s'étaient habituées à leur présence, qu'il y eût ou non des Fidèles du Dragon dans les parages. Elles ne redoutaient plus une attaque, et il n'y avait plus besoin d'utiliser la présence de la Bande comme aiguillon pour les obliger à bouger, comme depuis le départ de Salidar. Désormais, la seule utilité de la *Shen an Calhar* était d'attirer des recrues pour l'armée de Bryne, des hommes pensant que deux armées signifiaient bataille, et qui voulaient se trouver du côté du plus grand nombre. Elle n'avait pas besoin d'eux, mais Talmanes avait agi en ami. Et elle était l'Amyrlin. Parfois, l'amitié et la responsabilité allaient de pair.

La serveuse s'éloigna, et Egwene posa la main sur le bras de Talmanes.

— Ne vous embarquez pas dans cette aventure. Même la Bande ne peut pas conquérir tout le Murandy à elle seule, et tout le monde sera contre vous. Vous connaissez très bien la seule chose qui unit les Murandiens quand des étrangers envahissent leurs terres. Suivez-nous jusqu'à Tar Valon, Talmanes. Mat y viendra, je n'en doute pas.

Mat ne croirait jamais qu'elle était l'Amyrlin tant qu'il ne l'aurait pas vue porter le châle à la Tour Blanche.

— Roedran n'est pas un imbécile, dit-il placidement. Tout ce qu'il veut, c'est que nous, armée étrangère – sans Aes Sedais – nous attendions sans rien faire et sans que personne ne sache ce qu'il mijote. Ce qui devrait lui permettre d'unir facilement tous les nobles contre nous. Puis, nous repasserions discrètement la frontière. Après quoi, il pense pouvoir les tenir en main.

Elle répondit, avec véhémence :

— Et qu'est-ce qui l'empêchera de vous trahir ? Si la menace s'éloigne sans qu'il y ait bataille, son rêve d'un Murandy uni peut s'évanouir aussi.

L'imbécile sembla *amusé* !

— Je ne suis pas un imbécile, moi non plus. Roedran ne peut pas être prêt avant le printemps. Tous ces gens n'auraient pas bougé de leurs manoirs si les Andorans n'étaient pas venus dans le Sud, et ils étaient en marche avant que la neige commence à tomber. Avant ça, Mat nous aura retrouvés. S'il vient dans le Nord, il entendra parler de nous. Roedran devra se satisfaire de ce qu'il aura obtenu jusque-là. Si donc Mat a l'intention d'aller à Tar Valon, je vous y reverrai.

Egwene manifesta de la contrariété. C'était un plan remarquable, digne de Siuan, mais que Roedran Almaric do Arreloa a'Naloy, à son avis, ne pourrait pas mener à son terme. On le disait si volage qu'auprès de lui Mar paraissait vertueux. Mais il faut dire que c'était un plan qu'elle n'aurait pas cru Roedran capable d'échafauder. La seule certitude, c'est que Talmanes avait pris sa décision.

— Talmanes, je veux que vous me donniez votre parole de ne pas laisser Roedran vous entraîner dans une guerre.

La responsabilité. Le léger châle sur ses épaules lui parut dix fois plus lourd que sa cape.

— S'il passe à l'action plus tôt que prévu, vous partirez, que Mat vous ait rejoint ou non.

— J'aimerais pouvoir vous le promettre, mais ce n'est pas possible, protesta-t-il. J'attends la première attaque contre mes fourrageurs dans trois jours tout au plus, après que j'aurai quitté l'armée du Seigneur Bryne. Tous les petits roitelets et fermiers du coin penseront qu'ils peuvent me voler quelques chevaux pendant la nuit, me harceler un peu et s'enfuir à toutes jambes sans coup férir.

— Je ne parle pas de ne pas vous défendre, et vous le savez, dit-elle avec fermeté. Votre parole, Talmanes. Ou je n'autoriserai pas votre contrat avec Roedran.

La seule façon d'annuler cet accord aurait été de le trahir, mais elle ne voulait pas laisser une guerre dans son sillage, qu'elle aurait provoquée en amenant ici Talmanes.

La regardant comme s'il la voyait pour la première fois, il finit par hocher la tête. Curieusement, cela sembla plus cérémonieux que sa révérence de tout à l'heure.

— Il en sera selon votre volonté, Mère. Dites-moi, êtes-vous sûre de ne pas être *ta'veren*, vous aussi ?

— Je suis le Siège d'Amyrlin, répondit-elle. Cela suffit pour n'importe qui.

De nouveau, elle lui toucha le bras.

— Que la Lumière brille sur vous, Talmanes.

Cette fois, le sourire de Talmanes illumina presque son regard.

Inévitablement, bien qu'ils aient parlé à voix basse, leur conversation avait été remarquée. Peut-être justement parce qu'ils parlaient bas. L'adolescente qui prétendait être l'Amyrlin, une rebelle défiant la Tour Blanche, avait été surprise en grande conversation avec le chef de dix mille Fidèles du Dragon. Avait-elle rendu le plan de Talmanes et Roedran plus facile à exécuter, ou plus difficile ? La guerre au Murandy était-elle plus ou moins probable ? Siuan et sa maudite Loi des Conséquences Imprévues ! Cinquante paires d'yeux la suivirent, puis se détournèrent quand elle circula dans la foule, se réchauffant les mains à son gobelet. Enfin, la plupart se détournèrent. Les visages éternellement jeunes des Députées arboraient la sérénité des Aes Sedais. Lelaine, quant à elle, aurait pu être un corbeau aux yeux marron guettant un poisson qui se débattait dans une flaque, tandis que les yeux encore plus sombres de Romanda auraient perforé du fer.

S'efforçant de surveiller la course du soleil, elle fit lentement le tour du pavillon. Les nobles continuaient à importuner les Députées, et passaient de l'une à l'autre en quête de réponses plus satisfaisantes. Elle commença à remarquer certains petits détails. Donel, qui s'arrêtait entre Janya et Moria, s'inclinant profondément devant Aemlyn, qui lui répondait d'un gracieux salut de la tête. Cian, se détournant de Takima, qui faisait une profonde révérence à Pelivar, qui s'inclinait légèrement en retour. D'autres encore : un Murandien rendant hommage à un Andoran, qui répondait tout aussi cérémonieusement. Les Andorans s'efforçaient d'ignorer Bryne, qui se tenait largement à l'écart, et les Murandiens qui, les uns après les autres, le recherchaient. À la direction de leurs regards, on comprenait qu'ils parlaient de Pelivar, Arathelle ou Aemlyn. Peut-être Talmanes avait-il raison.

On lui fit des révérences et des courbettes, quoique moins marquées que celles destinées à Pelivar, Arathelle et Aemlyn, et beaucoup moins que celles réservées aux Députées. Une demi-douzaine de femmes lui exprimèrent leur reconnaissance par ce moyen pacifique, quoique, à la vérité, il y en eût presque autant qui marmonnèrent ou haussèrent les épaules avec gêne, comme si elles doutaient que tout finisse *pacifiquement*. Elle fut acclamée par de fervents « Que la Lumière vous entende ! », ou de « S'il plaît à la Lumière » résignés. Quatre lui donnèrent son titre de Mère, dont une sans hésiter. Trois autres lui dirent qu'elle était ravissante, qu'elle avait de beaux yeux et un port gracieux, des compliments qui convenaient à l'âge d'Egwene, mais pas à son rang.

Elle en éprouva un plaisir sans mélange. Segan n'était pas la seule qu'avait intriguée son annonce concernant le livre des novices. Manifestement, c'était la raison pour laquelle les femmes venaient lui parler. Après tout, les autres sœurs s'étaient peut-être rebellées contre la Tour Blanche, mais elle prétendait être le Siège d'Amyrlin. Leur intérêt devait être puissant pour surmonter leurs doutes, qu'elles s'efforçaient de dissimuler. Arathelle lui posa la question, avec un froncement de sourcils qui accusa ses rides. Aemlyn hocha la tête à sa réponse. La solide Cian lui posa aussi la question, suivie d'une Andorane au visage en lame de couteau du nom de Negara, puis d'une jeune et jolie Murandienne aux grands yeux, nommée Jennet, et de bien d'autres. Aucune ne posait la question pour elle-même – plusieurs l'affirmèrent d'entrée, surtout les plus jeunes – mais bientôt toutes les nobles présentes se furent renseignées, et aussi plusieurs servantes, sous prétexte de lui offrir du vin chaud. Une serveuse filiforme du nom de Nildra venait du camp des Aes Sedais.

Egwene fut assez satisfaite de la graine qu'elle avait semée. Elle ne l'était pas autant des hommes. Quelques-uns lui adressaient la parole, mais seulement quand ils se retrouvaient face à elle et ne pouvaient pas l'éviter. Quelques mots sur le temps, soit pour se féliciter de la fin de la sécheresse, soit pour regretter l'arrivée soudaine de la neige, l'espoir marmonné que le problème des bandits serait bientôt réglé, parfois accompagné d'un regard entendu vers Talmanes, et ils s'esquivaient comme des anguilles. Un gros ours d'Andoran du nom de Macharan trébucha sur ses bottes pour l'éviter. En un sens, ce n'était guère surprenant. Les femmes possédaient la justification, ne fût-ce qu'à leurs propres yeux, du livre des novices, mais les hommes redoutaient qu'être vu conversant avec elle leur inflige les mêmes stigmates.

C'était vraiment décourageant. Elle se moquait de ce que les hommes pensaient des novices, mais elle voulait absolument savoir si, comme les femmes, ils craignaient que tout cela ne se termine par des coups. De telles craintes pouvaient provoquer leur propre réalisation. Finalement, elle décida qu'il n'y avait qu'un seul moyen de s'en assurer.

Pelivar, après avoir saisi une nouvelle coupe sur un plateau, recula en sursaut en étouffant un juron pour ne pas la bousculer ; si elle s'était approchée davantage, elle aurait dû marcher sur ses bottes. Le vin chaud éclaboussa sa main gantée et coula dans sa manche, provoquant un autre juron beaucoup moins étouffé. Assez grand pour la dominer de toute sa hauteur, il profita pleinement de cet avantage. Il fronça les sourcils, comme un père qui renvoie une gamine dans sa chambre. Ou comme un homme qui a manqué marcher sur une vipère rouge. Très droite, elle l'imagina en petit garçon réfléchissant au sujet d'une bêtise. C'était toujours efficace, car la plupart des hommes semblaient le sentir. Il marmonna quelque chose – une salutation polie, ou un nouveau juron – et inclina légèrement la tête, puis tenta de la contourner. Elle fit un pas de côté pour rester face à lui. Il recula, et elle le suivit. Il commença à se sentir pourchassé. Elle décida de le mettre à son aise avant de lui poser la question importante. Elle voulait des réponses.

— Vous devez être content de savoir que la Fille-Héritière est en route pour Caemlyn, Seigneur Pelivar.

Elle avait entendu plusieurs Députées en parler.

Il resta impassible.

— Elayne Trakand a le droit de revendiquer le Trône du Lion, dit-il d'une voix neutre.

Les yeux d'Egwene s'ouvrirent grands, et il recula encore, hésitant. Peut-être la croyait-il furieuse parce qu'il ne l'avait pas appelée par son titre, mais elle le remarqua à peine. Pelivar avait soutenu la mère d'Elayne quand elle avait revendiqué le trône, et Elayne était certaine qu'il la soutiendrait, elle aussi. Elle parlait de Pelivar avec affection, comme d'un oncle préféré.

— Mère, dit Siuan à son côté, nous devrons partir bientôt si vous voulez être sûre de regagner le camp avant la nuit.

Elle avait réussi à donner un caractère d'urgence à ces quelques mots. Le soleil avait dépassé son zénith.

— Ce n'est pas un temps à être dehors après la tombée de la nuit, dit vivement Pelivar. Si vous voulez bien m'excuser, je dois me préparer à partir.

Posant sa coupe sur le plateau d'une servante qui passait, il hésita avant d'esquisser une révérence, et s'éloigna, comme s'il venait de se sortir d'un piège.

Egwenc eut envie de grincer des dents. Qu'est-ce que les *hommes* pensaient de leur accord ? Si l'on pouvait parler d'accord, alors qu'elle ne leur avait pas donné le choix. Arathelle et Aemlyn avaient plus de pouvoir et d'influence que la plupart des hommes, mais c'étaient Pelivar, Culhan et leurs semblables qui chevauchaient avec les soldats. Ils pouvaient encore tout lui faire exploser au visage, comme un baril d'huile à brûler.

— Trouvez Sheriam, gronda-t-elle, et dites-lui de rassembler tout le monde *immédiatement*, quelles que soient les difficultés.

Elle ne pouvait pas donner aux Députées toute une nuit pour réfléchir à ce qui s'était passé aujourd'hui, ni pour intriguer ou comploter. Il *fallait* qu'elles soient rentrées au camp avant le coucher du soleil.

19.

La loi

On raccompagna facilement les Députées jusqu'à leurs montures ; toutes avaient autant hâte qu'Egwene de s'en aller, surtout Romanda et Lelaine, glaciales comme le vent, avec des regards présageant l'orage. Les autres étaient l'image même de la sérénité des Aes Sedais, exsudant le sang-froid comme un lourd parfum. Pourtant elles rejoignirent si vite leurs chevaux que les nobles en restèrent pantois, et que les domestiques, si brillamment vêtus pour l'occasion, se ruèrent pour charger les chevaux de bât sans prendre de retard.

Egwene laissa Daishar partir à vive allure dans la neige, et, sur un signe de tête et un regard, le Seigneur Bryne s'assura que son escorte en armes avançait tout aussi vite. Siuan montée sur Bela et Sheriam sur Aile se précipitèrent pour la rejoindre.

Sur de longues étendues, les chevaux pataugeaient dans une neige où ils s'enfonçaient jusqu'aux boulets, relevant les sabots comme au trot. La Flamme de Tar Valon flottait au vent glacé, et même quand ils devaient ralentir parce qu'ils s'enfonçaient jusqu'aux genoux à travers la croûte de glace, ils avançaient au pas mais à une allure rapide. Les Députées n'eurent d'autre choix que de suivre le rythme, et la vitesse réduisait beaucoup leurs occasions de parler pendant le trajet. À cette allure épuisante, la moindre inattention pouvait se solder par une jambe cassée pour le cheval, et un cou brisé pour la cavalière. Malgré tout, Romanda et Lelaine s'arrangèrent pour réunir leurs coteries autour d'elles. Les deux groupes peinaient dans la neige, entourés d'un écran qui les protégeaient des oreilles indiscrètes. Elles semblaient en grande discussion. Egwene en imaginait facilement le contenu. D'autres sœurs chevauchaient de conserve, échangeant quelques mots et jetant des regards froids sur elle, et parfois sur les sœurs enveloppées de la *saidar*. Seule Delana ne se joignit à aucune de ces brèves conversations. Elle resta près d'Halima, qui reconnut enfin avoir froid. Le visage crispé, la paysanne resserrait sa cape autour de son corps, mais sans jamais cesser de réconforter Delana, lui murmurant constamment des encouragements. Delana semblait avoir besoin de réconfort. Ses sourcils froncés lui plissaient le front, la vieillissant.

Elle n'était pas la seule à se faire du souci. Les autres masquaient leur anxiété sous un calme apparent, mais leurs Liges chevauchaient le regard aux aguets avec une vigilance permanente, laissant leurs capes voltiger au vent pour avoir les mains libres. Quand une Aes Sedai était tourmentée, son Lige l'était aussi, et les Députées étaient trop absorbées dans leurs ruminations pour penser à calmer les hommes. Egwene s'en félicita. Si les Députées étaient troublées, c'est qu'elles n'avaient pas encore pris leur décision.

Quand Bryne alla en tête de la colonne pour discuter avec Uno, Egwene profita de l'occasion pour demander à Siuan et Sheriam ce qu'elles avaient appris sur les Aes Sedais et les Gardes de la Tour en Andor.

— Pas grand-chose, répondit Siuan d'une voix tendue.

Le rythme ne semblait pas poser de problème à Bela, contrairement à Siuan, qui tenait fermement ses rênes d'une main, et le pommeau de sa selle de l'autre.

— Pour autant que j'en puisse juger, il existe cinquante rumeurs, mais nous n'avons constaté aucun fait. C'est sans doute une histoire répandue à dessein, mais qui pourrait être vraie.

Bela fit une embardée, ses sabots antérieurs s'enfonçant dans un trou, et Siuan soupira.

— Que la Lumière réduise en cendres tous les chevaux ! Sheriam n'en avait pas appris davantage. Elle hocha la tête et souffla, irritée.

— À mon avis, ce ne sont que des balivernes et des sottises, Mère. Il y a *toujours* des rumeurs sur des sœurs qui se faufilent secrètement quelque part. Vous n'avez jamais appris à monter, Siuan ? persifla-t-elle soudain. D'ici ce soir, vous serez trop moulue pour marcher !

Sheriam devait avoir les nerfs en pelote pour exploser si ouvertement. À la façon dont elle remuait sur sa selle, elle avait déjà réalisé pour elle-même la prédiction concernant Siuan. Le regard de Siuan se durcit, et elle ouvrit une bouche hargneuse. Au diable celles qui regardaient de derrière la bannière !

— Silence toutes les deux ! dit sèchement Egwene.

Elle expira profondément pour se calmer. Elle avait les nerfs en pelote, elle aussi. Quoi qu'en pensât Arathelle, toute force armée qu'Elaida enverrait contre elle serait trop importante pour passer inaperçue. Ce qui laisserait la Tour Noire. Un désastre en préparation. On va plus loin en plumant le poulet qu'on a devant soi qu'en s'efforçant de le faire grimper à un arbre. Surtout si l'arbre se trouve dans un autre pays, et qu'il n'y a peut-être même pas un autre poulet.

Elle adoucit quand même ses paroles en exposant à Sheriam ce qu'elle devrait faire après leur retour au camp. Elle était le Siège d'Amyrlin, ce qui signifiait que *toutes* les Aes Sedais étaient sous sa responsabilité, même celles qui suivaient Elaida. Mais sa voix n'était pas dure comme le roc. Il est trop tard pour avoir peur quand on a saisi le loup par les oreilles.

Les yeux en amande de Sheriam se dilatèrent en entendant ses ordres.

— Mère, si je puis me permettre, pourquoi… ?

Sa voix mourut sous le regard sévère d'Egwene, puis elle déglutit difficilement.

— Il en sera selon vos ordres, Mère, dit-elle lentement. C'est étrange. Je me rappelle le jour où vous êtes arrivée à la Tour, vous et Nynaeve. Deux gamines hésitant entre l'excitation et la peur… Tant de choses ont changé depuis ! Tout, en réalité.

— Rien n'est permanent en ce monde, dit Egwene.

Elle lança à Siuan un regard entendu, que celle-ci refusa de voir. Elle boudait. Sheriam semblait en proie à la nausée.

Le Seigneur Bryne revint vers elle, et dut sentir leur humeur. Sauf pour dire qu'ils avançaient vite, il se tut. C'était un sage.

Le soleil frôlait le faîte des arbres quand ils entrèrent enfin dans le camp de l'armée. Les chariots et les tentes projetaient de longues ombres sur la neige. Beaucoup d'hommes s'activaient à construire des abris avec des branchages. Il n'y avait pas assez de tentes, même pour tous les soldats, et il y avait presque autant de selliers, blanchisseuses, cuisinières, tous les auxiliaires qui suivent habituellement une armée. Les enclumes résonnaient, annonçant que les maréchaux-ferrants, armuriers et forgerons étaient encore au travail. Des feux de camp brûlaient partout. Les cavaliers se dispersèrent, à la recherche de chaleur et de nourriture, dès qu'ils eurent soigné leurs chevaux fourbus. Curieusement, Bryne continua à chevaucher près d'Egwene après qu'elle lui eut donné congé.

— Si vous permettez, Mère, j'aimerais vous accompagner un peu plus loin, dit-il.

Sheriam se retourna sur sa selle et le regarda avec stupéfaction. Siuan fixa son regard droit devant elle, comme si elle n'osait pas tourner vers lui ses yeux soudain dilatés.

Que croyait-il pouvoir faire ? Lui servir de garde du corps ? Contre des *sœurs* ? Il ne serait pas plus utile que le jeune morveux. Avouer qu'il était de son côté sans réserve ? Ça pouvait attendre demain, si tout se passait bien ce soir. Ses révélations risquaient de précipiter l'Assemblée dans des directions qu'elle osait à peine envisager.

— Cette soirée est réservée aux affaires des Aes Sedais, dit-elle avec autorité.

Mais, pour folle que fût sa suggestion, il proposait quand même de se mettre en danger pour elle. Impossible d'imaginer ses raisons – qui connaissait les motivations d'un homme ? – pourtant, elle lui était redevable de cette proposition. Entre autres choses.

— À moins que je ne vous envoie Siuan ce soir, Seigneur Bryne, vous devrez partir avant l'aube. Si l'on me blâme pour les événements d'aujourd'hui, le blâme pourrait aussi retomber sur vous. Le fait de rester pourrait être dangereux. Fatal, même. Je crois qu'elles se satisferaient du moindre prétexte.

Inutile de préciser de qui il s'agissait.

— J'ai donné ma parole, répondit-il tranquillement, flattant l'encolure de Voyageur. À Tar Valon.

Il fit une pause, regardant vers Siuan, plus pour avoir un temps de réflexion que par hésitation.

— Quoi qu'il arrive ce soir, dit-il enfin, n'oubliez pas que vous avez trente mille soldats et Gareth Bryne derrière vous. Cela devrait compter pour quelque chose, même aux yeux des Aes Sedais. À demain, Mère.

Faisant pivoter son grand alezan, il lança par-dessus son épaule :

— Je vous attends aussi demain, Siuan. Rien ne change en ce domaine.

Siuan le regarda s'éloigner. Il y avait de l'anxiété dans son regard.

Egwene ne put s'empêcher de le suivre des yeux, elle aussi. Il n'avait jamais été aussi direct, avant.

Loin de là. Pourquoi aujourd'hui ? Pourquoi ce jour-là, entre mille ?

Traversant la quarantaine de toises séparant le camp de l'armée de celui des Aes Sedais, elle fit un signe de tête à Sheriam, qui tira sur ses rênes aux abords des premières tentes. Egwene continua avec Siuan. Derrière elles s'éleva la voix de Sheriam, étonnamment claire et ferme.

— Le Siège d'Amyrlin appelle toute l'Assemblée à siéger ce jour en session plénière. Que tous les préparatifs soient faits avec diligence.

Egwene ne regarda pas en arrière.

Arrivée à sa tente, une maigre palefrenière, trébuchant dans ses grosses jupes de laine, accourut pour prendre les rênes de Daishar et Bela. Le visage paralysé par le froid, elle salua à peine de la tête avant d'emmener les chevaux aussi vite qu'elle était venue. À l'intérieur, la chaleur des braises lui fit l'effet d'un poing qui se referme. Jusque-là, Egwene n'avait pas réalisé à quel point la température extérieure était basse. Elle était transie.

Chesa lui prit sa cape et poussa des hauts cris quand elle toucha ses mains.

— Vous êtes gelée jusqu'à la moelle, Mère.

Sans cesser de bavarder, elle s'affaira dans la tente, pliant la cape d'Egwene et celle de Siuan, ouvrant les couvertures du lit de camp d'Egwene, touchant un plateau posé sur l'un des coffres descendu de la pile.

— Moi, si j'avais aussi froid, je sauterais tout droit dans mon lit, avec plein de briques chaudes autour de moi. Après avoir mangé, bien sûr. Je vais chercher d'autres briques pour vous réchauffer les pieds pendant que vous dînerez. Et pour Siuan Sedai aussi, évidemment. Oh, et si j'étais aussi affamée que vous devez l'être, je serais tentée d'engouffrer mon dîner d'une seule traite, mais ça me donne toujours mal à l'estomac.

S'arrêtant près du plateau, elle hocha la tête avec satisfaction quand Egwene l'assura qu'elle ne mangerait pas trop vite.

S'en tenir à cette simple remarque ne fut pas facile. Chesa était toujours rafraîchissante, et après la journée qu'elle venait de passer, Egwene faillit rire de plaisir. Chesa n'était pas compliquée. Deux bols blancs de lentilles étaient disposés sur le plateau, avec un pichet de vin chaud, deux gobelets et deux petits pains. Elle s'était douté que Siuan dînerait avec elle. De la vapeur s'élevait du pichet et des bols. Combien de fois Chesa avait-elle changé ce plateau pour être certaine qu'un repas chaud accueillerait Egwene dès son retour ? Simple et pas compliquée. Et aussi attentionnée qu'une mère. Ou une amie.

— Je dois renoncer à mon lit pour le moment, Chesa. J'ai encore du travail. Voulez-vous nous laisser ?

Siuan hocha la tête quand le rabat de la tente retomba derrière la servante rondelette.

— Êtes-vous sûre qu'elle n'est pas à votre service depuis le berceau ? marmonna-t-elle.

Prenant un bol, un petit pain et une cuillère, Egwene s'installa dans son fauteuil en soupirant. Elle embrassa aussi la Source, tissant un écran pour s'isoler des oreilles indiscrètes. La *saidar* lui fit ressentir encore plus le froid qui lui gelait les mains et les pieds, et le reste du corps. Son bol était presque trop chaud pour qu'elle le tienne, de même que le pain. Oh, comme elle aurait aimé avoir ces briques chaudes !

— Y a-t-il autre chose que nous puissions faire ? demanda-t-elle, puis elle engouffra une cuillerée de lentilles.

Elle mourait de faim. Rien d'étonnant, elle n'avait rien mangé depuis le petit déjeuner, avant l'aube. Ces lentilles mélangées aux carottes filandreuses lui parurent aussi bonnes que la meilleure cuisine de sa mère.

— Je ne vois rien, mais vous ?

— Ce qui pouvait être fait l'a été. On ne peut plus rien, à moins d'une intervention du Créateur.

Siuan prit l'autre bol et s'assit sur le tabouret bas. Elle maintint les yeux fixés sur les lentilles, les remuant machinalement avec sa cuillère, sans manger.

— Vous n'avez pas vraiment l'intention de lui dire, non ? dit-elle finalement. Je ne supporterais pas qu'il sache.

— Et pourquoi pas ?

— Il en profiterait, dit sombrement Siuan. Oh, pas ce que vous pensez, je ne parlais pas de *ça*.

Elle était assez prude sur certains sujets.

— Mais cet homme ferait de ma vie le Gouffre du Destin ! Et laver son linge, cirer ses bottes et sa selle tous les jours, ce n'était pas l'enfer ?

Egwene soupira. Comment cette femme raisonnable, intelligente et compétente, pouvait-elle se transformer en tête de linotte ? Comme une vipère sifflante, une image prit forme dans sa tête. Elle-même, sur les genoux de Gawyn, jouant au jeu des baisers. Dans une taverne ! Elle l'écarta fermement.

— Siuan, j'ai besoin de votre expérience et de votre intelligence. Je ne peux pas me permettre de vous voir décérébrée à cause du Seigneur Bryne. Si vous ne parvenez pas à vous contrôler, je paierai moi-même ce que vous lui devez, et je vous interdirai de le voir. Je le ferai.

— J'ai dit que je travaillerais pour payer ma dette, dit Siuan, têtue. J'ai autant d'honneur que le Seigneur Gareth Bryne, que le diable l'emporte ! Il tient sa parole, et je tiens la mienne ! De plus, Min m'a dit que je ne dois pas m'éloigner de lui sinon nous mourrons tous les deux. Quelque chose comme ça.

Une vague rougeur sur ses joues la trahit. En dépit de son honneur et de la vision de Min, elle était prête à tout supporter pour rester près de cet homme !

— Très bien. Vous êtes follement amoureuse, et si je vous ordonne de ne plus le voir, soit vous désobéirez, soit vous traînerez comme une âme en peine écervelée. Qu'allez-vous faire à son sujet ?

Fronçant les sourcils avec indignation, Siuan s'embarqua dans une diatribe contre Gareth Bryne. Que le diable l'emporte ! Aucun de ses châtiments ne lui aurait convenu. Il n'aurait pas survécu à certains.

— Siuan, dit Egwene d'un ton sévère, si vous niez une fois de plus ce qui se voit comme le nez au milieu de la figure, je lui dirai tout *et* je le rembourserai.

Maussade, Siuan se mit à bouder. Bouder ! Maussade ! Siuan !

— Je n'ai pas le temps d'être amoureuse. Je peux à peine réfléchir, avec tout ce que je fais pour vous *et* pour lui. Et même si tout se passe bien ce soir, j'en aurai deux fois plus à faire. En outre...

Son visage se décomposa et elle gigota sur son tabouret.

— Et s'il ne... répond pas à mes sentiments ? marmonna-t-elle. Il n'a seulement jamais essayé de m'embrasser. Tout ce qui l'intéresse, c'est que ses chemises soient propres.

Egwene racla avec sa cuillère le fond de son bol, et s'étonna de la ramener vide. Rien ne restait non plus de son pain, à part quelques miettes sur sa robe. Par la Lumière, elle avait toujours l'impression d'avoir l'estomac vide. Elle lorgna le bol de Siuan, car celle-ci ne semblait pas s'y intéresser, sauf pour remuer les lentilles.

Soudain, une idée la frappa. Pourquoi le Seigneur Bryne avait-il insisté pour que Siuan paye sa dette en travail, même après avoir appris qui elle était ? Juste parce qu'elle avait dit que ça lui convenait ? C'était un arrangement grotesque. Sauf que c'était la seule façon de la garder près de lui. D'ailleurs, elle s'était elle-même longtemps demandé pourquoi Bryne avait accepté de lui constituer une armée. Il devait bien savoir que ça risquerait de lui faire poser la tête sur le billot. Et pourquoi lui avait-il offert cette armée à elle, une Amyrlin adolescente sans réelle autorité, et sans une amie parmi les sœurs à part Siuan, pour ce qu'il en savait ? La réponse à toutes ces questions pouvait-elle être simplement... qu'il aimait Siuan ? Non, la plupart des hommes étaient frivoles et volages, et *cette* idée était vraiment grotesque ! Quand même, elle en fit part à Siuan, pour l'amuser. Cela lui remonterait peut-être un peu le moral.

Siuan eut un reniflement incrédule. Cela semblait déroutant, venant d'un si joli visage, mais personne ne mettait autant d'expression qu'elle dans un simple reniflement.

— Il n'est pas totalement idiot, dit-elle, ironique. En fait, il a une tête bien faite sur les épaules. Il pense comme une femme, la plupart du temps.

— Je ne vous ai toujours pas entendu dire que vous alliez régler la situation, Siuan, insista Egwene. Il le faut pourtant, d'une façon ou d'une autre.

— Bien évidemment, je la réglerai. Je ne sais pas ce que j'ai. Je ne me sens pas comme si je n'avais jamais embrassé un homme.

Ses yeux s'étrécirent soudain, comme si Egwene allait la contredire sur ce point.

— Je n'ai pas passé *toute* ma vie dans la Tour. C'est ridicule ! Papoter sur les hommes, ce soir entre tous !

Regardant dans son bol, elle sembla s'apercevoir pour la première fois qu'il contenait de la nourriture. Elle remplit sa cuillère et dit, l'agitant à l'adresse d'Egwene :

— Ce soir plus que jamais, il faudra surveiller votre plan. Si Romanda ou Lelaine met la main sur le gouvernail, vous ne le récupérerez jamais.

Que la situation lui semble ridicule ou non, quelque chose avait redonné de l'appétit à Siuan. Elle avala ses lentilles plus rapidement qu'Egwene, et pas une miette de son pain ne lui échappa. Egwene s'aperçut qu'elle avait passé les doigts dans son bol vide, puis les avait léchées.

Discuter de ce qui arriverait le soir ne servait pas à grand-chose. Elles avaient tant de fois modifié et amélioré ce qu'Egwene devait dire, qu'elle s'étonnait de ne pas en avoir rêvé la nuit. En tout cas, elle aurait pu le dire en dormant. Siuan insista quand même pour tout revoir, soulevant des possibilités qu'elles avaient discutées cent fois. Curieusement, Siuan semblait de très bonne humeur. Elle osa même faire de l'humour, ce qui était inhabituel ces derniers temps, même si c'était plutôt de l'humour noir.

— Vous savez qu'à une époque, Romanda désirait devenir l'Amyrlin, dit-elle au bout d'un moment. Il paraît que c'est l'élévation de Tamra au châle et au sceptre qui l'a poussée à prendre sa retraite, comme une mouette à qui on a rogné les ailes. Je parierais un mark d'argent, que je n'ai pas, contre une écaille de poisson que ses yeux vont s'arrondir deux fois plus que ceux de Lelaine.

Et elle ajouta un peu plus tard :

— Je voudrais être là pour les entendre crier. Parce que quelqu'un va hurler avant longtemps, et j'aimerais mieux que ce soit elles. Parce que je n'ai jamais su chanter.

Elle se mit à fredonner un petit bout de chanson, dont les paroles racontaient l'histoire d'une fille qui regarde un garçon de l'autre côté de la rivière, mais qui n'a pas de barque. Elle avait raison : sa voix avait un timbre agréable, mais elle chantait affreusement faux.

Elle reprit :

— Heureusement que j'ai un très joli visage. Si la situation tourne mal, je nous habillerai toutes les deux en poupées et je nous poserai sur une étagère pour qu'on nous admire. Bien sûr, il pourrait nous arriver un « accident ». Parfois, les poupées se cassent. Gareth Bryne serait obligé d'en trouver une autre.

Cette idée la fit *vraiment* rire.

Egwene fut soulagée que le rabat de la tente se repliât vers l'intérieur, annonçant que quelqu'un avait le bon sens de ne pas faire irruption étant donné l'écran. Elle en avait assez pour aujourd'hui de l'humour de Siuan.

Dès qu'elle eut ôté l'écran, Sheriam entra, accompagnée d'un courant d'air dix fois plus glacial qu'avant.

— C'est l'heure, Mère. Tout est prêt.

Ses yeux en amande s'étaient agrandis, et elle s'humecta les lèvres du bout de la langue.

Siuan se leva d'un bond, attrapa sa cape sur le lit d'Egwene, mais s'immobilisa avant de la jeter sur ses épaules.

— J'ai navigué dans les Doigts du Dragon de nuit, vous savez, dit-elle avec sérieux. Et j'ai pris au filet un poisson-lion avec mon père.

Siuan sortit en trombe, laissant pénétrer encore un peu plus d'air froid. Sheriam fronça les sourcils.

— Parfois, je pense…, commença-t-elle, mais quoi qu'elle pensât parfois, elle ne le dit pas.

Elle demanda à la place :

— Pourquoi faites-vous cela, Mère ? Aujourd'hui au lac, et ce soir en convoquant l'Assemblée. Pourquoi nous avez-vous fait passer toute la journée d'hier à parler de Logain à qui voulait vous entendre ? Je crois que vous pourriez me le dire. Après tout, je *suis* votre Gardienne. Je vous ai juré allégeance.

— Je vous dis ce que vous avez besoin de savoir, dit Egwene, jetant sa cape sur ses épaules.

Inutile de préciser qu'elle n'accordait qu'une confiance limitée à un serment obtenu par la force, même si c'était celui d'une sœur. En effet, Sheriam pouvait trouver une raison de laisser échapper un mot en présence d'une oreille hostile. Après tout, on savait que les Aes Sedais étaient habiles à trouver des moyens de contourner les Serments. Elle ne croyait pas vraiment que Sheriam la trahirait, mais comme avec le Seigneur Bryne, elle ne pouvait pas prendre le moindre risque sauf en cas de nécessité absolue.

— Je dois vous dire une chose, poursuivit-elle amèrement. Demain, il se pourrait que Romanda ou Lelaine soit votre Gardienne des Chroniques, et que je sois condamnée à une pénitence pour ne pas avoir prévenu l'Assemblée. Et je crois que vous pourriez m'envier.

Egwene hocha la tête. C'était très possible.

— Allons-y.

À l'ouest, le soleil ressemblait à un dôme rouge posé en haut des arbres, projetant des lueurs rougeâtres sur la neige. Sur son passage, les domestiques se confondaient en révérences, l'air troublé ou absent.

Les domestiques sentaient l'humeur de ceux qu'ils servaient presque aussi vite que les Liges.

D'abord, il n'y eut pas une sœur en vue, puis elles furent toutes présentes, rassemblées sur trois rangées autour d'un pavillon érigé dans le seul espace du camp assez grand, celui qu'utilisaient les sœurs pour Planer jusqu'aux pigeonniers de Salidar, puis Voyager en revenant avec les rapports de leurs Yeux-et-Oreilles. Cette grande tente en épaisse toile rapiécée, sans rien en commun avec la splendeur du pavillon du lac, avait été difficile à monter. Ces deux derniers mois, les Députées s'étaient toujours réunies à l'extérieur, comme la veille, ou entassées dans l'une des plus grandes tentes. Le pavillon n'avait été monté que deux fois depuis leur départ de Salidar. Les deux fois pour un jugement.

Remarquant qu'Egwene et Sheriam approchaient, les sœurs de la dernière rangée s'adressèrent à celles qui se tenaient devant elles, pour leur ouvrir un passage. Des yeux sans expression les suivirent, sans donner aucun indice que les sœurs savaient ou seulement soupçonnaient ce qui se passait. L'estomac d'Egwene se noua. Bouton de rose… Calme…

Elle avança sur les tapis décorés de fleurs multicolores et d'une douzaine de motifs différents, et circula autour des braseros disposés autour de la tente, tandis que Sheriam entonnait :

— Elle vient, elle vient…

Et si l'annonce était moins tonitruante que d'habitude et même teintée de nervosité, cela n'avait rien d'étonnant.

Rapportés du lac, les petits bancs bien cirés et les boîtes couvertes de linges aux couleurs des Ajahs étaient de nouveau en service. Ils formaient un spectacle beaucoup plus impressionnant que les chaises dépareillées utilisées jusque-là, en deux rangées obliques de neuf, regroupées par trois : Vertes, Grises et Jaunes d'un côté, Blanches, Brunes et Bleues de l'autre. À l'extrémité la plus large, la plus éloignée d'Egwene, étaient disposés la boîte couverte du linge rayé et le banc du Siège d'Amyrlin. Une fois assise, elle serait le point de mire de tous les regards, consciente d'être seule contre dix-huit. Heureusement qu'elle ne s'était pas changée ; toutes les Députées portaient la même tenue qu'au lac. Elle n'avait ajouté que son châle. Bouton de rose. Un banc était encore inoccupé, mais plus pour longtemps. Delana arriva en courant juste comme Sheriam terminait sa psalmodie. Rouge et essoufflée, la Sœur Grise s'installa sur son banc, entre Kwamesa et Varilin, mais sans sa grâce habituelle. Elle était en gris terne, et tripotait nerveusement son collier de gouttes de feu. N'importe qui l'aurait prise pour l'accusée. Du calme. Personne n'était accusé. Pour le moment.

Egwene s'avança lentement sur les tapis, entre les deux rangées, et Kwamesa se leva. L'aura de la *saidar* brilla soudain autour de la svelte silhouette de la plus jeune des sœurs. Ce soir, pas question d'abréger le cérémonial.

— Ce qui est porté à l'attention de l'Assemblée de la Tour, seule l'Assemblée peut en juger, annonça Kwamesa. Quiconque s'y introduit sans en être prié, femme ou homme, initié ou profane, qu'il vienne en paix ou en colère, je le lierai selon la loi, pour affronter la loi. Sachez que ce que je dis est vrai ; je le ferai.

Cette formule était plus ancienne que le serment contre le mensonge, et datait d'une époque où presque autant d'Amyrlins mouraient d'assassinat que de toutes les autres causes réunies. Egwene poursuivit sa marche cérémonielle. Elle dut faire un effort pour ne pas toucher son châle, pour se rappeler qui elle était. Elle s'efforça de se concentrer sur son banc.

Kwamesa se rassit, le Pouvoir brillant toujours autour d'elle. Parmi les Blanches, Aledrin se leva, elle aussi entourée de l'aura de la *saidar*. Avec ses cheveux d'or bruni et ses grands yeux noisette, elle était assez jolie quand elle souriait. Mais ce soir, une pierre avait plus d'expression qu'elle.

— Certaines parmi vous n'appartiennent pas à l'Assemblée, dit-elle d'une voix autoritaire et froide, avec l'accent du Tarabon. Ce qui est dit à l'Assemblée de la Tour ne concerne que ses membres, jusqu'à ce que l'Assemblée en décide autrement. Je vais nous protéger d'un écran pour nous isoler.

Tissant un écran englobant tout le pavillon, elle se rassit. Il y eut des remous parmi les sœurs exclues, qui devaient maintenant observer l'Assemblée sans rien entendre.

Il était étrange que les Députées attachent tant d'importance à l'âge, alors que toute distinction par l'âge était condamnée parmi le reste des Aes Sedais. Siuan avait-elle vraiment distingué quelque chose dans l'âge des Députées ? Non. Calme et concentration.

Retenant les bords de sa cape, Egwene monta sur la boîte recouverte du linge rayé aux couleurs de toutes les Ajahs, et se retourna. Lelaine était déjà debout, son châle bleu drapé sur ses bras, et Romanda se levait, sans même attendre qu'Egwene soit assise. Elle ne leur laissa pas le temps de saisir le gouvernail.

— Je présente la question à l'Assemblée, prononça-t-elle à voix haute et autoritaire. Qui se lèvera pour déclarer la guerre à Elaida do Avriny a'Roihan ?

Puis elle s'assit, se débarrassant de sa cape et la laissant tomber sur le banc. Debout près d'elle sur les tapis, Sheriam semblait assez calme et concentrée, mais elle émit un petit bruit de gorge, presque un gémissement. Egwene pensa qu'elle était seule à l'avoir entendu. Elle l'espéra.

Suivit un silence déconcertant. Toutes les Députées étaient pétrifiées sur leur siège, et la fixaient avec stupéfaction. Peut-être autant parce qu'elle avait posé une question que par son contenu. Personne n'interrogeait l'Assemblée avant d'avoir sondé les Députées. Ça ne se faisait pas, autant pour des raisons pratiques que protocolaires.

Finalement, Lelaine prit la parole.

— Nous ne déclarons pas la guerre à des *individualités*, dit-elle sèchement. Pas même à des traîtresses telles qu'Elaida. En tout cas, je propose de suspendre l'examen de votre question jusqu'à ce que nous ayons fini de traiter d'affaires plus pressantes.

Elle avait eu le temps de se ressaisir pendant le trajet de retour, et son visage n'était plus déformé, seulement dur. Lissant sa jupe bleue à crevés comme si elle écartait du même geste Elaida – ou peut-être Egwene –, elle se tourna vers les autres Députées.

— Ce qui justifie la session de ce soir est... j'allais dire simple, mais ça ne l'est pas. Ouvrir le livre des novices ? Des *grand-mères* se bousculeraient pour être mises à l'épreuve. Rester ici un mois ? Je n'ai guère besoin de vous faire la liste des inconvénients que cela représenterait, à commencer par le fait que nous dépenserions tout notre or sans approcher d'un pied de Tar Valon. En ce qui concerne l'opportunité de traverser l'Andor...

— Ma sœur Lelaine, dans son impatience, a oublié qui a le droit de parler la première, l'interrompit Romanda, d'une voix suave.

Son sourire fit paraître Lelaine enjouée. Elle prit quand même tout son temps pour ajuster son châle, comme si elle avait tout l'avenir devant elle.

— J'ai deux questions à soumettre à l'Assemblée, et la seconde se rapportant aux préoccupations de Lelaine. Malheureusement pour elle, la première concerne sa capacité à rester membre de l'Assemblée.

Son sourire s'élargit sans pour autant devenir plus chaleureux. Lelaine s'assit lentement, fronçant les sourcils.

— Une question concernant la guerre ne peut pas être suspendue, dit Egwene d'une voix vibrante. C'est la loi.

Les Députées s'interrogèrent vivement du regard.

— Est-ce exact ? demanda Janya.

Plissant les yeux, pensive, elle se tourna vers sa voisine.

— Takima, vous souvenez-vous de vos lectures, et je suis certaine de vous avoir entendu dire que vous aviez lu la Loi de la Guerre. Est-ce là ce qu'elle dit ?

Egwene retint son souffle. La Tour Blanche avait souvent envoyé des soldats à la guerre au cours du dernier millénaire, mais chaque fois en réponse à une demande d'au moins deux trônes. C'était toujours la guerre des rois, non celle de la Tour. La dernière fois que la Tour avait elle-même déclaré la guerre, c'était à Artur Aile-de-Faucon. Siuan disait qu'à l'heure actuelle, les gens savaient qu'il existait une Loi de la Guerre, et que seuls quelques bibliothécaires en savaient un peu plus.

Petite, avec de longs cheveux noirs qui lui tombaient jusqu'à la taille, et une peau couleur de vieil ivoire, Takima faisait souvent penser à un oiseau quand elle penchait la tête pour réfléchir. Pour l'heure, elle ressemblait à un oiseau sur le point de prendre son envol, remuant sur son siège, rajustant son châle, redressant inutilement son bonnet orné de perles et de saphirs.

— C'est ce que dit la loi, déclara-t-elle. Elle ferma la bouche.

Egwene se remit à respirer.

— Il semble que Siuan Sanchez vous ait bien instruite, Mère, dit Romanda d'un ton pincé. Comment pouvez-vous parler de déclaration de guerre ? À une femme.

Elle s'exprimait comme si elle s'efforçait d'écarter quelque chose de déplaisant. Elle se rassit, comme pour attendre que la chose s'en aille.

Egwene inclina la tête avec grâce et se leva. Elle regarda toutes les sœurs dans les yeux, chacune à son tour, sans ciller. Takima évita son regard. Par la Lumière, elle savait ! Mais elle n'avait rien dit. Garderait-elle le silence assez longtemps ? Il était trop tard pour changer les plans.

— Aujourd'hui, nous nous trouvons confrontées à une armée commandée par des gens qui doutent de nous. Sinon cette armée ne serait pas là.

Egwene aurait aimé mettre de la passion dans sa voix, mais Siuan lui avait conseillé de garder un sang-froid absolu. Finalement, Egwene s'était rendue à ses arguments. Il leur fallait une femme sachant parfaitement se contrôler, et non une gamine mue par ses sentiments. Mais les mots lui venaient du fond du cœur.

— Vous avez entendu Arathelle dire qu'elle ne voulait pas être impliquée dans les affaires des Aes Sedais. Pourtant, ils ont accepté d'envoyer une armée dans le Murandy, pour nous barrer le chemin. Parce qu'ils ne savent pas avec certitude qui nous sommes, ni ce que nous allons faire. L'une d'entre vous a-t-elle eu le sentiment qu'ils croyaient vraiment que vous étiez des Députées ?

Malind, le visage rond et les yeux farouches, remua sur son siège au milieu des Vertes, de même que Salita, qui tripota les franges jaunes de son châle, le visage sombre et sans expression. Berana, une autre Députée choisie à Salidar, fronça pensivement les sourcils. Egwene ne rappela pas aux Députées les réactions de leurs hôtes à l'Amyrlin qu'elle était. Si

215

cette idée ne leur était pas déjà venue à l'esprit, elle ne voulait pas la leur donner.

— Nous avons fait la liste des crimes d'Elaida contre d'innombrables nobles, poursuivit-elle. Nous leur avons dit notre intention de la déposer. Mais ils en doutent. Ils croient que, peut-être, nous sommes ce que nous prétendons, mais que nos paroles cachent peut-être un piège. Nous serions les complices d'Elaida, exécutant un stratagème élaboré. Le doute les rend hésitants. La suspicion a donné à Pelivar et Arathelle le cran de s'opposer aux Aes Sedais et de leur déclarer : « Vous n'irez pas plus loin. » Qui d'autre se dressera sur notre chemin ou viendra interférer dans notre mission sous prétexte qu'ils n'ont aucune certitude, et que l'inconnu les pousse à agir dans la plus grande confusion ? Nous avons déjà fait tout le reste. Quand nous aurons déclaré la guerre à Elaida, aucun doute ne subsistera. Je ne prétends pas que Pelivar, Arathelle et Aemlyn s'en iront immédiatement, mais eux et tous les autres sauront qui nous sommes. Personne n'osera plus douter ouvertement de votre parole quand vous direz que vous êtes l'Assemblée de la Tour. Personne n'osera entraver notre chemin, et se mêler des affaires de la Tour par ignorance. Nous avons marché jusqu'à la porte et posé la main sur le loquet. Si vous avez peur de l'ouvrir et de la franchir, alors vous demanderez au monde de croire que vous n'êtes rien de plus que les marionnettes d'Elaida.

Elle s'assit, surprise de se sentir si calme. Au-delà des deux rangées de Députées, les sœurs qui étaient à l'extérieur remuèrent, rapprochant leurs têtes. Elle imaginait sans peine les murmures excités que bloquait l'écran d'Aledrin. Si seulement Takima continuait à se taire assez longtemps.

Romanda piaffa d'impatience et se leva, juste le temps de dire :

— Qui se lève pour déclarer la guerre à Elaida ?

Elle ramena son regard sur Lelaine et son sourire froid et suffisant revint, énonçant clairement ce qu'elle considérait comme important, quand on en aurait terminé avec ces fadaises.

Janya se leva immédiatement, faisant osciller les longues franges brunes de son châle.

— Nous ferions aussi bien, dit-elle.

Elle n'était pas censée parler, mais ses dents scrrées et ses yeux farouches défiaient quiconque de la faire taire. D'habitude, elle n'était pas aussi catégorique, mais les mots se bousculèrent dans sa bouche comme souvent.

— Réparer ce que connaît le monde ne sera pas plus difficile qu'autre chose. Eh bien ? Eh bien ? Il n'y a plus de temps à perdre.

Assise de l'autre côté de Takima, Escaralde hocha la tête et se leva.

Moria bondit sur ses pieds, fronçant les sourcils à l'adresse de Lyrelle. Celle-ci rassembla ses jupes comme pour se lever, puis hésita et regarda Lelaine, l'air interrogateur. Lelaine était trop occupée à foudroyer Romanda pour le remarquer.

Parmi les Vertes, Malind et Samalin se levèrent à l'unisson, et Faiselle releva brusquement la tête. Peu de choses ébranlaient la robuste Domanie à la peau cuivrée, mais pour l'heure, Faiselle avait l'air stupéfaite, tournant alternativement vers Malind et Samalin son visage carré aux yeux exorbités.

Salita se leva, ajustant soigneusement les franges jaunes de son châle, et évitant à tout prix de croiser la mine réprobatrice de Romanda. Kwamesa se leva, puis Aledrin, entraînant Berana par la manche. Delana se retourna complètement sur son banc, observant les sœurs restées au-dehors. Même dans le silence, l'excitation des spectatrices se voyait à leurs mouvements incessants, à leurs têtes qui se rapprochaient, à leurs regards qu'elles dardaient sur les Députées. Delana se leva lentement, les deux mains pressées sur son ventre, prête à vomir. Takima grimaça, fixant ses mains posées sur ses genoux. Saroiya étudiait les deux autres Députées Blanches, se tiraillant l'oreille comme chaque fois qu'elle réfléchissait intensément. Mais aucune autre ne se leva.

Egwene sentit la bile monter dans sa gorge. Dix. Seulement dix. Elle était tellement sûre. Siuan était tellement sûre. Logain à lui seul aurait dû suffire, étant donné leur ignorance de la loi. L'armée de Pelivar et le refus d'Arathelle de les reconnaître comme des Députées auraient dû amorcer la pompe.

— Pour l'amour de la Lumière ! explosa Moria.

Pivotant vers Lelaine et Lyrelle, elle planta ses poings sur ses hanches. Si l'intervention de Janya était contraire à la coutume, celle de Moria ne l'était pas moins. Les manifestations de colère étaient strictement interdites à l'Assemblée. Les yeux de Moria lançaient des éclairs, et sa fureur faisait ressortir son accent illianer.

— Qu'est-ce que vous attendez ? Elaida a volé le châle et le sceptre. L'Ajah d'Elaida a fait de Logain un faux dragon, et la Lumière seule sait combien d'autres hommes ! Dans toute l'histoire de la Tour, aucune femme n'a autant mérité cette déclaration de guerre ! Levez-vous, ou, à partir de maintenant, taisez-vous !

Lelaine semblait éberluée, et à son expression, on aurait dit qu'elle était attaquée par un moineau.

— Cela ne justifie pas un vote, Moria, dit-elle d'une voix tendue. Nous parlerons du protocole plus tard, vous et moi. Mais s'il vous faut une démonstration de volonté…

Avec un reniflement dédaigneux, elle se leva, et fit un signe de tête à Lyrelle qui se leva, comme mue par un fil. Lclaine sembla surprise que ce fil n'agisse pas sur Faiselle et Takima.

Immobile, Takima râla comme si on l'avait frappée. Le visage incrédule, son regard passa en revue les femmes debout. Manifestement, elle les comptait. Puis elle recommença, elle qui se rappelait *tout*, dès la première fois.

Egwene poussa un soupir de soulagement. Elle avait réussi. Elle avait peine à y croire. Au bout d'un moment, elle s'éclaircit la gorge, quand Sheriam bondit sur ses pieds.

Ses yeux verts, grands comme des soucoupes, la Gardienne s'éclaircit la gorge, elle aussi.

— Le consensus minimum étant atteint, la guerre est déclarée à Elaida do Avriny a'Roihan, dit-elle, d'une voix relâchée. Mais la déclaration suffisait. Dans un souci d'unité, je demande aux autres de se lever pour le consensus maximum.

Faiselle fit mine de se lever, puis serra les poings dans son giron. Saroiya ouvrit la bouche puis la referma sans rien dire, l'air troublé. Personne d'autre ne bougea.

— Vous ne l'aurez pas, dit Romanda sans ambages.

Le ricanement qui s'empara d'elle quand elle regarda Lelaine de l'autre côté du pavillon exprimait les raisons de son immobilité.

— Maintenant que cette petite affaire est terminée, passons à...

— Je ne crois pas que ce soit possible, l'interrompit Egwene. Takima, que dit la Loi de la Guerre sur le Siège d'Amyrlin ?

Romanda en resta bouche bée.

Les lèvres de Takima se tordirent. La minuscule Brune ressembla encore plus à un oiseau qui veut s'envoler.

— La Loi..., commença-t-elle.

Puis elle prit une profonde inspiration, se redressa et poursuivit :

— La Loi de la Guerre stipule : « Comme deux mains doivent guider une épée, le Siège d'Amyrlin doit diriger et poursuivre la guerre par décret. Elle doit demander l'avis de l'Assemblée de la Tour, mais l'Assemblée doit exécuter ses décrets avec toute la diligence possible, et, dans l'intérêt de l'unité, les Députées doivent…

Sa voix mourut, et elle dut s'obliger à continuer :

— … elles doivent approuver tout décret du Siège d'Amyrlin concernant la poursuite de la guerre avec le consensus maximum. »

Un long silence s'ensuivit. Tous les yeux semblaient exorbités. Se retournant brusquement, Delana vomit sur les tapis derrière elle. Kwamesa et Salita descendirent de leur siège et se dirigèrent vers elle, mais elle les écarta de la main, tirant un mouchoir de sa manche pour s'essuyer la bouche. Magla, Saroiya, et plusieurs autres, s'apprêtaient à en faire autant. Mais aucune de celles choisies à Salidar. Romanda semblait prête à mordre des clous.

— Très astucieux, dit enfin Lelaine d'un ton pincé, ajoutant après une pause délibérée : Mère. Voulez-vous nous dire ce que la grande sagesse de votre longue expérience vous conseille de faire ? Au sujet de la guerre, je veux dire. J'entends parler clairement.

— Permettez-moi de parler clairement, moi aussi, dit Egwene avec froideur.

Se penchant en avant, elle fixa la Sœur Bleue avec sévérité.

— Un certain respect est exigé envers le Siège d'Amyrlin, et à partir de maintenant, je l'obtiendrai, ma fille. Mais ce n'est pas le moment de vous destituer ou de vous imposer une pénitence.

À mesure qu'elle parlait, les yeux de Lelaine s'agrandissaient. Avait-elle vraiment cru que tout continuerait comme avant ? Ou avait-elle pensé qu'après être restée si longtemps sans se rebiffer, Egwene n'avait aucun courage ? Egwene n'avait pas vraiment l'intention de la destituer ; les Bleues la rééliraient certainement, et elle aurait toujours affaire avec l'Assemblée sur des questions qui ne pouvaient pas de façon convaincante être considérées comme faisant partie de la guerre contre Elaida.

Du coin de l'œil, elle vit un sourire passer sur les lèvres de Romanda en voyant Lelaine humiliée. Mais quel avantage avait-elle à rabaisser Lelaine si cela ne faisait qu'élever Romanda aux yeux des autres ?

— Cela vaut pour tout le monde, Romanda, ajouta-t-elle. Au besoin, Tiana peut trouver deux verges aussi facilement qu'une seule.

Le sourire de Romanda s'évanouit brusquement.

— Si je peux me permettre, Mère, dit Takima, se levant lentement.

Elle s'efforça de sourire, mais semblait toujours nauséeuse.

— Je crois personnellement que vous avez bien commencé. Il peut y avoir des avantages à nous arrêter ici un mois. Ou plus.

Romanda tourna brusquement la tête vers elle, mais pour une fois, Takima ne sembla pas le remarquer.

— En passant l'hiver ici, nous évitons les plus grands froids du nord, et nous pouvons établir des plans méticuleux…

— Il y a une limite aux délais, ma fille, l'interrompit Egwene. Plus question de traîner les pieds.

Serait-elle une autre Gerra ou une autre Shein ? Tout était encore possible.

— Dans un mois, nous Voyagerons loin d'ici.

Non, elle était Egwene al'Vere et quoi que puissent raconter les histoires secrètes sur ses défauts et ses vertus, il s'agirait des siens, et non pas de ceux d'autres femmes.

— Dans un mois, nous commencerons le siège de Tar Valon.

Cette fois, le silence ne fut rompu que par Takima qui pleurait.

20.

En Andor

Elayne espérait que le voyage à Caemlyn se déroulerait sans problèmes. Au début, il sembla bien que cet espoir se réaliserait. Elle le pensait pendant qu'Aviendha, Birgitte et elle-même, épuisées, se recroquevillaient par terre dans leurs haillons crasseux, couverts de poussière et de sang, seuls vestiges des vêtements qu'elles portaient lors de l'explosion du portail. Dans deux semaines au plus, elle pourrait présenter ses revendications au Trône du Lion. Au sommet de la colline, Nynaeve Guérissait leurs blessures, presque en silence et, en tout cas, sans les réprimander. C'était assurément bon signe, quoique inattendu. Sur le visage de Nynaeve, le soulagement de les retrouver vivantes le disputait à l'inquiétude.

Il fallut toute la force de Lan pour extraire le carreau d'arbalète de la cuisse de Birgitte, avant que Nynaeve puisse Guérir la blessure. Son visage devint livide, et par le lien, Elayne sentit sa souffrance, une douleur qui lui donna envie de crier. Pourtant son Lige gémit à peine entre ses dents serrées.

— *Tai'shar* Kandor, murmura Lan, jetant par terre le carreau destiné à percer une armure.

224

Vrai sang de Kandor. Birgitte cligna des yeux. Il se tut.

— Pardonnez-moi si je me suis trompé. D'après vos vêtements, j'ai pensé que vous étiez Kandorie.

— Oh, oui, dit Birgitte dans un souffle. Kandorie.

Son sourire défaillant était dû à ses blessures. Nynaeve s'efforçait avec impatience d'éloigner Lan, pour pouvoir mettre la main sur elle. Elayne espéra qu'elle en savait plus sur le Kandor que simplement le nom. Quand Birgitte était née, le Kandor n'existait pas. Elle aurait dû prendre cela comme un présage.

Sur les cinq miles les séparant du petit manoir au toit d'ardoise, Birgitte chevaucha derrière Nynaeve, sur la solide jument brune – baptisée Nid d'Amour ! – tandis qu'Elayne et Aviendha montaient le grand étalon noir de Lan. Enfin, Elayne trônait sur la selle de Mandarb, les bras d'Aviendha noués autour de sa taille, tandis que Lan le conduisait par la bride. Les destriers bien dressés leur servaient d'armes autant que les épées. Ils étaient dangereux pour des cavaliers étrangers. *Soyez sûre de vous, mon enfant*, lui avait toujours dit Lini, *mais pas trop*. Elle s'efforçait de suivre ce conseil. Elle aurait dû réaliser qu'elle ne contrôlait pas plus les événements que les rênes de Mandarb.

Au manoir en pierre à deux étages, ils furent reçus par Maître Hornwell, un homme corpulent et grisonnant, et Maîtresse Hornwell, un peu moins corpulente et un peu moins grisonnante, mais se ressemblant de façon remarquable ; ils mirent à l'ouvrage tous les travailleurs du domaine, plus Pol, la servante de Merilille et tous les domestiques en livrée vert et blanc du Palais Tarasin, pour trouver de quoi héberger plus de deux cents personnes, en majorité des femmes, semblant sortir de nulle part peu avant la tombée de la nuit. Le travail se déroula à une rapidité surprenante, même si, parfois, quelqu'un du domaine restait bouche bée devant le visage sans âge d'une Aes Sedai et la cape aux couleurs changeantes d'un Lige qui rendait invisible certaines parties de son corps, ou une Pourvoyeuse-de-Vent, avec ses soies éclatantes, ses boucles d'oreilles et sa chaîne de nez couverte de médaillons. Les femmes de la Famille avaient décidé qu'il n'y avait plus de danger à être effrayées, malgré ce que pouvaient leur dire Reanne et le Cercle du Tricot. Les Pourvoyeuses-de-Vent se plaignaient d'être arrivées si loin de la mer, contre leur gré, ainsi que le clamait Renaile din Calon. Les nobles et les artisans, pourtant volontaires pour fuir Ebou Dar, même en portant leurs affaires sur leur dos, ronchonnaient maintenant d'avoir à dormir dans le foin.

Tout cela se passa avant qu'Elayne et les autres n'arrivent. Le soleil rouge se couchait à l'ouest sur la ligne d'horizon. Tout le manoir et les dépendances aux toits de chaume étaient en ébullition. Cependant, Alise Tenjile avait la situation bien en main, encore mieux que les très compétents Hornwell. Les femmes de la Famille, qui pleuraient d'autant plus que Reanne cherchait à les réconforter, séchèrent leurs larmes sur un murmure d'Alise et se mirent au travail, comme si elles avaient dû se débrouiller seules pendant des années dans un monde hostile. Les nobles hautaines dont les couteaux de mariage ballottaient dans leurs profonds décolletés bordés de dentelle, et les artisanes qui affichaient presque autant d'arrogance et de poitrine, sinon de soies, se redressaient à l'approche d'Alise. Elles se précipitaient vers les granges, déclarant à la cantonade qu'elles avaient toujours pensé que ce serait amusant de coucher dans le foin. Même les Pourvoyeuses-de-Vent, dont beaucoup étaient d'un rang élevé chez les Atha'an Miere, étouffaient leurs protestations à l'approche d'Alise. Et Saleitha, qui n'avait pas encore le visage sans âge d'une Aes Sedai, regardait Alise de travers et tripotait la frange de son châle comme pour s'assurer qu'il était bien là. Merilille, imperturbable, observait Alise officier avec un mélange d'approbation et de stupeur.

Démontant devant la grande porte du manoir, Nynaeve foudroya Alise du regard, tira sur sa tresse. Alise était bien trop occupée pour remarquer ce geste. Elle entra dignement, ôtant ses gants bleus d'équitation et marmonnant entre ses dents. La regardant disparaître, Lan gloussa doucement, mais reprit son sérieux quand Elayne démonta. Par la Lumière, ses yeux étaient d'une froideur incroyable ! Dans l'intérêt de Nynaeve, elle espéra qu'il pourrait échapper à son destin, mais face à ce regard, elle n'y croyait pas.

— Où est Ispan ? demanda-t-elle, aidant Aviendha à descendre de sa selle.

Tant de ces femmes étaient au courant qu'une Aes Sedai – une Sœur Noire – était prisonnière, que la nouvelle avait dû se répandre à travers les domaines à la vitesse d'un feu de brousse. Il valait mieux que les gens du manoir y soient un peu préparés.

— Adeleas et Vandene l'ont emmenée dans une hutte de bûcheron à un demi-mile d'ici, répondit-il. Dans toute cette agitation, je crois que personne n'a remarqué une femme avec un sac sur la tête. Les sœurs ont dit qu'elles resteraient là-bas avec elle cette nuit.

Elayne frissonna. L'Amie du Ténébreux devait être encore interrogée ce soir, semblait-il. Elles étaient en Andor maintenant, et cela lui donnait l'impression d'avoir ordonné cet interrogatoire elle-même.

Elle se retrouva bientôt dans une baignoire en cuivre, savourant l'eau chaude, le savon parfumé et la propreté. Elle riait et jetait de l'eau sur Birgitte, qui se prélassait dans une autre baignoire et l'éclaboussait à son tour. Toutes les deux pouffaient en entendant les horreurs que leur racontait Aviendha, assise dans une autre baignoire avec de l'eau jusqu'aux seins. Elle leur narra l'histoire très inconvenante d'un homme à qui on avait enfoncé des épines de *segade* dans le derrière. Birgitte en raconta une autre encore plus salace, sur une femme qui s'était coincé la tête dans une palissade. Elle en fit rougir Aviendha. Mais ces histoires étaient *drôles*. Elayne regretta de ne pas en avoir une à raconter.

Elayne et Aviendha se peignèrent et se brossèrent mutuellement les cheveux, rituel nocturne quotidien entre presque-sœurs. Épuisées, elles se blottirent toutes les quatre dans le grand lit à baldaquin d'une petite chambre, se félicitant de n'être pas plus nombreuses.

Le sol des plus grandes pièces était couvert de paillasses et de lits de camp, y compris les salons, les cuisines et la plupart des couloirs. Nynaeve maugréa durant la moitié de la nuit sur l'inconvenance à faire coucher une épouse loin de son mari. Pendant l'autre moitié, ses coups de coude réveillaient Elayne chaque fois qu'elle s'assoupissait. Birgitte avait refusé catégoriquement de changer de place, et elle ne pouvait pas demander à Aviendha de supporter ces gesticulations. Elle n'avait donc guère dormi cette nuit-là.

Elayne était encore embrumée quand elles se préparèrent à partir, à l'aube, alors que la grosse boule dorée du soleil venait juste de se lever. Le manoir n'avait que peu d'animaux disponibles à la vente, à moins d'en priver tout à fait le domaine. Elle ne put acheter qu'un hongre noir baptisé Cœur de Feu et deux montures pour Birgitte et Aviendha. Ceux et celles qui avaient quitté à pied la ferme de la Famille devaient marcher. Cela comprenait la plupart des femmes de la Famille, les domestiques qui conduisaient les bêtes de somme, et la vingtaine de femmes qui devaient regretter d'être allées à la ferme pour s'y consacrer au repos et à la contemplation. Les Liges chevauchaient à l'avant, en reconnaissance, dans les collines couvertes de forêts desséchées, suivis de toute la colonne qui s'étirait dans la campagne, tel un serpent étrange, avec, en tête, Elayne, Nynaeve et les autres sœurs. Et Aviendha, évidemment.

Le groupe ne pouvait guère passer inaperçu. Il était rare qu'il y ait tant de femmes voyageant avec aussi peu de gardes du corps, sans parler d'une vingtaine de

Pourvoyeuses-de-Vent à la peau sombre, mal à l'aise sur leurs chevaux et dont les vêtements étaient aussi éclatants que le plumage des oiseaux exotiques. Parmi les neuf Aes Sedais, six étaient reconnaissables pour qui savait les observer, même si l'une chevauchait avec un sac sur la tête. Comme si ce fait, en soi, n'allait pas attirer tous les regards. Elayne avait espéré atteindre Caemlyn sans se faire remarquer, mais cela ne semblait plus possible. Pourtant, il n'y avait aucune raison pour que quelqu'un soupçonne qu'Elayne Trakand, Fille-Héritière d'Andor, faisait partie de ce groupe. Au début, elle pensait que la difficulté viendrait d'une rivale pour l'accession au trône, qui, apprenant sa présence, enverrait des hommes armés pour l'arrêter jusqu'à ce que la succession soit réglée.

Maintenant, elle pensait que les premiers troubles émaneraient des artisanes et des nobles aux pieds meurtris, des femmes orgueilleuses, dont aucune n'avait été habituée à crapahuter dans la montagne. Surtout depuis que la servante potelée de Merilille voyageait sur sa propre jument. Les quelques fermières du groupe ne s'en formalisaient pas trop, mais certaines étaient des femmes qui possédaient des manoirs, des palais et des terres, et d'autres auraient pu s'acheter un domaine, sinon deux ou trois. Il y avait parmi elles deux joaillières, trois tisserandes, propriétaires de plus de quatre cents métiers à elles seules, une femme dont les manufactures produisaient le dixième de tous les objets laqués d'Ebou Dar, et une banquière. Elles marchaient, leurs biens harnachés sur leur dos, tandis que leurs chevaux croulaient sous les provisions. C'était indispensable. Tout l'argent de chacun avait été mis en commun, jusqu'à la dernière piécette, et confié à la gestion très serrée de Nynaeve. Mais cela ne serait peut-être pas suffisant pour payer la nourriture, le fourrage, et l'hébergement d'un groupe si important jusqu'à Caemlyn. Elles ne semblaient pas le comprendre. Elles se plaignaient continuellement depuis le premier jour de marche. La plus véhémente était Malien, une femme svelte au visage austère avec une fine cicatrice sur la joue, qui ployait sous le poids d'un énorme ballot contenant une douzaine de robes, avec tout le linge et les accessoires qui allaient avec.

Lorsqu'ils eurent dressé le camp le premier soir, et une fois que tous les feux de camp luirent dans le crépuscule, que les estomacs furent rassasiés de haricots et de pain, bien qu'insatisfaits de cet ordinaire, Malien réunit autour d'elle toutes les nobles, leurs soies plus qu'éprouvées par le voyage. Les artisanes se joignirent à elles, tandis que la banquière et les fermières observaient un peu à l'écart. Avant que Malien ait eu le temps de dire un mot, Reanne s'invita à leur réunion. Avec son visage souriant, sa robe de drap relevée sur le côté pour découvrir ses jupons multicolores, elle aurait pu être elle-même une fermière.

— Si vous désirez rentrer chez vous, dit-elle de sa voix étonnamment aiguë, personne ne vous retient. Mais je suis au regret de vous dire que nous devrons garder vos chevaux. On vous indemnisera dès que ce sera possible. Si vous choisissez de rester, rappelez-vous que les règles de la ferme continuent à s'appliquer.

Plusieurs femmes soupirèrent. Malien, en colère, ne fut pas la seule à ouvrir la bouche.

Alise sembla se matérialiser près de Reanne, poings sur les hanches. Elle ne souriait pas.

— Les dix dernières à être prêtes feront la vaisselle, leur dit-elle avec fermeté.

Et elle les énuméra : Jillien, une joaillière rondelette, Naiselle, la banquière aux yeux froids, et les huit nobles. Elles la regardèrent, médusées, jusqu'au moment où elle frappa dans ses mains en disant :

— Ne m'obligez pas à invoquer la règle de l'échec pour faire votre part des corvées.

Malien, maugréant entre ses dents et les yeux ronds d'incrédulité, fut la dernière à se précipiter pour empiler les bols sales. Le lendemain matin, elle réduisit son ballot, abandonnant sur la colline des robes et des chemises en soie bordées de dentelle. Elayne continuait à craindre l'explosion, mais Reanne les tenait bien en main, et Alise encore mieux. Et si Malien et les autres grommelaient et regardaient d'un œil torve les taches qui s'accumulaient de jour en jour sur leurs robes, Reanne n'avait qu'à leur dire quelques mots pour les renvoyer au travail, et Alise qu'à frapper dans ses mains.

Si le reste du voyage avait pu se passer aussi bien, Elayne aurait volontiers partagé leurs corvées salissantes.

Quand elles atteignirent la première route, étroite et poussiéreuse, guère plus large qu'une piste de terre battue, des fermes commencèrent à apparaître, des maisons en pierre aux toits de chaume, des granges accrochées aux pentes ou nichées dans des cuvettes. À partir de là, en terrain plat ou vallonné, boisé ou découvert, elles furent rarement plusieurs heures hors de vue d'un village ou d'une ferme. Chaque fois, tandis que les indigènes lorgnaient ces bizarres étrangers, Elayne s'efforçait d'évaluer si la Maison Trakand bénéficiait d'un grand soutien parmi la population et quelles étaient les principales doléances des gens. S'occuper de ces dernières serait important pour faire valoir ses droits au trône, autant que le soutien des autres Maisons. Elle en apprit beaucoup, y compris ce qu'elle n'aurait pas voulu entendre. Les Andorans réclamaient le droit de dire ce qu'ils pensaient à la Reine en personne. Une noble ne les impressionnait pas, quelque étranges que fussent ses compagnons de voyage.

Dans un village du nom de Damelien, trois moulins s'agglutinaient au bord d'une rivière dont le débit réduit à sa plus simple expression découvrait leurs roues à aubes. L'aubergiste de *La Gerbe d'Or* admit qu'à son avis, Morgase avait été une bonne reine, la meilleure possible, la meilleure qui fût jamais.

— Sa fille aurait été aussi une bonne souveraine, je suppose, marmonna-t-il en se frictionnant le menton. Dommage que le Dragon Réincarné les ait tuées. Il le devait, je suppose – à cause des Prophéties et tout ça –, mais il n'avait pas le droit d'assécher les rivières, non ? Combien vous avez dit qu'il vous fallait de grain, ma Dame ? Il est horriblement cher, je vous préviens.

Une femme au visage dur, en robe marron élimée qui pendouillait comme si elle avait beaucoup maigri, embrassa du regard un champ entouré d'un muret, où le vent soulevait des rideaux de poussière qu'il balayait vers les bois. Les autres fermes des environs étaient en aussi piteux état, voire pire.

— Ce Dragon Réincarné n'a pas le droit de nous faire ça, n'est-ce pas ? Je vous le demande !

Elle cracha par terre, et leva les yeux sur Elayne à cheval en fronçant les sourcils.

— Le trône ? Oh, Dyelin ne sera pas pire qu'une autre maintenant que Morgase et sa fille sont mortes. Certains par ici soutiendront Naean ou Elenia, mais moi, je suis pour Dyelin. Enfin, c'est leur affaire ; moi, je dois m'occuper des récoltes, si toutefois il y a une récolte.

— Oh, c'est vrai, ma Dame, c'est vrai. Elayne est vivante, lui dit un vieux menuisier noueux au Marché de Forel.

Il était chauve comme un œuf, les doigts déformés par l'âge, mais les œuvres qui se dressaient au milieu des copeaux et de la sciure dans son atelier pouvaient rivaliser avec les plus belles qu'Elayne eût jamais vues. Elle était seule avec lui dans la boutique. Apparemment, la moitié des villageois étaient partis.

— Le Dragon Réincarné la fait venir à Caemlyn pour poser lui-même sur sa tête la Couronne des Roses, lui confia-t-il. On ne parle que de ça. C'est pas juste, si vous voulez mon avis. Ce Dragon Réincarné, c'est un Aiel aux yeux noirs, à ce qu'on dit. On devrait marcher sur Caemlyn et tous les renvoyer d'où ils viennent, lui et ses Aiels. Alors Elayne pourrait réclamer le trône pour elle. Si Dyelin le lui laisse, en tout cas.

Elayne entendit beaucoup de rumeurs sur Rand, depuis le fait qu'il aurait prêté serment à Elaida jusqu'à son couronnement comme Roi d'Illian, entre autres. En Andor, on le blâmait pour tout ce qui était arrivé de mauvais depuis deux ou trois ans, y compris les enfants morts-nés, les jambes cassées, les nuages de sauterelles, les veaux à deux têtes et les poules à trois pattes. Et même les gens qui trouvaient que sa mère avait ruiné le pays et que la fin du règne de la Maison Trakand était une bonne chose, affirmaient que Rand al'Thor était un envahisseur. Le Dragon Réincarné était censé combattre le Ténébreux au Shayol Ghul, et il devait être chassé d'Andor. Elle l'entendit répéter encore et encore. Le voyage ne fut pas agréable. Il était plutôt l'illustration d'un des dictons favoris de Lini : *Ce n'est pas la pierre que tu vois qui te fait tomber sur le nez.*

Elle pensa à un certain nombre de choses, en plus des troubles que les nobles pouvaient provoquer, et dont certains pourraient être aussi violents que l'explosion du portail. Les Pourvoyeuses-de-Vent, arrogantes après le marché qu'elle leur avait arraché, à Nynaeve et à elle, se comportaient avec une suffisance irritante à l'égard des Aes Sedais, surtout après qu'on apprit que Merilille avait accepté d'être l'une des premières sœurs à embarquer sur leurs navires. Pourtant, si les crépitements continuaient, comme le grésillement du cordon d'allumage d'un Illuminateur, l'explosion ne survint jamais. Il semblait certain que les Pourvoyeuses-de-Vent et les femmes de la Famille,

235

en particulier du Cercle du Tricot, allaient entrer en conflit ouvert. Elles se dénigraient, quand elles ne se méprisaient pas ouvertement, le Cercle du Tricot raillant les « Irrégulières du Peuple de la Mer qui se croyaient plus qu'elles n'étaient », et les Pourvoyeuses-de-Vent se moquant des « rampantes qui baisaient servilement les pieds des Aes Sedais ». Mais cela n'alla jamais plus loin que des rictus ou des mains caressant le manche d'une dague.

Ispan causait des problèmes dont Elayne était certaine qu'ils empireraient avec le temps. Mais après quelques jours, Vandene et Adeleas la laissèrent chevaucher sans le sac sur la tête, entourée d'un écran, silhouette silencieuse aux fines nattes tressées de perles, les yeux de son visage sans âge baissés sur ses mains tenant les rênes. Renaile disait à qui voulait l'entendre que, chez les Atha'an Miere, une Amie du Ténébreux était dépouillée de son nom dès qu'elle était jugée coupable, et jetée par-dessus bord, lestée de pierres. Parmi les femmes de la Famille, même Reanne et Alise pâlissaient chaque fois qu'elles regardaient la Tarabonaise. Ispan se fit de plus en plus docile, désireuse de plaire, et arborant des sourires doucereux aux deux sœurs aux cheveux blancs, quoi qu'elles lui fassent subir quand elles l'emmenaient loin des autres pour la nuit. Par ailleurs, Adeleas et Vandene devinrent de plus en plus frustrées. À portée de voix d'Elayne, Adeleas dit à Nynaeve qu'Ispan leur avait raconté des tas d'histoires sur les anciennes intrigues de l'Ajah Noire, avec beaucoup plus d'enthousiasme quand elle n'était pas impliquée que quand elle l'était. Quand elles faisaient pression sur elle – Elayne préférait ne pas savoir en quoi consistait cette pression – certains noms d'Amis du Ténébreux lui échappaient, mais la plupart étaient morts et il ne s'agissait jamais d'une sœur. Vandene dit qu'elles commençaient à craindre qu'elle ait prêté un Serment – la majuscule s'entendit dans la prononciation – l'empêchant de trahir ses complices. Elles continuèrent à isoler Ispan du mieux possible et continuèrent à poser des questions. À présent, elles avançaient à tâtons avec beaucoup de prudence.

Nynaeve et Lan étaient ensemble. Nynaeve fulminait sous l'effort de contrôler sa colère quand Lan était là, obsédée par lui quand ils devaient coucher séparément – ce qui arrivait très souvent, compte tenu des conditions d'hébergement – et partagée entre l'impatience et la crainte quand elle parvenait à l'entraîner vers une meule de foin. De l'avis d'Elayne, c'était sa faute si elle avait choisi un mariage selon les coutumes du Peuple dc la Mer. Le Peuple de la Mer croyait à la hiérarchie comme il croyait à la mer, et tous savaient qu'une femme et son mari pouvaient avoir des promotions séparées bien des fois dans leur vie. Leurs rites nuptiaux en tenaient compte. Celui qui avait le droit de commander en public devait obéir en privé. Lan ne profitait jamais de cet avantage, disait Nynaeve – « pas vraiment » quoi que cela signifiât ! Elle rougissait toujours en le disant – mais elle espérait qu'il se comporte ainsi, et Lan en semblait de plus en plus amusé. Naturellement, ça énervait Nynaeve à la folie. Et, de toutes les explosions que redoutait Elayne, celle de Nynaeve fut la première. Elle s'en prenait à tous ceux qui croisaient son chemin, excepté Lan, avec qui elle était douce comme un agneau. Et Alise, à laquelle elle n'osa pas toucher.

Elayne avait beaucoup d'espoirs, et aucune crainte, au sujet des objets sortis du Rahad en même temps que la Coupe des Vents. Aviendha l'aidait dans ses recherches, et aussi Nynaeve, une ou deux fois, mais elle était beaucoup trop lente et prudente et manifestait peu d'habileté à trouver. Elles ne dénichèrent pas d'autres *angreals*, mais leur collection de *ter'angreals* augmenta. Quand elles eurent jeté tous les déchets, les objets utilisant le Pouvoir Unique remplirent cinq grands paniers attachés aux chevaux de bât.

Pour prudente que fût Elayne, ses tentatives pour les étudier ne la menèrent pas loin. L'Esprit était le plus sûr des cinq Pouvoirs à utiliser dans ce cas – à moins que l'Esprit ne fût le flux déclencheur ! –, pourtant elle devait de temps en temps utiliser d'autres flux, qu'elle tissait aussi fins que possible. Parfois, toucher délicatement l'un de ces objets ne donnait rien. Mais son premier contact avec ce qui ressemblait à un puzzle de forgeron en verre la laissa abasourdie et incapable de dormir une partie de la nuit. Un fil de Feu touchant ce qui ressemblait à un casque de plumes métalliques donnait une terrible migraine à quiconque se trouvait dans un rayon de vingt toises. Sauf à elle. Et il y avait aussi la baguette pourpre qui semblait chaude.

Assise sur son lit à l'auberge du *Sanglier Sauvage*, elle examina la baguette lisse à la lumière de deux lampes en cuivre poli. Épaisse comme le poignet et longue d'un pied, elle avait l'aspect de la pierre, mais semblait ferme plutôt que dure. Elle était seule. Depuis l'affaire du casque, elle s'efforçait de faire ses expériences à l'écart des autres. La chaleur de la baguette lui fit penser au Feu…

Clignant des yeux, elle se redressa sur le lit. Le soleil entrait par la fenêtre. Elle était en chemise, et Nynaeve, habillée, la regardait en fronçant les sourcils. Aviendha et Birgitte l'observaient de la porte.

— Que s'est-il passé ? demanda Elayne.

— Tu ne veux pas le savoir, répondit Nynaeve, l'air lugubre, et les lèvres tremblantes.

Le visage d'Aviendha ne révélait rien. La bouche de Birgitte était peut-être un peu pincée, mais l'émotion la plus forte qu'Elayne détecta fut un mélange de soulagement et… d'hilarité ! Elle faisait de son mieux pour ne pas rire à se rouler par terre !

Le pire, c'est qu'aucune ne voulait lui avouer ce qui s'était passé. Ce qu'elle avait pu dire ou faire ; elle comprit qu'il s'agissait de ça, aux sourires vite réprimés des femmes de la Famille, des Pourvoyeuses-de-Vent et des sœurs. Mais personne ne voulut rien lui raconter ! Après ça, elle décida de se consacrer à l'étude des *ter'angreals* dans des endroits plus confortables qu'une auberge. Quelque part où elle pourrait avoir une vie privée !

Neuf jours après leur fuite d'Ebou Dar, des nuages dispersés envahirent le ciel, et quelques grosses gouttes de pluie s'écrasèrent sur la route poussiéreuse. Un crachin intermittent tomba le lendemain, et le jour d'après. Un vrai déluge les obligea à se terrer dans les maisons et les étables du Marché de Forel. Cette nuit-là, la pluie se transforma en neige fondue, et, au matin, de gros flocons tombaient paresseusement d'un ciel noir de nuages. Elles avaient fait plus de la moitié du chemin, mais Elayne se demanda si elles pourraient arriver par ce temps à Caemlyn, d'ici deux semaines.

Avec la neige, leurs vêtements inadaptés devinrent un problème. Elayne se reprocha de n'avoir pas pensé qu'ils auraient peut-être besoin d'habits chauds avant d'arriver à destination. Nynaeve s'en voulait aussi de ne pas y avoir pensé. Merilille se croyait en faute, et Reanne était certaine de sa propre culpabilité. Elles étaient debout dans la grand-rue du Marché de Forel ce matin-là, la tête recouverte de flocons de neige, discutant pour savoir qui endosserait la responsabilité. Elayne ne sut pas exactement qui fut la première à réaliser l'absurdité de la situation, ni qui fut la première à éclater de rire. Mais elles riaient toutes en s'installant autour d'une table au *Cygne Blanc* pour décider quoi faire. Pourtant, elles reprirent leur sérieux pour rechercher une solution. L'acquisition d'un vêtement chaud pour chacun absorberait une grande partie de leur argent, si même il était possible de dénicher suffisamment de vêtements. Les bijoux pouvaient être vendus ou troqués, bien sûr, mais personne au Marché de Forel ne semblait intéressé par des colliers ou des bracelets, si beaux fussent-ils.

Aviendha résolut le problème en sortant un petit sac rempli de gemmes claires et parfaites, dont certaines assez grosses. Curieusement, les mêmes villageois, qui avaient refusé les bijoux à peine poliment, restèrent pantois devant les pierres roulant dans la paume d'Aviendha. Reanne expliqua qu'ils considéraient les bijoux comme des colifichets sans valeur, et les pierres comme une richesse. Quelles que fussent leurs motivations, en échange de deux rubis de taille moyenne, d'une grosse pierre de lune et d'une petite goutte de feu, les gens du Marché de Forel se déclarèrent plus que prêts à fournir à leurs visiteurs autant de gros vêtements de laine qu'ils le désiraient, dont certains presque neufs.

— Très généreux de leur part, maugréa aigrement Nynaeve, quand les villageois se mirent à dévaliser leurs armoires et leurs greniers, arrivant à l'auberge en un flot continu avec des brassées de vêtements.

— Ces pierres pourraient acheter tout le village !

Aviendha haussa les épaules ; elle aurait bien donné une poignée de gemmes, si Reanne n'était pas intervenue.

Merilille branla du chef.

— Nous avons ce qu'ils désirent, mais ils ont ce qu'il nous faut. Ce qui signifie que c'est eux qui fixent les prix, j'en ai peur.

Ce qui ressemblait étrangement à la situation où elles s'étaient trouvées avec le Peuple de la Mer. Nynaeve en était malade.

Quand elles se retrouvèrent seules, dans un couloir de l'auberge, Elayne demanda à Aviendha comment elle se trouvait en possession de cette fortune en pierreries, dont elle semblait impatiente de se débarrasser. Elle pensait que sa presque-sœur allait répondre que c'était sa part du butin de la Pierre de Tear, ou peut-être de Caemlyn.

— Rand al'Thor m'a dupée, marmonna Aviendha, maussade. J'ai essayé de lui acheter un *toh*. Je sais que c'est le moyen le moins honorable, protesta-t-elle, mais je n'en voyais pas d'autre. Et il a retourné la situation ! Quand on raisonne logiquement, pourquoi faut-il qu'un homme fasse toujours quelque chose de complètement illogique et prenne l'avantage ?

— Les idées sont si confuses dans leurs jolies têtes qu'il est impossible à une femme de les comprendre, lui dit Elayne.

Elle ne demanda pas quel *toh* Aviendha avait tenté d'acheter, ni comment elle s'était retrouvée avec un plein sac de gemmes. Parler de Rand était déjà assez dur sans y ajouter *ça*.

La neige ne suscita pas seulement le besoin de vêtements chauds. À midi, les flocons, plus abondants de minute en minute, Renaile descendit majestueusement l'escalier et entra dans la salle commune, déclarant qu'elle avait rempli sa part du marché et qu'elle exigeait non seulement la Coupe des Vents, mais Meri-lille. La Sœur Grise la regarda, consternée, comme bien d'autres. Beaucoup de bancs étaient occupés par des femmes de la Famille qui déjeunaient. Le personnel s'affairait à satisfaire les demandes de ce troisième service. Sans se soucier de discrétion, Renaile parla à voix haute, faisant tourner vers elle toutes les têtes.

— Vous pouvez commencer votre instruction sur-le-champ, dit-elle à l'Aes Sedai médusée. Montez l'échelle menant à ma cabine !

Merilille voulut protester, mais le visage soudain glacé, la Pourvoyeuse-de-Vent de la Maîtresse-des-Vaisseaux planta ses poings sur ses hanches.

— Quand je donne un ordre, Merilille Ceandevin, quiconque est sur le pont doit sauter pour l'exécuter. Alors, sautez !

Merilille ne sauta pas exactement, mais elle se leva et la rejoignit, Renaile la poussant quasiment par-derrière dans l'escalier. Étant donné sa promesse, elle n'avait pas le choix. Reanne était atterrée. Alise et la corpulente Sumeko, toujours pourvue de sa ceinture rouge, observaient pensivement la scène.

Au cours des jours qui suivirent, quand leurs chevaux peinaient laborieusement dans la neige, lorsqu'elles arpentaient les rues d'un village, à la recherche d'un hébergement dans une ferme, Renaile gardait constamment Merilille auprès d'elle, sauf lorsqu'elle l'envoyait rejoindre une autre Pourvoyeuse-de-Vent. L'aura de la *saidar* entourait constamment la Sœur Grise et son escorte, et Merilille faisait des démonstrations de tissage sans discontinuer. La pâle Cairhienine était nettement plus petite que les femmes du Peuple de la Mer, mais au début, elle parvint à paraître plus grande, par la seule force de sa dignité d'Aes Sedai. Pourtant, son visage prit bientôt une expression de stupéfaction permanente. Elayne apprit que, lorsqu'elles se couchaient, le soir, pas toujours dans des lits, Merilille partageait sa couche avec Pol, sa servante, et les deux apprenties Pourvoyeuses-de-Vent, Talaan et Metarra. Ce que cela révélait du statut de Merilille, Elayne ne le savait pas exactement. À l'évidence, les

Pourvoyeuses-de-Vent ne la mettaient même pas au niveau des apprenties. Elles lui demandaient juste de faire ce qu'on lui disait, sans délai ni faux-fuyants.

Reanne resta atterrée du tour qu'avaient pris les événements, mais Alise et Sumeko ne furent pas les seules à les observer de près, en hochant pensivement la tête. Puis un autre problème réclama l'attention d'Elayne. Les femmes de la Famille constataient que Ispan devenait de plus en plus malléable à mesure que se prolongeait sa captivité, mais elle était prisonnière d'autres Aes Sedais. Les femmes du Peuple de la Mer n'étaient pas des Aes Sedais et Merilille n'était pas une prisonnière, pourtant elle commençait à sauter dès que Renaile donnait un ordre, ou même Dorile, Caire ou sa sœur-de-sang, Tebreille. Chacune était la Pourvoyeuse-de-Vent d'une Maîtresse-des-Vagues d'un clan donné, et aucune des autres ne la faisait sauter avec tant d'empressement, mais c'était déjà beaucoup. De plus en plus, les femmes de la Famille passèrent de la contemplation horrifiée à l'observation pensive. Peut-être que les Aes Sedais n'étaient pas faites d'une chair différente. Si les Aes Sedais étaient des femmes comme les autres, pourquoi devraient-elles se soumettre de nouveau aux rigueurs de la Tour Blanche, à l'autorité et à la discipline des Aes Sedais ? N'avaient-elles pas survécu en toute indépendance, certaines depuis plus longtemps que les plus anciennes sœurs n'étaient prêtes à le croire ? Elayne voyait presque l'idée prendre forme dans leurs têtes.

Mais quand elle en parla à Nynaeve, celle-ci se contenta de maugréer :

244

— Il est temps que les sœurs apprennent ce que c'est qu'essayer d'instruire une femme qui croit en savoir plus que sa maîtresse. Celles qui ont une chance d'obtenir le châle persévéreront, et pour les autres, je ne vois pas pourquoi elles ne se rebifferaient pas.

Elayne s'abstint de rappeler les plaintes de Nynaeve au sujet de Sumeko qui n'hésitait pas à se rebiffer. Sumeko avait qualifié de « maladroits » plusieurs tissages de Guérison de Nynaeve, et Elayne avait cru que Nynaeve allait faire une crise d'apoplexie.

— En tout cas, inutile d'en parler à Egwene. Si elle vient. Ni de tout le reste. Elle a assez de pain sur la planche comme ça.

Sans aucun doute, « tout le reste » se référait à Merilille et aux Pourvoyeuses-de-Vent.

Elles étaient en chemise, au premier étage de *La Charrue Neuve*, l'anneau *ter'angreal* de rêve autour du cou, celui d'Elayne au bout d'un simple cordon de cuir et celui de Nynaeve, d'une mince chaîne d'or où elle portait la chevalière de Lan. Aviendha et Birgitte, toutes deux habillées, étaient assises sur leurs coffres à vêtements. Elles appelaient ça « monter la garde », jusqu'à ce qu'elles reviennent du Monde des Rêves. Elles gardaient leur cape jusqu'au moment où elles se glissaient sous leurs couvertures. *La Charrue Neuve* n'avait rien de neuf ; des fissures sillonnaient le plâtre des murs, et de désagréables courants d'air s'infiltraient partout.

La chambre était petite. Les coffres et les balluchons entassés partout ne laissaient de la place que pour le lit et une table de toilette. Elayne savait qu'elle devait avoir fière allure en arrivant à Caemlyn, mais elle se sentait parfois coupable du fait que ses affaires soient transportées sur un cheval, alors que la plupart des autres devaient les porter sur leur dos. En tout cas, elle ne manifestait jamais aucune culpabilité au sujet de *ses* coffres. Elles étaient depuis seize jours sur la route. La pleine lune entrait par l'étroite fenêtre et brillait sur un épais tapis de neige qui ralentirait encore leur avance, même si le ciel restait clair. Elayne jugea optimiste l'espoir d'arriver à Caemlyn dans une semaine.

— J'ai assez de bon sens pour ne pas lui en parler, dit-elle à Nynaeve. Je n'ai pas envie de me faire encore taper sur les doigts.

C'était un euphémisme. Elles n'étaient pas allées dans le *Tel'aran'rhiod* depuis qu'elles avaient informé Egwene, le soir après avoir quitté le domaine, que la Coupe des Vents avait été utilisée. À contrecœur, elles l'avaient aussi avertie du marché qu'elles avaient été forcées de conclure avec le Peuple de la Mer, et elles s'étaient retrouvées devant le Siège d'Amyrlin, le châle à rayures drapé sur les épaules. Elayne savait que c'était normal et nécessaire – la meilleure amie d'une Reine savait qu'elle était la Reine avant d'être l'amie – mais elle n'avait pas apprécié d'entendre son amie déclarer avec emportement qu'elles avaient agi comme des nigaudes sans cervelle, et qu'elles avaient peut-être attiré la ruine sur toutes leurs têtes. D'autant moins qu'elle était d'accord avec Egwene. Elle n'avait pas aimé s'entendre dire par Egwene que la seule raison pour laquelle elle ne leur imposait pas une pénitence sévère, c'est qu'elle ne pouvait pas se permettre de les voir perdre leur temps. Quand elle siégerait sur le Trône du Lion, elle serait toujours une Aes Sedai, soumise aux règles, aux lois et aux coutumes des Aes Sedais. Pas en ce qui concernait l'Andor – elle ne donnerait pas son pays à la Tour Blanche – mais pour elle-même. C'est pourquoi, pour déplaisantes qu'aient été ces critiques, elle les avait acceptées calmement. Nynaeve avait gesticulé et bredouillé d'embarras, protesté et presque boudé, puis s'était tant confondue en excuses qu'Egwene avait eu peine à croire que c'était bien là la Nynaeve qu'elle connaissait. Très justement, Egwene s'était comportée en Amyrlin, manifestant froidement son déplaisir tout en leur pardonnant leurs fautes. Si Egwene venait ce soir, au mieux ce ne serait ni positif ni négatif.

Mais quand elles se rêvèrent dans le Salidar du *Tel'aran'rhiod*, dans la salle de la Petite Tour qu'on appelait le Bureau de l'Amyrlin, Egwene n'était pas là, et le seul indice de sa venue depuis leur dernière rencontre, c'étaient quelques mots à peine lisibles griffonnés sur un panneau vermoulu, comme si la main qui les avait tracés ne voulait pas faire l'effort de les graver.

RESTEZ À CAEMLYN

Et, un peu plus loin :

GARDEZ LE SILENCE ET SOYEZ PRUDENTES

C'étaient les dernières instructions qu'Egwene leur avait données. Aller à Caemlyn et y rester jusqu'à ce qu'elle trouve le moyen d'empêcher l'Assemblée de les saler et de les clouer dans un baril. Elles n'avaient aucun moyen d'effacer ce rappel.

Embrassant la *saidar*, Elayne canalisa pour laisser son message, le nombre quinze, apparemment gravé sur la lourde table qui avait été le bureau d'Egwene.

Inverser le tissage et le nouer signifiaient que seul celui qui passerait les doigts sur les chiffres réaliserait qu'ils n'étaient pas vraiment là. Peut-être qu'il ne leur faudrait pas moins de quinze jours pour arriver à Caemlyn. Plus d'une semaine, en tout cas, elle en était certaine.

Nynaeve s'approcha de la fenêtre, et regarda dehors, à droite et à gauche, veillant à ne pas sortir la tête. Il faisait nuit comme dans le monde réel, la pleine lune brillait sur la neige, mais l'air n'était pas froid. À part elles, personne ne devait être là, et s'il y avait quelqu'un, il fallait l'éviter.

— J'espère qu'elle n'a pas de problèmes avec ses plans, marmonna-t-elle.

— Elle nous a dit de ne pas en parler même entre nous, Nynaeve. « Un secret formulé prend des ailes. »

C'était aussi un des dictons favoris de Lini.

Nynaeve grimaça par-dessus son épaule, puis se remit à scruter la ruelle sombre.

— C'est différent pour vous. Moi, je me suis occupée d'elle quand elle était petite, j'ai changé ses langes et je l'ai fessée une ou deux fois. Et maintenant, je dois sauter quand elle claque des doigts. C'est dur.

Elayne ne put s'empêcher de claquer des doigts.

Nynaeve pivota si vite que sa silhouette devint floue un instant, les yeux exorbités. Sa robe se trans-

248

forma aussi, passant de la soie bleue d'équitation au blanc de l'Acceptée, à ce qu'elle appelait du bon drap des Deux Rivières, solide et épais. Quand elle réalisa qu'Egwene n'était pas là, et qu'elle n'avait rien entendu, elle faillit s'évanouir de soulagement.

Quand elles réintégrèrent leurs corps et qu'elles s'éveillèrent juste le temps de dire aux autres qu'elles pouvaient se coucher, Aviendha pensa certainement que c'était une bonne plaisanterie, et Birgitte éclata de rire. Mais Nynaeve eut sa revanche. Le lendemain, elle réveilla Elayne avec un glaçon. Les hurlements d'Elayne ameutèrent tout le village.

Trois jours plus tard, se produisit la première explosion.

21.

Se rendre aux convocations

Les grandes tempêtes hivernales appelées cemaros s'annonçaient, en provenance de la Mer des Tempêtes, les plus violentes de mémoire d'homme. Certains disaient que, cette année, les cemaros cherchaient à rattraper le temps perdu. Les éclairs crépitaient dans le ciel, si nombreux qu'ils éclairaient parfois comme en plein jour. Le vent fouettait le pays, la pluie battait les terres, transformant toutes les routes, sauf les plus rocailleuses, en torrents de boue. Parfois, la boue gelait après les pluies nocturnes. Mais le dégel arrivait en même temps que le jour quand le ciel était gris, transformant de nouveau la terre en bourbier. Rand s'étonna que ses plans en soient si entravés.

Les Asha'man qu'il avait convoqués arrivèrent rapidement, le lendemain au milieu de la matinée, sortant d'un portail au milieu d'un déluge qui dissimulait le soleil au point qu'on se serait cru au crépuscule. Par le trou dans l'air, on voyait la neige tomber sur l'Andor, à gros flocons lourds qui cachaient l'horizon. La plupart des hommes de la courte colonne étaient emmitouflés dans d'épaisses capes noires. La pluie semblait glisser autour d'eux et de leurs montures. Ce n'était pas évident, mais quiconque le remarquait les regardait à deux fois, sinon trois. Un simple tissage suffisait pour rester au sec, pourvu qu'on n'hésite pas à se dévoiler. Le disque noir et blanc sur fond rouge ornait leur tunique au niveau de la poitrine. Même à demi cachés par la pluie, on détectait en eux de l'orgueil, de l'arrogance, à leur façon de se tenir en selle. Ils tiraient gloire de ce qu'ils étaient.

Leur chef, Charl Gedwyn, de quelques années plus âgé que Rand, était de taille moyenne, et portait, comme Torval, l'Épée et le Dragon sur le haut col de sa tunique bien coupée dans la plus belle soie noire. Son épée était richement montée sur argent, et son ceinturon incrusté fermé d'une boucle en forme de poing. Gedwyn se désignait lui-même comme un Tsorovan'm'hael ; dans l'Ancienne Langue, Chef des Tempêtes, quoi qu'il voulût dire par là. Cela semblait approprié par ce temps.

Il avait juste franchi l'entrée de la luxueuse tente verte de Rand, et contemplait le déluge en fronçant les sourcils. Une garde de cinq Compagnons à cheval encerclait la tente à moins de trente toises, mais ils étaient à peine visibles. Ils auraient pu être des statues, insensibles qu'ils étaient à la pluie torrentielle.

— Comment pouvez-vous me demander de trouver quoi que ce soit par ce temps ? maugréa Gedwyn, regardant Rand par-dessus son épaule.

Un instant plus tard, il ajouta :

— … mon Seigneur Dragon.

Ses yeux étaient tout le temps empreints de dureté et de défi, qu'il regardât un homme ou une palissade.

— Rochaid et moi, nous avons amené huit Consa-crés et quarante soldats, assez pour détruire une armée ou intimider dix rois. Nous arriverions même à faire ciller une Aes Sedai, ironisa-t-il. Que je sois réduit en cendres, mais à nous deux, nous pourrions faire du bon travail. Ou vous-même. Pourquoi avez-vous besoin de tant de monde ?

— J'attends de vous que vous obéissiez, Gedwyn, dit Rand froidement.

Chef des Tempêtes ? Et Manel Rochaid, le second de Gedwyn, s'était donné le nom de Baijan'm'hael, Chef des Attaques. Qu'est-ce que mijotait Taim, en inventant de nouveaux grades ? Mais l'important, c'était qu'il forgeait des armes, et que celles-ci conservent leur raison d'être jusqu'au moment de servir.

— Et je n'attends pas de vous que vous perdiez votre temps à me questionner.

— À vos ordres, mon Seigneur Dragon, marmonna Gedwyn. Je vais envoyer mes hommes immédiatement.

Avec un bref salut, le poing sur le cœur, il sortit dans la tempête. Le déluge s'écarta, glissant sur le petit bouclier qu'il tissa autour de lui. Rand se demanda s'il savait qu'il avait frôlé la mort en embrassant le *saidin* sans avertissement.

Vous devez le tuer avant qu'il ne vous tue, pouffa Lews Therin. *Ils vous tueront, vous savez. Les morts ne peuvent trahir personne.* Dans la tête de Rand, la voix se nuança d'émerveillement. *Mais parfois ils ne meurent pas. Suis-je mort ? L'êtes-vous ?*

Rand réduisit la voix à un bourdonnement de mouche, juste à la limite de l'audible. Depuis sa réapparition dans la tête de Rand, Lews Therin se taisait rarement à moins d'y être forcé. Il semblait plus fou d'une fois sur l'autre, et plus furieux. Parfois plus fort aussi. Cette voix envahissait les rêves de Rand, et quand il s'y voyait, ce n'était pas toujours lui. Ce n'était pas toujours Lews Therin non plus, ou le visage qu'il avait cru reconnaître comme étant celui de Lews Therin. Parfois, les contours étaient flous, et pourtant vaguement familiers. Ce visage semblait stupéfier aussi Lews Therin. Un indice sur la folie de cet homme… Ou la sienne…

Pas encore, pensa Rand. *Je ne peux pas encore me permettre de devenir fou.*

Alors, quand ? chuchota Lews Therin avant que Rand le réduise au silence.

Avec l'arrivée de Gedwyn et des Asha'man, Rand mit en route son plan, qui consistait à rejeter les Seanchans à la mer. Il se déroula aussi lentement qu'un homme pouvait avancer péniblement sur une de ces routes bourbeuses. Il déplaça son camp une fois, sans chercher à dissimuler ses mouvements. Il était inutile d'agir en secret ; quand arrivaient les cemaros, les messages étaient transmis par pigeon, et, encore plus lentement par courrier. Pourtant, il ne doutait pas qu'il était épié par la Tour Blanche, par les Réprouvés, par quiconque observait l'évolution des déplacements du Dragon Réincarné et pouvait glisser une pièce à un soldat. Peut-être même par les Seanchans. S'il avait des éclaireurs pour les surveiller, pourquoi n'en auraient-ils pas eu, eux aussi ? Mais même les Asha'man ne savaient pas pourquoi il se déplaçait.

Pendant que Rand regardait distraitement les hommes charger les tentes dans une charrette, Weiramon apparut sur l'un de ses nombreux chevaux, un hongre blanc de la plus pure lignée tairene. La pluie avait cessé, mais des nuages gris voilaient encore le soleil de midi, et l'air était si humide qu'il semblait qu'on aurait pu l'essorer avec les mains. La Bannière du Dragon et la Bannière de la Lumière pendaient mollement à l'extrémité de leurs hautes hampes.

Des Défenseurs Tairens avaient remplacé les Compagnons. Comme Weiramon traversait leur cercle, il fronça les sourcils sur Rodrivar Tihera, un homme mince et à la peau sombre, même pour un Tairen, avec une courte barbe taillée en pointe. De petite noblesse, il avait dû s'élever par ses capacités. Tihera était méticuleux à l'extrême. Les grosses plumes blanches oscillant au sommet de son casque ajoutèrent un ornement à la révérence ostentatoire dont il gratifia Weiramon. Le Haut Seigneur se rembrunit un peu plus.

Point n'était besoin que le Capitaine de la Pierre commandât personnellement la garde rapprochée de Rand, mais il le faisait souvent, de même que Marcolin avec les Compagnons. Une sourde rivalité, souvent amère, s'était développée entre les Défenseurs et les Compagnons, pour déterminer qui devait assurer la garde de Rand. Les Tairens en revendiquaient le droit parce qu'ils commandaient à Tear depuis plus longtemps, et les Illianers, parce qu'après tout, Rand était Roi d'Illian. Peut-être Weiramon avait-il entendu des murmures parmi les Défenseurs, selon lesquels il était temps que Tear ait son propre roi, et qui serait plus qualifié que l'homme qui avait conquis la Pierre ? Weiramon était favorable à cette nécessité, mais désapprouvait le choix concernant celui qui devait porter la couronne. Il n'était pas le seul.

Weiramon lissa ses traits dès qu'il vit Rand le regarder, et il quitta sa selle damasquinée d'or pour faire à Rand une révérence à côté de laquelle celle de Tihera parut modeste. Raide comme il était, il pouvait se rengorger et se pavaner en dormant. Mais il grimaça un peu en posant sa botte bien cirée dans la boue. Il portait une cape imperméable pour protéger ses beaux habits, couverte de broderie d'or avec un col incrusté de saphirs. Malgré la tunique de Rand, en soie vert foncé brodée d'abeilles d'or sur les manches et les revers, n'importe qui aurait pu penser que la Couronne d'Épées lui appartenait à lui plutôt qu'à Rand.

— Mon Seigneur Dragon, entonna Weiramon, je ne saurais exprimer ma joie de vous voir gardé par des Tairens, mon Seigneur Dragon. Le monde entier pleurerait si quelque chose de fâcheux vous arrivait.

Il était trop intelligent pour affirmer d'emblée que les Compagnons étaient indignes de confiance.

— Tôt ou tard, c'est ce qui arrivera, dit Rand, ironique.

Quand beaucoup auraient fini de fêter l'événement.

— Je sais comme vous me pleurerez, Weiramon.

Weiramon bomba le torse, caressant le bout de sa barbe grise. Il entendait ce qu'il désirait entendre.

— Oui, mon Seigneur Dragon, vous pouvez être assuré de ma fidélité. Et c'est pourquoi je m'inquiète des ordres que votre homme m'a apportés ce matin.

C'était Adley. Beaucoup de nobles pensaient que traiter les Asha'man comme s'ils étaient des domestiques de Rand les rendait moins dangereux.

— Vous êtes sage de renvoyer la plupart des Cairhienins. Et des Illianers aussi, cela va sans dire. Je comprends même pourquoi vous limitez la présence de Gueyam et des autres.

Weiramon se rapprocha, ses bottes pataugeant dans la boue, et dit sur un ton confidentiel :

— Je crois que certains d'entre eux... je ne dirais pas... ont *comploté* contre vous, mais je crois que leur loyalisme n'a pas toujours été sans faille. Comme l'est le mien. Sans réserve.

Sa voix changea, redevenant forte et assurée, celle d'un homme qui se préoccupe uniquement des besoins de celui qu'il sert. De l'homme qui le ferait certainement Roi de Tear, *lui*.

— Permettez-moi d'amener tous mes hommes d'armes, mon Seigneur Dragon. Avec eux et les Défenseurs, je peux garantir l'honneur du Seigneur du Matin et sa sécurité.

Dans tous les camps dispersés sur la lande, on chargeait les chariots et les charrettes, et sellait les chevaux. La plupart des tentes étaient déjà pliées. La Haute Dame Rosana chevauchait vers le nord à la tête d'une colonne assez nombreuse pour causer des dégâts parmi les bandits et faire réfléchir les Shaidos. Mais pas assez pour lui suggérer des idées, surtout quand la plupart étaient des domestiques de Gueyam et Maraconn mêlés à des Défenseurs de la Pierre. Il en allait de même pour Spiron Narentin, qui partait vers l'est au-delà de la haute crête, avec autant de Compagnons et de fidèles des autres membres du Conseil des Neuf que de vassaux, sans parler de la centaine de fantassins qui suivaient, et qui faisaient partie des embusqués de la forêt qui s'étaient rendus la veille. Un nombre surprenant avait choisi de suivre le Dragon Réincarné, mais Rand n'avait pas assez confiance en eux pour les laisser groupés. Tolmeran se mettait en route vers le sud avec des troupes aussi disparates, et d'autres s'ébranleraient dans une direction différente dès que les chariots et les charrettes seraient chargés.

Aucun n'était assez sûr des hommes qui le suivaient pour faire autre chose qu'exécuter les ordres de Rand. Apporter la paix en Illian était une mission importante, mais les seigneurs et les dames regrettaient de s'éloigner du Dragon Réincarné, se demandant s'ils avaient perdu sa confiance. Pourtant, quelques-uns analysaient peut-être les raisons pour lesquelles il avait choisi d'en garder certains près de lui. En tout cas, Rosana y réfléchissait.

— Vos inquiétudes me touchent, dit Rand à Weiramon. Mais de combien de gardes du corps un homme a-t-il besoin ? Je n'ai pas l'intention de déclarer la guerre.

C'était peut-être bien dit, sauf que cette guerre était déjà en train. Elle avait commencé à Falme, même avant.

— Que vos gens se tiennent prêts.

Combien sont morts à cause de mon orgueil ? gémit Lews Therin. *Combien sont morts à cause de mes erreurs ?*

— Puis-je au moins demander *où* nous allons ?

La question de Weiramon trotta dans sa tête.

— La Cité, répondit sèchement Rand.

Il ignorait combien étaient morts à cause de ses erreurs, mais aucun à cause de son orgueil. De cela, il était certain.

Weiramon ouvrit la bouche, se demandant à l'évidence s'il s'agissait de Tear ou d'Illian, ou peut-être même de Cairhien, mais Rand l'écarta d'un geste brusque du Sceptre du Dragon, qui en fit osciller le pompon vert et blanc. Il regrettait de ne pas pouvoir plonger dans le cœur de Lews Therin.

— Je n'ai pas l'intention de rester là toute la journée, Weiramon. Rejoignez vos hommes.

Moins d'une heure plus tard, il embrassa la Vraie Source et se prépara à ouvrir un portail pour Voyager. Il dut combattre l'étourdissement qui le saisissait ces derniers temps chaque fois qu'il embrassait ou lâchait le Pouvoir. Il ne chancela pas vraiment sur la selle de Tai'daishar. Mais avec la fange en fusion flottant sur le *saidin*, et la vase gelée, toucher la Source faillit le faire vomir. Sa vue, qui se dédoublait par moments, rendait difficile, sinon impossible, le tissage des flux. Il aurait pu demander à Dashiva, Flinn ou l'un des autres, d'ouvrir le portail, mais Gedwyn et Rochaid tenaient leurs chevaux par la bride, devant une douzaine de soldats en noir, qui n'étaient pas partis en éclaireurs et attendaient tous patiemment. Ils observaient Rand. Rochaid, plus petit que Rand et peut-être deux ans plus jeune, était un Asha'man à part entière, habillé lui aussi d'une tunique en soie. Un petit sourire entendu jouait sur ses lèvres, comme s'il savait quelque chose qu'ignoraient les autres. Que savait-il ? Il détenait sans doute des informations sur les Seanchans, mais aucune sur les plans de Rand à leur sujet. Quoi d'autre ? Rien, peut-être, mais Rand ne voulait montrer aucune faiblesse devant eux. L'étourdissement s'estompa rapidement, et la vue se rétablit un peu moins vite, comme toujours ces dernières semaines. Il termina le tissage, puis, sans attendre, talonna son cheval et franchit le portail ouvert devant lui.

La Cité en question était Illian, bien que le portail s'ouvrît au nord de cette ville. Malgré les prétendues inquiétudes de Weiramon, il ne partait pas seul et sans protection. Près de trois mille hommes franchirent ce grand trou carré, débouchant dans une prairie proche de la route qui menait à la Chaussée de l'Étoile du Nord. Il n'avait autorisé qu'une poignée d'hommes d'armes pour chaque seigneur – pour des hommes habitués à commander des milliers de soldats, une centaine ne représentait qu'une poignée –, mais ajoutées les unes aux autres, ces poignées finissaient par faire nombre. Tairens, Cairhienins et Illianers, Défenseurs de la Pierre sous les ordres de Tihera, Compagnons sous ceux de Marcolin, Asha'man derrière Gedwyn. Les Asha'man qui étaient venus avec lui, en tout cas. Dashiva, Flinn et les autres, suivaient de près le cheval de Rand, sauf Narishma, qui n'était pas encore rentré. Narishma savait où le retrouver, mais Rand s'inquiétait de ce retard.

Les membres de chaque groupe restaient entre eux dans la mesure du possible. Gueyam, Maraconn et Aracome chevauchaient avec Weiramon, et Gregorin Panar avec trois autres du Conseil des Neuf, s'inclinant sur leur selle pour bavarder à voix basse, l'air mal à l'aise. Semaradrid, accompagné d'un groupe d'austères seigneurs cairhienins, surveillait Rand d'aussi près que le faisaient les Tairens. Rand avait choisi ceux qui l'accompagnaient aussi soigneusement que ceux qu'il envoyait en mission, pas toujours pour les raisons qui auraient guidé les autres.

S'il y avait eu des spectateurs, ils auraient trouvé leur défilé impressionnant, avec les bannières et les oriflammes éclatantes, et les fanions flottant dans le dos de certains Cairhienins. Impressionnant, éclatant et très dangereux. Certains *avaient* comploté contre lui, et il avait appris que la Maison Maravin de Semaradrid avait d'anciennes alliances avec la Maison Riatin qui était en révolte ouverte contre lui à Cairhien. Semaradrid ne niait pas ces relations, mais il n'en avait pas parlé non plus avant que Rand n'en soit informé. Les membres du Conseil des Neuf étaient des alliés trop récents pour risquer de les laisser en arrière. Et Weiramon était un imbécile. Livré à lui-même, il aurait très bien pu essayer de s'attirer la faveur du Dragon Réincarné en attaquant les Seanchans, le Murandy, ou la Lumière seule savait qui d'autre ! Comme il le jugeait trop stupide pour être à l'arrière, et trop puissant pour être tenu à l'écart, il chevauchait avec Rand et s'en trouvait honoré. C'était presque dommage qu'il ne fût pas assez bête pour entreprendre quelque chose où il se tuerait.

Derrière venaient les serviteurs et les charrettes. Personne ne comprenait pourquoi Rand avait envoyé tous les chariots avec les autres et il n'avait pas l'intention de s'expliquer, sachant que des oreilles indiscrètes auraient pu écouter. On voyait ensuite la longue file de chevaux de remonte conduits par des palefreniers, et les rangées désordonnées de fantassins en plastrons cabossés mal ajustés, ou en justaucorps de cuir sur lesquels étaient cousus des disques métalliques rouillés, armés d'arcs, d'arbalètes ou de lances, et même parfois de piques. Puis suivaient d'autres soldats qui avaient obéi à l'appel du « Seigneur Brend » et avaient décidé de ne pas rentrer chez eux désarmés. Leur chef était celui avec lequel Rand avait parlementé à la lisière du bois, un certain Eagan Padros, plus intelligent qu'il en avait l'air. Presque partout, il était difficile pour un roturier de s'élever en grade, mais Rand avait remarqué Padros. Il avait rassemblé ses hommes d'un côté, mais les autres marchaient en désordre, se bousculant pour mieux voir où ils allaient. La Chaussée de l'Étoile du Nord s'étirait sur des miles, droite comme une flèche, à travers les marais brunâtres entourant Illian. Cette large voie de terre battue était entrecoupée de ponts plats en pierre. Le vent du sud apportait l'odeur du sel et une légère puanteur de tannerie. Illian était une vaste cité, aussi grande que Caemlyn ou Cairhien. Des toits aux tuiles multicolores et des centaines de tours luisant au soleil étaient apparus à travers cette mer végétale, où pataugeaient des grues à longues pattes et que rasaient des vols d'oiseaux blancs en poussant des cris stridents.

Tous furent déçus que Rand n'ait pas l'intention d'entrer dans Illian, mais personne ne se plaignit, du moins pas ouvertement. On vit quand même beaucoup de visages lugubres et on entendit des chuchotements amers quand ils commencèrent à dresser les camps à la hâte. Comme la plupart des grandes cités, Illian avait la réputation d'être mystérieusement exotique, et d'abriter des cabarets attirants et des femmes faciles. Au moins pour les hommes qui n'y étaient jamais allés, même si c'était la capitale de leur pays. L'ignorance exagérait toujours la réputation d'une ville dans ce domaine. Cela étant, seul Morr galopait sur la chaussée. Les hommes en train de planter des piquets de tentes et des pieux pour attacher les chevaux, se redressèrent et le suivirent avec des yeux jaloux. Les nobles l'observèrent avec curiosité, tout en feignant de ne pas le regarder.

Les Asha'man de Gedwyn ne prêtèrent aucune attention à Morr en dressant leur camp qui consistait en une tente noire pour Gedwyn et Rochaid, et une aire d'herbes piétinées et séchées où les autres dormiraient à la belle étoile, enroulés dans leur cape. Bien entendu, on utilisa pour ce faire le Pouvoir, grâce auquel tout avait été fait, y compris l'allumage des feux. Dans les autres camps, certains observaient, médusés, leur tente qui se dressait d'elle-même et les paniers qui flottaient loin des chevaux de bât. Mais la plupart regardaient ailleurs quand ils réalisaient ce qui se passait. Deux ou trois soldats en noir discutaient entre eux.

Flinn et les autres ne se joignirent pas au groupe de Gedwyn – ils avaient deux tentes, dressées près de celle de Rand –, mais Dashiva alla trouver le « Chef des Tempêtes » et le « Chef des Attaques », qui surveillaient nonchalamment les opérations, donnant un ordre bref de temps en temps. Ils échangeaient quelques mots, et Dashiva revint, secouant la tête et maugréant entre ses dents. Gedwyn et Rochaid n'étaient pas aimables. Et c'était aussi bien.

Rand entra dans sa tente dès qu'elle fut dressée, et s'affala sur son lit de camp encore tout habillé, contemplant la pente du toit. Il y vit des abeilles brodées, sur un faux plafond en soie. Hopwil lui apporta une chope en étain pleine de vin chaud – Rand avait laissé ses domestiques à l'arrière – mais le vin refroidit sur sa table de travail. Son esprit travaillait fiévreusement. Il songea que deux ou trois jours de plus auraient suffi pour porter aux Seanchans un coup qui les aurait abattus. Puis il serait revenu à Cairhien pour voir comment s'étaient déroulées les négociations avec le Peuple de la Mer, pour apprendre ce que voulait Cadsuane – il avait une dette envers elle, mais elle voulait quelque chose ! – et pour mettre fin à ce qui restait de la rébellion là-bas. Caraline Damodred et Darlin Sisnera s'étaient-ils échappés à la faveur de la confusion ? Une fois le Haut Seigneur Darlin entre ses mains, peut-être que la rébellion à Tear se terminerait également. Si Mat et Elayne étaient au Murandy, ce qui était apparemment le cas, des semaines, au mieux, passeraient avant qu'Elayne ne puisse revendiquer le Trône du Lion. Cela fait, il devrait s'éloigner de Caemlyn. Mais il fallait qu'il parle à Nynaeve. *Était-ce possible* de purifier le *saidin* ? Cela pourrait marcher, ou détruire le monde. Lews Therin bredouillait dans sa tête, en proie à une folle terreur. Par la Lumière, où *était* Narishma ?

Une rafale de cemaros entra, très violente car ils étaient proches de la mer. La pluie tambourinait sur la tente comme sur une grosse caisse. Les éclairs fulguraient à l'entrée, emplissant la tente d'une clarté blanc-bleu, et le tonnerre grondait, avec un bruit de montagne qui s'effondre.

Au milieu de ce vacarme, Narishma entra, trempé jusqu'aux os, ses cheveux noirs collés à son crâne. Ses ordres stipulaient qu'il devait éviter à tout prix de se faire remarquer. Pas question de parader pour lui. Sa tunique ruisselante était brune, ses cheveux attachés sur la nuque, non tressés. Même sans parader, un homme avec des cheveux jusqu'à la taille attirait l'attention. Il fronçait les sourcils, et, sous le bras, il portait un paquet cylindrique de la grosseur d'une jambe, comme un petit tapis roulé.

Se levant d'un bond, Rand lui arracha le paquet avant qu'il ait eu le temps de le lui tendre.

— Quelqu'un vous a-t-il vu ? demanda-t-il. Qu'est-ce qui vous a pris tant de temps ? Je vous attendais hier soir !

— Il m'a fallu un moment pour comprendre ce que j'avais à faire, répondit Narishma d'un ton neutre. Vous ne m'aviez pas tout dit. Vous avez failli me tuer.

C'était ridicule. Rand lui *avait* dit tout ce qu'il avait besoin de savoir. Il en était certain. Il aurait été stupide d'accorder autant de confiance à cet homme, pour ensuite risquer de le faire tuer et de tout gâcher.

Avec précaution, il glissa le paquet sous son lit de camp. Ses mains tremblaient du désir d'en déchirer l'emballage, pour voir s'il contenait bien ce que Narishma était allé chercher. Mais il n'aurait pas osé revenir s'il n'avait pas accompli sa mission avec succès.

— Allez vous changer avant de rejoindre les autres. Et, Narishma…

Rand se redressa et le fixa sans ciller.

— … si vous parlez de cela à quiconque, je vous tue.

Vous tuerez le monde, ricana Lews Therin avec dérision. Ou désespoir. *J'ai tué le monde, et vous le pouvez aussi si vous essayez sérieusement.*

Narishma se frappa violemment la poitrine du poing.

— À vos ordres, mon Seigneur Dragon, dit-il avec aigreur.

Le lendemain, peu après l'aube, un millier d'hommes de la Légion du Dragon sortirent d'Illian par la Chaussée de l'Étoile du Nord, marchant au rythme régulier des tambours. De gros nuages gris roulaient dans le ciel, et une forte brise de mer chargée de sel fouettait les capes et les bannières, annonçant qu'une nouvelle tempête se préparait. La Légion accapara l'attention des hommes d'armes déjà au camp, avec leurs casques andorans peints en bleu et leurs longues tuniques bleues décorées d'un Dragon rouge et or sur la poitrine. Chacune des cinq compagnies était précédée d'un fanion bleu portant un Dragon et un nombre. Les Légionnaires étaient différents des autres à bien des égards. Ils portaient, par exemple, leurs plastrons sous leur tunique, pour ne pas cacher les Dragons – pour la même raison, les tuniques étaient boutonnées sur le côté – et chaque homme portait une courte épée sur la hanche et une arbalète tendue à la main, posée sur l'épaule. Les officiers, coiffés d'un casque avec une grande plume rouge, marchaient juste devant le tambour et le fanion. Les seuls chevaux étaient le hongre gris souris de Morr à l'avant, et les chevaux de bât à l'arrière.

— Fantassins, grommela Weiramon, claquant ses rênes dans sa main gantée. Que mon âme soit réduite en cendres, ça ne vaut rien, la piétaille. Ils s'enfuiront à la première charge. Ou avant.

Les premiers de la colonne quittèrent la chaussée. Ils avaient aidé à prendre Illian, et ils ne s'étaient pas enfuis.

Semaradrid branla du chef.

— Pas de piques, maugréa-t-il. J'ai vu des fantassins bien nourris soutenir une charge avec des piques, mais sans…

Il émit un bruit de gorge écœuré.

Gregorin Panar, l'un des hommes près de Rand, ne dit rien. Peut-être n'avait-il pas de préjugés contre l'infanterie – quoique dans ce cas, il faisait partie de la petite poignée de nobles que Rand avait rencontrés et qui n'en avaient pas – mais il s'efforçait de ne pas froncer les sourcils et y réussissait presque. Maintenant, tout le monde savait que les hommes arborant le Dragon sur la poitrine portaient les armes parce qu'ils avaient choisi de suivre Rand, le Dragon Réincarné, de leur plein gré. Les Illianers furent obligés de se demander où ils allaient, puisque Rand n'avait pas assez confiance pour le dire, même à la Légion et au Conseil des Neuf. D'ailleurs, Semaradrid coula un regard en coin à Rand. Seul Weiramon était trop stupide pour réfléchir.

Rand détourna Tai'daishar. Le paquet de Narishma avait été remballé, de façon volumineuse, et attaché sous l'étrivière de son étrier gauche.

— Levez le camp. Nous partons ! ordonna-t-il aux trois nobles.

Cette fois, il laissa Dashiva tisser le portail qui leur permettrait à tous de disparaître. Il le scruta, fronçant les sourcils et grommela entre ses dents. Pour une raison inconnue, Dashiva semblait offensé. Gedwyn et Rochaid, leurs chevaux épaule contre épaule, observèrent avec des sourires sardoniques la fente argentée pivoter et s'élargir sur le néant. En réalité, ils visèrent plutôt Rand que Dashiva. Eh bien, qu'ils regardent ! Combien de fois pourrait-il saisir le *saidin* en évitant de tomber de tout son long avant de tomber pour de bon ? Ce ne pouvait pas être en un lieu où tous pourraient le voir.

Cette fois ci, le portail s'ouvrit sur une large route tracée dans les contreforts de montagnes broussailleuses se dressant à l'ouest. Les Monts de Nemarellin. Ils n'égalaient pas les Montagnes de la Brume, et ne pouvaient pas rivaliser avec l'Échine du Monde, mais ils se détachaient sur le ciel, sombres et sévères, hauts pics qui fortifiaient la côte occidentale d'Illian. Au-delà s'étendait l'Océan de Kabal, et plus loin encore…

Les hommes reconnurent bientôt les pics. Gregorin Panar jeta un coup d'œil autour de lui et hocha la tête avec satisfaction. Les trois autres Conseillers et Marcolin s'arrêtèrent près de lui pendant que le flot des cavaliers franchissait encore le portail. Il ne fallut que quelques instants à Semaradrid et à Tihera pour comprendre où ils étaient et pourquoi.

La Route d'Argent partait de la Cité de Lugard, et assurait tout le trafic commercial vers l'ouest. Il y avait aussi une Route d'Or, qui conduisait à Far Madding. Les routes et les noms dataient d'une époque où l'Illian n'existait pas encore. Des siècles de roues de chariots, de sabots, et de bottes l'avaient renforcée, et les cemaros successifs y avaient apporté leur lot de boue. Elle faisait partie des rares routes fiables pour circuler en hiver avec des troupes importantes. Maintenant, tout le monde savait que les Seanchans étaient à Ebou Dar, et beaucoup de rumeurs rapportées par les hommes d'armes apparentaient les envahisseurs aux Trollocs, en plus méchants. Si les Seanchans avaient l'intention d'envahir l'Illian, la Route d'Argent était un bon lieu de rassemblement pour organiser la défense.

Semaradrid et les autres pensaient savoir ce que Rand avait en tête : il devait avoir appris que les Seanchans arrivaient, et que les Asha'man étaient là pour les détruire. Étant donné ce qu'on racontait sur les Seanchans, personne ne les plaignait outre mesure. Évidemment, il fallut que Tihera explique tout à Weiramon, qui s'en trouva bouleversé, bien qu'il s'efforçât de le dissimuler sous un grand discours à propos de la sagesse du Seigneur Dragon, du génie militaire du Seigneur du Matin, sans parler de la charge qu'il conduirait personnellement contre les Seanchans. Un fieffé imbécile ! Avec un peu de chance, quiconque aurait vent d'un rassemblement sur la Route d'Argent ne serait guère plus malin que Semaradrid ou Gregorin et aucun de ceux qui comptaient n'en serait informé avant qu'il ne soit trop tard.

Rand s'installa avec l'idée que ça ne durerait pas plus d'un jour ou deux. Mais l'attente se prolongeait, et il commença à se demander s'il n'était pas aussi bête que Weiramon. La plupart des Asha'man parcouraient, en pleins cemaros, l'Illian, le Tear et les Plaines de Maredo à la recherche de ceux que Rand n'avait encore vaincus. Malgré le Portail et les Voyages, il fallait du temps, même à des Asha'man, pour dénicher quelqu'un sous des pluies torrentielles qui limitaient la visibilité à cinquante pas, et avec des bourbiers qui empêchaient les rumeurs de circuler. Les Asha'man passaient en toute ignorance à un mile de leur proie, et revenaient sur leurs pas pour comprendre que leur gibier s'était encore déplacé. Certains partaient loin. Des jours passèrent avant que le premier ne rapporte des nouvelles.

Le Haut Seigneur Sunamon, un homme gros et mielleux – envers Rand en tout cas –, rejoignit Weiramon. Élégant dans sa belle tunique de soie, il évoquait avec volubilité son loyalisme envers Rand. Mais il avait pendant si longtemps comploté contre lui qu'il devait encore en rêver. Le Haut Seigneur Torean arriva, avec sa trogne de paysan et ses vastes richesses, bredouillant que c'était un grand honneur que de chevaucher une fois de plus au côté du Seigneur Dragon. L'or intéressait Torean plus que tout, en plus des privilèges que Rand avait supprimés aux nobles de Tear. Il semblait particulièrement consterné qu'il n'y eût pas de servantes au camp, et pas même un village proche où trouver de jeunes paysannes peu farouches. Torean avait intrigué contre Rand aussi souvent que Sunamon. Peut-être plus que Gueyam, Maraconn ou Aracome.

Il y avait aussi Bertome Saighan, un homme petit mais plutôt beau dans le genre fruste. On racontait qu'il ne pleurait pas trop la mort de sa cousine Colavaere, à la fois parce qu'elle avait fait de lui le Haut Siège de la Maison Saighan, et parce que la rumeur prétendait que Rand l'avait exécutée. Ou assassinée. Bertome s'inclinait et souriait, mais son sourire n'allait jamais jusqu'à ses yeux noirs. Certains prétendaient qu'il avait beaucoup aimé sa cousine. Ailil Riatin arriva, svelte femme aux grands yeux noirs, pleine de dignité, plutôt jolie malgré le poids des ans. Elle s'insurgeait contre le fait qu'un capitaine commande ses hommes d'armes et affirmait qu'elle n'avait nulle intention de se jeter elle-même dans la bataille. De plus, elle contestait son loyalisme envers le Seigneur Dragon. Mais son frère Toram revendiquait le trône que Rand réservait à Elayne, et l'on chuchotait qu'elle ferait n'importe quoi pour Toram y compris passer à l'ennemi pour les contrecarrer et les espionner.

Dalthanes Annallin, Amondrid Osiellin et Doressin Chuliandred arrivèrent. Ces seigneurs avaient soutenu

270

Colavaere quand elle s'était emparée du trône, lorsqu'ils pensaient que Rand ne reviendrait jamais à Cairhien.

Cairhienins et Tairens se succédèrent les uns après les autres, avec une cinquantaine de domestiques, à qui Rand faisait encore moins confiance qu'à Gregorin ou Semaradrid. La plupart d'entre eux étaient des hommes. Rand ne jugeait pas les femmes moins dangereuses (elles étaient capables de vous tuer deux fois plus vite qu'un homme, et avec deux fois moins de scrupules), mais il ne se résolvait pas à les emmener avec lui, sauf les plus dangereuses. Ailin pouvait vous gratifier d'un sourire chaleureux pendant qu'elle anticipait dans quelle partie de votre corps elle allait plonger son poignard. Anaiyella, Haute Dame élancée et minaudière, à l'instar de la ravissante idiote, était revenue de Tear à Cairhien, parlant ouvertement de sa candidature au trône-encore-non-existant de Tear. Peut-être était-elle bête, mais elle était parvenue à s'attirer beaucoup de partisans, à la fois parmi les nobles et dans le peuple.

Ainsi donc, il rassembla tous ceux qui avaient été trop longtemps loin de lui. Il ne pouvait pas les surveiller en permanence, mais il était bon de leur rappeler qu'il était vigilant. Il les rassembla, puis attendit, pendant deux jours... Cinq jours... Huit jours... Il grinçait des dents.

Secouant sa cape imperméable mouillée par la pluie, Davram Bashere, écœuré, lissa sa grosse moustache striée de gris puis jeta le vêtement sur une chaise. Petit, avec un long nez busqué, il paraissait plus grand non pas parce qu'il se pavanait, mais plutôt parce qu'il partait du principe qu'il était aussi imposant que les autres, et qu'on devait le voir ainsi. Le bâton d'ivoire à tête de loup de Maréchal-Général de Saldaea, coincé dans son ceinturon avec désinvolture, avait connu des douzaines de batailles et autant de tables de négociations. C'était l'un des très rares à qui Rand aurait confié sa vie.

— Je sais que vous n'aimez pas donner des explications, maugréa-t-il, mais quelques éclaircissements ne seraient pas superflus.

Ajustant son épée serpentine, Bashere se jeta dans un fauteuil, passant une jambe sur un accoudoir. Il paraissait toujours à son aise, mais il pouvait bondir plus vite qu'un fouet.

— Hier, cet Asha'man m'a dit simplement que vous aviez besoin de moi, mais il a ajouté que je ne devais pas amener plus de mille hommes. Je n'en avais que la moitié avec moi. Ils sont là. Il ne s'agit pas d'une bataille. La moitié des bannières que j'ai vues là-bas appartiennent à des hommes qui se mordraient la langue s'ils voyaient derrière vous un individu armé d'un couteau, et la plupart des autres s'efforceraient de distraire votre attention. S'ils n'avaient pas payé l'homme au couteau pour commencer.

Assis derrière sa table de travail en bras de chemise, Rand se frotta les yeux avec lassitude. En l'absence de Boreane Carivin, les chandelles n'avaient pas été mouchées, et un léger nuage de fumée flottait dans l'air. Il avait passé le plus clair de la nuit penché sur les cartes jonchant la table. Des cartes du sud de l'Altara. Il n'y en avait pas deux semblables.

— Si vous voulez livrer bataille, dit-il à Bashere, quoi de mieux pour payer le boucher que des hommes voulant votre mort ? De toute façon, ce ne sont pas les soldats qui gagneront cette bataille. Tout ce qu'ils auront à faire, ce sera d'empêcher qu'on ne s'approche des Asha'man en catimini. Que pensez-vous de ça ?

Bashere renifla si violemment que sa grosse moustache trembla.

— Je crois que c'est un ragoût mortel, voilà ce que je pense. Quelqu'un va étouffer jusqu'à ce que mort s'ensuive. La Lumière veuille que ce ne soit pas nous.

Puis il s'esclaffa, comme si c'était une bonne blague.

Lews Therin éclata de rire, lui aussi.

22.

Les nuages s'amoncellent

Sous une bruine incessante, la petite armée de Rand se forma en colonnes sur les hauteurs, face aux sombres et majestueux pics de Nemarellin, qui se dessinaient à l'ouest sur le ciel. Il n'était pas absolument indispensable de s'orienter dans la direction où l'on voulait Voyager. Mais si Rand était obligé de procéder autrement, ça l'inquiétait. Malgré la pluie, les nuages gris qui se dissipaient rapidement laissaient passer des rayons de soleil éclatants. Ou peut-être était-ce la lumière qui paraissait éclatante après la grisaille de ces derniers jours.

À la tête de quatre colonnes, les Saldaeans de Bashere, des cavaliers dont les jambes étaient arquées, en courtes tuniques sans armure, attendaient près de leurs montures sous une petite forêt de lances dont les pointes étincelaient au soleil. On voyait à la tête des cinq autres les hommes en tunique bleue ornée du Dragon au niveau de la poitrine, commandés par un petit homme trapu du nom de Jak Masond, qui patientaient. Quand Masond bougeait, c'était toujours avec une rapidité surprenante, mais pour l'heure, il était totalement immobile, les pieds écartés, les mains croisées derrière le dos. Ses hommes, Défenseurs et Compagnons, se tenaient là, grincheux parce qu'ils étaient placés derrière l'infanterie. Pour la plupart, c'étaient des nobles et leurs gens, qui gesticulaient, mal à l'aise, ne sachant pas très bien où ils allaient. Comme les bottes et les sabots étaient rivés au sol par la boue comme des ventouses, et que les charrettes étaient embourbées jusqu'aux essieux, des jurons fusaient de partout. Il fallait du temps pour mettre en ordre de marche près de six mille hommes détrempés, plus dégoulinants de minute en minute. Et c'était sans compter les charrettes de ravitaillement et les chevaux de remonte.

Rand avait endossé ses atours les plus précieux, pour être visible de tous. Un brin de Pouvoir avait fait briller le Sceptre du Dragon comme un miroir, et un autre la Couronne d'Épées, qui étincelait de tous ses feux. Le soleil allumait des reflets changeants sur la boucle en forme de dragon de son ceinturon et sur les fils d'or des broderies ornant sa tunique de soie bleue. Un instant, il regretta d'avoir donné les gemmes qui avaient été incrustées sur la poignée de son épée et son fourreau en cuir. Il fallait faire savoir aux Seanchans qui venait les détruire.

Arrêtant Tai'daishar sur un replat, il observa avec impatience les nobles qui s'agitaient en désordre. À quelque distance, Gedwyn et Rochaid attendaient devant leurs hommes rangés au carré, les Consacrés devant, les Soldats alignés derrière. Ils semblaient prêts à partir pour la parade. Beaucoup grisonnaient et aucun n'était très jeune – même si certains n'étaient pas plus âgés que Morr ou Hopwil – mais tous étaient assez forts pour ouvrir un portail. Ç'avait été une condition au moment du recrutement. Flinn et Dashiva attendaient derrière Rand, formant un groupe avec Adley et Morr, Hopwil et Narishma. Il y avait deux porte-bannières à cheval, raides comme des piquets, un Tairen et un Cairhienin, dont le plastron, le casque et même l'armature des gantelets bien astiqués, reluisaient comme de l'or. La rouge Bannière de la Lumière et la blanche Bannière du Dragon pendaient misérablement, dégoulinantes de pluie. Rand s'était entouré d'un écran de Pouvoir dans sa tente, où une faiblesse passagère pouvait passer inaperçue. La bruine tombait à un pouce de lui-même et de sa monture.

La souillure du *saidin* pesait exceptionnellement lourd aujourd'hui, comme une huile épaisse s'incrustant par tous ses pores et s'infiltrant dans ses os. Elle pénétrait son âme. Il avait pourtant cru qu'il s'était habitué à cette horreur, mais aujourd'hui, elle lui donnait la nausée, plus que le feu glacé et le froid en fusion du *saidin* lui-même. Depuis peu, il retenait la Source aussi longtemps que possible, pour éviter le malaise qu'il ressentait en l'embrassant. S'il se laissait distraire de *ce* combat, ce pouvait être mortel. Il y avait sans doute un rapport avec ses vertiges. Par la Lumière, il ne pouvait pas sombrer dans la folie maintenant, et il ne devait pas mourir. Pas encore. Il lui restait tant à faire.

Il pressa sa jambe gauche sur le flanc de Tai'daishar, juste pour sentir le paquet attaché entre son étrivière et son tapis de selle écarlate. Chaque fois, quelque chose remuait à la limite du Vide. Anticipation, et, peut-être, un soupçon de peur ? Comme le hongre était bien dressé, il voulut tourner vers la gauche, et Rand dut tirer sur ses rênes. Quand les nobles seraient-ils en marche ? Il serra les dents d'impatience.

Dans son enfance, il se rappelait avoir entendu les hommes raconter en riant que, quand il pleuvait et faisait soleil en même temps, c'était que le Ténébreux battait Semirhage. Mais ils riaient un peu jaune, et le vieux Cenn Buie ne manquait jamais de ricaner, remarquant méchamment qu'après un tel traitement, Semirhage serait vexée et furieuse, et viendrait enlever les petits garçons turbulents. Et cela suffisait pour faire fuir le jeune Rand à toutes jambes. Il souhaitait que Semirhage vînt le chercher sur-le-champ. Il la ferait pleurer.

Rien ne fait pleurer Semirhage, marmonna Lews Therin. *Elle fait verser des larmes aux autres, mais elle n'en a pas pour elle*.

Rand rit doucement. Si elle apparaissait aujourd'hui, il la *ferait* pleurer. Elle et tout le reste des Réprouvés. Et encore plus sûrement, il ferait pleurer les Seanchans.

Quelques-uns n'appréciaient pas les ordres qu'il avait donnés. Le sourire sirupeux de Sunamon disparaissait quand il croyait que Rand n'avait pas l'œil sur lui. Torean possédait dans ses fontes une flasque, sans doute de brandy, et peut-être même plusieurs, car il buvait sans discontinuer et ses provisions semblaient intarissables. Semaradrid, Marcolin et Tihera vinrent, chacun à leur tour, s'étonner de leur petit nombre. Quelques années plus tôt, un effectif de six mille hommes aurait suffi pour n'importe quelle guerre. Désormais, les armées en comptaient des dizaines de milliers, voire des centaines de milliers, comme à l'époque d'Artur Aile-de-Faucon. Face aux Seanchans, ils auraient voulu être bien plus nombreux encore. Rand les renvoya mécontents. Ils n'imaginaient pas qu'une cinquantaine d'Asha'man constituaient un marteau-pilon aussi redoutable que n'importe quelle armée. Rand se demanda ce qu'ils auraient dit s'il leur avait avoué qu'il suffirait lui-même en fait de marteau-pilon. Il avait un moment pensé agir seul. Et ce n'était toujours pas exclu.

Weiramon vint le trouver. Ça lui déplaisait d'avoir à recevoir des ordres de Bashere, et de s'enfoncer dans la montagne, où il était très difficile d'organiser une charge efficace. Rand ne lui laissa pas le temps de formuler ses autres doléances.

— Les Saldaeans estiment que je devrais me positionner sur le flanc droit, marmonna Weiramon avec dérision.

Il haussa les épaules, comme s'il était insultant d'être sur le flanc droit.

— Et l'infanterie, mon Seigneur Dragon ! Vraiment, je pense…

— Je pense, *moi*, que vous devriez préparer vos hommes, déclara Rand froidement.

Cette rigidité venait en partie du fait qu'il flottait dans un Vide dépourvu d'émotions.

— Ou vous ne serez sur *aucun* flanc.

Il voulait dire qu'il les laisserait à l'arrière s'ils n'étaient pas prêts à temps. Sans doute qu'un tel imbécile abandonné à cet endroit isolé ne causerait pas trop de dégâts avec seulement une poignée d'hommes d'armes. Rand serait de retour avant qu'il ait pu chevaucher jusqu'au prochain village.

Weiramon pâlit.

— À vos ordres, mon Seigneur Dragon, acquiesça-t-il vivement, faisant pivoter sa monture avant même d'avoir fini de parler.

Il montait à présent un grand alezan au large poitrail.

La pâle Dame Ailil stoppa sa monture devant Rand, accompagnée de la Haute Dame Anaiyella. Elles formaient un couple mal assorti, et pas seulement parce que leurs nations se haïssaient mutuellement. Ailil était grande pour une Cairhienine, elle représentait la précision et la dignité, depuis l'arc de ses sourcils jusqu'à ses mains gantées de rouge, en passant par sa cape de pluie au col emperlé, étalée sur la croupe de sa jument gris fumée. Contrairement à Semaradrid ou Marcolin, à Weiramon ou Tihera, elle ne cilla pas à la vue des gouttes de pluie qui glissaient autour de lui sans même le toucher. Anaiyella réagit, elle, en déglutissant, en gloussant derrière sa main. Anaiyella était une beauté brune, mince comme une liane, avec une cape de pluie brodée d'or et au col garni de rubis. Toute ressemblance avec Ailil s'arrêtait là. Anaiyella arborait une élégance affectée et minaudait. Quand elle saluait, son hongre blanc l'imitait, fléchissant ses jambes antérieures. L'animal caracolant était superbe, mais Rand soupçonnait qu'il n'avait pas beaucoup de caractère. Comme sa maîtresse.

— Mon Seigneur Dragon, dit Ailil, je me vois obligée de protester une fois de plus contre ma présence dans cette… expédition.

Sa voix était froide et neutre, mais pas franchement hostile.

— J'enverrai mes hommes où et quand vous l'ordonnerez, mais je ne souhaite pas me retrouver au plus fort d'une bataille.

— Oh, non, ajouta Anaiyella dans un frisson délicat.

Même le ton était insupportable !

— Les batailles, c'est horrible ! C'est ce que dit toujours mon Maître d'Écurie. Vous n'allez pas nous forcer à y participer, mon Seigneur Dragon ? On dit que vous avez un respect particulier pour les femmes. N'est-ce pas, Ailil ?

Rand fut tellement surpris que le Vide s'effondra et que le *saidin* disparut. La pluie commença à ruisseler dans ses cheveux et à s'infiltrer dans sa tunique. Un bref instant, il se raccrocha au pommeau de sa selle pour se redresser, et vit devant lui quatre femmes au lieu de deux. Il était si stupéfait qu'il ne s'en aperçut même pas. Que savaient-elles ? Elles avaient entendu *dire* ? Combien de personnes étaient aussi au courant ? Par la Lumière, la rumeur disait qu'il avait tué Morgase, Elayne et Colavaere, et sans doute une centaine d'autres, d'une mort chaque fois plus horrible que la précédente ! Il déglutit pour ne pas vomir. Ce n'était qu'en partie la faute du *saidin. Que je sois réduit en cendres, combien y a-t-il d'espions qui m'observent ?* gronda-t-il mentalement.

Les morts observent, chuchota Lews Therin. *Les morts ne ferment jamais les yeux*. Rand frissonna.

— Je m'efforce de ne pas mettre les femmes en danger, dit-il quand il retrouva la parole. C'est pourquoi je veux vous garder près de moi pendant quelques jours. Mais si l'idée vous déplaît trop, je peux demander à un Asha'man de vous mettre en sécurité à la Tour Noire.

Anaiyella couina joliment, mais son visage prit un ton gris cendré.

— Non, merci, dit Ailil au bout d'un instant, dans un calme olympien. Il est préférable, je suppose, que je consulte mon capitaine sur ce qui nous attend.

Elle marqua une pause en faisant pivoter sa jument, avec un regard oblique à Rand.

— Mon frère Toram est… impétueux, mon Seigneur Dragon. Imprudent, même. Moi pas.

Anaiyella adressa à Rand un sourire beaucoup trop suave et alla même jusqu'à s'incliner, mais dès qu'elle lui eut tourné le dos, elle talonna sa monture et utilisa sa cravache sertie de gemmes, dépassant rapidement sa compagne. Le hongre blanc avait une vitesse de pointe surprenante.

Finalement tout fut prêt, les colonnes en bon ordre sinuant à travers les hauteurs.

— Allez-y, dit Rand à Gedwyn, qui se retourna et commença à aboyer des ordres à ses hommes.

Huit Consacrés s'avancèrent et démontèrent à l'endroit qu'ils avaient mémorisé, face aux montagnes. L'un d'eux avait quelque chose de familier, avec sa barbe en pointe grisonnante de Tairen qui faisait un drôle d'effet sur son visage ridé de paysan. Huit fentes verticales de vive lumière bleue entrèrent en rotation et s'élargirent en huit ouvertures qui montraient des vues légèrement différentes d'une longue vallée clair-semée montant vers un haut col. En Altara. Dans les Monts de Venir.

Tuez-les, sanglota Lews Therin d'un ton suppliant. *Ils sont trop dangereux pour continuer à vivre !* Machi-nalement, Rand supprima la voix. Un homme en train de canaliser provoquait souvent cette réaction chez Lews Therin. Ou même un homme capable de canali-ser. Il ne se demandait plus pourquoi.

Rand marmonna un ordre, et Flinn cligna des yeux, surpris, avant de rejoindre les huit autres et de tisser un neuvième portail. Aucun n'était aussi large que ceux de Rand, mais ils l'étaient suffisamment pour livrer passage à une charrette, même de justesse. Rand avait d'abord pensé à les ouvrir lui-même, mais il ne voulait plus prendre le risque de saisir le *saidin* en public. Il remarqua que Gedwyn et Rochaid l'obser-vaient, avec le même sourire entendu, à l'instar de Dashiva, qui fronçait les sourcils en remuant les lèvres, comme s'il parlait tout seul.

Était-ce le fruit de son imagination, ou Narishma le regardait-il de travers, lui aussi ? Et Adley ? Et Morr ?

Rand ne put réprimer un frisson. Sa méfiance à l'égard de Gedwyn et Rochaid relevait du bon sens, mais ne commençait-il pas à souffrir de ce que Nynaeve appelait l'Épouvante ? Une forme de folie, une sombre méfiance invalidante à l'égard de tout et de tout le monde ? Il avait connu jadis un Coplin prénommé Benly, qui croyait que tout le monde complotait contre lui. Quand Rand était petit, cet homme s'était laissé mourir de faim, refusant de manger par crainte d'être empoisonné.

Couché sur l'encolure de Tai'daishar, Rand talonna le hongre et franchit le portail le plus large. C'était celui de Flinn, mais il aurait aussi bien pu passer par celui de Gedwyn. Il était le premier sur le sol d'Altara. Les autres suivirent rapidement, les Asha'man en tête. Dashiva regarda vers Rand en fronçant les sourcils, et Narishma l'imita, tandis que Gedwyn commençait déjà à faire passer ses hommes. L'un après l'autre, ils se précipitèrent et le franchirent comme l'éclair, tirant leurs montures derrière eux. Plus haut dans la vallée, on voyait de brillantes fentes bleues qui annonçaient que des portails s'ouvraient et se fermaient. Les Asha'man pouvaient Voyager sur de courtes distances sans mémoriser le lieu qu'ils quittaient, et avancer ainsi bien plus vite qu'à cheval. Bientôt, il ne resta plus que Gedwyn et Rochaid, et les huit Consacrés qui maintenaient les portails ouverts. Les autres devaient déjà se déployer dans toutes les directions, à la recherche des Seanchans. Les Saldaeans quittèrent l'Illian et se remirent en selle. Les Légionnaires se dispersèrent au milieu des arbres, arbalètes réarmées. Dans cette région, ils pouvaient se déplacer aussi vite à pied qu'à cheval.

Comme le reste de l'armée commençait à émerger, Rand remonta la vallée dans la direction que les Asha'man avaient prise. Les montagnes se dressaient derrière lui, murailles en face de l'Océan. À l'ouest, les chaînes se prolongeaient presque jusqu'à Ebou Dar. Il mit son hongre au petit galop.

Bashere le rattrapa avant le col. Son alezan était petit – la plupart des Saldaeans montaient de petits chevaux mais cependant rapides.

— Pas de Seanchans par ici, semble-t-il, dit-il presque avec désinvolture, caressant d'un doigt sa moustache. Mais il aurait pu y en avoir. Tenobia plantera ma tête au bout d'une pique bien assez tôt pour avoir suivi un Dragon Réincarné vivant, et encore plus un Dragon Réincarné mort.

Rand se rembrunit. Peut-être devrait-il le prendre avec lui, et aussi Narishma, pour garder ses arrières... Flinn lui avait sauvé la vie ; il ne pouvait pas douter de sa fidélité. Mais les hommes peuvent changer. Et Narishma ? Même après... Son sang se glaça à l'idée du risque qu'il avait pris. Ce n'était pas l'Épouvante. Narishma avait prouvé sa fidélité, mais il constituait quand même un risque insensé. Aussi fou que de fuir des regards dont il ne savait même pas s'ils étaient réels, aussi insensé que de courir vers un lieu inconnu. Bashere avait raison, mais Rand n'avait pas envie d'en discuter davantage.

La pente menant au col était semée de pierres et de gros rochers. Au milieu des pierres naturelles gisaient des morceaux de ce qui avait dû être autrefois une immense statue. Certains fragments permettaient à peine de les identifier comme des pierres travaillées, et d'autres ressemblaient davantage à des sculptures. Une main chargée de bagues, presque aussi large que son torse, serrait la poignée d'une épée prolongée par un tronçon de lame. On reconnut une grande tête de femme sillonnée de fissures avec une couronne de ce qui semblait des dagues dressées, certaines encore intactes.

— À votre avis, qui était-ce ?

Une reine, bien sûr. Même si, à une époque reculée, des marchands ou des érudits avaient porté la couronne, on n'élevait des statues qu'aux souverains et aux généraux.

Bashere se retourna sur sa selle pour étudier la tête avant de répondre.

— À mon avis, une reine de Shiota, dit-il finalement. Pas plus ancienne. J'ai vu un jour une statue sculptée à Eharon, et elle était tellement érodée qu'on n'aurait pas pu dire s'il s'agissait d'un homme ou d'une femme. Celle-ci était une conquérante, sans doute, sinon on ne l'aurait pas représentée avec une épée. Et je crois me rappeler que le Shiota offrait une couronne semblable aux souverains qui agrandissaient le pays. Peut-être l'appelait-on la Couronne d'Épées, non ? Une Sœur Brune pourrait peut-être nous en dire plus.

— Ça n'a pas d'importance, dit Rand, irrité.

Ces dagues ne ressemblaient pas du tout à des épées.

Malgré tout, Bashere poursuivit gravement, haussant ses sourcils gris.

— Sans doute que des milliers l'acclamaient, et voyait en elle l'espoir du Shiota, et peut-être même en étaient-ils persuadés. À son époque, elle a dû être aussi crainte et respectée qu'Artur Aile-de-Faucon plus tard.

À présent, même une Sœur Brune ne saurait sans doute pas son nom. Quand on meurt, les gens oublient qui on était, ce qu'on a fait ou tenté de faire. Tout le monde finit par mourir et sombrer dans l'oubli, mais ça ne sert à rien de mourir avant son heure.

— Je n'en ai pas l'intention, dit sèchement Rand.

Il savait où il mourrait, même s'il ignorait quand. Enfin, il croyait le savoir…

Du coin de l'œil, il perçut un mouvement, en contrebas, là où la pierre nue faisait place à des broussailles et à des buissons clairsemés. À cinquante toises, un homme sortit à découvert, levant son arc, l'empennage contre sa joue. Tout sembla arriver en même temps.

Ricanant, Rand fit pivoter Tai'daishar, observant l'archer ajuster son tir. Il embrassa le *saidin*, et la vie et la souillure l'envahirent ensemble. La tête lui tourna. Maintenant, il y avait deux archers en contrebas. La bile lui montant dans la gorge, il lutta contre une violente invasion de Pouvoir qui essayait de le calciner jusqu'à l'os, et de congeler ses chairs. Il n'arrivait pas à contrôler le Pouvoir, il parvenait juste à rester en vie. Il lutta désespérément pour éclaircir suffisamment sa vision, afin de tisser les flux qu'il pouvait à peine former. La nausée l'inondait aussi violemment que le Pouvoir. Il crut entendre crier Bashere. Deux archers tirèrent.

Rand aurait dû mourir. À cette distance, un enfant aurait fait mouche. C'est peut-être le fait qu'il était *ta'veren* qui le sauva. Comme l'archer lâchait sa flèche, un vol de cailles surgit sous ses pieds dans un concert de piaillements. L'effet n'était pas suffisant pour déconcerter cet homme d'expérience qui ne broncha presque pas. Rand sentit le vent de la flèche sur sa joue.

Des boules de feu grosses comme des poings s'abattirent sur l'archer. L'une lui arracha un bras. Il hurla, sans lâcher son arc. Une autre lui coupa la jambe gauche au niveau du genou. Il tomba en criant.

Se penchant sur le côté, Rand vomit. Son estomac s'efforçait de restituer tous les repas qu'il avait jamais mangés. Le Vide et le *saidin* le quittèrent avec une rapidité douloureuse. Il se retint pour ne pas tomber.

Quand il put se redresser, il prit le mouchoir blanc que Bashere lui tendait en silence, et s'essuya la bouche. Le Saldaean fronçait les sourcils, inquiet. L'estomac de Rand était en proie à de nouveaux spasmes. Il imagina qu'il était livide. Il prit une profonde inspiration. Lâcher le *saidin* de cette façon pouvait être mortel. Mais il continuait à sentir la Source. Au moins, le *saidin* ne l'avait pas neutralisé, et il voyait correctement ; il n'y avait qu'un seul Davram Bashere devant lui. À présent, le malaise semblait empirer chaque fois qu'il embrassait le Pouvoir.

— Voyons si ce garçon est encore en état de parler. Inutile.

À genoux, Rochaid fouillait calmement dans les restes sanglants de la tunique. En plus de sa jambe et de son bras arrachés, l'homme avait un trou noir dans la poitrine, gros comme sa tête. C'était Eagan Padros. Ses yeux sans vie fixaient le ciel avec stupéfaction. Gedwyn ignora le cadavre gisant à ses pieds, et observa Rand, aussi imperturbable que Rochaid. Les

287

deux hommes tenaient le *saidin*. Curieusement, Lews Therin n'émit qu'un gémissement.

Dans un tonnerre de sabots résonnant sur les pierres, Flinn et Narishma montaient la pente au galop, suivis d'une centaine de Saldaeans. À leur approche, Rand sentit que tous deux tenaient le *saidin*, autant qu'ils en pouvaient contenir. Ils avaient beaucoup monté en puissance depuis les Sources de Dumai. Il en était ainsi chez les hommes. Les femmes accroissaient leur puissance, graduellement, tandis que pour les hommes, elle progressait par paliers. Flinn était plus puissant que Gedwyn et Rochaid, et Narishma l'égalait presque. Pour le moment, personne n'approchait du niveau de Rand. Pas encore, en tout cas. Impossible de savoir ce que l'avenir réservait.

— Heureusement que nous avons décidé de vous suivre, mon Seigneur Dragon, dit Gedwyn d'un ton inquiet, mais frisant la moquerie. Avez-vous l'estomac dérangé ce matin ?

Rand secoua la tête. Il ne parvenait pas à quitter des yeux le visage de Padros. Pourquoi voulait-il le tuer ? Parce que Rand avait conquis l'Illian ? Parce qu'il était resté fidèle au « Seigneur Brend » ? Poussant un cri, Rochaid extirpa une bourse en peau de chamois de la poche du mort, et la renversa. De brillantes pièces d'or en tombèrent, rebondissant et cliquetant sur les pierres.

— Trente couronnes, gronda-t-il. Des couronnes de Tar Valon. Aucun doute sur son commanditaire.

Il ramassa une pièce et la lança à Rand qui ne fit aucun effort pour l'attraper. Elle glissa sur son bras.

— Il y a des tas de couronnes de Tar Valon en circulation, dit Bashere calmement. Dans cette vallée, la moitié des hommes en ont quelques-unes dans leurs poches. J'en possède aussi moi-même.

Gedwyn et Rochaid pivotèrent pour le regarder. Bashere sourit derrière sa grosse moustache, ou du moins découvrit les dents, mais quelques Saldaeans remuèrent avec gêne sur leur selle, en tripotant leur escarcelle.

Au col, où la route s'aplanissait sur une courte distance entre deux pentes abruptes, une fente lumineuse entra en rotation et un portail apparut. Un Shienaran aux cheveux noués en chignon sur la nuque et en simple tunique noire, le franchit en trottinant, tirant son cheval après lui. Il semblait qu'il avait trouvé le premier Seanchan, non loin de là, puisqu'il était déjà de retour.

— Le moment de passer à l'action est venu, dit Rand à Bashere.

Il hocha la tête, mais ne bougea pas. Il observait les deux Asha'man, debout près de Padros, qui l'ignorèrent.

— Qu'est-ce qu'on va faire de lui ? demanda Gedwyn, montrant le cadavre. Il faudrait l'envoyer aux sorcières de Tar Valon.

— Laissez-le là, dit Rand.

Êtes-vous prêt à tuer maintenant ? demanda Lews Therin.

Le ton n'était absolument pas celui d'un fou.

Pas encore, pensa Rand. *Bientôt.*

Talonnant Tai'daishar, il redescendit la pente en direction de l'armée. Suivi de près par Flinn et Narishma, et aussi par Bashere et sa centaine de Saldaeans. Tous avaient les yeux rivés sur les parages, comme s'ils craignaient un autre attentat. À l'est, des nuages noirs s'amoncelaient entre les pics, annonçant une prochaine tempête de cemaros.

Le camp s'ordonnait en haut de la colline, avec un ruisseau sinueux pour le ravitaillement en eau, et un large panorama sur les longues prairies. Assid Bakuun n'en éprouvait aucune fierté. Durant ses trente ans dans l'Armée Toujours Victorieuse, il avait dressé des centaines de camps ; autant s'enorgueillir de traverser une pièce sans tomber. Et sa présence en ce lieu ne lui inspirait aucune fierté non plus. Durant trente années au service de l'Impératrice, puisse-t-elle vivre à jamais, et à part quelques soulèvements provoqués par un arriviste fou ayant l'œil sur le Trône de Cristal, l'essentiel de ces années avait été consacré à se préparer à cette guerre. Au cours de deux générations, pendant qu'on construisait les grands vaisseaux pour le Retour, l'Armée Toujours Victorieuse s'était préparée et entraînée. Bakuun avait quand même été fier d'apprendre qu'il en serait l'un des Précurseurs. On pouvait, avec juste raison, lui pardonner son ambition de reprendre les terres volées aux héritiers légitimes d'Artur Aile-de-Faucon, et même le rêve fou de terminer cette Consolidation avant la venue du Corenne. Finalement, ce n'était pas un rêve si fou que ça, après tout, mais absolument pas ce qu'il avait imaginé.

Cinquante Tarabonais de retour de patrouille arrivaient sur la colline, des bandes rouges et vertes peintes sur leurs plastrons, un voile de mailles cachant leurs moustaches. Ils savaient se tenir à cheval, et combattaient bien quand ils avaient des chefs compétents. D'autres, beaucoup plus nombreux, se tenaient autour des feux de camp, ou soignaient les montures au piquet. Trois patrouilles n'étaient pas encore rentrées. Bakuun n'avait jamais envisagé de se retrouver un jour avec une bonne moitié de ses hommes descendants de voleurs. Sans la moindre honte, ils le regardaient droit dans les yeux. Le chef de patrouille s'inclina très bas quand les chevaux, les jambes gainées de bouc, passèrent devant lui. Les autres continuèrent à bavarder avec leurs accents bizarres, parlant trop bas pour que Bakuun les entende sans prêter l'oreille. Ils avaient vraiment des idées saugrenues sur la discipline !

Remuant la tête, Bakuun se dirigea vers la tente des *sul'dams* qui était plus grande que la sienne, par nécessité. Quatre femmes étaient assises dehors sur des tabourets, dans leurs robes bleu foncé à la jupe ornée d'éclairs fourchus, profitant du soleil pendant cette accalmie. Les *damanes* étaient installées à leurs pieds, Nerith nattant les cheveux blonds de la sienne. Elles participaient toutes à la conversation et riaient doucement. Le bracelet au bout de la laisse en argent de l'*a'dam* gisait sur le sol. Bakuun s'en indigna, plein d'aigreur. À la maison, il avait un chien-loup qu'il aimait beaucoup, et à qui il parlait même parfois, mais il n'aurait jamais demandé à Nip d'entretenir une conversation !

— Est-ce qu'elle va bien ? demanda-t-il à Nerith, et pour la énième fois. Est-ce que tout va bien chez elle ?

La *damane* baissa les yeux et se tut.

— Elle va assez bien, Capitaine Bakuun.

Le visage carré, Nerith mit dans sa voix le degré de respect qu'il fallait, et pas un poil de plus. Mais elle caressa la tête de la *damane* d'un geste apaisant tout en parlant.

— Quelle qu'ait été son indisposition, c'est passé maintenant. D'ailleurs, c'était bénin. Pas de quoi s'inquiéter.

La *damane* tremblait.

Bakuun émit un nouveau grognement. C'était à peu près la réponse qu'on lui donnait chaque fois. Pourtant quelque chose avait mal tourné à Ebou Dar, et pas seulement chez cette *damane*. Les *sul'dams* étaient toutes restées muettes comme des carpes sur la question – et le Sang ne voulait rien dire, naturellement ! – mais il avait entendu trop de chuchotements, selon lesquels toutes les *damanes* étaient malades ou folles. Par la Lumière, il n'en avait pas vu une seule en action dans Ebou Dar après la prise de la cité, même pour les Feux d'Artifice de la victoire, et qui avait jamais entendu parler d'une chose pareille ?

— Eh bien, j'espère que…, commença-t-il, mais il s'interrompit quand il vit un *raken* qui franchissait le col à l'est.

Il faisait battre ses grandes ailes parcheminées pour prendre de l'altitude. Juste au-dessus du sommet, il piqua brusquement et se mit à tournoyer, la pointe d'une aile dirigée droit vers le sol. Un mince ruban rouge lesté par une boule de plomb tomba du ciel.

Bakuun ravala un juron. Les pilotes faisaient toujours de l'esbroufe, mais si ces deux-là blessaient l'un de ses hommes en livrant le rapport de leur reconnaissance, il aurait leur peau, dût-il le payer chèrement. Il n'aurait pas accepté de combattre sans éclaireurs volants, mais on les dorlotait comme s'ils étaient les protégés du Sang !

Le ruban chuta, droit comme une flèche. La boule de plomb heurta le sol et rebondit sur la crête.

Bakuun retourna vers sa tente, où son Premier Lieutenant l'attendait déjà avec le ruban maculé de boue et le tube à messages. Tiras était un homme osseux, d'une tête plus grand que lui, avec quelques poils épars à la pointe du menton.

Le message roulé dans le mince tube métallique, sur une bande de papier presque transparent, était simplement rédigé. Bakuun n'avait jamais volé ficelé sur le dos d'un *raken* ou d'un *to'raken* – la Lumière soit louée, et l'Impératrice, puisse-t-elle vivre à jamais, soit louée aussi ! – mais il doutait qu'il fût facile de manier la plume attaché sur le dos d'un lézard volant ! Après l'avoir lu, il ouvrit vivement son bureau de campagne et écrivit à la hâte.

— Il y a une armée à moins de dix miles d'ici, dit-il à Tiras. Cinq ou six fois plus nombreuse que nous.

Les pilotes avaient tendance à exagérer, mais juste un peu. Comment tant d'hommes étaient-ils arrivés si loin dans ces montagnes sans être repérés ? Il connaissait la côte orientale, et s'il devait y aborder un jour, il payerait d'avance ses Prières Funéraires. Que ses yeux soient réduits en cendres, les pilotes se vantaient d'être capables de voir une puce sauter n'importe où dans ces montagnes.

— Aucune raison de penser qu'ils sont au courant de notre présence, mais quelques renforts ne seraient pas superflus.

Tiras éclata de rire.

— Ils vont se frotter aux *damanes*, et on n'en parlera plus, même s'ils sont vingt fois plus nombreux que nous.

— Et s'ils ont quelques… Aes Sedais avec eux ? dit doucement Bakuun, presque sans écorcher les mots, tout en remettant le rapport dans le tube avec son propre message.

Il n'avait jamais vraiment cru que *quiconque* puisse laisser ces… ces femmes circuler librement.

Tiras se rappelait des histoires qu'on racontait sur une arme que possédaient les Aes Sedais. Il partit en courant avec le tube à message, le ruban rouge flottant derrière lui.

Le tube fut attaché en haut du mât, une petite brise agitant le long ruban au-dessus de la crête. Le *raken* s'envola au-dessus de la vallée, et plana droit sur lui, ses ailes immobiles comme la mort. Brusquement, l'un des pilotes bascula de sa selle et se suspendit – tête en bas – entre les serres du *raken*. Rien qu'à le regarder, l'estomac de Bakuun se noua. Une main s'empara du ruban, le mât se courba, puis vibra en se redressant quand le tube fut arraché à son attache. Le pilote se remit en selle tandis que la créature reprenait lentement de l'altitude.

Soulagé, Bakuun oublia bien vite le *raken* et les pilotes pour surveiller la vallée. Elle était longue et large, presque plate, et entourée de pentes boisées et abruptes sur lesquelles seule une chèvre pouvait avancer. Il avait une vue imprenable sur l'ensemble. Avec les *damanes*, il pourrait réduire en pièces quiconque tenterait d'attaquer dans cette prairie boueuse. Mais il avait passé la consigne depuis longtemps ; si l'ennemi attaquait tout de suite, il arriverait bien avant les renforts éventuels, qui ne seraient pas là avant trois jours, dans le meilleur des cas. Comment *étaient-ils* arrivés si loin sans se faire repérer ?

Il avait manqué de deux cents ans les dernières batailles de la Consolidation, mais certains soulèvements n'avaient pas été si bénins que ça. Deux ans de combats à Marendalar, trente mille morts, et cinquante fois plus de prisonniers expédiés dans le pays comme esclaves. Tenir compte des incidents étranges gardait un soldat en vie. Il ordonna de lever le camp et d'en effacer toutes les traces, et commença à déplacer son commandement sur les pentes boisées. Des nuages noirs se massaient à l'est. Une autre de ces maudites tempêtes se préparait.

23.

Brouillard de la guerre,
tempête de la bataille

Il ne pleuvait pas, pour le moment. Rand guida Tai'daishar, qui contourna un arbre déraciné en travers de la pente, et fronça les sourcils à la vue d'un mort gisant derrière le tronc. L'homme était petit et trapu, le visage ridé. Les plates de son armure étaient laquées bleu et vert. Avec ses yeux sans vie fixés sur les nuages noirs et sa jambe arrachée, il ressemblait à un autre Eagan Padros. Il s'agissait manifestement d'un officier. L'épée reposant près de sa main ouverte avait une poignée en ivoire, ornée d'un motif sculpté ressemblant à une femme, et son casque laqué, semblable à la tête de quelque insecte monstrueux, était couronné de deux longues plumes bleues.

D'autres arbres déracinés et sectionnés, dont bon nombre brûlaient encore, jonchaient la pente sur plus de cinq cents toises. Des cadavres aussi, brisés ou déchiquetés quand le *saidin* avait labouré le versant. La plupart portaient un voile de mailles devant le visage, et des plastrons peints de rayures horizontales. Aucune femme, la Lumière soit louée ! Les chevaux blessés avaient été achevés, ce dont il fut soulagé.

C'était incroyable comme un cheval blessé pouvait hennir à la mort !

Croyez-vous que les morts soient silencieux ? demanda Lews Therin avec un rire rauque. *Le croyez-vous ?* Sa voix se teinta de rage. *Les morts* hurlent *sur moi* !

Sur moi aussi, pensa Rand avec tristesse. *Je ne peux pas me permettre de les écouter, mais comment les faire taire ?* Lews Therin se remit à pleurer son Ilyena perdue.

— Grande victoire, entonna Weiramon derrière lui. Il ajouta entre ses dents : Mais sans grande gloire. L'ancienne tactique était meilleure.

La tunique de Rand était toute maculée de boue, mais, curieusement, Weiramon restait aussi impeccable que sur la Route d'Argent. Son casque et son armure étincelaient. Comment faisait-il ? Les Tarabonais avaient lancé la charge à la fin, leurs lances et leur courage unis contre le Pouvoir Unique. Weiramon avait mené sa propre charge pour briser leur élan, sans en avoir reçu l'ordre, et suivi de tous les Tairens à part les Défenseurs, et, étrangement, d'un Torean à demi saoul. Semaradrid et Gregorin Panar, avec la plupart des Caihierienins et des Illianers l'avaient aussi rejoint. Rester oisifs avait été difficile à ce moment-là, chacun se montrant prêt à se battre avec tout adversaire sur lequel il pourrait mettre la main. Les Asha'man auraient pu faire la même chose plus vite. Mais avec encore plus de sang.

Rand n'avait pris aucune part au combat. Il s'était posté bien en vue sur son cheval. Il avait eu peur de saisir le Pouvoir. Il n'osait pas afficher une faiblesse qui aurait pu se communiquer à tous. Lews Therin bredouilla, horrifié par cette idée.

Tout aussi surprenante que la tunique impeccable de Weiramon, Anaiyella chevauchait près de lui, sans minauder pour une fois. Elle avait le visage tendu et désapprobateur. Curieusement, cela l'enlaidissait moins que ses sourires mielleux. Elle n'avait pas participé à la charge, bien évidemment, pas plus qu'Ailil, mais le Maître d'Écurie d'Anaiyella avait combattu et perdu la vie, avec une lance tarabonaise plantée dans la poitrine. Cela ne lui plaisait pas du tout. Mais pourquoi accompagnait-elle Weiramon ? Parce que les Tairens devaient se tenir les coudes ? Peut-être. Elle était avec Sunamon la dernière fois que Rand l'avait vue.

Bashere monta la pente sur son alezan, contournant les cadavres tout en feignant ne pas leur accorder plus d'attention qu'aux troncs éclatés et aux souches incendiées. Son casque était pendu à sa selle, et ses gantelets glissés dans son ceinturon. Comme son cheval, il était couvert de boue du côté droit.

— Aracome nous a quittés, dit-il. Flinn a tenté de le Guérir, mais je crois qu'il n'aurait pas aimé vivre en infirme. Pour le moment, il y a plus de cinquante morts. Et certains autres blessés ne survivront peut-être pas.

Anaiyella pâlit. Rand l'avait vue près d'Aracome, en train de vomir. La mort des roturiers ne l'affectait pas autant.

Un instant, Rand éprouva de la pitié. Pas pour elle, et si peu pour Aracome. Mais pour Min, bien qu'elle soit retournée à Cairhien et en sécurité. Min avait prédit la mort d'Aracome dans une de ses visions, comme celle de Maraconn et de Gueyan. Quoi qu'elle ait vu, Rand espéra que c'était très loin de la réalité.

La plupart des Soldats étaient repartis en reconnaissance. En bas, dans la grande prairie, les portails tissés par les Consacrés de Gedwyn déversaient des charrettes de ravitaillement et des chevaux de remonte. Les hommes qui les accompagnaient restaient bouche bée dès qu'ils s'approchaient du champ de bataille. Le sol boueux n'était pas aussi bien labouré que le flanc de la montagne, mais des sillons noircis de deux toises de large et cinquante de long s'étaient creusés dans l'herbe brunâtre, et des trous, qu'un cheval n'aurait peut-être pas pu franchir d'un saut, s'étaient formés. Jusqu'à présent, ils n'avaient pas trouvé les *damanes*. Rand estima qu'il n'y en avait sans doute qu'une, car s'il y en avait eu plusieurs, ils auraient subi davantage de pertes.

Des hommes circulaient autour des feux sur lesquels bouillait de l'eau pour le thé, entre autres choses. Pour une fois, Tairens, Cairhienins et Illianers se mélangeaient. Et pas seulement les roturiers. Semaradrid partageait sa gourde avec Gueyam, qui passait avec lassitude une main sur son crâne chauve. Maraconn et Kiril Drapaneos, qui faisait penser à une cigogne, et dont la barbe carrée allongeait son visage étroit, étaient accroupis près d'un feu. Apparemment, ils jouaient aux cartes ! Toute une bande de petits seigneurs cairhienins faisait cercle autour de Torean, mais peut-être riaient-ils moins de ses plaisanteries que de la façon dont il chancelait sur ses jambes d'ivrogne et frictionnait son nez en forme de patate. Les Légionnaires restaient entre eux, mais ils avaient intégré les « volontaires » qui avaient suivi Eagan Padros et adopté la Bannière de la Lumière. Ils semblaient les plus disposés à se faire accepter, depuis qu'ils avaient appris comment Padros était mort. Les Légionnaires en tuniques bleues leur apprenaient à changer de direction, sans s'éparpiller comme un troupeau d'oies.

Flinn faisait partie des blessés, avec Adley, Morr et Hopwil. Comme Rand, Narishma ne pouvait guère Guérir plus que des blessures mineures, et Dashiva pas même autant. Gedwyn et Rochaid conversaient à l'écart de tous, tenant leurs chevaux par la bride en haut de la colline au milieu de la vallée, là où ils prévoyaient d'attaquer par surprise les Seanchans, en faisant irruption par les portails qui entouraient la butte. Le bilan provisoire d'une cinquantaine de morts aurait été pire sans Flinn et ceux qui possédaient le don de Guérison. Gedwyn et Rochaid ne voulaient pas se salir les mains, et avaient rechigné quand Rand les y avait obligé. L'un des morts était un Soldat, et un autre Soldat, un Cairhienin au visage poupin, était avachi près d'un feu, dans un état d'hébétude dont Rand espérait qu'il soit dû à l'explosion du sol sous ses pas, plutôt qu'à la folie.

Plus bas dans la plaine, Ailil conférait avec son capitaine, petit homme pâle du nom de Denharad.

Leurs chevaux se touchaient presque, et, de temps en temps, ils levaient les yeux vers Rand. Qu'est-ce qu'ils manigançaient ?

— Nous ferons mieux la prochaine fois, murmura Bashere.

Il promena son regard tout autour de la vallée, puis il hocha la tête.

— La pire erreur est de faire deux fois la même, et ça ne nous arrivera pas.

Weiramon l'entendit et répéta la même chose, mais avec vingt fois plus de mots, dans un langage assez fleuri, sans pour autant reconnaître qu'il avait sa part de responsabilité. Avec beaucoup de diplomatie, il évita de parler des fautes de Rand.

Rand secoua la tête, la bouche pincée. Ils feraient mieux la prochaine fois. Il le fallait, à moins qu'il ne veuille laisser la moitié de ses hommes enterrés dans ces montagnes. Pour le moment, il s'interrogeait sur le sort des prisonniers.

La plupart de ceux qui avaient échappé à la mort avaient réussi à fuir au milieu des arbres encore intacts, en bon ordre, ce qui était surprenant étant donné les circonstances, affirmait Bashere. À présent, ils ne représentaient plus une menace, à moins qu'ils aient la *damane* avec eux. Ils étaient une centaine assis par terre, dépouillés de leurs armes et de leurs armures, sous les yeux vigilants de deux douzaines de Défenseurs et Compagnons à cheval. Tarabonais pour la plupart, ils n'avaient pas combattu sous la contrainte. Beaucoup gardaient la tête haute et huaient leurs gardes. Gedwyn voulait les tuer, après les avoir soumis à la question. Weiramon ne se souciait pas qu'on leur coupe la gorge, mais il considérait la torture comme une perte de temps. Aucun ne saurait rien d'utile, soutenait-il, car il n'y avait pas un seul noble parmi eux.

Rand regarda Bashere. Weiramon continuait à pontifier bruyamment :

— … nettoyer ces montagnes pour vous, mon Seigneur Dragon. Nous les piétinerons sous nos sabots, nous…

Anaiyella approuvait de la tête.

— Six pour nous ; une demi-douzaine pour eux, dit doucement Bashere, grattant de l'ongle la boue de sa moustache. Ou, comme disent certains de mes métayers, ce qu'on gagne à la balançoire on le perd au tourniquet.

Par la Lumière, que pouvait bien être un tourniquet ? Ça ne l'avançait guère !

Puis, l'une des patrouilles de Bashere rentra, ce qui n'arrangea pas les choses.

Du bout de leurs lances, les six hommes poussaient une prisonnière sur la pente devant leurs chevaux. C'était une brune, en robe bleu foncé sale et déchirée, avec des pièces rouges sur le corsage et des éclairs sur la jupe. Son visage sale était sillonné de larmes. Elle trébucha et faillit tomber, bien que ses gardes la touchent à peine. Elle toisa ses ravisseurs d'un regard méprisant, et cracha dans leur direction. Elle regarda Rand en ricanant.

— Lui avez-vous fait du mal ? demanda Rand.

Étrange question, peut-être, concernant une ennemie, après ce qui s'était passé dans cette vallée. Au sujet d'une *sul'dam*. Mais elle lui échappa malgré lui.

— Pas nous, mon Seigneur Dragon, dit le chef de patrouille, bourru. On l'a trouvée comme ça.

Se grattant le menton à travers une luxuriante barbe noire, il chercha du regard le soutien de Bashere.

— Elle prétend qu'on a tué son Gille. C'est son chien, ou son chat, ou quelque chose du même genre, d'après ce qu'elle dit en pleurnichant sans arrêt. Elle s'appelle Nerith. C'est tout ce qu'on a pu en tirer.

Elle se retourna vers lui en ricanant.

Rand soupira. Non, pas un chien. Non ! Ça n'était pas sur sa liste. Mais il entendit la litanie se dérouler dans sa tête, et « Gille-la-*damane* » y figurait. Lews Therin gémit pour son Ilyena. Son nom aussi était sur la liste. Rand trouvait qu'elle en avait le droit.

— C'est une Aes Sedai Seanchane ? demanda brusquement Anaiyella, se penchant sur le pommeau de sa selle pour dévisager Nerith.

Nerith lui envoya un crachat, et les yeux d'Anaiyella outragée sortirent de leur orbite. Rand exposa le peu qu'il savait sur les *sul'dams*, à savoir qu'elles *contrôlaient*, à l'aide d'une laisse et d'un collier *ter'angreal*, des femmes qui canalisaient, sans être capables de canaliser elles-mêmes. Il s'étonna quand la délicate Haute Dame déclara froidement :

— Si mon Seigneur Dragon a des scrupules, je la pendrai pour lui.

Nerith cracha à nouveau ! Elle ne manquait pas de courage.

— Non ! gronda Rand.

Par la Lumière, jusqu'où irait Anaiyella pour s'attirer ses bonnes grâces ? Ou peut-être qu'elle était plus proche de son Maître d'Écurie qu'il n'était considéré bienséant. L'homme était gros et chauve – un roturier, qui plus est ; ce qui comptait beaucoup chez les Tairens – mais les femmes avaient parfois des goûts étranges en amour. Il le savait par expérience.

— Dès que nous serons prêts à partir, libérez les prisonniers.

Il n'envisageait absolument pas de s'encombrer des prisonniers quand il lancerait sa prochaine attaque. Mais laisser une centaine d'hommes et peut-être plus par la suite à l'arrière, pour suivre les charrettes de ravitaillement, c'était risquer des tas de problèmes. Ici, ils étaient inoffensifs. Même ceux qui s'étaient enfuis à cheval ne pouvaient pas porter un message plus vite qu'il ne Voyageait. Bashere haussa légèrement les épaules. C'était peut-être vrai, mais il y avait toujours un risque. Des choses étranges se produisent parfois, même sans un *ta'veren* dans les parages.

Weiramon et Anaiyella ouvrirent la bouche presque en même temps, le visage indigné, mais Rand poursuivit :

— J'ai parlé et c'est ainsi ! Pourtant, nous garderons la femme, et toutes celles que nous capturerons.

— Que mon âme soit réduite en cendres ! s'exclama Weiramon. Pourquoi ?

Il semblait abasourdi, et Bashere lui-même releva brusquement la tête, stupéfait. La bouche d'Anaiyella se contracta en une moue de mépris avant qu'elle ne se relâche, offrant un sourire doucereux au Seigneur Dragon. À l'évidence, elle ne le jugeait pas ferme dans sa décision. Le terrain ralentirait leur progression, sans parler des rations parcimonieuses. De plus, il faisait un temps à ne pas mettre une femme dehors.

— J'ai assez d'Aes Sedais contre moi sans renvoyer une *sul'dam* à ses activités, se justifia-t-il.

La Lumière lui était témoin que c'était la vérité ! Ils acquiescèrent, Weiramon à contrecœur, Bashere soulagé, et Anaiyella déçue. Mais que faire de cette femme et de celles qu'il capturerait par la suite ? Il n'avait pas l'intention de transformer la Tour Noire en prison. Les Aiels pourraient les garder. Sauf que les Sagettes étaient capables de leur trancher la gorge dès qu'il aurait le dos tourné. Et les sœurs que Mat emmenait à Caemlyn avec Elayne ?

— Quand tout cela sera terminé, je la confierai à l'Aes Sedai de mon choix.

Elles pourraient interpréter cela comme un geste de bonne volonté, un peu de miel pour adoucir l'obligation d'accepter sa protection.

À peine eut-il prononcé ces mots que Nerith devint pâle comme une morte et se mit à crier de toute la force de ses poumons. Hurlant sans discontinuer, elle se jeta sur la pente, enjambant les arbres couchés, chutant et se relevant.

— Par le sang et les cendres ! Rattrapez-la ! aboya Rand.

La patrouille saldaeane se précipita derrière elle. Leurs chevaux sautaient par-dessus les troncs, sans craindre de se briser le cou et les pattes. Toujours en criant, elle esquivait et se faufilait entre leurs jambes.

À l'entrée du col le plus oriental, un portail s'ouvrit dans un éclair argenté. Un Soldat vêtu de noir attira son cheval vers lui, sauta en selle alors que le portail se refermait. Il mit sa monture au galop en direction du versant où Gedwyn et Rochaid attendaient. Rand observait, impassible. Dans sa tête, Lews Therin grondait qu'il fallait tuer tous les Asha'man avant qu'il ne soit trop tard.

Le temps que tous les trois rejoignent Rand, quatre des Saldaeans avaient couché la Seanchane à terre et lui liaient les mains et les pieds. Comme elle se débattait et mordait telle une diablesse, ils avaient dû s'y mettre à quatre pour la maîtriser. Bashere, amusé, pariait même sur ses chances de se sauver. Anaiyella marmonna quelque chose où il était question de lui fendre le crâne. Voulait-elle dire le fendre en deux ? Rand fronça les sourcils.

Mal à l'aise, le Soldat, entre Gedwyn et Rochaid, regarda la femme quand ils passèrent devant elle. Rand se souvenait vaguement l'avoir vu à la Tour Noire, le jour où il avait distribué les Épées d'argent, et donné le tout premier Dragon à Taim. Il s'agissait de Varil Nensen, un jeune homme qui portait encore un voile transparent sur son épaisse moustache. Mais il n'avait pas hésité face à ses compatriotes. L'allégeance était maintenant envers la Tour Noire et le Dragon Réincarné, ainsi que Taim le répétait tout le temps. Le reste n'était que littérature.

— Vous avez l'honneur de faire votre rapport au Dragon Réincarné en personne, dit Gedwyn, ironique.

Nensen se redressa sur sa selle.

— Mon Seigneur Dragon ! cria-t-il, se frappant la poitrine avec son poing. Il y en a d'autres à trente miles à l'est, mon Seigneur Dragon.

Trente miles, c'était, d'après les ordres de Rand, le plus loin où ils pouvaient aller en reconnaissance. À quoi aurait-il servi qu'un Soldat trouve des Seanchans à l'est pendant que les autres continuaient à se déplacer vers l'ouest ?

— Peut-être moitié moins qu'ici, poursuivit Nensen. Et... De nouveau, son regard dériva vers Nerith. Elle avait été ligotée, et les Saldaeans s'efforçaient de la hisser sur un cheval.

— Et je n'ai vu aucun signe de présences féminines, mon Seigneur Dragon.

Bashere observait le ciel, étrécissant les yeux. Des nuages noirs s'étendaient de pic en pic en un tapis ininterrompu, mais le soleil était sans doute encore haut dans le ciel.

— Il est l'heure de nourrir les hommes avant que les autres reviennent, dit-il, hochant la tête de satisfaction.

Nerith était parvenue à planter ses dents dans le poignet d'un Saldaean et s'y accrochait comme un blaireau.

— Nourrissez-les vite, dit Rand, énervé.

Toutes les *sul'dams* qu'il capturerait seraient-elles aussi récalcitrantes ? Très probablement. Par la Lumière, et s'ils avaient affaire à une *damane* ?

— Je n'ai pas envie de passer tout l'hiver dans ces montagnes.

Gille-la-*damane*. Il ne pouvait pas effacer un nom quand il était inscrit sur la liste.

Les morts ne sont jamais silencieux, chuchota Lews Therin. *Les morts ne dorment jamais*.

Rand descendit vers les feux. Il n'avait pas faim.

Du haut d'un rocher saillant, Furyk Karede scrutait attentivement les versants boisés qui l'entouraient. Les pics étaient acérés comme des crocs. Son grand hongre pommelé dressa les oreilles, comme s'il avait perçu un nouveau bruit, mais ne bougea pas. De temps à autre, Karede devait s'arrêter et essuyer les lentilles de sa longue-vue. Ce matin, une petite pluie tombait du ciel gris. Les deux plumes noires de son casque étaient avachies au lieu d'être bien droites, et l'eau coulait dans son dos. Comparée à celle de la veille, et probablement à celle du lendemain, la pluie semblait légère. Des roulements de tonnerre résonnaient au loin, menaçants. Pourtant, l'inquiétude de Karede n'avait rien à voir avec le temps.

En contrebas, le reste de ses deux mille trois cents hommes, rassemblés derrière quatre avant-postes, franchissaient le col en colonne sinueuse. Bien montés, raisonnablement bien commandés, à peine deux cents étaient des Seanchans, et deux seuls, à part lui, étaient en rouge et vert de la Garde. La plupart des autres étaient Tarabonais – il connaissait leur courage –, mais un bon tiers étaient Amadiciens ou Altarans, et leurs serments encore trop récents pour savoir comment ils se comporteraient. Certains Altarans et Amadiciens avaient déjà changé de camp deux ou trois fois. Ou tenté, en tout cas. Les gens de ce côté de l'Océan d'Aryth n'avaient pas de scrupules. Une douzaine de *sul'dams* chevauchaient en tête de la colonne. Il aurait bien aimé voir une douzaine de *damanes* marcher près de leurs montures, à la place des deux seules.

308

Cinquante toises plus loin, les dix hommes de tête scrutaient les versants au-dessus d'eux, mais pas aussi soigneusement qu'ils l'auraient dû. Trop souvent, les hommes de tête se reposaient sur les éclaireurs pour détecter les dangers éventuels. Karede se promit de leur parler personnellement. Après ça, ils rempliraient correctement leur mission, ou seraient condamnés aux travaux forcés.

Un *raken* apparut dans le ciel oriental, rasant la cime des arbres. Il prenait de l'altitude et descendait pour suivre les courbes du relief, comme la main d'un homme qui caresse le dos d'une femme. Bizarre... Les *morat'raken*, les pilotes, aimaient voler haut dans le ciel, sauf quand des éclairs crépitaient de partout. Karede abaissa sa lunette.

— On va peut-être enfin recevoir un nouveau rapport de reconnaissance, dit Jadranka aux autres officiers attendant derrière Karede, sans s'adresser à lui.

Trois des dix étaient du même grade que lui, pourtant, peu de gens, à part quelques-uns parmi ceux du Sang, se risquaient à dénigrer un homme portant le rouge sang et le vert sombre de la Garde de la Mort.

D'après la légende qu'on lui racontait quand il était petit, un de ses ancêtres, un noble, avait suivi Luthair Paendrag au Seanchan sur l'ordre d'Artur Aile-de-Faucon, mais deux cents ans plus tard, quand seul le Nord avait été pacifié, un autre ancêtre avait tenté de se forger un royaume et avait fini vendu comme esclave. Peut-être était-ce vrai ; beaucoup de *da'covales* revendiquaient une noble ascendance, au moins entre eux. Rares étaient ceux du Sang à trouver cela amusant.

Quoi qu'il en fût, Karede s'était estimé chanceux quand les Sélectionneurs l'avaient choisi, lui, un solide garçon à peine assez grand pour qu'on lui confie de petites tâches, et il était toujours fier des corbeaux tatoués sur ses épaules. Beaucoup de Gardes de la Mort circulaient sans tunique ni chemise chaque fois que la situation le permettait, afin d'exhiber ces tatouages. Les humains, en tout cas. Les Ogiers Jardiniers n'étaient ni tatoués ni esclaves, mais c'était entre eux et l'Impératrice.

Karede était fier d'être un *da'covale*, comme tous les hommes de la Garde, propriété du Trône de Cristal, corps et âme. Il combattait là où l'Impératrice l'envoyait, et il mourrait le jour où elle lui en donnerait l'ordre. Les Gardes étaient responsables uniquement devant l'Impératrice, et là où ils apparaissaient, ils étaient sa main, le rappel visible de son existence. Il n'était donc pas étonnant que ceux du Sang éprouvent un malaise en regardant passer un détachement de la Garde. C'était bien préférable que de nettoyer les écuries de quelque petit Seigneur, ou servir le *kaf* à une Dame. Mais il maudit la malchance qui avait voulu qu'on l'envoie dans ces montagnes pour inspecter les avant-postes.

Le *raken* piqua vers l'ouest, ses deux pilotes accroupis sur leur selle. Il n'y avait pas de rapport de reconnaissance, pas de message pour lui. Furyk crut que c'était son imagination, mais le long cou tendu de la créature lui parut... anxieux. Dans la peau d'un autre, il se serait peut-être inquiété tout autant. Il avait reçu peu de messages depuis qu'on lui avait donné

310

l'ordre de prendre le commandement et de se déplacer vers l'est, trois jours plus tôt. Et chaque message avait épaissi le brouillard au lieu de le dissiper.

Les indigènes, ces Altarans, avaient envahi la montagne en force, semblait-il, mais par quel moyen ? Les routes longeant cette chaîne montagneuse étaient surveillées presque jusqu'à la frontière de l'Illian, par des pilotes et des *morat'rakens* aussi bien que par des patrouilles montées. Qu'est-ce qui avait pu décider les Altarans à montrer ainsi les dents ? Pour se serrer les coudes ? Un homme pouvait se battre en duel pour un regard – bien qu'ils aient commencé à comprendre que le combat contre un Garde était juste une façon plus lente de se trancher la gorge –, mais il avait vu des nobles et la Reine de cette prétendue nation tenter de se vendre avec l'argument que leurs terres pourraient être protégées et plus étendues que celles de leurs voisins.

Nadoc, un grand gaillard au visage trompeusement doux, se retourna sur sa selle pour regarder le *raken*.

— Je n'aime pas marcher à l'aveuglette, grommela-t-il, alors que les Altarans se sont débrouillés pour amener quarante mille hommes là-haut. Au bas mot.

Jadranka renifla avec tant de force que son grand hongre blanc broncha. Jadranka était le plus ancien des trois capitaines derrière Karede, ayant servi aussi longtemps que Karede lui-même. Il était petit et mince avec un nez proéminent, et arborait de si grands airs qu'on aurait pu le croire du Sang. Son cheval se voyait à un mile.

— Quarante mille ou cent, Nadoc, ils sont éparpillés depuis ici jusqu'au bout de cette chaîne, trop loin les uns des autres pour se prêter main-forte. Qu'on me crève les yeux, la moitié sont sans doute déjà morts. Ils doivent être en train de se frotter quelque part aux avant-postes. C'est pourquoi nous ne recevons pas de rapports. On nous demande juste d'éliminer les débris.

Karede réprima un soupir. Il avait espéré que Jadranka n'était pas un imbécile malgré ses grands airs. Les rumeurs de victoire circulaient vite, qu'il s'agît d'une armée victorieuse ou d'une demi-Bannière. C'étaient les rares défaites qui étaient ravalées en silence et oubliées. Un tel silence était… inquiétant.

— Au dernier rapport, je n'ai pas eu l'impression qu'il s'agissait de débris, dit Nadoc.

Il n'était pas un imbécile, *lui*.

— Il y a cinq mille hommes à moins de cinquante miles de nous, et je doute qu'on nettoie le terrain avec des balais.

Jadranka renifla une fois de plus.

— Nous les écraserons, que ce soit avec des épées ou des balais. Que la Lumière calcine mes yeux, il me tarde de participer à un combat décent. J'ai dit aux éclaireurs de continuer jusqu'à ce qu'ils les trouvent. Je ne veux pas qu'ils nous échappent encore.

— Vous avez fait quoi ? demanda Karede doucement.

Tous les yeux se tournèrent vers lui. Et Nadoc et quelques autres eurent du mal à ne pas fixer Jadranka, bouche bée. Des éclaireurs qui devaient continuer et savaient quoi chercher. Qu'est-ce qui lui avait échappé dans ces ordres ?

312

Avant qu'aucun n'ait pu ouvrir la bouche, on entendit des hurlements et des hennissements qui provenaient du col.

Karede porta à son œil sa lunette gainée de cuir. Devant lui, des hommes et des chevaux mouraient sous une grêle de ce qui paraissait être des carreaux d'arbalète, à la façon dont ils s'enfonçaient dans les plastrons et faisaient exploser les poitrines protégées par des cottes de mailles. Des centaines étaient déjà tombés, d'autres étaient blessés, avachis sur leur selle ou s'éloignaient en courant de leurs chevaux qui se débattaient au sol. Sous ses yeux, les survivants firent pivoter leur monture pour s'enfuir et redescendre le col. Par la Lumière, où étaient les *sul'dams* ? Il avait affronté des rebelles qui disposaient de *sul'dams* et de *damanes*, et c'étaient elles qu'il fallait tuer en priorité, le plus vite possible. Peut-être que les indigènes le savaient aussi.

Soudain, le sol entra en éruption, se transformant en coulées furieuses qui se propageaient tout le long de la colonne, et qui projetaient en l'air les hommes et les bêtes aussi facilement que les pierres et la terre. Des éclairs fulguraient dans le ciel, flèches blanc-bleu faisant tout trembler alentour. D'autres explosaient simplement, réduits en charpie par rien de visible. Les indigènes possédaient-ils des *damanes* ? Non, ce devait être ces Aes Sedais.

— Qu'est-ce qu'on va faire ? demanda Nadoc, l'air secoué. Et à juste titre.

— Pensez-vous à abandonner vos hommes ? ricana Jadranka. Nous allons les rallier et attaquer, espèce de…

Il se tut dans un gargouillement quand il eut la pointe de l'épée de Karede sous la gorge. Il y a des moments où les imbéciles sont supportables, et d'autres où ils ne le sont pas. Tandis qu'il tombait de sa selle, Karede essuya vivement sa lame sur la robe du hongre avant qu'il ne s'enfuie. Il y a aussi des moments où il faut faire un exemple.

— Nous allons rallier ce qui peut l'être, Nadoc, dit-il comme si Jadranka n'avait jamais rien dit.

Comme s'il n'avait jamais existé.

— Nous sauverons ce qui peut être sauvé, puis nous replierons.

Se retournant pour descendre le col où les éclairs fulguraient et le tonnerre grondait, il ordonna à Anghar, un jeune homme au regard décidé, monté sur un cheval rapide, de galoper vers l'est pour rapporter ce qui s'était passé ici. Peut-être qu'un pilote le verrait, et peut-être pas, quoique Karede comprît maintenant pourquoi les *rakens* volaient bas. Il soupçonnait qu'à Ebou Dar, la Haute Dame Suroth et les généraux étaient déjà au courant. Était-ce aujourd'hui qu'il mourrait pour l'Impératrice ? Il talonna son cheval.

Sur le replat clairsemé de la crête, Rand scruta la forêt devant lui. Avec le Pouvoir en lui – la vie si douce, la souillure si vile –, il distinguait toutes les feuilles, mais ça ne suffisait pas. Tai'daishar piaffa. Des pics en dents de scie l'entouraient, mais la crête dominait les arbres de la vallée qui faisait plus d'une lieue de long et presque autant de large. Tout était tranquille, silencieux comme le Vide sur lequel il flottait. Ici et là s'élevaient des gerbes de fumée, aux endroits où des bouquets de deux ou trois arbres flambaient comme des torches. Seule l'humidité ambiante les empêchait de transformer la vallée en brasier.

Flinn et Dashiva étaient les seuls Asha'man restés près de lui. Tous les autres étaient redescendus dans la vallée. Ils se tenaient un peu à l'écart, à la lisière des arbres, tenant leurs chevaux par les rênes, et contemplaient la vallée. Flinn la contemplait, aussi intensément que Rand lui-même. Dashiva y jetait un coup d'œil de temps en temps, remuant la bouche, parfois en marmonnant entre ses dents et, chaque fois, Flinn se balançait d'un pied sur l'autre et le regardait de travers. Le Pouvoir emplissait les deux hommes, à ras bord, mais pour une fois, Lews Therin ne disait rien. Ces derniers jours, il semblait être retourné dans sa cachette.

Le soleil brillait dans un ciel parsemé de quelques nuages gris. Voilà cinq jours que Rand avait amené sa petite armée en Altara, cinq jours qu'il avait vu son premier Seanchan mort. Il y en avait eu d'autres depuis. La pensée glissa à la surface du Vide. Il sentit le héron gravé au fer rouge dans sa paume se presser contre le Sceptre du Dragon à travers son gant. Silence. Il n'y avait aucune créature volante en vue. Trois étaient mortes, frappées en plein ciel par les éclairs, avant que leurs pilotes aient appris à rester à distance. Bashere était fasciné par ces créatures.

— C'est peut-être fini, mon Seigneur Dragon, dit Ailil calmement d'une voix claire, mais elle flattait l'encolure de sa jument, qui n'avait nul besoin d'être apaisée.

Elle coula un regard en coin à Flinn et Dashiva, et se redressa, répugnant à leur montrer son malaise.

Rand se surprit à fredonner et s'interrompit brusquement. C'était une habitude de Lews Therin, quand il regardait une jolie femme qui n'était pas la sienne. Pas son habitude à lui ! Par la Lumière, s'il commençait à adopter les manies de cet homme, et même en son absence… !

Brusquement, des roulements de tonnerre retentirent plus haut dans la vallée. Le feu cascada hors des arbres à plus de deux miles de distance, puis tout recommença. Des éclairs fulgurèrent dans la forêt, non loin des hautes flammes, en balafres d'un bleu-blanc, pointues comme des lances. Un immense tourbillon d'éclairs et de feu. Puis le calme revint. Aucun arbre ne s'était enflammé cette fois.

Une partie de cela venait du *saidin*.

Des cris s'élevèrent, étouffés et distants, ailleurs dans la vallée, estima-t-il. Trop loin pour que même son ouïe affinée par le *saidin* puisse entendre les cliquetis de l'acier. Malgré tout, il n'y avait pas que les Asha'man, les Consacrés et les Soldats qui se battaient.

Anaiyella souffla lentement ; elle devait retenir son souffle depuis le début des échanges avec le Pouvoir. Les hommes qui luttaient avec l'acier ne la dérangeaient pas. Puis, elle flatta l'encolure de sa monture. Son hongre n'avait dressé qu'une oreille. Rand avait remarqué cela chez les femmes. Assez souvent, quand une femme était agitée, elle s'efforçait de calmer son entourage, qu'ils en aient besoin ou non. Un cheval faisait l'affaire. Où *était* Lews Therin ?

Irrité, il se pencha et se remit à étudier la canopée. Beaucoup d'arbres ne perdaient pas leurs feuilles – chênes, pins et lauréoles – et malgré la sécheresse passée, ils formaient un écran efficace, même pour sa vision augmentée. Par pur réflexe, il toucha l'étroit paquet attaché sous son étrivière. Il pouvait frapper à l'aveuglette. Il pouvait descendre dans les bois. Et voir à vingt toises tout au plus. En bas, il ne servirait guère plus qu'un Soldat.

Un portail s'ouvrit entre les arbres un peu plus loin sur la crête, telle une fente argentée qui s'élargit, révélant des arbres différents et des broussailles roussies par le froid de l'hiver. Un soldat à la peau cuivrée, avec une fine moustache et une petite perle à l'oreille, en émergea à pied et laissa le portail se refermer. Il poussait devant lui une *sul'dam* les mains liées derrière le dos, belle malgré une grosse bosse pourpre à la tempe. Mais la bosse allait bien avec son air renfrogné et sa robe sale et fripée. Tournant la tête, elle ricana à l'adresse du Soldat qui la poussait vers Rand, puis elle regarda Rand aussi en ricanant.

Le Soldat se raidit et salua vivement.

— Soldat Arlen Nalaam, mon Seigneur Dragon, aboya-t-il, fixant la selle de Rand. Mon Seigneur Dragon a ordonné de lui amener toute femme capturée.

Rand hocha la tête. Cette inspection des prisonniers ne servait qu'à se donner une contenance.

— Emmenez-la aux charrettes, Soldat Nalaam. Puis retournez au combat.

Disant cela, il faillit grincer des dents. Pendant que Rand al'Thor, Dragon Réincarné et Roi d'Illian, tranquillement assis sur sa selle, se contentait de contempler le faîte des arbres !

Nalaam salua une fois de plus, avant de s'éloigner en poussant la femme devant lui, sans traîner. Elle regardait sans cesse Rand par-dessus son épaule. Les yeux étonnés et bouche bée. Pour une raison inconnue, Nalaam ne s'arrêta pas avant d'être arrivé au point où il avait émergé. Assez loin pour ne pas risquer de blesser les chevaux.

— Que faites-vous ? demanda Rand quand il sentit le *saidin* inonder Nalaam.

Nalaam se retourna à moitié, après une brève hésitation.

— Ça semble plus facile ici, si j'utilise un lieu où j'ai déjà ouvert un portail, mon Seigneur Dragon. Le *saidin*... le *saidin*... me fait une impression... étrange ici.

Sa prisonnière se retourna en fronçant les sourcils.

Au bout d'un moment, Rand lui fit signe de continuer. Flinn feignit de s'intéresser à la sangle de son cheval, mais le vieil homme chauve sourit dans sa barbe. Dashiva... pouffa. Flinn avait été le premier à mentionner une impression d'étrangeté dans le *saidin* en cette vallée. Naturellement, Narishma et Hopwil l'avaient entendu, et Morr y avait ajouté l'impression « d'étrangeté » ressentie autour d'Ebou Dar. Pas étonnant à présent que tous prétendent sentir quelque chose d'étrange, bien que personne ne pût dire quoi. Le *saidin* leur faisait juste une impression... bizarre. Par la Lumière, avec la forte souillure de la moitié mâle de la Source, qu'est-ce qu'ils auraient pu ressentir d'autre ? Rand espéra qu'ils n'étaient pas tous en train de contracter la même maladie que lui.

Le portail de Nalaam s'ouvrit et disparut derrière lui et sa prisonnière. Rand ressentit vraiment le *saidin*. Vie et corruption mêlées ; glace donnant l'impression que l'hiver était chaud, et feu à faire paraître froides les flammes d'une forge ; mort attendant qu'il fasse un faux pas. Désirant qu'il fasse un faux pas. Le *saidin* ne lui parut pas différent. Vraiment ? Il fronça les sourcils sur l'endroit où Nalaam avait disparu. Avec sa prisonnière.

C'était la quatrième *sul'dam* capturée ce jour-là. Cela faisait vingt-trois *sul'dams* prisonnières, rassemblées près des charrettes. Et deux *damanes*, chacune encore pourvue de sa laisse et de son collier argentés, transportées dans des charrettes différentes. Avec ces colliers, elles ne pouvaient pas faire trois pas sans éprouver une nausée encore plus forte que celle de Rand quand il embrassait la Source. Mais il n'était pas sûr que les sœurs qui accompagnaient Mat seraient contentes d'avoir à les surveiller. La première *damane*, capturée trois jours plus tôt, n'avait pas au début été considérée comme une prisonnière par Rand. Svelte, avec des cheveux blond clair et de grands yeux bleus, c'était une Seanchane qu'il fallait libérer, pensait-il. Mais quand il avait forcé une *sul'dam* à lui ôter son collier, son *a'dam*, elle avait hurlé, appelant la *sul'dam* au secours, et s'était mise à frapper à l'aveuglette avec le Pouvoir. Elle avait même tendu le cou pour que la *sul'dam* lui remette son collier ! Neuf Défenseurs et un Soldat étaient morts avant qu'on ait pu la maîtriser en l'isolant avec un écran. Gedwyn l'aurait tuée sur place si Rand n'était pas intervenu. Les Défenseurs, presque aussi mal à l'aise en présence de femmes capables de canaliser que tous les autres en présence d'hommes dotés du même pouvoir, voulaient aussi la voir morte. Ils avaient essuyé des pertes ces derniers jours. Mais que des camarades soient tués par une prisonnière leur paraissait outrageant.

Il y avait eu plus de pertes que ne l'avait prévu Rand. Trente et un Défenseurs et quarante-six Compagnons. Il fallait y ajouter plus de deux cents Légionnaires et hommes d'armes des nobles. Sept Soldats et un Consacré, que Rand n'avait jamais rencontrés avant qu'ils ne répondent à sa convocation en Illian. Trop de pertes, sachant que toutes les blessures, à part les plus graves, étaient susceptibles d'être Guéries si le blessé pouvait tenir le temps qu'on arrive jusqu'à lui. Mais il repoussait vigoureusement les Seanchans vers l'ouest.

D'autres cris s'élevèrent, loin dans la vallée. Un feu se répandit à trois miles vers l'ouest, et des éclairs fulgurèrent, foudroyant des arbres. Plus loin, un versant entra en éruption, projetant des arbres et des pierres vers le ciel, en une étrange coulée avançant le long de la pente. Les déflagrations étouffaient les cris. Les Seanchans se repliaient.

— Descendez dans la vallée, dit-il à Flinn et à Dashiva. Tous les deux. Trouvez Gedwyn et dites-lui de les harceler vigoureusement ! Vigoureusement !

Dashiva regarda en bas vers la forêt, et grimaça, puis se mit à tirer maladroitement les rênes de sa monture le long de la crête. Il était gauche avec les chevaux, qu'il soit en selle, ou qu'il les tire par la bride. Il faillit trébucher sur son épée !

Flinn leva les yeux sur Rand, l'air soucieux.

— Vous avez l'intention de rester seul ici, mon Seigneur Dragon ?

— On ne peut pas dire que je suis seul, dit-il, acerbe, jetant un coup d'œil en direction d'Ailil et Anaiyella.

Elles avaient rejoint leurs hommes d'armes, près de deux cents lanciers qui attendaient à l'endroit où la crête commençait à descendre vers l'est. À leur tête, Denharad fronçait les sourcils à travers la visière de son casque. Il commandait les deux groupes maintenant, et il s'inquiétait surtout de la protection d'Ailil et d'Anaiyella. Ses hommes offraient un spectacle de nature à intimider tout assaillant. De plus, Weiramon verrouillait l'extrémité nord de la crête, à ne pas laisser passer une mouche, disait-il, et Bashere tenait le sud. Bashere avait élevé un mur de lances, sans rien dire. Et les Seanchans battaient en retraite.

— Et d'ailleurs, je ne suis pas sans défense moi-même, Flinn.

Son interlocuteur eut l'air dubitatif, et gratta sa couronne de cheveux blancs avant de rejoindre l'endroit où le portail de Dashiva se refermait déjà dans un clignotement lumineux. Boitillant de l'avant, Flinn secoua la tête, marmonnant que c'était bien de Dashiva. Rand

321

eut envie de crier. Il ne pouvait pas devenir fou, et eux non plus !

Le portail de Flinn s'évanouit, et Rand se remit à observer l'horizon. De nouveau, tout était calme. La forêt s'étirait devant lui dans le silence. C'était une mauvaise idée que d'avoir voulu s'emparer des avant-postes dans la montagne ; il était prêt à l'admettre maintenant. Sur ce terrain, on pouvait se trouver à un demi-mile d'une armée sans le savoir. Dans cette épaisse forêt, on pouvait en être à dix pieds et l'igno-rer ! Il fallait affronter les Seanchans sur un meilleur terrain. Il fallait…

Brusquement, il lutta contre le *saidin*, contre des déferlantes sauvages qui tentaient de lui vriller le crâne. Le Vide disparut, fondant sous l'attaque. Affolé et étourdi, il relâcha la Source avant qu'elle ne le tue. La nausée lui noua la gorge. Il vit deux Couronnes d'Épées… sur l'humus épais devant son visage ! Il gisait par terre. Il semblait ne pas pouvoir respirer, et s'efforçait d'aspirer l'air à grandes goulées. Une feuille de laurier dorée était ébréchée, et du sang maculait plusieurs des minuscules pointes d'épées. Un élancement dans son flanc lui apprit que ses blessures inguérissables s'étaient rouvertes. Il s'efforça de se relever et poussa un cri. Frappé de stupeur, il fixa la hampe noire d'une flèche plantée dans son bras droit. Il s'effondra en gémissant. Quelque chose coula sur son visage et goutta devant ses yeux. Du sang.

Il eut vaguement conscience d'ululements. Des cava-liers apparurent au nord parmi les arbres, galopant le long de la crête, certains avec leur lance en arrêt, d'autres tirant des flèches aussi vite qu'ils pouvaient. C'étaient des cavaliers en armures à plates bleu et jaune, avec des casques semblables à des têtes d'insectes monstrueux. Des Seanchans, par centaines semblait-il, qui venaient du nord. Autant pour la mouche de Weiramon.

Rand se força à saisir la Source. Trop tard pour se soucier de vomir ou de tomber face contre terre. Une autre fois, cela l'aurait fait rire. Il s'efforça... Il avait l'impression de tâtonner dans le noir pour trouver une épingle avec des doigts gourds.

C'est l'heure de mourir, chuchota Lews Therin.

Rand avait toujours su que Lews Therin serait là à la fin.

À moins de cinquante toises de Rand, Cairhienins et Tairens fonçaient sur les Seanchans en hurlant.

— Luttez, chiens ! glapit Anaiyella, démontant près de lui. Luttez !

L'élégante minaudière, tout en soie et dentelles, lâcha une bordée de jurons à faire rougir un charretier.

Anaiyella, tenant sa monture par la bride, foudroyait alternativement Rand et les combattants. Ce fut Ailil qui le retourna sur le dos. S'agenouillant près de lui, elle le regarda, une expression indéchiffrable dans ses grands yeux noirs. Il semblait incapable de bouger. Il se sentait abandonné de toutes ses forces. Il n'était pas certain de pouvoir seulement cligner des yeux. Des cliquetis d'épées et des hurlements résonnaient à ses oreilles.

— S'il meurt entre nos mains, Bashere nous pendra toutes les deux ! s'écria Anaiyella, sans la moindre trace de minauderie. Si ces monstres en noir nous mettent la main dessus... !

Elle frissonna et se baissa près d'Ailil, avec un geste du couteau dans sa main qu'il n'avait pas remarqué jusque-là. Un rubis rouge sang étincelait sur le manche.

— Votre capitaine devrait détacher des hommes pour nous mettre en sécurité. On pourrait être à des miles avant qu'on ne le trouve, et de retour sur nos terres quand…

— Je crois qu'il nous entend, l'interrompit calmement Ailil. Ses mains gantées de rouge remuèrent près de sa taille.

Rengainant une dague ? Ou la dégainant ?

— S'il meurt ici…

Elle s'interrompit aussi brusquement que sa compagne tout à l'heure, et tourna soudain la tête.

Deux torrents de cavaliers passèrent à droite et à gauche de Rand, dans le tonnerre de leurs sabots. Brandissant son épée, Bashere sauta à terre presque avant que son cheval ne s'arrête. Gregorin Panar démonta plus lentement, mais il agita son épée en direction des cavaliers qui passaient au galop.

— Frappez pour le Roi et l'Illian, rugit-il. Frappez ! Le Seigneur du Matin ! Le Seigneur du Matin !

L'entrechoquement des épées s'amplifia. Les hurlements aussi.

— Ce sera sans doute comme ça à la fin, gronda Bashere, foudroyant les deux femmes avec suspicion.

Pourtant, il ne perdit qu'un instant avant d'élever la voix pour dominer le fracas de la bataille.

— Morr ! Que votre peau d'Asha'man soit réduite en cendres ! Ici, immédiatement !

Louée soit la Lumière, il ne cria pas que le Seigneur Dragon était à terre.

Avec effort, Rand tourna un peu la tête. Assez pour voir les Cairhienins et les Saldaeans chevaucher vers le nord. Les Seanchans devaient avoir cédé.

— Morr ! rugit Bashere à travers sa moustache.

Et Morr sauta de son cheval au galop presque sur Anaiyella. Elle sembla mécontente qu'il ne s'excuse pas. Il s'agenouilla près de Rand, repoussant les cheveux qui lui tombaient sur le visage. Elle recula précipitamment, bondissant quasiment, en réalisant qu'il se préparait à canaliser. Ailil se releva plus calmement, mais s'éloigna rapidement, rengainant une dague au manche d'argent.

La Guérison était une opération simple, voire réconfortante. Il cassa l'empennage et tira sur la hampe, d'un coup sec qui coupa le souffle à Rand, pour dégager la plaie. De la terre et des graviers tombèrent quand les chairs de Rand se reformèrent. Mais seuls Flinn et quelques autres pouvaient extraire à l'aide du Pouvoir les corps étrangers qui s'étaient incrustés profondément dans la blessure. Posant deux doigts sur la poitrine de Rand, Morr se mordit la langue, les traits fixes, et tissa la Guérison. Il procédait toujours de la même manière ; autrement, ça ne marchait pas. Ce n'était pas le tissage complexe qu'utilisait Flinn. Peu en étaient capables, et aucun aussi bien que Flinn. Sa méthode était plus simple. Plus fruste. Des ondes de chaleur traversèrent Rand, assez fortes pour le faire grogner et l'inonder de sueur. Il trembla violemment de la tête aux pieds. Un rôti au four devait ressentir la même chose.

Le flot soudain de chaleur reflua lentement, laissant Rand haletant. Dans sa tête, Lews Therin haletait aussi. *Tuez-le ! Tuez-le !* Encore et encore.

Réduisant la voix à un faible bourdonnement, Rand remercia Morr – le jeune homme battit des paupières, comme s'il était surpris ! – puis, saisissant le Sceptre du Dragon tombé à terre, il se força à se relever. Debout, il chancela légèrement. Bashere voulut lui offrir son bras, mais sur un geste de Rand, il se ravisa. Rand pouvait tenir debout sans aide. À peine. Mais il était aussi capable de s'envoler en agitant les bras que de canaliser. Quand il porta la main à son flanc, sa chemise glissa sur du sang, pourtant l'ancienne blessure ronde et la nouvelle qui la traversait de biais étaient juste un peu sensibles. Seulement à moitié cicatrisées, mais il n'en avait jamais été autrement depuis le début.

Un instant, il observa les deux femmes. Anaiyella murmura de vagues félicitations, avec un sourire qui lui fit se demander si elle avait l'intention de lui lécher le poignet. Ailil se tenait très droite et très calme, comme si rien ne s'était passé. Avaient-elles imaginé l'abandonner là, mourant ? Ou le tuer ? Mais dans ce cas, pourquoi appeler leurs hommes d'armes à la rescousse et se précipiter à son chevet ? Cependant, Ailil *avait* tiré sa dague quand elles l'avaient cru à l'agonie.

La plupart des Saldaeans et des Illianers galopaient vers le nord ou vers le fond de la vallée, à la poursuite des Seanchans. Et puis Weiramon apparut, en provenance du nord, sur un grand étalon luisant, au petit galop qui s'accéléra quand il vit Rand. Ses hommes d'armes chevauchaient derrière lui en colonne par deux.

— Mon Seigneur Dragon, entonna le Haut Seigneur en mettant pied à terre.

Il semblait *toujours* aussi propre que lorsqu'ils avaient quitté l'Illian. Bashere était juste un peu fripé et boueux, mais les beaux atours de Gregorin étaient tachés de terre, avec une manche déchirée. Weiramon fit une révérence pleine de panache, à faire rougir un courtisan.

— Pardonnez-moi, mon Seigneur Dragon. J'ai cru voir des Seanchans avancer devant cette crête, et je suis allé à leur rencontre, sans soupçonner la présence de cette autre compagnie. Vous ne pouvez pas savoir comme je serais peiné que vous soyez blessé.

— Je crois le savoir, dit Rand, ironique. Weiramon cligna des yeux.

Des Seanchans qui avançaient ? Peut-être. Weiramon ne raterait jamais une occasion de charger pour se couvrir de gloire.

— Que vouliez-vous dire par « à la fin », Bashere ?

— Ils se retirent, répondit Bashere.

Dans la vallée, les éclairs et le feu reprirent, comme pour le faire mentir, mais c'était presque la fin.

— Vos… éclaireurs disent tous qu'ils battent en retraite, dit Gregorin, se caressant la barbe et lorgnant Morr d'un regard gêné.

Morr lui sourit de toutes ses dents. Rand avait vu l'Illianer au plus fort de la mêlée, à la tête de ses hommes, leur criant des encouragements en agitant son épée avec un abandon total. Il cilla au sourire de Morr.

327

C'est alors que Gedwyn approcha, tenant son cheval par la bride avec désinvolture, la mine insolente. Il ricana presque en regardant Bashere et Gregorin, fronça les sourcils sur Weiramon, comme s'il était déjà au courant de sa bévue, et lorgna Ailil et Anaiyella comme s'il allait les pincer. Les deux femmes s'écartèrent de lui précipitamment, et les hommes les imitèrent, sauf Bashere. Il salua Rand d'un bref coup de poing sur la poitrine.

— J'ai envoyé des éclaireurs dès que j'ai vu que cette bande était battue. Il y a trois autres colonnes dans un rayon de dix miles.

— Qui se dirigent toutes vers l'ouest, intervint Bashere avec calme, mais en portant sur Gedwyn un regard qui aurait tranché des pierres. Vous avez réussi, dit-il à Rand. Ils se retirent tous. Je doute qu'ils s'arrêtent avant Ebou Dar. Les campagnes ne se terminent pas toutes par une entrée solennelle dans la cité, et celle-ci est terminée.

Curieusement – ou peut-être pas –, Weiramon se mit à argumenter en faveur d'une avance, afin de « prendre Ebou Dar pour la gloire du Seigneur du Matin », selon ses propres paroles. Ce fut assurément un choc d'entendre Gedwyn affirmer que, pour sa part, il n'avait rien contre le fait de tailler des croupières à ces Seanchans et que ça ne lui déplairait pas de voir Ebou Dar. Même Ailil et Anaiyella se déclarèrent en faveur d'« achever les Seanchans une fois pour toutes », même si Ailil ajouta qu'elle préférait ne pas avoir à revenir pour finir le travail. Elle était pratiquement sûre que le Seigneur Dragon insisterait pour avoir sa compagnie en cette occasion. Le tout dit d'un ton aussi froid et sec qu'une nuit dans le Désert des Aiels.

Seuls Bashere et Gregorin parlèrent de tourner les talons, élevant la voix de plus en plus à mesure que Rand gardait le silence. Il regardait vers l'ouest, vers Ebou Dar.

— Nous avons fait ce que nous nous proposions, insista Gregorin. La lumière nous protège, avez-vous l'intention de prendre aussi Ebou Dar ?

Prendre Ebou Dar, pensa Rand. Pourquoi pas ? Personne ne s'y attendait. Ce serait une surprise, pour les Seanchans et pour tous les autres.

— Il y a des moments où l'on gagne ; alors, on continue. Il y en a d'autres où l'on ramasse ses gains pour rentrer à la maison, grommela Bashere. Je dirais qu'il est temps de rentrer à la maison.

Ça ne me ferait rien de vous avoir dans ma tête, dit Lews Therin, d'un ton presque sensé, *si vous n'étiez pas si manifestement fou.*

Ebou Dar. Rand serra sa main plus fort sur le Sceptre du Dragon. Lews Therin ricana.

24.

Un temps pour le fer

À douze lieues à l'est d'Ebou Dar, les *rakens* planaient, allant et venant dans une aube parsemée de nuages, pour atterrir dans une étroite prairie que de longs rubans multicolores attachés en haut de grands mâts annonçaient comme réservée aux pilotes. L'herbe brunâtre était calcinée et piétinée depuis des jours. Toute la grâce de ces créatures quand elles étaient en plein ciel disparaissait dès que leurs serres touchaient terre, et se muait en une course pesante, qui faisait se relever leurs ailes parcheminées d'une envergure de plus de trente toises, comme si l'animal s'apprêtait à reprendre aussitôt son vol. On ne voyait guère plus de beauté chez les *rakens* qui couraient gauchement pour décoller, battant l'air de leurs ailes nervurées, les pilotes accroupis sur leurs selles comme pour soulever eux-mêmes la créature. Ils couraient jusqu'à ce qu'ils se soulèvent lourdement du sol, le bout de leurs ailes frôlant le faîte des oliviers au bout de la prairie. Les pilotes qui avaient atterri ne se donnaient pas la peine de descendre. Pendant qu'un rampant présentait au *raken* un panier de fruits racornis que l'animal gobait par poignées entières, l'un des pilotes tendait son rapport à un deuxième rampant ayant un peu plus d'ancienneté, et son camarade se penchait de l'autre côté pour recevoir les ordres d'un pilote un peu trop âgé pour prendre lui-même les rênes. Une fois au sol, la créature pivotait et se dandinait lourdement vers l'aire d'envol où quatre ou cinq de ses semblables attendaient pour se lancer dans cette course maladroite qui les propulserait vers le ciel.

Courant à toutes jambes, et se faufilant entre des formations mouvantes de cavaliers et de fantassins, des messagers apportaient les rapports de reconnaissance à l'immense tente de commandement surmontée d'une bannière rouge. Se trouvaient là de hautains lanciers tarabonais et de flegmatiques piquiers amadiciens en carrés bien ordonnés, aux plastrons ornés de rayures horizontales aux couleurs de leur régiment. Les Altarans de la cavalerie légère, par petits groupes, faisaient caracoler leurs montures, fiers des raies rouges barrant leur poitrine, si différentes des autres signes distinctifs. Les Altarans ne se doutaient pas qu'elles signalaient les hommes de fiabilité douteuse. Parmi les soldats seanchans, des régiments cités à l'ordre de l'armée venaient de toutes les régions de l'Empire, hommes aux yeux clairs de l'Alquam, hommes à la peau couleur de miel du N'Kon, hommes noirs comme le charbon du Khoweal et du Dalenshar. C'étaient des *morat'torms*, sur leurs montures sinueuses à écailles couleur bronze, qui faisaient hennir et piaffer les chevaux apeurés, et il y avait même quelques *morat'grolms*, sur leurs montures trapues au long bec. Ce qui accompagnait toujours les armées seanchanes brillait par son absence : les *sul'dams* et les *damanes* étaient encore dans leurs tentes. Le Capitaine-Général Kennar Miraj avait une haute opinion des *sul'dams* et des *damanes*.

Depuis son siège installé sous le dais, il voyait nettement la table des cartes, où des sous-lieutenants, tête nue, consultaient les rapports et plaçaient dessus des marqueurs qui représentaient les forces en présence. Chaque marqueur était surmonté d'un petit drapeau en papier, où figuraient, à l'encre, des symboles indiquant la taille et la composition des détachements. Trouver des cartes correctes dans ces pays était quasiment impossible, mais celle déployée sur la table était suffisante et inquiétante, par ce qu'elle annonçait. Des disques noirs figuraient les avant-postes envahis ou dispersés. Ils étaient beaucoup trop nombreux, éparpillés sur toute la moitié orientale des Monts de Venir. Des triangles rouges, pour les unités en marche, parsemaient la moitié occidentale, tous pointés vers Ebou Dar. Et, dispersés au milieu des disques noirs, dix-sept disques blancs comme neige avaient été placés. Sous les yeux de Miraj, un jeune officier en tunique brun et noir de *morat'torm*, y ajouta précautionneusement un dix-huitième. Les forces ennemies. Certains de ces disques pouvaient concerner deux fois le même détachement, mais pour la plupart, ils étaient trop espacés. Les heures auxquelles ils avaient été vus ne correspondaient pas.

Le long des parois de la tente, des secrétaires en tunique brune, portant seulement sur leur haut col l'insigne de leur grade dans le corps des bureaucrates, attendaient derrière leurs bureaux, plume à la main, que Miraj donne des ordres qu'ils copieraient en vue de leur distribution. Il avait déjà donné toutes les instructions qu'il pouvait. Il y avait quatre-vingt-dix mille soldats ennemis dans les montagnes, près de deux fois plus qu'il ne pouvait en réunir ici, même en comptant les recrues indigènes. Beaucoup trop pour que ce soit crédible, sauf que les éclaireurs ne mentaient pas, car les menteurs se voyaient trancher la gorge par leurs camarades. Beaucoup trop, qui sortaient de terre comme les vers dans le Sen T'jore. Au moins, ils avaient encore des miles de montagne à couvrir s'ils avaient l'intention de menacer Ebou Dar. Près de deux cents miles pour les disques blancs situés le plus à l'est. Et cent miles de plus en terrain vallonné. Il était probable que le général ennemi ne laisserait pas ses armées dispersées, pour être vaincues une par une. Le regroupement prendrait encore du temps. Pour le moment, seul le temps travaillait pour Miraj.

Les rabats de la tente s'ouvrirent, et la Haute Dame Suroth entra d'un pas glissant, une crête de cheveux noirs cascadant jusqu'à sa taille, sa robe blanche comme neige ainsi que son paletot richement brodé. Miraj la croyait toujours à Ebou Dar ; elle était sans doute venue par la voie aérienne, sur un *to'raken*. Elle était accompagnée d'une escorte, réduite pour elle. Deux Gardes de la Mort, la poignée de leur épée ornée de glands noirs, maintenaient ouverts les rabats de la tente, et d'autres étaient visibles à l'extérieur, hommes au visage de pierre habillés en vert et noir. Incarnations de l'Impératrice, puisse-t-elle vivre à jamais ! Même ceux du Sang les respectaient. Suroth entra, comme s'ils étaient de simples domestiques, à l'instar de la voluptueuse *da'covale* en pantoufles et robe presque transparente, ses cheveux couleur de miel tressés en une multitude de petites nattes, et qui serrait respectueusement dans ses bras, à deux pas derrière, le bureau portatif doré de la Haute Dame. Alwhin, la Voix du Sang de Suroth, une femme au visage menaçant en robe verte, avec le côté gauche du crâne rasé et le reste de ses cheveux châtain clair tombant sur son épaule en une stricte tresse, suivait sur les talons de sa maîtresse. Quand Miraj descendit de son estrade, il eut un choc en réalisant que la seconde *da'covale* était une *damane* ! Une *damane* vêtue comme une servante, ça ne s'était jamais vu ! Mais, plus insolite encore, c'était Alwhin qui la conduisait par son *a'dam* !

Pourtant, rien ne transpira de sa surprise quand il mit un genou à terre en murmurant :

— Que la Lumière illumine la Haute Dame Suroth ! Gloire à la Haute Dame Suroth !

Tous les autres se prosternèrent sur le tapis de la tente, les yeux baissés. Miraj était du Sang, bien que d'un rang trop inférieur pour se raser les deux côtés de la tête comme Suroth. Seuls les ongles de ses auriculaires étaient laqués. D'un rang beaucoup trop bas pour laisser paraître sa surprise quand une Haute Dame laissait sa Voix agir en *sul'dam* après avoir été élevée à la dignité de *so'jhin*. Une étrange époque dans un étrange pays, où marchait le Dragon Réincarné et où les *marath'damanes* couraient en liberté pour tuer ou réduire en esclavage qui elles voulaient.

Suroth lui accorda à peine un regard avant de se tourner vers la table pour étudier la carte. Et si ses yeux noirs s'étrécirent légèrement, ce ne fut pas sans raison. Sous son commandement, les Hailenes avaient accompli bien plus que ce dont ils avaient rêvé, se réappropriant de vastes étendues de terres volées. On les avait envoyés pour reconnaître le terrain, et après Falme, même cela avait semblé impossible à certains. Ses doigts tambourinèrent sur la table, les deux longs ongles laqués en bleu cliquetant sur le plateau. Si ses victoires continuaient, elle pourrait peut-être se raser totalement la tête et laquer un troisième ongle à chaque main. L'adoption dans la Famille Impériale n'était pas impossible pour de si grandes réussites. Mais si elle faisait un faux pas, on pouvait lui couper les ongles et l'accoutrer d'une robe transparente pour servir quelqu'un du Sang, sinon la vendre à un paysan pour l'aider à labourer ses champs ou suer sang et eau dans un entrepôt. Au pire, Miraj serait juste obligé de s'ouvrir les veines.

Il continua à observer Suroth dans un silence patient, mais il avait été lieutenant d'une compagnie d'éclaireurs, *morat'raken*, avant d'être élevé au Sang, et il ne pouvait pas s'empêcher de tout observer autour de lui. Un éclaireur vit et meurt par ce qu'il voit ou ne voit pas, et ses compagnons aussi. Les assistants étaient toujours prosternés face contre terre dans la tente. Certains semblaient à peine respirer. Suroth aurait dû le prendre à l'écart, et les laisser poursuivre leur travail. À l'entrée, les Gardes renvoyaient une messagère. Quelle nouvelle était assez importante pour qu'elle tente de forcer le barrage des Gardes de la Mort ?

La *da'covale* qui portait le pupitre saisit son regard. Un froncement de sourcils assombrit furtivement son joli visage poupin. Sa réaction exprimait-elle la colère ? Mais il y avait autre chose. Miraj glissa son regard sur la *damane*, qui baissait toujours la tête mais jetait des coups d'œil autour d'elle avec curiosité. La *da'covale* aux yeux noirs et la *damane* aux yeux clairs semblaient aussi différentes que peuvent l'être deux femmes, pourtant elles avaient quelque chose en commun. Quelque chose de bizarre dans leur visage. D'étrange. Il n'aurait pas pu leur donner d'âge.

Pour discret qu'ait été son regard, Alwhin le remarqua. Elle secoua la laisse de l'*a'dam*, et la *damane* tomba face contre terre. Elle fit claquer ses doigts, désigna le tapis de sa main libre, et grimaça quand la *da'covale* aux cheveux de miel ne bougea pas.

— À terre, Liandrin ! siffla-t-elle entre ses dents.

Foudroyant Alwhin, la *da'covale* tomba à genoux, le visage boudeur.

C'était très étrange. Mais sans importance. Le visage impassible bien qu'il bouillonnât, il attendit, impatient et très mal à l'aise. Il avait été élevé au Sang pour avoir chevauché cinquante miles dans la nuit, avec trois flèches dans le corps, et annoncé qu'une armée rebelle marchait sur Seandar. Il en gardait des cicatrices encore douloureuses.

Finalement, Suroth se détourna de la table des cartes. Elle ne l'autorisa pas à se relever, et encore moins à lui donner l'accolade comme à un homme du Sang. Non qu'il l'espérât. Il était très au-dessous d'elle.

— Vous êtes prêt à vous mettre en marche ? demanda-t-elle sèchement.

Au moins, elle ne lui parla pas par l'intermédiaire de sa Voix. Devant tant d'officiers, il aurait dû baisser les yeux de honte pendant des mois, sinon des années.

— Je le serai, Suroth, répondit-il calmement, la regardant dans les yeux.

Il *était* du Sang après tout, même si c'était d'un rang inférieur.

— Ils ne peuvent pas se regrouper en moins de dix jours, avec au moins dix jours de plus pour sortir des montagnes. Bien avant ça, je…

— Ils pourraient être ici demain, l'interrompit-elle d'un ton tranchant. Aujourd'hui ! S'ils arrivent, Miraj, ils viendront par l'antique art de Voyager, et cela semble très possible.

Il entendit des hommes prosternés remuer sur le ventre avant de s'immobiliser. Suroth perdait-elle le contrôle de ses émotions et lui servait-elle des légendes ?

— En êtes-vous certaine ?

Les mots lui échappèrent.

Il avait cru qu'elle ne contrôlait plus ses émotions, mais il n'avait encore rien vu. À présent, ses yeux étincelaient. Elle saisit les bords de sa robe aux motifs fleuris, serrant à s'en blanchir les phalanges. Ses mains tremblaient.

— Vous osez mettre ma parole en doute ? gronda-t-elle, incrédule. Il suffit que j'aie mes sources d'information.

Elle était aussi furieuse de ces informateurs que de lui-même, pensa-t-il.

— S'ils viennent, ils auront sans doute avec eux une cinquantaine de ces fameux Asha'man, mais pas plus de cinq à six mille soldats. Il semble qu'il n'y en ait pas eu davantage depuis le début, quoi qu'en disent les pilotes.

Miraj hocha lentement la tête. Cinq mille hommes, se déplaçant d'une façon ou d'une autre grâce au Pouvoir Unique, ça expliquait beaucoup de choses. Quelles *étaient* ses sources, pour qu'elle connaisse les effectifs avec une telle précision ? Il n'était pas assez bête pour le lui demander. Elle avait certainement des Écouteurs et des Chercheurs à son service. Qui la surveillaient aussi. Cinquante Asha'man. La seule idée d'un homme canalisant lui donna envie de cracher de dégoût. La rumeur prétendait qu'ils venaient de toutes les nations, rassemblés par le Dragon Réincarné, ce Rand al'Thor, mais il n'avait jamais cru qu'ils puissent être si nombreux. Le Dragon Réincarné pouvait canaliser, disait-on. C'était peut-être vrai, mais il était le Dragon Réincarné.

Les Prophéties du Dragon étaient connues au Seanchan avant que Luthair Paendrag ait effectué la Consolidation. Sous une forme corrompue, disait-on, bien différente de la pure version rapportée par Luthair Paendrag. Miraj avait lu plusieurs volumes du *Cycle de Karaethon*, et ils étaient corrompus aussi – pas un seul ne mentionnait qu'il servait le Trône de Cristal ! – mais les Prophéties captivaient encore l'esprit et le cœur des hommes. Plus d'un espérait le Retour assez proche, et que ces pays seraient reconquis avant la Tarmon Gai'don, afin que le Dragon Réincarné puisse gagner la Dernière Bataille pour la gloire de l'Impératrice, puisse-t-elle vivre à jamais. L'Impératrice voudrait certainement qu'on lui envoie Rand al'Thor, pour voir quel genre d'homme la servait. Il n'y aurait aucune difficulté avec al'Thor quand il se serait agenouillé devant elle. Rares étaient ceux qui parvenaient à se débarrasser de la crainte qu'ils ressentaient, quand ils étaient à genoux devant le Trône de Cristal, la soif de servir leur desséchant la gorge. Mais à l'évidence, il serait plus facile d'embarquer ce garçon sur un vaisseau si l'on attendait pour se débarrasser des Asha'man – il faudrait s'en débarrasser, c'était certain – que Rand al'Thor soit en route pour Seandar, en plein Océan d'Aryth.

Ce qui le ramenait au problème qu'il s'était efforcé d'éluder, réalisa-t-il, sursautant intérieurement. Il n'était pas homme à contourner les difficultés, et encore moins à les ignorer, mais celle-ci était différente de toutes celles qu'il avait affrontées jusque-là… Il avait livré deux douzaines de batailles, avec des *damanes* dans les deux camps ; il savait donc comment elles procédaient. Il ne s'agissait pas simplement de frapper avec le Pouvoir. Une *sul'dam* expérimentée pouvait, d'une façon ou d'une autre, voir ce que faisait une *damane* ou une *marath'damane*, et la *damane* pouvait communiquer avec les autres, de sorte que les *damanes* pouvaient défendre également. Une *sul'dam* était-elle capable de voir aussi ce que faisait un homme ? Pire…

— Me confierez-vous les *sul'dams* et les *damanes* ? demanda-t-il.

Prenant malgré lui une profonde inspiration, il ajouta :

— Si elles sont toujours malades, le combat sera court et sanglant. De notre côté.

Ce qui provoqua de nouveau des remous parmi les hommes toujours prosternés. Parmi les rumeurs qui circulaient dans le camp, une sur deux concernait la maladie qui confinait *sul'dams* et *damanes* dans leurs tentes. Alwhin réagit ouvertement mal envers une *so'jhin*, en lui lançant un regard flamboyant. De nouveau, la *damane* tressaillit, et se mit à frissonner par terre où elle gisait toujours. Curieusement, la *da'covale* aux cheveux de miel frémit aussi.

Un sourire aux lèvres, Suroth s'approcha de la *da'covale* agenouillée. Pourquoi souriait-elle à une modeste servante ? Elle se mit à caresser les fines tresses de la femme à genoux, et une moue apparut sur la bouche en forme de bouton de rose. Une ancienne noble de ces contrées ? Les premiers mots de Suroth semblèrent confirmer cette hypothèse, même si c'était à lui qu'ils étaient destinés.

— Les petits échecs coûtent peu, les grands se payent douloureusement cher. Vous aurez les *damanes* que vous demandez, Miraj. Et vous apprendrez à ces Asha'man qu'ils auraient dû rester dans le Nord. Vous balaierez de la face du monde les Asha'man, les soldats… Tous jusqu'au dernier, Miraj. J'ai dit.

— Il en sera comme vous l'ordonnez, Suroth, répondit-il. Ils seront détruits. Jusqu'au dernier.

Il ne pouvait rien dire d'autre maintenant. Il regretta quand même qu'elle ne lui ait pas dit si les *sul'dams* et les *damanes* étaient toujours malades.

Rand fit pivoter Tai'daishar en haut de la colline dénudée et rocheuse, pour regarder sa petite armée sortir d'autres trous dans l'air. Il tenait fermement la Vraie Source, à tel point qu'elle semblait trembler dans sa main. Avec le Pouvoir en lui, les pointes acérées de la Couronne d'Épées piquant ses tempes paraissaient à la fois plus pointues que jamais et immensément distantes, et la fraîcheur de ce milieu de matinée semblait à la fois plus froide et inexistante. Les blessures inguérissables de son flanc le faisaient souffrir d'une douleur sourde et lointaine. Lews Therin semblait haleter d'incertitude. Ou de peur. Peut-être qu'après avoir vu la mort de si près la veille, il ne désirait plus autant mourir. Mais il faut dire que ce n'était pas tout le temps le cas. La seule constante chez lui, c'était le désir de tuer. Sans s'excepter lui-même, assez souvent.

Il y aura bientôt assez de tueries pour tout le monde, pensa Rand. *Par la Lumière, les six derniers jours en ont vu assez pour dégoûter un vautour !* Ça ne faisait que six jours ? Mais le dégoût ne le touchait pas. Il ne le laisserait pas l'atteindre. Lews Therin ne répondit pas, c'était un temps pour les cœurs de fer. Et aussi pour les estomacs de fer. Il se pencha pour toucher un instant le long paquet enveloppé de linges, attaché sous son étrivière. Non, le moment n'était pas venu, pas encore. Il ne viendrait peut-être pas. L'incertitude scintilla à travers le Vide, avec quelque chose d'autre. Il espérait que ce moment ne viendrait pas du tout. De l'incertitude, oui, pas la peur !

Une partie des basses collines alentour étaient couvertes de petits oliviers noueux miroitant au soleil. Les lanciers arpentaient déjà les rangées d'arbres pour s'assurer que l'endroit était sûr. Il n'y avait pas le moindre ouvrier ou la plus petite ferme dans ces vergers. À quelques miles à l'ouest, les collines boisées étaient plus sombres. Les Légionnaires, émergeant au petit trot en dessous de Rand, reformèrent les rangs, suivis d'un carré désordonné de volontaires illianers, à présent enrôlés dans la Légion. Ils se mirent en marche, pour faire place aux Défenseurs et aux Compagnons. Sur le sol argileux, leurs bottes et leurs sabots pataugeaient dans la boue. Seuls quelques nuages blancs planaient dans le ciel. Le soleil était une pâle boule jaune. Et rien ne volait de plus gros qu'un moineau.

Dashiva et Flinn faisaient partie de ceux qui maintenaient les portails ouverts, comme Adley et Hopwil, Morr et Narishma. Certains portails, derrière les collines, étaient hors de vue de Rand. Il voulait que tous passent aussi vite que possible. Excepté quelques Soldats qui scrutaient le ciel, tous les hommes en tuniques noires tenaient un tissage. Même Gedwyn et Rochaid, qui grimaçaient tous les deux, en s'entreregardant ou en observant Rand. Rand se fit la réflexion qu'ils

342

avaient perdu l'habitude de tenir un portail pour faire passer les autres.

Bashere monta la colline au petit galop, pleinement satisfait de lui-même et de son petit alezan. Sa cape flottait derrière lui malgré le froid matinal. Il salua avec désinvolture Ailil et Anaiyella qui lui répondirent d'un regard maussade. Bashere sourit sous son épaisse moustache tombante, sans pour autant paraître aimable. Ces femmes lui inspiraient autant de méfiance qu'à Rand. Et elles le savaient, du moins en ce qui concernait les réserves de Bashere. Détournant la tête du Saldaean, Anaiyella se remit à caresser la crinière de son hongre. Ailil tenait ses rênes trop serrées.

Ces deux-là ne s'étaient guère éloignées de Rand depuis l'incident de la veille sur la crête, ayant fait planter leurs tentes à portée de voix de la sienne. Sur un versant opposé d'herbe brunâtre, Denharad se déplaça pour étudier les suites des deux nobles dames, rangées derrière lui, puis détourna le regard vers Rand. Il observait peut-être aussi Ailil et Anaiyella, mais il surveillait Rand sans aucun doute. Rand se demandait si elles craignaient d'être blâmées au cas où il mourrait, ou si elles souhaitaient sa mort. La seule chose dont il était certain c'est que, si c'était le cas, il ne leur en donnerait pas l'occasion.

Qui connaît le cœur d'une femme ? ironisa Lews Therin. Il semblait dans une de ses périodes sensées. *La plupart des femmes hausseraient les épaules, alors qu'un homme vous tuerait. Elles vous tueraient pour ce qui ferait hausser les épaules à un homme.*

Rand l'ignora. Le dernier portail en vue disparut dans un clignotement. Les Asha'man montés étaient trop loin pour qu'il se rende compte s'ils tenaient encore le *saidin*, mais peu importait tant qu'il le tenait, lui. Maladroit, Dashiva tenta de se hisser sur sa monture, et faillit tomber deux fois avant de réussir à se mettre en selle. La plupart des Asha'man en vue chevauchèrent soit vers le nord, soit vers le sud.

Les autres nobles se rassemblèrent rapidement près de Bashere, juste au-dessous de Rand, les plus titrés et les plus puissants devant, après quelques bousculades ici et là quand la préséance était incertaine. Tihera et Marcolin se maintinrent à l'écart, de chaque côté de la masse des nobles, l'air volontairement absents. On pouvait leur demander leur avis, mais tous deux savaient que les décisions appartenaient à d'autres. Weiramon ouvrit grand la bouche, sans aucun doute pour commencer une nouvelle péroraison sur l'honneur qu'ils avaient de suivre le Dragon Réincarné. Sunamon et Torean, habitués à ses laïus, et assez puissants pour ne pas avoir à le ménager, arrêtèrent leurs chevaux côte à côte et se mirent à bavarder tranquillement. Le visage de Sunamon affichait une dureté insolite, et Torean semblait prêt à se chamailler au sujet du tracé d'une frontière, malgré les raies de satin de ses manches. Bertome, au menton volontaire, et certains autres Cairhienins riaient de leurs plaisanteries. Les pompeuses proclamations de Weiramon lassaient tout le monde. Mais Semaradrid se rembrunissait chaque fois qu'il regardait Ailil et Anaiyella – ça ne lui plaisait pas qu'elles restent près de Rand, surtout sa compatriote –, alors peut-être sa méfiance était-elle plus justifiée que les propos ampoulés de Weiramon.

— À environ dix miles, une cinquantaine de milliers d'hommes se préparent à attaquer, dit Rand à voix haute.

Ils le savaient, mais tous les yeux se tournèrent vers Rand et toutes les langues se turent. Weiramon referma la bouche avec aigreur, car il aimait s'écouter parler. Gueyam et Maraconn, lissant leurs barbes bien peignées, sourirent comme des idiots. Semaradrid avait l'air d'un homme qui venait de manger un plein compotier de prunes avariées. Gregorin et les trois autres seigneurs du Conseil des Neuf avaient le visage grave et résolu. Ce n'étaient pas des imbéciles, eux.

— Les éclaireurs n'ont relevé aucun signe de *sul'dams* ou de *damanes*, poursuivit Rand. Mais même sans elles, et avec les Asha'man, c'est suffisant pour nous infliger de lourdes pertes si nous ne respectons pas le plan. Mais personne ne l'oubliera, j'en suis sûr.

Il n'était pas question de charger sans en avoir reçu l'ordre, cette fois. Il l'avait dit avec la clarté de l'eau et la dureté de la pierre. Pas question non plus de foncer parce qu'on avait cru apercevoir quelque chose.

Weiramon sourit, parvenant à être aussi suave que Sunamon.

En un sens, le plan était simple. Ils avanceraient vers l'ouest en cinq colonnes, chacune avec un Asha'man, et tenteraient d'assaillir les Seanchans de tous les côtés en même temps. Les plans les plus simples étaient les meilleurs, répétait Bashere avec insistance. *Si on n'est pas content avec toute une portée de cochonnets*, avait-il marmonné, *si on veut se ruer dans les bois à la recherche de la vieille truie, alors on ne fait pas dans la dentelle ou elle vous éventre.*

Aucun plan de bataille ne survit au premier contact, déclara Lews Therin dans la tête de Rand. Pendant un moment, il sembla encore lucide. *Quelque chose ne va pas*, gronda-t-il soudain. Sa voix s'intensifia, et se mua en un rire dément. *Ça ne peut pas mal aller, et pourtant ça ne va pas. Quelque chose d'étrange, quelque chose de faux, qui s'agite, qui saute et qui se tortille.* Son rire hoquetant fit place aux pleurs. *Ça ne peut pas être ! Ça doit être fou !* Et il se tut avant que Rand le fasse taire. Qu'il soit réduit en cendres, il n'y avait rien à redire à ce plan, ou Bashere lui serait tombé dessus comme un canard sur un hanneton.

Lews Therin *était* fou, aucun doute là-dessus. Mais tant que Rand al'Thor conservait sa raison... Ce serait une mauvaise plaisanterie aux dépens du monde, si le Dragon Réincarné devenait fou avant même que la Dernière Bataille ne commence.

— Prenez vos places, ordonna-t-il, le Sceptre du Dragon à la main.

Il dut lutter contre une forte envie de rire à l'idée de cette plaisanterie.

Les nobles se dispersèrent en marmonnant, tandis que leur masse grouillante s'ordonnait. Rares étaient ceux qui appréciaient la façon dont Rand les avait divisés. Toutes les barrières tombées lors du premier combat s'étaient bien vite redressées.

Weiramon semblait contrarié d'avoir été interrompu pendant son discours. Après une révérence appuyée

346

qui projeta sa barbe vers Rand comme une lance, il chevaucha vers le nord à travers les collines, suivi de Kiril Drapaneos, Bertome, Doressin et plusieurs petits seigneurs cairhienins, tous l'air mécontents d'être commandés par un Tairen. Gedwyn chevauchait près de Weiramon, presque comme si c'était lui le chef. Ça lui valut des regards noirs qu'il feignit de ne pas voir. Les autres groupes étaient tout aussi hétérogènes. Gregorin se dirigea aussi vers le nord, avec un Sunamon maussade feignant de suivre la même direction par hasard, de même que Dalthanes qui commandait des Cairhienins de moindre rang. Jeordwyn Semaris, un autre des Neuf, suivit Bashere vers le sud, avec Amondrid et Gueyam. Ces trois-là avaient accepté le Saldaean avec empressement, pour la simple raison qu'il n'était ni Cairhienin, ni Tairen, ni Illianer. Rochaid adoptait la même tactique avec Bashere que Gedwyn avec Weiramon, mais Bashere semblait l'ignorer. À proximité du groupe de Bashere, Torean et Maraconn chevauchaient, côte à côte, sans doute mécontents de voir Semaradrid placé au-dessus d'eux. D'ailleurs, Ershin Netari ne cessait de lorgner Jeordwyn, et se dressait sur ses étriers pour regarder en direction de Gregorin et Kiril, bien qu'il fût improbable qu'il pût encore les voir au-delà des collines. Semaradrid, raide comme la justice, semblait aussi imperturbable que Bashere.

Rand appliquait le même principe depuis le début. Il ne doutait pas de Bashere, et pensait pouvoir faire confiance à Gregorin. Aucun des autres n'irait imaginer se retourner contre lui, avec tant d'étrangers, tant de vieux ennemis et si peu d'amis autour de lui. Rand rit doucement en les regardant disparaître dans les collines. Ils se battraient pour lui parce qu'ils n'avaient pas le choix. Pas plus que lui.

Folie, dit Lews Therin d'une voix sifflante. Rand, en colère, le fit taire.

Il n'était pas seul, naturellement. Tihera et Marcolin avaient disposé la plupart des Défenseurs et des Compagnons au milieu des oliviers, sur les collines flanquant celle d'où il surveillait tout du haut de son cheval. Le reste était positionné plus loin, formant écran pour le protéger des embuscades. Une compagnie de Légionnaires en tuniques bleues attendait patiemment en bas, dans la cuvette, sous l'œil de Masond, avec, à l'arrière-garde, la plupart de ceux qui s'étaient rendus dans la lande, en Illian. Ils s'efforçaient d'imiter les Légionnaires si calmes, mais sans grand succès.

Rand jeta un coup d'œil vers Ailil et Anaiyella. La Tairene lui adressa un sourire affecté, qui se fit bientôt défaillant. Le visage de la Cairhienine était glacial. Sa colonne, placée au centre, était la plus nombreuse, et la plus forte de loin.

Flinn et les hommes que Rand avait choisis après les Sources de Dumai montaient la colline vers lui. Le vieil homme chauve chevauchait toujours en tête, même si tous étaient maintenant décorés de l'Épée et du Dragon, sauf Adley et Narishma, et que Dashiva avait obtenu l'Épée le premier. C'était en partie parce que, plus jeune que Flinn, il le respectait en sa qualité d'ancien membre de la Garde de la Reine d'Andor. Et en partie parce que Dashiva ne se souciait pas de la hiérarchie. Il semblait amusé par les autres. Enfin, quand il ne parlait pas tout seul. La plupart du temps, il semblait ne pas voir plus loin que le bout de son nez.

Ce fut donc un choc quand Dashiva talonna gauchement sa monture pour passer en tête de la colonne. Son visage quelconque, à qui ses ruminations donnaient souvent l'air vague ou perplexe, s'était figé, soucieux, avec un froncement de sourcils. Ce fut donc plus qu'un choc quand il saisit le *saidin* juste après avoir rejoint Rand, et qu'il tissa autour d'eux un écran pour s'isoler des oreilles indiscrètes. Lews Therin ne gaspilla pas sa salive – si tant est qu'une voix désincarnée ait de la salive – à marmonner qu'il fallait le tuer. Il se rua sur la Source en ricanant en silence, s'efforçant d'arracher le Pouvoir à Rand. Et tout aussi brusquement, le Pouvoir s'évanouit.

— Il y a quelque chose d'anormal ici dans le *saidin*, quelque chose qui ne va pas, dit Dashiva, cette fois-ci concentré.

Il était irrité tel un maître d'école par un élève récalcitrant. Il s'emporta jusqu'à brandir l'index à l'adresse de Rand.

— Je ne sais pas ce que c'est. Rien ne peut déformer le *saidin*, et s'il pouvait être déformé, je l'aurais senti dans les montagnes. Enfin, il y *avait* quelque chose là-bas hier, mais si imperceptible… Je le sens nettement à présent. Le *saidin* est… impatient. Je sais que le *saidin* n'est pas vivant. Mais il… bat, difficile à contrôler.

Rand se força à desserrer la main tenant le Sceptre du Dragon. Il avait toujours été sûr que Dashiva était presque aussi fou que Lews Therin lui-même. Généralement, il se dominait mieux, même si c'était précaire.

— Je canalise depuis plus longtemps que vous, Dashiva. Vous ressentez davantage la souillure, c'est tout.

Il ne pouvait pas adoucir le ton. Par la Lumière, il ne pouvait pas sombrer dans la folie maintenant, et eux non plus.

— Retournez à votre place. Nous allons bientôt partir.

Les éclaireurs reviendraient bientôt. Même dans ces collines, sans horizon dégagé, dix miles ne prendraient pas longtemps à couvrir. En Voyageant.

Dashiva ne bougea pas, et se contenta d'ouvrir la bouche avec colère. Il la referma brusquement. Tremblant visiblement, il prit une profonde inspiration.

— Je sais bien que vous canalisez depuis longtemps, dit-il d'un ton cinglant, presque dédaigneux. Mais sûrement que, même vous, vous pouvez sentir ça. Sentez-le, bon sang ! Je n'aime pas le mot « étrange » appliqué au *saidin*, et je ne veux pas mourir... ou être neutralisé parce que vous êtes aveugle ! Regardez mon écran ! Regardez-le bien !

Rand le fixa. Dashiva se mettant en valeur, c'était déjà assez bizarre, mais Dashiva en colère ? Et puis il regarda l'écran intensément. Les flux auraient dû être aussi fixes que les fils bien serrés d'une tapisserie. Or, ils vibraient. L'écran était immobile comme il le devait, mais chaque fil de Pouvoir luisait à ces faibles vibrations. Morr avait dit que le *saidin* était étrange à Ebou Dar, et à cent miles à la ronde. Ils en étaient maintenant à moins de cent miles.

Rand s'efforça de sentir le *saidin*. Il avait perpétuellement conscience du Pouvoir – c'était une question de vie ou de mort – pourtant, il s'était habitué à le combattre. Il luttait pour sa vie, et la lutte lui était devenue aussi naturelle que la vie. La lutte *était* la vie. Il se concentra pour sentir cette bataille, sa vie. Froid à pulvériser la pierre. Feu à vaporiser la pierre. Fumier à faire paraître un cloaque parfumé comme un jardin en fleurs. Et… une pulsation, comme quelque chose vibrant dans sa main. Ce n'était pas le même phénomène que celui qu'il avait senti à Shadar Logoth, quand la souillure du *saidin* était entrée en résonance avec le maléfice de l'endroit et que le *saidin* avait pulsé au même rythme. Ici, la souillure était forte mais stable. C'était le *saidin* lui-même qui semblait plein de courants et de brusques variations. *Impatient*, avait dit Dashiva. Maintenant, Rand comprenait pourquoi.

En bas de la pente, derrière Flinn, Morr se passa la main dans les cheveux et regarda autour de lui, mal à l'aise. Flinn gigotait sur sa selle et remuait son épée dans son fourreau. Narishma, qui observait le ciel à la recherche de créatures volantes, clignait des yeux trop souvent. Un muscle se contractait dans la joue d'Adley. Chacun manifestait un signe de nervosité, et cela n'avait rien d'étonnant. Rand se sentit immensément soulagé. Ils n'étaient pas fous !

Dashiva eut un sourire en coin quelque peu suffisant.

351

— Je n'arrive pas à croire que vous ne l'ayez pas remarqué avant, dit-il, d'un ton proche de la raillerie. Vous avez tenu le *saidin* pratiquement jour et nuit depuis le début de cette folle expédition. C'est un écran simple, mais il refusait de se former. Puis il s'est dressé tout d'un coup, comme s'il échappait à mes mains.

La fente bleu argenté d'un portail entra en rotation en haut d'une colline dénudée. Un Soldat le franchit, tirant son cheval après lui et se mit vivement en selle, rentrant de reconnaissance. Même à cette distance, Rand distingua le faible scintillement du tissage avant que le portail ne disparaisse. Le cavalier n'était pas encore au pied de la colline qu'un autre portail s'ouvrait sur la crête, puis un troisième, un quatrième, et d'autres encore, l'un après l'autre, presque aussi vite que l'homme qui les franchissait était passé.

— Mais il s'est formé quand même, dit Rand.

Comme les portails des éclaireurs.

— Le *saidin* est difficile à contrôler, mais il l'est toujours, et il fait quand même ce que vous voulez.

Mais pourquoi était-ce plus difficile ici ? Une question à remettre à plus tard. Par la Lumière, comme il aurait voulu qu'Herid Fel soit encore vivant ; le vieux philosophe connaissait peut-être la réponse.

— Retournez avec les autres, Dashiva, ordonna-t-il.

Mais Dashiva le fixa avec stupéfaction, et il dut se répéter avant que l'Asha'man ne lâche l'écran. Il fit pivoter son cheval, sans saluer, et talonna sa monture pour descendre la pente.

— Des ennuis, mon Seigneur Dragon ? minauda Anaiyella.

Ailil se contenta de la regarder.

Voyant le premier éclaireur galoper vers Rand, les autres se déployèrent en éventail au nord et au sud, pour rejoindre l'une des autres colonnes. Il serait plus rapide d'employer la bonne vieille méthode que d'ouvrir des portails à l'aveuglette. Tirant sur ses rênes devant Rand, Nalaam se frappa la poitrine de son poing – ses yeux étaient-ils affolés ? Peu importait. Le *saidin* faisait toujours ce que l'homme qui le tenait lui faisait faire. Nalaam salua et fit son rapport. Les Seanchans ne campaient pas à dix miles de là, mais ils n'étaient pas à plus de cinq ou six miles, et en marche vers l'est. Ils avaient des douzaines de *sul'dams* et de *damanes* avec eux.

Nalaam s'éloigna au galop pendant que Rand donnait déjà des ordres. Sa colonne s'ébranla vers l'ouest. Les Défenseurs et les Compagnons chevauchaient sur les deux flancs. Les Légionnaires composaient l'arrière-garde, juste derrière Denharad, comme un rappel à l'ordre des deux nobles et de leurs hommes d'armes, s'il en était besoin. En tout cas, Anaiyella regardait souvent par-dessus son épaule, et le mécontentement d'Ailil était palpable. Rand avançait en tête de colonne avec Flinn et les autres, et il en serait de même pour chaque colonne. Les Asha'man frappaient, et les hommes d'armes protégeaient leurs arrières pendant ce temps-là. Le soleil était encore loin de son zénith. Rien n'avait changé pour altérer le plan.

353

La folie attend pour certains, chuchota Lews Therin. *Elle s'insinue progressivement chez d'autres.*

Miraj chevauchait presque en tête de son armée, qui
avançait sur une route boueuse serpentant dans les collines à travers des oliveraies et des forêts. Un régiment
entier, composé presque uniquement de Seanchans,
s'intercalait entre lui et les éclaireurs. Il avait connu des
généraux qui avaient toujours voulu être sur le front. La
plupart étaient morts. Ils avaient perdu la bataille au
cours de laquelle ils étaient morts. Grâce à la boue, leur
avance ne soulevait pas de poussière, mais la nouvelle
d'une armée en marche se répandait comme un feu de
brousse dans les Plaines de Sa'las. Ici et là, au milieu
des oliviers, il repérait une brouette retournée ou un
sécateur abandonné, mais les travailleurs avaient disparu
depuis longtemps. Avec un peu de chance, il éviterait
de rencontrer ses adversaires autant que ceux-ci l'évitaient. Avec un peu de chance, et en l'absence de
rakens, ses ennemis ne sauraient pas qu'il arrivait sur
eux avant qu'il ne soit trop tard. Kennar Miraj n'aimait
pas avoir à s'en remettre à la chance.

À part quelques sous-officiers prêts à sortir des
cartes et à transcrire des ordres que des messagers
transmettraient, il n'était accompagné que d'Abaldar
Yulan, assez menu pour faire paraître immense son
hongre brun de moyenne taille, petit homme explosif,
aux ongles des auriculaires laqués vert et qui portait
une perruque noire pour dissimuler sa calvitie, et de
Lisaine Jarath, une femme grisonnante originaire de
Seandar même, dont le visage pâle et joufflu aux yeux

bleus était un modèle de sérénité. Yulan n'était pas calme, lui ; le Capitaine de l'Air de Miraj était toujours renfrogné à cause du règlement qui lui interdisait désormais de toucher les rênes d'un *raken*. Aujourd'hui, il était plus frustré que jamais. Il faisait beau, un temps parfait pour les *rakens*, mais, par ordre de Suroth, aucun de ses pilotes ne serait en selle, pas ici. Il y avait trop peu de *rakens* avec les Hailenes pour leur faire prendre des risques inutilement. Le calme de Lisaine troublait Miraj davantage que la mauvaise humeur de Yulan. Davantage que la plus ancienne des *sul'dams* sous ses ordres, c'était une amie avec qui il avait partagé maintes tasses de *kaf* et joué de nombreuses parties de Pierres. C'était une femme pleine de vie, toujours débordante de joie et d'enthousiasme. Elle était pour le moment d'un calme olympien, aussi muette que toutes les *sul'dams* qu'il avait tenté d'interroger.

Plus loin, il vit les vingt *damanes* qui protégeaient les chevaux, chacune marchant à côté de la monture de sa *sul'dam*. Les *sul'dams* dodelinaient sur leurs selles, se penchaient pour caresser la tête d'une *damane*. Les *damanes* lui paraissaient assez sereines, mais les *sul'dams* étaient nerveuses. Et l'exubérante Lisaine restait silencieuse comme une pierre.

Un *torm* apparut devant eux, volant largement à l'écart, à la limite des oliveraies. Pourtant les chevaux hennirent et bronchèrent à l'apparition de la créature aux écailles couleur bronze. Un *torm* bien dressé n'attaquait pas les chevaux – du moins, pas avant d'être en proie à une frénésie sanguinaire, raison pour laquelle ils étaient inutiles dans une bataille –, mais les montures dressées à garder leur calme en présence des *torms* étaient aussi rares que les *torms* eux-mêmes.

Miraj envoya un sous-lieutenant décharné du nom de Varek chercher le rapport de reconnaissance du *morath'torm*. À pied, et que la Lumière consume Varek d'avoir perdu son *sei'ther*. Il n'allait pas perdre du temps parce que Varek devait apprendre à contrôler une monture achetée localement. L'homme revint encore plus vite qu'il était parti, s'inclina vivement et commença son rapport avant même d'avoir fini de se redresser.

— L'ennemi est à moins de cinq miles, plein est, mon Seigneur Capitaine-Général, et marche dans notre direction. Ils sont déployés sur cinq colonnes, approximativement espacées d'un mile.

Mais Miraj avait réfléchi à la façon d'attaquer quarante mille hommes avec les cinq mille qu'il avait, et cinquante *damanes*. Des messagers partirent les uns après les autres avec ordre de se déployer pour contrer une tentative d'encerclement, et les régiments qui le suivaient commencèrent à tourner dans les oliveraies, les *sul'dams* chevauchant au milieu d'eux avec leurs *damanes*. Resserrant sa cape pour se protéger d'une soudaine rafale, Miraj remarqua quelque chose qui le glaça encore davantage. Lisaine regardait les *sul'dams* disparaître au milieu des arbres, elle aussi. Et elle avait commencé à transpirer.

Bertome chevauchait nonchalamment, laissant le vent rabattre sa cape en arrière. Il scrutait les bois devant lui avec une méfiance qu'il tentait à peine de dissimuler. Des quatre compatriotes qui le suivaient, seul Doressin était habile au Jeu des Maisons. Weiramon, ce chien d'imbécile de Tairen, était aveugle. Bertome foudroya le dos de ce bouffon vaniteux. Weiramon chevauchait largement en tête des autres, bavardant avec Gedwyn. Et si Bertome avait besoin d'une autre preuve que le Tairen était capable de sourire de ce qui aurait écœuré une chèvre, il n'avait qu'à voir comment il tolérait ce jeune monstre au regard ardent. Il remarqua que Kiril lui coulait des regards en coin, et il écarta son cheval du géant. Il n'avait pas d'animosité particulière envers l'Illianer, mais il détestait les gens plus grands que lui. Il lui tardait de rentrer à Cairhien, où il ne serait pas tout le temps entouré de mastodontes lourdauds. Mais Kiril Drapaneos n'était pas aveugle, malgré sa trop grande taille. Il avait envoyé une douzaine d'hommes en éclaireurs. Weiramon en avait envoyé un.

— Doressin ! dit doucement Bertome, puis, plus haut : Doressin, espèce de balourd !

Doressin sursauta sur sa selle. Comme les trois autres, il s'était rasé et poudré le devant du crâne ; adopter le style des soldats était devenu à la mode. Doressin aurait dû le traiter de crapaud en retour, comme ils le faisaient dans leur enfance. À la place, il talonna son hongre pour rejoindre Bertome et ils rapprochèrent leurs têtes. Il était soucieux, et ça se voyait à son front plissé.

— Vous réalisez que le Seigneur Dragon veut que nous mourions tous ? murmura-t-il, jetant un coup d'œil sur la colonne s'étirant derrière lui. Par le sang et le feu, je n'ai fait qu'écouter Colavaere, mais j'ai su que j'étais un homme mort depuis qu'il l'a tuée.

Un moment, Bertome considéra la colonne serpentant entre les collines. Là-bas, les arbres étaient plus clairsemés que devant eux, mais suffisants pour dissimuler une attaque jusqu'à ce qu'elle ait lieu. Ils avaient laissé la dernière oliveraie à près d'un mile. Les hommes de Weiramon chevauchaient devant, naturellement, dans leurs ridicules tuniques à manches bouffantes rayées de blanc, puis venaient les Illianers de Kiril, en tuniques assez bariolées pour faire honte à un Rétameur. Ses gens à lui, en bleu foncé discret sous leurs plastrons, étaient toujours hors de vue de ceux de Doressin et des autres, juste devant la compagnie des Légionnaires. Weiramon avait semblé surpris que les hommes de pied n'aient pas décrochés, quoiqu'il n'eût pas imposé un rythme rapide.

Mais ce n'était pas vraiment les hommes d'armes que Bertome regardait. Sept cavaliers chevauchaient devant Weiramon lui-même, les sept en noir au visage dur et aux yeux froids comme la mort. L'un d'eux avait, épinglée à son haut col, une petite épée en argent.

— Ce serait une façon compliquée d'y arriver, dit-il, ironique, à Doressin. Et je doute qu'al'Thor ait envoyé ces garçons avec nous s'il nous destinait à l'abattoir.

Le front toujours plissé, Doressin rouvrit la bouche, mais Bertome dit :

— Il faut que je parle avec le Tairen.

358

Il détestait voir son ami d'enfance dans cet état. Al'Thor l'avait complètement déstabilisé.

Absorbés dans leur conversation, Weiramon et Gedwyn ne l'entendirent pas approcher. Gedwyn jouait distraitement avec ses rênes, le visage froid et méprisant. Le Tairen était cramoisi.

— Qui vous êtes, je m'en moque, disait-il tout bas d'un ton dur à l'homme en noir, avec force postillons. Je ne veux pas prendre davantage de risques sans un ordre direct de la bouche de...

Brusquement, ils prirent conscience de la présence de Bertome, et Weiramon se tut. Les yeux flamboyants, comme s'il avait envie de tuer Bertome. Le sourire éternel de l'Asha'man s'évanouit. Des nuages voilèrent le soleil, et le vent se leva, froid et mordant, comme le regard soudain fixe de Gedwyn. Avec un choc, Bertome réalisa que Gedwyn, lui aussi, avait envie de le tuer.

Le regard glacial et meurtrier de Gedwyn ne changea pas, mais le visage de Weiramon subit une transformation remarquable. Sa rougeur s'effaça lentement et il sourit, d'un sourire doucereux à peine nuancé de condescendance moqueuse.

— Je pensais à vous, Bertome, dit-il d'un ton chaleureux. Dommage qu'al'Thor ait étranglé votre cousine. De ses propres mains, paraît-il. Franchement, je m'étonne que vous ayez répondu à son appel. Je l'ai vu vous observer. Je crains qu'il ne vous réserve un sort plus... intéressant que celui d'un étranglé qui tambourine des talons.

Bertome réprima un soupir, et pas seulement à cause de la lourde allusion de cet imbécile. Beaucoup tentaient de le manipuler grâce à la mort de Colavaere. C'était sa cousine préférée, une ambitieuse au-delà de toute raison. Saighan avait des droits certains sur le Trône du Soleil. Mais qui n'auraient pas résisté en face de Riatin ou Damodred et encore moins des deux, sans la bénédiction formelle de la Tour Blanche ou du Dragon Réincarné ? Pourtant, elle *avait été* sa cousine préférée. Que voulait Weiramon ? Certainement pas ce qu'il semblait à première vue. Même ce lourdaud n'était pas aussi bête.

Avant qu'il ait formulé une réponse, il vit un cavalier galoper au milieu des arbres, se dirigeant vers eux. Un Cairhienin, qui s'arrêta si brusquement devant eux que sa monture dut fléchir ses jambes postérieures pour freiner à temps. Bertome reconnut l'un de ses hommes d'armes, un garçon édenté, les deux joues barrées de cicatrices saillantes. Doile, se dit-il. Des domaines de Colchaîne.

— Mon Seigneur Bertome, dit-il, hors d'haleine avec un rapide salut. J'ai deux mille Tarabonais sur les talons. Ils ont des femmes avec eux ! Avec des éclairs sur leurs robes !

— Sur les talons, murmura Weiramon avec dérision. Nous verrons ce que mon éclaireur dira quand il reviendra. En tout cas, je ne vois pas ce...

Un tonnerre de sabots et de cris s'élevant brusquement devant eux l'interrompit, et des lanciers apparurent au galop, en un flot continu à travers les arbres. Ils fonçaient droit sur Bertome et les autres.

Weiramon éclata de rire.

— Tuez qui vous voulez, où vous voulez, Gedwyn, dit-il, dégainant son épée avec panache. Moi, j'ai mes méthodes, c'est tout !

Il fit demi-tour pour rejoindre ses hommes au galop, et, brandissant son épée au-dessus de sa tête, vociféra :

— Pour Saniago ! Pour Saniago et la gloire !

Sans surprise, il n'ajouta pas le cri de guerre de son pays pour ceux de sa Maison et son grand amour.

Éperonnant sa monture dans la même direction, Bertome éleva la voix lui aussi.

— Pour Saighan et Cairhien !

Inutile de brandir son épée pour le moment.

— Pour Saighan et Cairhien !

Qu'est-ce que voulait Weiramon tout à l'heure ?

Des coups de tonnerre retentirent, et Bertome leva les yeux vers le ciel, perplexe. Il n'y avait guère plus de nuages. Non, Doile ou Dalyn avait mentionné des femmes. Puis il oublia ce que cet imbécile de Tairen avait voulu dire quand des Tarabonais voilés d'acier dévalèrent vers lui des collines boisées, des éclairs pleuvant du ciel et embrasant la terre devant lui.

— Pour Saighan et Cairhien ! rugit-il.

Le vent se leva.

Des cavaliers s'affrontaient au milieu de la forêt touffue et des épaisses broussailles, où l'ombre dominait. Le jour semblait défaillir, les nuages s'amoncelaient dans le ciel, mais c'était difficile à dire à travers le toit des feuillages. Des rugissements tonitruants couvraient le cliquetis des épées, les cris des hommes, les hennissements des chevaux. Parfois, le sol tremblait et des hurlements s'élevaient parmi les ennemis.

— Pour Den Lushenos ! Pour Den Lushenos et les Abeilles !

— Pour Annallin ! Ralliez-vous à Annallin !

— Pour Haellin ! Pour Haellin ! Pour le Haut Seigneur Sunamon !

Ce dernier cri fut le seul que Varek comprit à peu près, mais il soupçonnait que les indigènes qui se targuaient d'être de Hauts Seigneurs et de grandes Dames n'auraient pas l'occasion de prêter le Serment.

D'une secousse, il libéra son épée enfoncée sous l'aisselle d'un ennemi, juste au-dessus du plastron, et laissa le pâle petit homme s'affaler par terre, un combattant redoutable jusqu'au moment où il avait commis l'erreur de trop relever sa lame. Son alezan s'enfuit au galop, écrasant les broussailles, et Varek eut un instant de regret. L'animal avait meilleure allure que le cheval isabelle aux pieds blancs qu'il était forcé de monter. Puis il concentra son attention sur les arbres, d'où pendaient des lianes et des touffes d'une plante grise et plumeuse.

Des bruits de bataille résonnaient dans toutes les directions. Il ne vit d'abord rien bouger. Puis une douzaine de lanciers altarans apparurent à cinquante toises, menant leurs montures par la bride et scrutant les alentours. Ils parlaient entre eux tout haut, ce qui était compréhensible compte tenu des raies rouges sillonnant leurs plastrons. Varek rassembla ses rênes, se proposant de se faire accompagner. Une escorte, même de cette bande indisciplinée, ferait peut-être la différence entre la livraison du message urgent qu'il portait au Général Chianmai et sa perte.

Des traînées noires jaillirent parmi les arbres, vidant les selles des Altarans. Les cavaliers à terre, les montures filèrent dans toutes les directions. Il n'y eut plus qu'une douzaine de cadavres gisant sur l'épais tapis de feuilles mortes, au moins un carreau d'arbalète planté dans chacun d'eux. Rien ne bougeait. Varek frissonna malgré lui. Ces hommes en tuniques bleues n'avaient pas semblé redoutables au premier abord, sans piquiers derrière eux pour les soutenir, bien qu'ils ne sortent jamais à découvert, et se cachent dans des creux. Ils n'étaient pas les plus dangereux. Après la retraite affolée vers les vaisseaux à Falme, il était sûr de ne jamais plus rien voir de pire que l'Armée Toujours Victorieuse en déroute. Moins d'une demi-heure auparavant, il avait vu cent Tarabonais affronter un homme seul en tunique noire. Cent contre un, et les Tarabonais avaient été réduits en charpie. Les hommes et les chevaux avaient été pulvérisés aussi vite qu'il les avait comptés. Le massacre avait continué après la fuite des Tarabonais survivants, aussi longtemps qu'il en resta un seul en vue. Peut-être que ce n'était pas pire que voir le sol exploser sous ses pas, mais au moins, les *damanes* laissaient généralement quelques vestiges d'un homme à enterrer.

Le dernier homme à qui il avait parlé dans ces bois, un vétéran grisonnant commandant une centaine de piquiers amadiciens, lui avait dit que le Général Chianmai se trouvait dans cette direction. Devant lui, il repéra des chevaux sans cavaliers attachés à des arbres, et des hommes à pied. Peut-être pourraient-ils lui donner des renseignements plus précis. Et sa bouche les blâmerait de rester tranquillement à l'écart pendant que la bataille faisait rage.

Mais quand il se trouva au milieu de leur groupe, il oublia de les fustiger. Il avait trouvé en partie ce qu'il cherchait. Une rangée de corps grièvement brûlés gisait devant lui. L'un d'eux, dont le visage couleur de miel était resté intact, était reconnaissable : Chianmai. Les hommes encore debout étaient tous des Tarabonais, des Amadiciens et des Altarans. Certains étaient blessés aussi. Le Seanchan n'était représenté que par une unique *sul'dam* s'efforçant de calmer les sanglots de sa *damane* en pleurs.

— Qu'est-ce qui s'est passé ici ? demanda Varek.

D'après lui, ça ne ressemblait pas à un Asha'man de laisser des survivants. Peut-être que la *sul'dam* l'avait mis en fuite.

— Folie, mon Seigneur.

Un immense Tarabonais écarta d'un coup d'épaule un soldat qui étalait un baume sur son bras gauche. La manche avait été brûlée jusqu'au plastron, mais, malgré ses brûlures, il ne grimaçait pas. Son voile de mailles tenait encore par un coin à son casque conique emplumé de rouge, révélant un visage dur à l'épaisse moustache grise qui lui cachait la bouche, et un regard direct au point d'en être insultant.

— Un groupe d'Illianers. Ils nous sont tombés dessus sans avertissement. Au début, tout allait bien. Ils n'avaient pas d'hommes en noir avec eux. Le Seigneur Chianmai a foncé avec courage et… la femme... a canalisé des éclairs. Puis, juste comme les Illianers se repliaient, les éclairs se sont mis à pleuvoir aussi sur nous.

Il s'interrompit, avec un regard lourd de sens vers la *sul'dam*.

Elle réagit dans l'instant, brandissant son poing libre et avançant sur le Tarabonais aussi loin que le lui permit la laisse attachée à son autre poignet. Sa *damane* n'était plus qu'un tas sanglotant affalé par terre.

— Je ne laisserai pas ce chien dénigrer ainsi ma Zakai ! C'est une bonne *damane* ! Une bonne *damane* ! Varek eut des gestes apaisants. Il avait vu des *sul'dams* châtier leurs *damanes* à les faire hurler, et quelques-unes qui allaient même jusqu'à estropier une récalcitrante. La plupart se hérissaient, même contre quelqu'un du Sang, à la moindre critique concernant leur favorite. Ce Tarabonais *n'était pas* du Sang, et, à l'expression de la *sul'dam*, elle était prête à tuer. Si cet homme avait formulé cette ridicule accusation, elle l'aurait abattu sur place, se dit-il.

— Les prières pour les morts devront attendre, déclara Varek.

Ce qu'il allait faire le mettrait à la merci des Chercheurs s'il échouait, mais il ne restait pas un Seanchan debout, à part la *sul'dam*.

— Je prends le commandement. Nous allons nous retirer et partir vers le sud.

— Nous retirer, aboya un large Tarabonais. Ça nous prendra des *jours* ! Les Illianers se battent comme des blaireaux acculés dans un coin, et les Cairhienins comme des furets dans une boîte. Les Tairens, ils ne se battent pas aussi bien qu'on le dit, mais il y a au moins une douzaine de ces Asha'man. Je ne sais même pas où sont les trois quarts de mes hommes dans cette pagaille !

Enhardis, les autres se mirent à protester aussi.

Varek les ignora. S'abstenant de demander ce qu'était une « pagaille », mais écoutant les bruits de la bataille, les éclairs et le fracas des explosions, il imagina ce que c'était.

— Rassemblez vos hommes et commencez à battre en retraite, dit-il d'une voix forte, interrompant leurs bavardages. Pas trop vite ; vous agirez ensemble.

Les ordres de Miraj à Chianmai stipulaient « aussi vite que possible » – il les avait mémorisés au cas où quelque chose serait arrivé à la copie qu'il transportait dans ses fontes – « aussi vite que possible », mais pas trop quand même, ou la moitié des hommes resteraient en arrière, taillés en pièces par l'ennemi.

— Exécution ! Vous combattez pour l'Impératrice, puisse-t-elle vivre à jamais !

Cette dernière proclamation était de celles qu'on sert aux nouvelles recrues, mais pour une raison inconnue, les survivants sursautèrent comme s'il les avait cinglés avec sa cravache. S'inclinant vite et profondément, les mains sur les genoux, ils coururent à leurs montures. Étrange. Maintenant, c'était à lui de retrouver les unités seanchanes. L'une d'elles serait commandée par un officier de grade plus élevé que lui, à qui il pourrait passer le flambeau.

La *sul'dam* était à genoux, caressant les cheveux de sa *damane* toujours en pleurs, et roucoulant doucement.

— Calmez-la, lui dit-il.

Aussi vite que possible. Il pensait avoir vu une nuance d'anxiété dans les yeux de Miraj. Qu'est-ce qui pouvait bien inquiéter Kennar Miraj ?

— Nous dépendrons de vous, *sul'dam*, dans notre marche vers le Sud.

Pourquoi le sang se retira-t-il de son visage en entendant ces paroles ?

Debout juste à l'orée de la forêt, Bashere fronçait les sourcils sur ce qu'il voyait à travers la visière de son casque. Son alezan lui flairait l'épaule. Il serrait sa cape autour de lui, plus pour éviter tout mouvement qui aurait pu attirer l'attention, que pour se protéger du vent qui le glaçait jusqu'aux os. Ce vent n'aurait été qu'une brise de printemps en Saldaea, mais des mois passés dans le Sud l'avaient amolli. Brillant à travers les nuages qui filaient dans le ciel, le soleil approchait de son zénith et brillait devant lui. Ce n'est pas parce qu'on commence une bataille face à l'est qu'on la termine de même. Devant lui s'étendait une vaste prairie où des troupeaux de chèvres noir et blanc broutaient tranquillement l'herbe brunâtre, indifférentes à la bataille qui faisait rage autour d'elles. Pourtant, un homme pouvait se faire tailler en pièces en traversant cette prairie. Et dans les arbres, qu'il s'agît de la forêt, d'une oliveraie ou de broussailles, on ne voyait pas toujours l'ennemi avant de tomber dessus, qu'on fût éclaireur ou non.

— Si nous devons traverser, marmonna Gueyam, passant sa large main sur son crâne chauve, faisons-le maintenant. Nous perdons du temps, que la Lumière m'en soit témoin.

Amondrid ferma brusquement la bouche ; sans doute que le Cairhienin au visage poupin allait dire la même chose. Il tomberait d'accord avec un Tairen quand les chevaux grimperaient aux arbres.

Jeordwyn Semaris grogna. Il aurait dû se laisser pousser la barbe pour dissimuler sa mâchoire étroite.

— Moi, je dirais qu'il vaut mieux la contourner, grommela-t-il. J'ai perdu trop d'hommes à cause de ces *damanes*, maudites par la Lumière et…

Il se tut, avec un regard inquiet pour Rochaid.

La bouche pincée, le jeune Asha'man se tenait seul, à l'écart, tripotant le Dragon épinglé à son col. Il se demandait peut-être si ça en valait la peine. Le jeune homme avait perdu son assurance et semblait soucieux.

Guidant Rapide par les rênes, Bashere s'approcha de l'Asha'man et l'entraîna à l'écart, s'enfonçant plus loin dans la forêt. Rochaid fronçait les sourcils, et suivait à contrecœur. Il était assez grand pour dominer Bashere de toute sa hauteur, mais Bashere ne se laissa pas impressionner.

— Puis-je compter sur vous et sur vos gens la prochaine fois ? demanda Bashere, irrité, en tirant sur sa moustache. Sans délai ?

Rochaid et ses camarades semblaient être devenus de plus en plus lents à réagir quand ils s'étaient trouvés opposés aux *damanes*.

— Je sais ce que je fais, Bashere, grogna Rochaid. Est-ce qu'on ne tue pas assez de gens à votre goût ? En ce qui me concerne, c'est quasi terminé !

Bashere hocha lentement la tête, en signe de dénégation. Il restait des tas de soldats ennemis, pratiquement partout où l'on observait attentivement. Mais beaucoup *étaient* morts. Il avait copié sa tactique sur celle de la Guerre des Trollocs qu'il avait étudiée, quand les Forces de la Lumière approchaient rarement le nombre qu'ils avaient à affronter. Frapper au flanc et battre en retraite. Frapper à l'arrière, et s'enfuir. Frapper et s'enfuir, et quand l'ennemi poursuivait, se retourner contre lui sur un terrain qu'on avait choisi, où les Légionnaires étaient en embuscade avec leurs arbalètes, et le tailler en pièces jusqu'au moment où il fallait se remettre à fuir. Ou jusqu'à ce qu'on brise son offensive. Aujourd'hui, il avait déjà brisé l'attaque des Tarabonais, des Amadiciens, des Altarans, *et* de ces Seanchans en armures bizarres. Il avait tué plus d'ennemis que depuis la Neige Sanglante. Mais s'il avait des Asha'man, l'autre camp possédait ces *damanes*. Un bon tiers de ses Saldaeans gisaient morts derrière lui, éparpillés sur des miles. En tout, près de la moitié de ses effectifs étaient morts, et il y avait encore des Seanchans partout avec leurs maudites femmes, et aussi des Tarabonais, des Amadiciens et des Altarans. Ils étaient toujours plus nombreux, et sitôt qu'il s'était débarrassé d'une unité, une autre apparaissait. Et les Asha'man devenaient… hésitants.

Sautant en selle, il retourna près de Jeordwyn et des autres.

— Demi-tour, ordonna-t-il, ignorant les signes de tête de Jeordwyn, comme les froncements de sourcils de Gueyam et Amondrid. Triplez les éclaireurs. Je veux avancer vite, mais je ne veux pas croiser une *damane*.

Ça ne fit rire personne.

Rochaid avait rassemblé autour de lui les cinq autres Asha'man, dont l'un avec une épée d'argent épinglée à son col. Il y en avait eu deux autres le matin quand ils avaient ouvert les hostilités, mais si les Asha'man savaient tuer, les *damanes* aussi. Agitant les bras avec colère, Rochaid semblait argumenter avec eux. Rochaid était cramoisi, les autres livides et butés. Bashere espéra que Rochaid les empêcherait tous de déserter. Il y avait eu assez de pertes sans y ajouter ces hommes redoutables lâchés dans la nature.

Il pleuviotait. Rand fronça les sourcils en constatant que des nuages noirs s'amoncelaient dans le ciel, obscurcissant le soleil à mi-chemin de l'horizon occidental. Une petite pluie pour le moment, qui allait croître et embellir comme ces nuages ! Avec irritation, il se retourna pour étudier le terrain devant lui. La Couronne d'Épées lui piqua les tempes. Avec le Pouvoir en lui, il en voyait tous les détails aussi nettement que sur une carte malgré les conditions climatiques. Des collines descendaient en pente douce, certaines couvertes de fourrés ou d'oliveraies, d'autres rocheuses et dénudées. Il crut distinguer un mouvement à la limite d'un taillis, puis un autre au milieu d'une oliveraie sur une colline, à un mile du taillis. Réfléchir ne suffisait pas. Des morts gisaient derrière lui sur des miles, des morts ennemis. Des mortes aussi, il le savait, mais il s'était tenu à l'écart des endroits où des *sul'dams* et des *damanes* avaient trépassé, refusant de voir leurs visages. La plupart pensaient que c'était par haine de celles qui tuaient tant de ses partisans.

Tai'daishar caracola sur une courte distance en haut de la colline, avant que Rand ne le maîtrise d'une main ferme et d'une pression des genoux. Il serait bien avancé si une *sul'dam* repérait ses mouvements ! Les quelques arbres qui l'entouraient ne cachaient pas grand-chose. Vaguement, il réalisa qu'il ne connaissait aucune essence de ces bois. Tai'daishar releva la tête. Rand fourra le Sceptre du Dragon dans ses fontes pour libérer ses deux mains au cas où le hongre serait nerveux. Il pouvait calmer sa monture avec le *saidin*, mais il ne savait pas comment la faire obéir avec le Pouvoir.

Il ne comprenait pas comment le hongre conservait assez d'énergie. Le *saidin* était en lui, bouillonnait en lui, mais son corps, qu'il ressentait comme lointain, voulait s'affaisser de fatigue. Cela venait en partie de la quantité de *saidin* qu'il avait maniée aujourd'hui, et en partie de la lutte qu'il devait livrer contre le *saidin* pour l'obliger à faire ce qu'il voulait. Toujours, le *saidin* devait être conquis, forcé, mais jamais comme aujourd'hui. Les blessures inguérissables de son flanc droit le faisaient atrocement souffrir, l'ancienne comme une foreuse vrillant à travers le Vide, la nouvelle, comme une flamme dévorante.

— C'était un accident, mon Seigneur Dragon, dit soudain Adley. Je le jure !

— Taisez-vous et surveillez le terrain ! le rembarra sèchement Rand.

Un instant, Adley baissa les yeux sur ses rênes, puis, obéissant, il releva brusquement la tête.

Adley avait laissé le *saidin* lui échapper, et des hommes étaient morts dans un jaillissement de feu. Il n'avait pas seulement visé les Amadiciens, mais près de trente hommes d'armes d'Ailil, et presque autant d'Anaiyella.

Sans cette bévue, Adley aurait été avec Morr et les Compagnons dans les bois, à un demi-mile au sud. Narishma et Hopwil étaient au nord, avec les Défenseurs. Rand voulait garder Adley à l'œil. Est-ce que d'autres « accidents » étaient survenus hors de sa vue ? Il ne pouvait pas surveiller tout le monde en permanence. Flinn était sinistre, et Dashiva, loin d'être distrait, semblait sur le point de transpirer de concentration. Il parlait toujours tout seul entre ses dents, si bas que Rand n'entendait pas ce qu'il disait, même avec le Pouvoir en lui. Il essuyait continuellement la pluie coulant sur son visage avec un mouchoir bordé de dentelle devenu de plus en plus crasseux à mesure que la journée avançait. Rand ne pensait pas que ces deux-là aient commis des erreurs. D'ailleurs, ni l'un ni l'autre ne tenaient le Pouvoir actuellement, et ne le tiendrait plus jusqu'à ce qu'il en donne l'ordre.

— C'est fini ? demanda Anaiyella derrière lui.

Rand fit pivoter Tai'daishar pour lui faire face. La Tairene sursauta sur sa selle, et la capuche de sa cape de pluie richement ornée tomba sur ses épaules. Un tic crispa sa joue. À son côté, Ailil tripotait calmement ses rênes avec ses mains gantées de rouge.

— Que pouvez-vous désirer de plus ? demanda la plus petite d'un ton froid et à peine poli.

— Si l'ampleur d'une victoire se mesure au nombre des morts, la bataille d'aujourd'hui mettra votre nom dans les livres d'histoire.

— Je veux rejeter les Seanchans à la mer ! dit sèchement Rand.

Par la Lumière, il fallait les achever maintenant, quand il en avait l'occasion ! Il ne pouvait pas combattre les Seanchans, les Réprouvés, et la Lumière seule savait qui ou quoi d'autre, tous en même temps !

— Je l'ai déjà fait et je le referai !

Avez-vous le Cor de Valère caché dans votre poche cette fois ? demanda sournoisement Lews Therin. Rand gronda intérieurement.

— Il y a quelqu'un en bas, dit soudain Flinn, qui chevauche vers nous. Venant de l'ouest.

Rand fit pivoter son cheval. Les Légionnaires encerclaient la colline, si bien cachés au milieu des arbres qu'il apercevait rarement une tunique bleue. Aucun d'eux ne disposait d'un cheval. Qui pouvait bien chevaucher vers eux…

L'alezan de Bashere montait la pente comme s'il était en terrain plat. Le casque de Bashere pendait à sa selle, et il avait l'air fatigué. Sans préambule, il dit tout de go :

— Nous en avons terminé ici. Une partie de l'art militaire consiste à savoir quand il faut s'arrêter, et c'est le moment. Je laisse près de cinq cents morts derrière moi, et deux de vos Soldats en plus. J'en ai envoyé trois autres à la recherche de Semaradrid, Gregorin et Weiramon, et je leur ai dit de vous rejoindre. Je doute qu'ils soient en meilleur état que moi. À combien se montera la facture du boucher ?

Rand ignora la question. Ses propres pertes dépassaient celles de Bashere de plus de deux cents.

— Vous n'aviez pas le droit d'envoyer des ordres aux autres. Tant qu'il reste une demi-douzaine d'Asha'man – tant que je reste, moi ! – cela suffit ! J'ai l'intention de trouver le reste de l'armée seanchane et de la détruire, Bashere. Je ne les laisserai pas ajouter l'Altara au Tarabon et à l'Amadicia.

Bashere caressa sa moustache, ironique.

— Vous voulez les trouver ? Alors, regardez vers l'ouest, dit-il, montrant les collines d'un geste large de sa main gantée. Je ne peux pas vous indiquer un point précis, mais il y a dix mille, peut-être quinze mille hommes assez proches pour qu'on les voie d'ici s'il n'y avait pas tous ces arbres. J'ai dû danser avec le Ténébreux pour me faufiler jusqu'ici sans être vu. Et il y a peut-être plus d'une centaine de *damanes*. Avec d'autres qui vont sans doute venir en renfort, et d'autres hommes. Il semble que leur général ait décidé de se concentrer sur vous. Je suppose que ce n'est pas toujours du gâteau que d'être *ta'veren*.

— S'ils sont là-bas…

Rand scruta la colline. La pluie tombait plus fort. Où avait-il repéré un mouvement ? Par la Lumière, ce qu'il était fatigué ! Les pulsations du *saidin* étaient comme des coups de marteau. Machinalement, il toucha le paquet attaché sous son étrivière. Sa main s'en écarta toute seule. Dix mille, même quinze mille… Quand Semaradrid, Gregorin et Weiramon le rejoindraient… Plus important, quand les Asha'man le rejoindraient…

— S'ils y sont, c'est là-bas que je les détruirai, Bashere. Je frapperai de tous les côtés, comme il était prévu au départ.

Fronçant les sourcils, Bashere se rapprocha jusqu'à ce que son genou touche presque celui de Rand. Flinn s'écarta, mais Adley se concentrait trop sur ce qu'il distinguait à travers la pluie pour s'en apercevoir, et Dashiva, s'essuyant toujours continuellement le visage, les fixa avec un intérêt évident. Baissant la voix, il murmura :

— Vous ne pensez pas rationnellement. C'était un bon plan au départ, mais leur général a l'esprit vif. Il a dispersé ses troupes pour émousser notre attaque avant que nous leur tombions dessus. Il a quand même essuyé de grosses pertes, semble-t-il, et à présent il regroupe le reste de ses forces. Vous ne le prendrez pas par surprise. Il *veut* que nous l'attaquions. Il nous *attend*. Asha'man ou pas, si nous l'affrontons face à face, je crains que les vautours ne s'engraissent et que personne n'en réchappe.

— Personne n'affronte face à face le Dragon Réincarné, gronda Rand. Les Réprouvés pourraient le lui dire, qui qu'il soit. Exact, Flinn ? Dashiva ?

Flinn hocha de la tête avec hésitation. Dashiva se troubla.

— Vous pensez que je ne peux pas le prendre par surprise, Bashere ? Alors, regardez !

S'emparant du long paquet attaché sous son étrivière, il le débarrassa de ses linges. Rand les entendit déglutir quand des gouttes tombèrent sur une épée qui paraissait en cristal. L'Épée Qui N'Est Pas Une Épée.

— Voyons s'il sera surpris par *Callandor* maniée par le Dragon Réincarné, Bashere.

Nichant la lame translucide au creux de son coude, Rand fit avancer Tai'daishar de quelques pas. Sans aucune raison. Il ne voyait pas mieux maintenant. Sauf que... quelque chose glissa à la surface extérieure du Vide, comme une toile d'araignée noire et mouvante. Il avait peur. La dernière fois qu'il avait utilisé *Callandor*, il avait tenté de ressusciter des morts. Il était certain alors de pouvoir absolument tout faire. Comme un dément qui pense avoir le don de voler. Mais il était le Dragon Réincarné. Il *pouvait* tout faire. Ne l'avait-il pas prouvé à maintes reprises ? Il embrassa la Source par l'intermédiaire de l'Épée Qui N'Est Pas Une Épée.

Le *saidin* sembla bondir dans *Callandor* avant qu'il ne touche la Source par son entremise. Du pommeau à la pointe, l'épée de cristal étincelait d'une vive lumière blanche. Avant cela, il pensait que le Pouvoir l'emplissait totalement. Maintenant, il tenait plus de

Pouvoir que dix ou cent hommes ne pouvaient en contenir ; il ne savait même pas combien. Les feux du soleil calcinaient son crâne. Le froid hivernal de toutes les Ères lui rongeait le cœur. Dans ce torrent déferlant, la souillure était comme tout le fumier du monde se déversant dans son âme. Le *saidin* tentait toujours de le tuer, de brûler et de geler toutes les bribes de son être, mais il lutta pour vivre un instant de plus, puis un autre, et encore un autre. Il avait envie de rire. Il *pouvait* faire n'importe quoi !

Un jour, ayant brandi *Callandor*, il en avait fait une arme qui détectait les Engeances de l'Ombre, et les frappait à mort partout où elles se trouvaient, fuyaient ou se cachaient. C'était sans doute une action semblable qu'il devait maintenant diriger contre l'ennemi. Mais quand il appela Lews Therin, seuls des gémissements angoissés lui répondirent, comme si cette voix désincarnée craignait la souffrance du *saidin*.

Avec *Callandor* étincelant dans sa main – il ne se rappelait pas l'avoir brandie au-dessus de sa tête – il fixa la colline où ses ennemis se cachaient. Ils étaient gris maintenant, avec la pluie qui tombait plus dru et d'épais nuages noirs voilant le soleil. Qu'est-ce qu'il avait dit à Eagan Padros ?

— Je suis la tempête, murmura-t-il ; ce qui résonna à ses oreilles comme un hurlement, un rugissement. Il canalisa.

Au-dessus des têtes, les nuages entrèrent en ébullition. Ils s'obscurcirent comme au plus noir de la nuit. Il ne savait pas ce qu'il canalisait. Très souvent, il l'ignorait, malgré l'enseignement d'Asmodean. Peut-être que

Lews Therin le guidait, malgré ses pleurs. Des flots de *saidin* tourbillonnèrent à travers le ciel, Vent, Eau et Feu. Feu. Des éclairs pleuvaient du ciel. Cent flèches à la fois, des centaines de flèches blanc-bleu frappant le sol les unes après les autres. Devant lui, les collines entrèrent en éruption. Certaines explosèrent sous le torrent d'éclairs, comme des fourmilières détruites d'un coup de pied. Des flammes s'élevèrent des fourrés, les arbres furent transformés en torches sous la pluie, les flammes courant dans les oliveraies.

Quelque chose le frappa durement. Il réalisa qu'il était tombé et qu'il se relevait. Il n'avait plus la Couronne d'Épées sur la tête. Mais *Callandor* flamboyait dans sa main. Il eut vaguement conscience que Tai'daishar se relevait aussi, tout tremblant. Ainsi, l'ennemi voulait riposter ?

Brandissant *Callandor* à bout de bras, il rugit :

— Venez à moi, si vous l'osez ! Je *suis* la tempête ! Venez si vous l'osez, Shai'tans ! Je suis le Dragon Réincarné !

Une grêle de mille éclairs crépitants tomba des nuages.

De nouveau, quelque chose le projeta à terre. Et de nouveau, il se releva. *Callandor*, toujours étincelante, gisait à une toise de sa main tendue. Sous les éclairs, le ciel volait en éclats. Soudain, il comprit que le poids sur lui était celui de Bashere, et qu'il le secouait. Ce devait être lui qui l'avait jeté à terre.

— Arrêtez ! hurla le Saldaean.

Du sang coulant d'une blessure au crâne lui couvrait le visage.

— Vous nous tuez ! Arrêtez !

Rand tourna la tête, et un coup d'œil stupéfait lui suffit. Des éclairs fulguraient tout autour de lui, dans *toutes* les directions. Un éclair frappa le versant opposé, où étaient Denharad et les hommes d'armes, et d'où s'élevaient les cris des hommes, les hennissements des chevaux. Anaiyella et Ailil avaient mis pied à terre, essayant en vain de calmer leurs montures qui se cabraient, les yeux fous, cherchant à leur arracher les rênes. Flinn était penché sur quelqu'un, non loin d'un cheval mort aux jambes déjà raides.

Rand lâcha le *saidin*, qui continua malgré tout à couler en lui quelques instants. Les éclairs redoublèrent. Le flot diminua en lui, s'éteignit, disparut. Il fut pris de vertiges. Le temps de quelques battements de cœur, deux *Callandor* brillèrent loin de sa main, et les éclairs frappèrent. Puis ce fut le silence, uniquement rompu par la pluie tambourinant sur la terre, et les hurlements des hommes derrière la colline.

Lentement, Bashere se releva, et Rand se remit debout tout seul sur ses jambes chancelantes, clignant des yeux comme s'il retrouvait sa vision normale. Le Saldaean l'observait, comme il l'aurait fait d'un lion enragé, la main sur la poignée de son épée. Anaiyella jeta un seul coup d'œil sur Rand, et s'évanouit. Son cheval s'enfuit au galop, les rênes ballottant derrière lui. Ailil, qui luttait toujours avec sa monture qui se cabrait, n'avait pas le temps de regarder Rand. Rand laissa *Callandor* là où elle était tombée. Il n'était pas sûr d'oser la ramasser. Pour le moment.

Flinn se redressa, secouant la tête, puis se figea tandis que Rand le rejoignait en chancelant. La pluie tombait sur les yeux sans vie de Jonan Adley, exorbités d'horreur. Jonan était l'une des premières recrues. Les cris venant de derrière la colline semblaient percer la pluie. Combien d'autres ? se demanda Rand. Combien de Défenseurs ? De Compagnons ? Parmi…

Un épais rideau de pluie voilait les collines où se trouvait l'armée des Seanchans. L'avait-il décimée, en frappant à l'aveuglette ? Ou l'attendait-elle encore avec ses *damanes* pour voir combien de ses propres troupes il pouvait tuer à leur place.

— Postez les gardes que vous jugerez utiles, dit-il à Bashere.

Sa voix était de fer. Son cœur était de fer.

— Quand Gregorin et les autres nous rejoindront, nous Voyagerons aussi vite que possible jusqu'à l'endroit où les charrettes nous attendent.

Bashere acquiesça sans un mot, et s'éloigna sous la pluie.

J'ai perdu, pensa Rand, maussade. *Je suis le Dragon Réincarné, mais pour la première fois, j'ai perdu.*

Soudain, Lews Therin ragea dans sa tête, toutes piques sournoises oubliées. *Moi, je n'ai* jamais *été vaincu*, gronda-t-il. *Je suis le Seigneur du Matin ! Personne ne peut me vaincre !*

Rand s'assit, retournant dans ses mains la Couronne d'Épées, en regardant *Callandor* qui gisait dans la boue. Il laissa Lews Therin rager.

Abaldar Yulan pleurait, appréciant que la pluie torrentielle cache ses larmes. Quelqu'un devrait donner l'ordre. Éventuellement, on devrait présenter des excuses à l'Impératrice, puisse-t-elle vivre à jamais. Et avant ça, peut-être à Suroth. Pourtant, ce n'était pas pour ça qu'il pleurait, ni pour un camarade tombé. Arrachant une manche de sa tunique, il la posa sur les yeux fixes de Miraj pour les protéger de la pluie.

— Donnez l'ordre de la retraite, ordonna Yulan, et il vit sursauter les hommes qui l'entouraient.

Pour la deuxième fois dans ces contrées, l'Armée Toujours Victorieuse avait subi une défaite écrasante, et Yulan se dit qu'il n'était sans doute pas le seul à pleurer.

25.

Un retour malvenu

Assise derrière son bureau couvert de dorures, Elaida tripotait un étrange oiseau en vieil ivoire, avec un bec aussi long que son corps, en écoutant avec quelque amusement les six femmes debout de l'autre côté de la table. Chacune représentante de son Ajah, elles fronçaient les sourcils et se regardaient de travers, se dandinant d'une pantoufle de velours sur l'autre sur le tapis aux motifs éclatants, rajustant leurs châles décorés de plantes grimpantes, ce qui en faisait osciller les franges. Dans l'ensemble, elles se comportaient comme une troupe de servantes agressives qui regrettent de ne pas avoir le cran de se sauter à la gorge devant leur maîtresse. Les fenêtres étaient couvertes de givre de sorte qu'on ne voyait pas les tourbillons de neige à l'extérieur, mais parfois on entendait hurler le vent. Quant à Elaida, elle se trouvait bien au chaud, et pas seulement grâce aux grosses bûches qui flambaient dans la cheminée de marbre blanc. Que ces femmes le sussent ou non – enfin Duhara le savait certainement, et peut-être les autres aussi –, elle *était* leur maîtresse. La riche pendule dorée sous cloche que Cemaile avait commandée tictaquait doucement. Le rêve abandonné de Cemaile se *réaliserait* ; la Tour retrouverait sa gloire, dans les mains expérimentées d'Elaida do Avriny a'Roihan.

— On n'a jamais trouvé aucun *ter'angreal* qui puisse contrôler le canalisage d'une femme, disait Velina d'une voix calme, précise, aiguë comme une voix juvénile qui jurait avec son nez en bec d'aigle et son regard perçant.

Elle représentait les Blanches, et elle était le modèle de la Sœur Blanche, en tout, sauf dans son apparence féroce. Sa robe blanche paraissait raide et froide.

— On en a trouvé très peu capables d'assurer la même fonction. En conséquence, si on découvrait un ou plusieurs de ces *ter'angreals*, pour improbable que ce soit, ce ne serait pas suffisant pour contrôler plus de deux ou trois femmes au plus. Il s'ensuit que les rapports sur ces prétendus Seanchans sont follement exagérés. S'il existe des femmes « en laisse », elles ne peuvent pas canaliser. C'est évident. Je ne nie pas que ces gens aient conquis Ebou Dar, l'Amador et peut-être davantage, mais à l'évidence, ces femmes sont une invention de Rand al'Thor, peut-être pour effrayer les gens afin qu'ils prennent son parti. Comme celui qui se dit son Prophète. C'est la simple logique.

— Au moins, vous ne niez pas la conquête d'Ebou Dar et de l'Amador, Velina, ce dont je me félicite, dit Shevan, acerbe.

Elle pouvait être d'une ironie cinglante quand elle voulait. Aussi grande que la plupart des hommes, et d'une minceur frisant la maigreur, la Sœur Brune avait un visage anguleux et un long menton, que n'arrangeait pas son casque de boucles. De ses longs doigts arach-néens, elle rajusta son châle et lissa ses jupes de sombre soie dorée, et sa voix se teinta d'amusement.

— Cela me met toujours mal à l'aise d'entendre déclarer ce qui est possible ou non. Par exemple, il n'y a pas si longtemps, tout le monde « savait » que seul un écran tissé par une sœur pouvait empêcher une femme de canaliser. Puis on trouva une herbe toute simple, la racine fourchue, que n'importe qui peut mettre dans votre thé, et qui vous laisse incapable de canaliser pendant des heures. Utile pour les Irrégu-lières indisciplinées et leurs semblables, je suppose, mais une mauvaise surprise pour celles qui pensent tout savoir, non ? Peut-être que bientôt quelqu'un apprendra à fabriquer de nouveau des *ter'angreals*.

Elaida pinça les lèvres. Les impossibilités ne l'inté-ressaient pas, et si, en trois mille ans, aucune sœur n'avait réussi à redécouvrir comment on fabriquait un *ter'angreal*, personne n'y parviendrait, point final. Ce qui l'exaspérait, c'étaient les fuites survenues au sujet des connaissances qu'elle voulait garder secrètes. Malgré ses efforts, toutes les dernières initiées à la Tour connaissaient maintenant l'existence de la racine fourchue. Ce qui déplaisait. Personne n'aime se sentir vulnérable devant quiconque disposant de quelques connaissances en botanique et d'un peu d'eau chaude. Ce savoir était pire que du poison, ainsi que les Dépu-tées l'avaient déclaré sans ambiguïté.

Quand elle entendit parler de la plante, les grands yeux noirs de Duhara se remplirent d'inquiétude, et elle se raidit plus que d'ordinaire. Les mains serrant sa jupe étaient si rouges qu'elles en paraissaient presque noires. Sedore déglutit, et ses doigts s'agrippèrent au dossier de cuir damasquiné qu'Elaida lui avait confié, bien que la Jaune au visage poupin eût généralement un port d'une froide élégance. Andaya frissonna ! Elle resserra convulsivement sur ses épaules son châle frangé de gris.

Que diraient-elles si elles savaient que les Asha'man avaient redécouvert l'art de Voyager ? se demanda Elaida. À présent, elles osaient à peine mentionner leur existence. Au moins, elle était parvenue à limiter la diffusion de cette information à une poignée de sœurs.

— À mon avis, nous ferions mieux de nous occuper de ce que nous savons avec certitude, n'est-ce pas ? dit fermement Andaya, qui s'était ressaisie entre-temps.

Ses cheveux châtain clair, qui brillaient grâce à de nombreux brossages, cascadaient dans son dos, et sa robe bleue à crevés argent était à la mode d'Andor, mais le Tarabon s'entendait toujours dans son accent. Sans être petite ni trop mince, Elaida trouvait qu'elle ressemblait à un moineau prêt à sautiller sur une branche. Négociatrice en dépit des apparences, elle s'était pourtant acquis une réputation méritée dans ce domaine. Elle sourit aux autres, sans amabilité excessive, et cela aussi rappela un moineau. Ça venait peut-être de son port de tête.

— Spéculations oiseuses, qui nous font perdre un temps précieux. Le monde ne tient qu'à un fil, et pour ma part, je n'ai pas envie de perdre des heures à papoter sur une prétendue logique ou à parler de ce que savent tous les imbéciles et toutes les novices. Avez-vous quelque chose d'utile à dire ?

En fait de moineau, elle pouvait mettre beaucoup de fiel dans ses paroles. Velina rougit, et Shevan s'assombrit.

Rubinde regarda la Grise en grimaçant. Elle avait peut-être l'intention de sourire, mais ses lèvres parurent seulement se crisper. Avec des cheveux noir corbeau et des yeux bleus comme des saphirs, la Mayenere semblait généralement prête à traverser un mur en pierre. À présent, avec les poings sur les hanches, elle aurait été capable d'en franchir deux.

— Nous avons réglé tous les problèmes que nous pouvions pour le moment, Andaya. La plupart, en tout cas. Les rebelles sont prises dans la neige au Murandy, et nous leur rendrons l'hiver tellement pénible qu'au printemps elles reviendront s'excuser en rampant et réclamer leur pénitence. On s'occupera de Tear dès que nous saurons où a disparu le Haut Seigneur Darlin, et de Cairhien quand nous aurons délogé Caraline Damodred et Torean Riatin de leurs cachettes. Al'Thor détient la couronne d'Illian pour le moment, mais nous nous chargerons de lui après. À moins que vous n'ayez un plan pour l'enlever et l'emprisonner à la Tour, ou pour faire disparaître ces Asha'man, je dois m'occuper de mon Ajah.

Andaya se redressa, les plumes ébouriffées. Duhara plissa les yeux ; l'évocation d'hommes capables de canaliser allumait toujours des feux dans leurs têtes. Shevan fit claquer sa langue, comme pour faire taire des enfants qui se chamaillent – quoique ces chamailleries ne semblent pas lui déplaire – et Velina fronça les sourcils, attendant sans doute quelque remarque de Shevan. C'était amusant, mais ça suffisait.

— Les affaires des Ajahs sont importantes, mes filles, dit Elaida, sans élever la voix. Toutes les têtes se tournèrent vers elle.

Elle remit l'oiseau d'ivoire avec le reste de sa collection dans un grand coffret décoré de roses et de volutes dorées, ajusta soigneusement la position de son écritoire et de la cassette du courrier, pour que les trois boîtes laquées soient parfaitement alignées. Quand le silence fut total, elle poursuivit.

— Mais les affaires de la Tour sont *plus* importantes. J'espère que vous exécuterez promptement mes décrets. Je constate qu'il y a trop de paresseuses à la Tour. Je crains que Silviana ne se retrouve surmenée si la situation ne s'arrange pas bientôt.

Elle ne formula pas d'autres menaces et se contenta de sourire.

— À vos ordres, Mère, murmurèrent six voix pas aussi assurées que leurs propriétaires auraient pu le souhaiter.

Même Duhara était d'une grande pâleur quand elles firent leur révérence. Deux Députées avaient été privées de leur siège, et une demi-douzaine avaient été condamnées à plusieurs jours de Labeur – ce qui, dans leur situation, était assez humiliant pour faire également office de Mortification de l'Esprit. Shevan et Sedore pincèrent les lèvres au souvenir des jours passés à décaper les sols et à faire la lessive – mais aucune n'avait encore été envoyée à Silviana pour la Mortification de la Chair. Chaque semaine, la Maîtresse des Novices recevait deux ou trois visites de sœurs à qui leur Ajah avait imposé une pénitence, ou qui s'en imposaient une elles-mêmes. Quelques coups de fouet, bien que douloureux, valaient mieux que de ratisser les allées du jardin pendant un mois. Silviana avait beaucoup moins d'indulgence pour les sœurs que pour les novices et les Acceptées dont elle avait la charge. Plus d'une sœur avaient dû passer les jours suivant leur flagellation à se demander si ratisser le jardin pendant un mois n'eût pas été préférable.

Elles détalèrent vers la porte, impatientes de s'en aller. Députées ou non, aucune ne serait montée si haut dans la Tour sans une convocation expresse d'Elaida. Tripotant les franges de son châle, Elaida eut un sourire de pure satisfaction. Oui, elle était la maîtresse de la Tour. C'était normal pour le Siège d'Amyrlin.

Avant que le groupe des Députées n'ait atteint la sortie, la porte de gauche s'ouvrit, et Alviarin entra, son étroite étole blanche de Gardienne presque invisible sur une robe à faire paraître bien médiocre celle de Velina.

Elaida sentit son sourire se figer puis s'estomper. Alviarin tenait une feuille de parchemin dans sa main fine. Elle n'était pas venue au bureau d'Elaida depuis deux semaines ; elle avait disparu sans un mot et sans une note, sans que personne ne l'ait vue partir, et Elaida avait imaginé avec plaisir une Alviarin gisant dans une congère, emportée dans une rivière ou enfouie sous la glace.

Les six Députées s'arrêtèrent, hésitantes, car Alviarin leur bloquait le passage. Même une Gardienne aussi influente qu'Alviarin n'entravait pas l'action des Députées. Bien que Velina, la femme la plus posée de la Tour, se troublât pour une raison inconnue. Alviarin jeta un seul coup d'œil sur Elaida, observa calmement les Députées, et comprit.

— Je crois que vous devriez me confier ce dossier, dit-elle à Sedore, d'un ton juste un peu moins froid que la neige du dehors. La Mère aime réfléchir soigneusement à ses décrets, comme vous le savez. Ce ne serait pas la première fois qu'elle changerait d'avis après avoir signé.

Elle tendit une main fine.

Sedore, dont l'arrogance était notoire même parmi les Jaunes, n'hésita qu'un instant avant de lui tendre le dossier en cuir.

Elaida grinça des dents de fureur. Sedore avait détesté les cinq jours de lessive. Elaida lui trouverait quelque chose d'encore moins agréable la prochaine fois. Pourquoi pas Silviana après tout. Peut-être nettoyer les latrines !

Alviarin s'écarta, et les sœurs sortirent, rajustant leurs châles, marmonnant entre leurs dents, tout en retrouvant leur dignité de Députées. Alviarin referma vivement la porte derrière elles, et se dirigea vers Elaida, qui feuilletait les documents du dossier. Il s'agissait des décrets qu'elle avait signés en espérant qu'Alviarin était morte. Évidemment, elle n'avait pas fait qu'espérer. Elle n'avait pas parlé à Seaine, au cas où quelqu'un les aurait vues, mais Seaine œuvrait sans doute selon ses instructions, suivant la piste de la trahison qui mènerait sûrement à Alviarin Freidhen. Comme Elaida avait souhaité cela !

Alviarin murmurait entre ses dents tout en feuilletant les papiers.

— Cela peut aller, je suppose. Mais pas ça. Ni ça. Et certainement pas ça !

Elle froissa un décret signé et scellé par le Siège d'Amyrlin, et le jeta par terre. S'arrêtant près du fauteuil doré d'Elaida, surmonté de la Flamme de Tar Valon sertie en pierres de lune, elle balança violemment le dossier et son parchemin sur le bureau. Puis elle gifla Elaida, si violemment que celle-ci en fut sonnée.

— Je pensais avoir réglé la question définitivement, dit Elaida d'une voix glaçante.

— Je sais comment sauver la Tour de vos erreurs, et je ne veux pas que vous en fassiez d'autres dans mon dos. Si vous continuez, soyez assurée que je vous ferai déposer, désactiver, et hurler sous les verges devant toutes les initiées et toutes les servantes !

Elaida s'abstint difficilement de porter la main à sa joue. Elle n'avait pas besoin d'un miroir pour savoir qu'elle était cramoisie. Elle devait se montrer très prudente. Seaine n'avait encore rien trouvé, sinon elle serait venue la voir. Alviarin pouvait parler à l'Assemblée, et révéler l'enlèvement désastreux du jeune al'Thor. Rien que pour ça, elle pouvait être déposée, désactivée et fouettée, mais Alviarin avait un autre atout dans son jeu. Toveine Gazal était partie, à la tête de cinquante sœurs et de deux cents Gardes de la Tour pour attaquer une Tour Noire dont Elaida était sûre, quand elle avait donné cet ordre, qu'elle ne comptait pas plus de deux ou trois hommes capables de canaliser. Pourtant, même avec des centaines – des centaines ! avec Alviarin qui baissait sur elle des yeux froids, cette idée lui nouait encore l'estomac ! – de ces Asha'man, Elaida espérait que Toveine aurait le dessus. La Tour Noire serait détruite dans le feu et le sang, avait-elle Prédit, et les sœurs marcheraient sur ses ruines. Cela signifiait sûrement que Toveine triompherait. De plus, le reste de la Prédiction disait que la Tour retrouverait son ancienne gloire sous sa direction, et qu'al'Thor lui-même faiblirait devant sa colère. Alviarin avait entendu ces paroles de sa bouche quand la Prédiction s'était emparée d'elle. Et elle ne s'en était pas souvenue par la suite, quand elle avait commencé son chantage sans comprendre que sa perte était proche. Elaida attendit avec patience. Elle lui rendrait la monnaie de sa pièce au centuple ! Mais elle devait être patiente. Pour le moment.

Sans même dissimuler son dédain, Alviarin poussa le dossier de côté et posa son parchemin devant Elaida. Elle ouvrit l'écritoire vert et or, trempa la plume dans l'encrier et la lui tendit.

— Signez.

Elaida prit la plume, se demandant sous quelle folie elle allait apposer sa signature cette fois-ci. Encore un nouvel accroissement de la Garde de la Tour, alors que les rebelles seraient éliminées avant que des renforts ne soient nécessaires ? Une nouvelle tentative pour faire révéler publiquement aux Ajahs quelles sœurs étaient à leur tête ? Cette tentative avait lamentablement échoué. Lisant rapidement, elle sentit une boule glacée lui nouer l'estomac. Déjà, donner à chaque Ajah l'autorité finale sur toute sœur dans ses quartiers avait été une pure folie – comment détruire le tissu même de la Tour pouvait-il la sauver ? – mais ça… !

« Le monde sait maintenant que Rand al'Thor est le Dragon Réincarné et qu'il peut toucher le Pouvoir Unique. De tels hommes dépendent de l'autorité de la Tour Blanche depuis des temps immémoriaux. La Tour accorde sa protection au Dragon Réincarné, mais toute tentative de l'approcher, sauf par l'intermédiaire de la Tour, sera considérée comme trahison contre la Lumière, et l'anathème définitif sera prononcé contre les contrevenantes. Le monde peut dormir tranquille, sachant que la Tour Blanche guidera le Dragon Réincarné jusqu'à la Dernière Bataille et le triomphe définitif et inéluctable. »

Étourdie, elle ajouta machinalement « de la Lumière » après le mot « triomphe ». Puis sa main se pétrifia. Reconnaître publiquement qu'al'Thor était le Dragon Réincarné, c'était supportable, puisqu'il l'était, et cela inciterait beaucoup à croire les rumeurs selon lesquelles il avait déjà plié le genou devant elle, ce qui pouvait se révéler utile. Mais pour le reste, elle n'arrivait pas à croire que tant de dégâts à venir puissent être contenus dans si peu de mots.

— Que la Lumière nous protège ! dit-elle avec ferveur. Si ce décret est promulgué, il sera impossible de convaincre al'Thor que son enlèvement n'était pas approuvé.

Ce serait déjà assez difficile sans cette proclamation, mais elle avait déjà vu des gens convaincus que ce qui se produisait sous leurs yeux n'existait pas.

— Et il sera dix fois plus sur ses gardes contre une nouvelle tentative. Au mieux, ce décret fera fuir certains de ses partisans, Alviarin.

Sans doute que beaucoup étaient déjà si profondément engagés avec lui qu'ils n'oseraient pas faire marche arrière. Certainement pas s'ils se voyaient menacés d'anathème !

— Autant mettre le feu à la Tour de ma propre main que signer ça !

Alviarin soupira d'impatience.

— Vous n'avez pas oublié votre catéchisme, non ? Répétez-le-moi, tel que je vous l'ai enseigné.

Les lèvres d'Elaida se pincèrent d'elles-mêmes. En l'absence d'Alviarin, l'un de ses plaisirs avait été d'échapper à l'obligation quotidienne de répéter cette odieuse litanie.

— Je ferai ce que vous m'ordonnez de faire, dit-elle enfin d'une voix monocorde.

Elle était le Siège d'Amyrlin !

— Je prononcerai les mots que vous me désignerez, et rien de plus.

Sa Prédiction prévoyait son triomphe, mais ô Lumière, faites qu'il survienne vite !

— Je signerai ce que vous me direz de signer, et rien d'autre. Je...

Elle s'étrangla sur la conclusion.

— J'obéirai à votre volonté.

— Vous avez besoin qu'on vous le rappelle constamment, on dirait, dit Alviarin avec un nouveau soupir. Je vous ai laissée seule trop longtemps, je suppose.

Elle tapota son parchemin d'un index péremptoire.

— Signez.

Elaida signa, traînant la plume sur le parchemin. Elle ne pouvait rien faire d'autre.

Alviarin attendit à peine qu'elle relève sa plume pour arracher le décret.

— Je le scellerai moi-même, dit-elle, se dirigeant vers la porte. Je n'aurais pas dû laisser le sceau de l'Amyrlin à votre disposition. Je reviendrai vous parler plus tard. Je vous ai laissée trop longtemps livrée à vous-même. Soyez là quand je reviendrai.

— Plus tard ? dit Elaida. Quand, Alviarin ? Alviarin ? Alviarin ? La porte se referma sur la Gardienne, laissant Elaida fulminer toute seule. « Soyez là quand je reviendrai ! » Voilà qu'elle était assignée à résidence dans ses quartiers comme une novice dans les cellules de pénitence !

Un moment, elle tripota son coffret de correspondance, décoré de faucons dorés se battant dans un ciel bleu au milieu de nuages blancs, mais elle ne se résigna pas à l'ouvrir. Après la disparition d'Alviarin, elle avait recommencé à y conserver des lettres et des rapports importants, et non plus les miettes d'informations qu'Alviarin lui jetait. Mais depuis son retour, il aurait aussi bien pu être vide. Se levant, elle se mit à modifier la disposition des roses dans les vases blancs posés sur des consoles de marbre blanc aux quatre coins de la pièce. Des roses bleues, les plus rares.

Brusquement, elle réalisa qu'elle fixait une tige cassée en deux qu'elle tenait à la main. Une demi-douzaine d'autres jonchaient le sol. Elle émit un gémissement de contrariété. En brisant ces tiges, elle pensait à ses mains resserrées autour de la gorge d'Alviarin. Ce n'était pas la première fois qu'elle imaginait tuer cette femme. Mais Alviarin avait dû prendre des précautions. Des documents scellés, à n'ouvrir que si quelque chose de louche lui arrivait, avaient sans doute été confiés à des sœurs qu'Elaida n'irait jamais soupçonner de complicité avec elle. Cela avait été son seul vrai souci pendant l'absence d'Alviarin, à savoir que quelqu'un suspecte la mort de la Gardienne et produise des preuves qui feraient qu'Elaida serait dépouillée du châle. Mais tôt ou tard, d'une façon ou d'une autre, Alviarin était perdue, comme ces roses…

— J'ai frappé, mais vous n'avez pas répondu. Mère, alors je suis entrée, dit une voix bourrue derrière elle.

Elaida se retourna, prête à lacérer l'intruse, mais à la vue de la Sœur Rouge charpentée au visage carré qui se tenait juste devant la porte, tout le sang se retira de son visage.

— La Gardienne dit que vous voulez me parler, dit Silviana, irritée.

Même devant le Siège d'Amyrlin, elle ne fit aucun effort pour dissimuler son écœurement. Silviana pensait que les pénitences privées étaient une affectation ridicule. Les pénitences devaient être publiques, seules les punitions pouvaient être faites en privé.

— Elle m'a dit aussi de vous rappeler quelque chose, mais elle est partie avant de me dire quoi, termina-t-elle avec un reniflement dédaigneux.

Silviana considérait comme une perte de temps tout ce qui l'éloignait de ses novices et de ses Acceptées.

— Je crois que je sais ce que c'est, dit Elaida d'un ton morne.

Quand Silviana partit enfin – au bout d'une demi-heure, d'après le carillon de la pendule de Cemaile, qui parut une éternité –, la seule chose qui retint Elaida de convoquer l'Assemblée en session plénière pour dépouiller Alviarin de l'étole de Gardienne, fut la certitude que sa Prédiction se réaliserait, et que Seaine remonterait la piste de la trahison jusqu'à Alviarin. Elle était convaincue que, si Alviarin était destituée au cours de cette confrontation, elle le serait aussi sans aucun doute. C'est pourquoi Elaida do Avriny a'Roihan, Gardienne des Sceaux, Flamme de Tar Valon et Siège d'Amyrlin, sans conteste la femme la plus puissante du monde, à plat ventre sur son lit, sanglotait dans ses oreillers, le postérieur trop meurtri pour enfiler la robe jetée en tas à terre, certaine qu'au retour d'Alviarin, celle-ci l'obligerait à s'asseoir pendant toute leur entrevue. À travers ses larmes, elle pria pour que la chute d'Alviarin survienne bientôt.

— Je ne vous ai pas dit de… faire fouetter Elaida, dit la voix cristalline. Vous élèveriez-vous au-dessus de votre condition ?

Alviarin, à genoux jusque-là, se prosterna à plat ventre devant la femme qui semblait faite d'ombre et de lumière argentée. Saisissant l'ourlet de la robe de Mesaana, elle le couvrit de baisers. Le tissage de l'Illusion – ce devait être ça, bien qu'elle ne vît pas le moindre fil de *saidar* pas plus qu'elle ne sentait la capacité de canaliser dans la femme qui la dominait – ne tint pas complètement, avec les tiraillements qu'elle imprimait au bas de la jupe. Des éclairs couleur bronze et des volutes noires se voyaient à travers.

— Je vis pour servir et vous obéir. Grande Maîtresse, haleta Alviarin entre deux baisers. Je sais que je suis indigne parmi les indignes, et je prie uniquement que vous m'accordiez votre sourire.

Elle avait déjà été punie, pour « s'être élevée au-dessus de sa condition » – pas pour désobéissance, le Grand Seigneur de l'Ombre soit loué ! – et elle savait que, quels qu'aient été les hurlements d'Elaida lors de sa flagellation, ils étaient aussi intenses que les siens.

Au bout de quelques instants, Mesaana mit fin aux baisers en lui relevant le menton du bout de sa pantoufle.

— Le décret est parti.

Ce n'était pas une question, mais Alviarin répondit vivement.

— Oui, Grande Maîtresse. Des copies en ont été envoyées au Port-du-Nord et au Port-du-Sud avant même que je fasse signer Elaida. Les premiers courriers sont en route, et aucun marchand ne quittera la cité sans copies à distribuer.

Mesaana savait tout cela, évidemment. Alviarin avait relevé la tête, dans une posture inconfortable, et une crampe lui paralysa le cou. Elle ne bougea pas. Mesaana lui dirait quand elle pourrait le faire.

— Grande Maîtresse, Elaida est une cosse vide. En toute humilité, ne vaudrait-il pas mieux nous passer d'elle ?

Elle retint son souffle. Poser une question à un Élu pouvait être dangereux.

Un ongle d'ombre au bout d'un doigt argenté tapota des lèvres argent qui arboraient une moue amusée.

— Ne vaudrait-il pas mieux que vous portiez l'étole de l'Amyrlin, mon enfant ? dit enfin Mesaana. Ambition assez modeste pour vous convenir, mais chaque chose en son temps. Pour le moment, j'ai une minuscule tâche à vous confier. Malgré tous les murs qui se sont élevés entre les Ajahs, il semble que leurs supérieures se réunissent à une fréquence surprenante. Comme par hasard ! Toutes sauf les Rouges, en tout cas ; dommage que Galina se soit fait tuer, elle aurait pu vous dire ce qu'il en est. C'est sans doute sans importance, mais vous allez découvrir pourquoi elles s'agressent en public et font des messes basses en privé.

— J'écoute et j'obéis, Grande Maîtresse, répondit vivement Alviarin, se félicitant que Mesaana juge cela sans importance.

Le grand « secret » concernant l'identité de celle qui commandait une Ajah n'en était pas un pour elle – toutes les Sœurs Noires devaient transmettre au Conseil Suprême ce qui se passait dans sa prétendue Ajah – mais parmi elles, seule Galina avait été une Noire. Ce qui signifiait qu'elle devrait questionner les Sœurs Noires appartenant à l'Assemblée, en passant par tous les échelons intermédiaires. Cela prendrait du temps, sans aucune certitude de succès. Sauf en ce qui concernait Ferane Neheran, et Suana Dragand, qui *étaient* les chefs de leurs Ajah respectives, les Députées savaient rarement qui était à la tête de leur Ajah avant qu'on le leur dise.

— Je vous en informerai dès que je le saurai.

Mais elle nota mentalement un renseignement intéressant pour elle. Question sans importance ou non, Mesaana *ne savait pas* tout ce qui se passait à la Tour Blanche. Et Alviarin guetterait une sœur en jupes couleur bronze à l'ourlet brodé de volutes noires. Mesaana se cachait dans la Tour. L'information, c'était le pouvoir.

26.

Un petit plus

Seaine arpentait les couloirs de la Tour avec l'impression de se tromper à chaque tournant. La Tour Blanche était vaste, aussi cela durait depuis des heures. Elle avait très envie de se retrouver bien au chaud chez elle. Malgré les rideaux tirés à toutes les fenêtres, des courants d'air balayaient les larges corridors décorés de tapisseries, faisant vaciller les flammes des torchères. Il était difficile de les ignorer quand ils s'infiltraient sous les jupes. Son appartement était chaud, confortable et sécurisant.

Les servantes faisaient la révérence et les laquais s'inclinaient dans son sillage, à peine vus et totalement ignorés. La plupart des sœurs étaient dans les quartiers de leur propre Ajah, et les rares qui circulaient avançaient avec une languissante fierté, souvent par deux, toujours de la même Ajah, châles déployés sur leurs bras comme des bannières. Elle sourit et salua aimablement Talene, mais la Députée aux cheveux d'or lui répondit d'un regard dur, comme une beauté sculptée dans la glace, et elle s'éloigna en tripotant son châle frangé de vert.

Trop tard maintenant pour demander à Talene si elle prenait part aux recherches, même si Pevara avait été d'accord. Pevara avait recommandé la plus grande prudence. Seaine était plus que prête à l'écouter étant donné les circonstances. Car Talene était son amie ou plus exactement l'avait été.

Talene n'était pas la pire. Plusieurs sœurs ordinaires la dédaignaient ouvertement. Elle, une Députée ! Aucune Blanche, bien sûr, mais cela n'aurait fait aucune différence. Quoi qu'il se passât à la Tour, les convenances devaient être respectées. Juilaine Madome, une grande femme, séduisante, avec des cheveux noirs coupés court, et qui représentait les Brunes à l'Assemblée depuis moins d'un an, la frôla en passant sans même un murmure d'excuse et s'éloigna de sa démarche masculine. Saerin Asnobar, autre Sœur Brune, la gratifia d'un regard féroce en caressant la poignée de cette dague incurvée qu'elle portait toujours à la ceinture, avant de disparaître dans un couloir latéral. Saerin était Altarane. Quelques fils blancs striaient ses tempes, et soulignaient une mince cicatrice blanche à demi estompée par le temps qui barrait sa joue olivâtre ; et seul un Lige pouvait rivaliser avec elle dans les froncements de sourcils.

Peut-être fallait-il s'attendre à ces réactions. Il y avait eu récemment plusieurs incidents regrettables, et aucune sœur n'était prête à oublier qu'elle avait été transportée sans cérémonie dans les quartiers d'une autre Ajah, et encore moins ce qui s'était parfois passé ensuite. La rumeur disait qu'une Députée – une Députée ! – avait vu sa dignité bafouée par les Rouges, mais sans préciser laquelle. Dommage que l'Assemblée ne pût annuler le décret démentiel d'Elaida. Une Ajah puis une autre s'étaient emparées des nouvelles prérogatives qu'il leur donnait, et peu de Députées avaient envie d'y renoncer maintenant qu'elles étaient acquises. Le résultat, c'était une Tour divisée en camps armés. Autrefois, Seaine avait pensé que l'air de la Tour lui donnait l'impression d'une gelée chaude et tremblotante qui mordait ; à présent, c'était une gelée chaude et tremblotante dont la morsure était acide.

Faisant claquer sa langue de contrariété, elle rajusta son châle frangé de blanc tandis que Saerin disparaissait. Il était stupide de se troubler parce qu'une Altarane fronçait les sourcils, et plus encore de se faire du souci pour ce qu'elle ne pouvait pas changer quand elle avait une tâche à remplir.

Puis, après toutes ses recherches du matin, elle vit subitement la proie qu'elle cherchait depuis si longtemps s'avancer vers elle. Zerah Dacan était une jeune femme brune et mince, pleine de dignité et de sang-froid, et, apparemment indifférente aux courants brûlants circulant dans la Tour ces derniers temps. Elle n'était pas aussi jeune qu'elle le paraissait, mais Seaine était sûre qu'elle ne portait pas depuis cinquante ans le châle frangé de blanc. Elle était relativement inexpérimentée. Ce qui pouvait être un avantage.

Zerah ne chercha pas à éviter une sœur de sa propre Ajah, inclinant respectueusement la tête quand Seaine s'arrêta près d'elle. De nombreuses broderies d'or entrelacées s'enroulaient autour de ses manches et formaient une large bande au bas de sa robe immaculée. C'était étonnamment clinquant pour l'Ajah Blanche.

— Députée, murmura-t-elle.

Seaine crut détecter un peu d'inquiétude dans ses yeux bleus.

— J'ai besoin de vous pour quelque chose, dit Seaine avec plus de calme qu'elle n'en ressentait.

Sans doute transférait-elle ses propres émotions dans les grands yeux de Zerah.

— Suivez-moi.

Bien qu'il n'y ait rien à craindre en plein cœur de la Tour Blanche, elle eut du mal à garder les mains croisées.

Comme elle s'y attendait – ou plutôt l'espérait – Zerah la suivit avec un nouveau murmure d'acquiescement. D'un pas souple, elle suivit gracieusement Seaine, descendant les grands escaliers de marbre aux larges rampes incurvées, puis se rembrunit à peine quand Seaine ouvrit une porte au rez-de-chaussée, donnant sur un escalier descendant en spirale dans la pénombre.

— Après vous, ma sœur, dit Seaine, canalisant un petit globe lumineux.

Selon le protocole, elle aurait dû précéder Zerah, mais elle ne put s'y résoudre.

Zerah n'hésita pas à descendre. Elle n'avait normalement rien à craindre d'une Députée qui était, de surcroît, une Sœur Blanche. Logiquement, Seaine lui dirait ce qu'elle attendait d'elle le moment venu, qui ne serait rien qu'elle ne pût accomplir. Malgré tout, l'estomac de Seaine papillonnait comme une énorme mite prise au piège. Par la Lumière, elle tenait la *saidar*, contrairement à sa compagne. En outre, Zerah était moins puissante qu'elle dans le Pouvoir. Il n'y avait donc rien à craindre. Les spasmes de son estomac ne se calmaient pourtant pas.

Pendant la descente, elles passèrent devant des portes menant à des caves et à des sous-sols, jusqu'au niveau le plus bas, au-dessous même de celui auquel on testait les Acceptées. Seul le petit globe lumineux de Seaine éclairait le sombre couloir. Elles retroussaient leurs jupes, mais leurs pantoufles soulevaient de petits nuages de poussière en dépit de leur démarche légère. Des portes en bois trouaient les murs en pierre lisse, dont beaucoup n'avaient plus que des bouts de fer rouillés en guise de gonds et de serrures.

— Députée, dit Zerah, hésitante, qu'est-ce que nous venons chercher ici ? Je ne crois pas que personne soit descendu si bas depuis des années.

Seaine était certaine que sa visite, quelques jours plus tôt, avait été la première à ce niveau depuis au moins un siècle. C'était l'une des raisons pour lesquelles Pevara et elle l'avaient choisi.

— Nous y sommes, dit-elle, poussant une porte qui grinça à peine.

Aucune quantité d'huile n'avait pu déloger toute la rouille, et leurs efforts pour l'enlever avec le Pouvoir s'étaient soldés par un échec. Ses capacités avec la Terre étaient supérieures à celles de Pevara, mais cela n'allait quand même pas très loin.

Zerah entra et cligna les yeux de surprise. Dans une pièce vide, Pevara siégeait derrière une table massive bien qu'abîmée, entourée de trois petits bancs. Descendre ces quelques meubles sans être vues avait été difficile – surtout qu'elles ne pouvaient pas faire confiance aux domestiques. Le dépoussiérage avait été plus facile, sinon plus agréable, et le ménage du couloir, qu'il fallait faire après chaque passage, avait été pénible.

— J'étais sur le point de renoncer à rester ici toute seule dans le noir, grogna Pevara.

L'aura de la *saidar* l'entoura quand elle prit une lanterne sous la table et canalisa pour l'allumer, répandant autant de clarté qu'en méritait cette ancienne réserve. Un peu rondelette et assez jolie, la Députée Rouge ressemblait à un ours souffrant d'une rage de dents.

— Nous voulons vous poser quelques questions, Zerah.

Elle l'isola par un écran pendant que Seaine fermait la porte.

Le visage de Zerah demeura impassible, mais elle déglutit bruyamment.

— À propos de quoi, Députées ? demanda Zerah, un imperceptible tremblement dans la voix.

Mais peut-être était-ce dû à l'atmosphère qui régnait à la Tour.

— À propos de l'Ajah Noire, répondit sèchement Pevara. Nous voulons savoir si vous êtes une Amie du Ténébreux.

La surprise et l'indignation eurent raison du calme de Zerah. La plupart auraient trouvé que c'était un démenti suffisant, mais elle ajouta :

— Je n'ai pas à supporter cela de vous ! Vous autres Rouges, vous lancez de faux Dragons depuis des années ! Si vous voulez savoir ma pensée, il n'y a pas à chercher plus loin que les quartiers des Rouges pour trouver des Sœurs Noires !

Pevara s'empourpra de fureur. Son loyalisme envers son Ajah allait de soi, mais pis encore, des Amis du Ténébreux avaient décimé sa famille. Seaine décida d'intervenir avant que Pevara ne recoure à la force. Elles n'avaient pas de preuve. Pour le moment.

— Asseyez-vous Zerah, dit-elle aussi chaleureusement qu'elle put. Asseyez-vous, ma sœur.

Zerah se tourna vers la porte, prête à désobéir à l'ordre d'une Députée – et d'une Députée de sa propre Ajah ! – mais elle finit par s'asseoir au bord d'un banc, très raide.

Avant même que Seaine ait fini de s'installer sur un autre, de sorte que Zerah se trouve entre elle et Pevara, celle-ci posa la Baguette aux Serments blanc ivoire sur le plateau très abîmé de la table. Seaine soupira. Elles étaient Députées, donc autorisées à se servir de n'importe quel *ter'angreal*, mais c'était elle qui avait dérobé la Baguette aux Serments. Elle ne pouvait pas s'empêcher de considérer cela comme un vol, sachant qu'elle n'avait observé aucune des procédures habituelles. Elle s'attendait, d'un instant à l'autre, à voir, debout derrière elle, Sereille Bagand morte depuis si longtemps, prête à la traîner par l'oreille au bureau de la Maîtresse des Novices ! Irrationnel, mais non moins réel.

— Nous voulons être sûres que vous dites la vérité, dit Pevara, en colère. Alors vous allez prêter serment sur la Baguette, puis je vous reposerai la question.

— Je ne devrais pas être soumise à cette humiliation, dit Zerah, avec un regard accusateur à Seaine, mais je vais de nouveau prêter tous les Serments, si cela peut vous satisfaire. Et après, j'exigerai des excuses.

On n'aurait jamais cru qu'elle était isolée par un écran, ni qu'on venait de lui poser une question si offensante. Presque dédaigneusement, elle tendit la main vers la fine Baguette d'un pied de long, qui brillait à la faible clarté de la lanterne.

— Vous allez jurer de nous obéir en tout à toutes les deux, lui dit Pevara, et Zerah retira sa main comme si elle allait toucher une vipère.

Pevara poursuivit, poussant légèrement la Baguette vers elle.

— De cette façon, nous saurons que vos réponses sont sincères, et si vous mentez, nous saurons que vous nous aiderez à pourchasser vos Sœurs Noires. La Baguette peut servir à vous libérer d'un Serment, si vous donnez la bonne réponse.

— Me libérer… ? s'exclama Zerah. Je n'ai jamais entendu dire que quiconque ait jamais été libéré d'un Serment par la Baguette !

— C'est pourquoi nous prenons toutes ces précautions, lui rétorqua Seaine. Logiquement, une Sœur Noire est capable de mentir, ce qui signifie qu'elle doit avoir été libérée au moins de ce serment, et sans doute des trois. Pevara et moi, nous avons testé le pouvoir de libération, et découvert que le processus était le même.

Elle ne raconta pas à quel point cela avait été douloureux, les laissant en larmes toutes les deux. Elle ne dit pas non plus que Zerah ne serait pas libérée de son serment quelle que soit sa réponse, tant que la recherche des Sœurs Noires ne serait pas terminée. En effet, elles ne pouvaient pas la lâcher dans la nature, pour qu'elle puisse parler de cet interrogatoire, et se plaindre avec juste raison, si elle n'était pas une Noire.

Par la Lumière, Seaine regrettait de ne pas avoir trouvé une autre sœur répondant aux critères qu'elles avaient sélectionnés. Une Verte ou une Jaune aurait convenu. Dans le meilleur des cas, elles étaient pleines d'outrecuidance, et dernièrement… ! Non. Elle n'allait pas succomber à la maladie qui se répandait dans la Tour. Pourtant, elle ne put empêcher certains noms de jaillir dans sa tête, dont une douzaine de Vertes, deux fois plus de Jaunes, et chacune bonne à rétrograder de quelques crans. Mépriser une Députée ?

— Vous vous êtes *libérées* vous-mêmes d'un des Serments ? demanda Zerah, d'un ton étonné, écœuré et gêné à la fois.

Une réaction parfaitement raisonnable.

— Et nous l'avons prêté de nouveau, grommela Pevara avec impatience.

Attrapant la Baguette, elle canalisa un peu d'Esprit à une extrémité, tout en maintenant l'écran de Zerah.

— Sous la Lumière, je jure de ne pas prononcer un mot qui ne soit vrai. Sous la Lumière, je jure de ne faire aucune arme pour qu'un homme en tue un autre. Sous la Lumière, je jure de ne pas utiliser le Pouvoir Unique comme une arme, sauf contre des Engeances de l'Ombre ou, en dernier recours, pour défendre ma vie, celle de mon Lige ou celle d'une autre sœur.

Elle ne grimaça pas à l'évocation des Liges, comme le faisaient souvent les nouvelles Sœurs Rouges.

— Je ne suis pas une Amie du Ténébreux. J'espère que vous êtes satisfaites.

Elle montra les dents à Zerah, mais était-ce un sourire ou un grognement ? C'était difficile à dire.

À son tour, Seaine prêta de nouveau les Serments. Pour chacun d'entre eux, elle ressentit une légère pression depuis son crâne jusqu'à la plante des pieds. En fait, la pression était difficile à détecter, à cause de sa peau qui lui paraissait trop tendue d'avoir encore à prêter le Serment contre le mensonge. Prétendre que Pevara portait la barbe ou que les rues de Tar Valon étaient pavées de fromage, avait été amusant pendant un temps – même Pevara pouffait – mais ne valait pas le malaise qu'elle ressentait maintenant. Le test ne lui avait pas paru nécessaire. Logiquement, il devait en être ainsi. Dire qu'elle n'était pas une Noire lui écorchait la langue, mais elle tendit à Zerah la Baguette aux Serments avec un hochement de tête impérieux.

Remuant sur son siège, Zerah retourna la Baguette lisse dans ses mains, déglutissant convulsivement. À la pâle clarté de la lanterne, elle avait l'air malade. Elle les regarda l'une après l'autre, les yeux dilatés, puis elle resserra les mains sur la Baguette et hocha la tête.

— Exactement ce que j'ai dit, gronda Pevara, canalisant une fois de plus de l'Esprit dans la Baguette, ou vous recommencerez jusqu'à ce que ce soit exact.

— Je jure de vous obéir à toutes les deux, dit Zerah d'une voix tendue, puis elle frissonna quand la Baguette exerça son emprise.

C'était toujours plus difficile lors du premier serment.

— Questionnez-moi sur l'Ajah Noire, dit-elle, ses mains tremblant sur la Baguette. Questionnez-moi sur l'Ajah Noire !

L'intensité du ton donna la réponse à Seaine avant même que Pevara ne relâche le flot d'Esprit et ne pose la question commandant une réponse sincère.

— Non ! hurla presque Zerah. Non, je ne suis pas de l'Ajah Noire ! Maintenant, libérez-moi de ce Serment ! Libérez-moi immédiatement !

Seaine s'avachit sur son banc, découragée, posant les coudes sur la table. Elle ne *désirait* certes pas que Zerah réponde positivement, mais elle était certaine d'avoir trouvé l'autre femme qui mentait. Un mensonge découvert après des semaines de recherches. Combien de temps encore pour mener à bien leur enquête ? Toujours vigilante, de jour comme de nuit, quand elle parvenait à dormir.

Pevara pointa sur elle un index accusateur.

— Vous avez dit que vous veniez du nord.

— Oui. J'ai longé la rive de l'Erinin jusqu'à Jualdhe, dit lentement Zerah. Maintenant, libérez-moi de ce Serment !

Elle s'humecta les lèvres.

Seaine la regarda en fronçant les sourcils.

— On a découvert des semences d'Épine Dorée et une coque de noix dans vos fontes, Zerah. Et on n'en trouve qu'à cent miles au *sud* de Tar Valon.

Zerah se leva d'un bond.

— Asseyez-vous, ordonna sèchement Pevara.

Elle se laissa retomber sur le banc dans un bruit mat, mais elle ne cilla pas. Elle tremblait. Elle serrait les mâchoires pour ne pas claquer des dents ; Seaine en était persuadée. Par la Lumière, l'interroger pour savoir si elle venait du nord ou du sud l'effrayait davantage que lui demander si elle était une Amie du Ténébreux.

— D'où êtes-vous partie ? demanda lentement Seaine, et pourquoi… ?

Elle voulait comprendre pourquoi elle avait fait ce si long détour – ce qui était évident – pour brouiller les pistes. La réponse jaillit de la bouche de Zerah.

— De Salidar, glapit-elle.

Serrant toujours dans ses mains la Baguette aux Serments, elle se tortilla sur son banc. Des larmes inondèrent ses yeux grands comme des soucoupes et rivés sur Pevara. Un torrent de paroles s'ensuivit. Elle claquait des dents à présent.

— Je suis ve-venue pour m'assurer que toutes les sœurs sont au courant pour les Rou-Rouges et Logain, afin qu'elles dé-déposent Elaida et que la T-Tour puisse être ré-réunifiée.

— Très bien dit Pevara fermement.

Son visage était impassible, mais la lueur brillant dans ses yeux noirs était loin de l'espièglerie de leurs années de novices et d'Acceptées.

— Ainsi, vous êtes la source de cette… rumeur. Vous serez convoquée devant l'Assemblée et vous avouerez que c'était un mensonge. Reconnaissez-le, ma fille !

411

Zerah avait les yeux horrifiés. Elle lâcha la Baguette qui roula sur la table, et porta la main à sa gorge. Un son étranglé sortit de sa bouche béante. Pevara la fixa, choquée, mais Seaine comprit soudain.

— Par la Lumière, vous n'êtes pas obligée de mentir, Zerah, dit-elle.

Les jambes de Zerah s'agitaient sous la table, comme si elle essayait en vain de se lever.

— Dites-le-lui, Pevara. Elle croit que c'est vrai ! Vous lui avez ordonné de dire la vérité *et* de mentir. Ne me regardez pas comme ça ! Elle croit sincèrement !

Les lèvres de Zerah bleuirent. Elle battit des paupières. Seaine prit son courage à deux mains.

— Pevara, c'est vous qui lui avez donné cet ordre, alors vous devez la libérer, ou elle va suffoquer sous nos yeux.

— C'est une *rebelle*, dit Pevara, mettant dans ce mot tout le mépris du monde.

Puis elle soupira.

— Elle n'a pas été testée, jusqu'à présent. Vous n'avez pas… à mentir… ma fille.

Zerah s'affala en avant, la joue contre la table, aspirant l'air entre deux gémissements.

Seaine branla du chef, étonnée. Elles n'avaient pas pensé à l'éventualité de Serments *conflictuels*. Et si l'Ajah Noire ne se contentait pas d'annuler le Serment contre le mensonge, mais le remplaçait par un Serment à elle ? Et si elles remplaçaient les Trois Serments par des Serments de leur cru ? Elle et Pevara devraient se montrer très prudentes si elles découvraient une Sœur Noire, au risque de se retrouver avec une morte avant d'avoir déterminé quel était le conflit. Elles devraient peut-être commencer par une renonciation de *tous* les Serments – pas moyen de procéder plus prudemment sans savoir ce que juraient les Sœurs Noires – suivie d'une nouvelle prestation des Trois Serments ? Par la Lumière, la souffrance d'être libérée de tous les Serments à la fois serait presque équivalente à la torture. Mais une Sœur Noire le méritait bien, et même davantage. Si elles en découvraient jamais une.

Pevara baissa les yeux sur la femme suffocante, sans la moindre trace de compassion.

— Quand elle passera en jugement pour rébellion, je veux faire partie des juges.

— Si elle est jugée, Pevara, dit pensivement Seaine. Il serait dommage de nous priver de l'aide d'une sœur dont nous savons qu'elle n'est pas une Amie du Ténébreux. Et comme c'est une rebelle, nous n'aurons pas trop de scrupules à nous servir d'elle.

Elles avaient beaucoup discuté, sans arriver à une conclusion, de la deuxième raison de laisser le nouveau Serment en place. Une sœur qui avait juré pouvait être contrainte (Seaine remua sur son banc, mal à l'aise ; cela semblait trop proche de la vilenie interdite de la Compulsion) et *incitée* à participer aux recherches, si on la poussait à accepter le danger.

— Je ne pense pas qu'elles n'en ont envoyé qu'une seule, dit Pevara. Zerah, combien d'entre vous sont-elles venues pour répandre cette rumeur ?

— Dix, marmonna Zerah toujours contre la table, puis elle se redressa d'un sursaut, les yeux flamboyant de défi.

— Je ne trahirai pas mes sœurs ! Je ne les… !

Elle s'interrompit brusquement, réalisant que c'était déjà fait.

— Des noms ! aboya Pevara. Donnez-moi des noms ou je vous fais la peau sur-le-champ !

Des noms lui échappèrent malgré elle. À cause du commandement, sans doute, plus qu'à cause de la menace. Face à la mine sinistre de Pevara, Seaine pensa qu'il n'aurait pas fallu la pousser beaucoup pour qu'elle l'humilie, comme une novice surprise à voler. Curieusement, elle ne ressentait pas la même animosité. De la révulsion, oui, mais pas aussi forte. Cette femme était une rebelle, qui avait participé à la scission de la Tour Blanche, alors qu'une sœur devait tout accepter pour préserver son unité, et pourtant… Très étrange.

— Vous êtes d'accord, Pevara ? dit-elle quand l'énoncé de la liste fut terminé.

Têtue, Pevara hocha sèchement la tête pour toute réponse.

— Très bien, Zerah. Cet après-midi, vous amènerez Bernaile à mon appartement.

Il y avait deux rebelles dans chaque Ajah, excepté dans la Bleue et la Rouge, mais il valait mieux commencer par l'autre Blanche.

— Vous lui direz simplement que je désire lui parler d'une affaire personnelle. Vous n'éveillerez aucun soupçon. Puis vous vous tairez et vous nous laisserez, Pevara et moi, faire le nécessaire. Vous êtes maintenant recrutée pour une cause plus utile que votre rébellion malavisée, Zerah.

Malavisée, bien sûr. Quelque ivre de pouvoir que soit devenue Elaida.

— Vous allez nous aider à pourchasser l'Ajah Noire.

À chaque injonction, Zerah hochait la tête, le visage chagrin. À la mention de l'Ajah Noire, sa mâchoire s'affaissa. Par la Lumière, cette expérience avait dû lui déranger l'esprit pour qu'elle ne voie pas ça !

— Et vous cesserez de répandre ces… histoires, dit Pevara d'un ton sévère. À partir de maintenant, vous ne mentionnerez plus ensemble l'Ajah Rouge et les faux Dragons. Est-ce clair ?

Le visage de Zerah se couvrit d'un masque d'entêtement maussade. Zerah dit :

— C'est clair, Députée.

Elle semblait sur le point de se remettre à pleurer par pure frustration.

— Alors, ôtez-vous de ma vue, dit Pevara, lâchant l'écran et la *saidar* en même temps.

— Et ressaisissez-vous ! Lavez-vous le visage et mettez de l'ordre dans votre coiffure !

Zerah s'éloignait déjà de la table. Elle dut baisser les mains qui rajustaient ses cheveux pour ouvrir la porte. Quand le battant se referma en grinçant, Pevara renifla avec dédain.

— Elle aurait été capable d'aller trouver cette Bernaile, toute dépenaillée pour lui mettre la puce à l'oreille.

— C'est juste, reconnut Seaine. Mais à qui allons-nous mettre la puce à l'oreille si nous persécutons ces femmes ? À tout le moins, cela attirera l'attention.

— Au point où en sont les choses, nous n'éveillerions pas l'attention, même si nous leur faisions traverser le domaine de la Tour à coups de pied, dit Pevara, comme si elle trouvait l'idée attrayante. Ce sont des *rebelles* et j'ai l'intention de les surveiller de si près qu'elles gémiront si l'une d'elle a la moindre pensée interdite !

Elles débattirent longuement de cette question. Seaine pensait que leur imposer d'exécuter leurs ordres, sans leur laisser d'échappatoires, serait suffisant. Pevara lui fit remarquer qu'elles laissaient dix rebelles – dix ! – arpenter les couloirs de la Tour sans être châtiées. Seaine argua qu'elles seraient punies éventuellement, et Pevara grogna qu'éventuellement n'était pas assez tôt. Seaine avait toujours admiré la volonté de fer de Pevara, mais vraiment, elle allait parfois jusqu'à l'entêtement.

Un faible grincement avertit Seaine que la porte s'ouvrait. Aussitôt, elle cacha la Baguette aux Serments dans les plis de sa jupe. Puis elles s'empressèrent d'embrasser la Source presque en même temps.

Saerin entra calmement, une lanterne à la main, et s'effaça devant Talene, suivie de la minuscule Yukiri qui tenait aussi une lanterne, et de Doesine, une grande femme cairhienine élancée comme un jeune homme. Celle-ci referma la porte derrière elle et s'y adossa, comme pour empêcher quiconque de sortir. Ces quatre Députées représentaient toutes les autres Ajahs de la Tour. Elles semblèrent ignorer le fait que Seaine et Pevara tenaient la *saidar*. Soudain, la pièce sembla trop petite à Seaine. Imaginaire et irrationnel...

— Étrange de vous voir toutes les deux ensemble, dit Searin.

Son visage exprimait la sérénité même, ce qui ne l'empêchait pas de caresser la poignée de cette dague incurvée qu'elle portait toujours à la ceinture. Elle siégeait à l'Assemblée depuis quarante ans, plus longtemps qu'aucune autre sœur, et toutes avaient appris à craindre ses colères.

— Nous pourrions dire la même chose de vous, rétorqua Pevara, ironique.

Elle ne redoutait pas les colères de Saerin, *elle*.

— À moins que vous ne descendiez ici pour aider Doesine à retrouver son calme ?

Une soudaine rougeur sur le visage de la Jaune la fit encore plus ressembler à un jeune homme, malgré son port élégant. Seaine en déduisit quelle Députée s'était égarée trop près du quartier des Rouges avec des résultats regrettables.

— Pourtant, je n'aurais jamais cru que cela vous rapprocherait. Les Vertes tirent dans les pattes des Jaunes, les Brunes dans celles des Vertes. À moins que vous ne veniez ici pour vous battre en duel sans être dérangées ?

Seaine chercha frénétiquement pour quelle raison ces quatre-là descendaient si profondément dans les entrailles de Tar Valon. Qu'est-ce qui les unissait ? Leurs Ajahs – toutes les Ajahs – étaient des rivales. Elaida leur avait infligé des punitions à toutes les quatre. Aucune sœur n'aimait être condamnée au Labeur, surtout quand elles savaient pourquoi elles devaient récurer les marmites et les sols. Cela ne constituait pas un lien. Quoi d'autre ? Aucune n'était de noble naissance. Saerin et Yukiri étaient filles d'aubergistes, Talene fille de fermiers, et le père de Doesine était coutelier. Saerin avait d'abord été formée par les Filles du Silence, seule de ce groupe à accéder au châle. Sottises sans aucune utilité. Soudain, un constat la frappa et lui dessécha la gorge : Saerin qui avait du mal à contrôler ses colères ; Doesine, qui s'était enfuie à trois reprises quand elle était novice, bien qu'elle ne fût qu'une seule fois parvenue jusqu'aux ponts. Talene, qui s'était sans doute vu infliger plus de punitions que toute autre novice dans l'histoire de la Tour ; Yukiri, toujours la dernière Grise à se joindre au consensus, alors qu'elle était d'un autre avis que ses sœurs, et par ailleurs la dernière à être élue à l'Assemblée. En un sens, toutes étaient des rebelles humiliées par Elaida. Pensaient-elles qu'elles avaient fait une erreur en déposant Sivan et en élevant Elaida à sa place ? Étaient-elles au courant pour Zerah et les autres ? Et si oui, quelles étaient leurs intentions ?

Mentalement, Seaine se prépara à tisser la *saidar*, sans beaucoup d'espoir de leur échapper. Pevara était d'une puissance égale à Saerin et Yukiri, mais elle-même était plus faible que toutes les autres, à part Doesine. Elle se prépara, et Talene s'avança et fit voler en éclats toutes ses déductions logiques.

— Yukiri a remarqué que vous vous éclipsiez ensemble, et nous voulons savoir pourquoi.

Sa voix étonnamment grave était véhémente, malgré la glace qui semblait recouvrir son visage.

— Les chefs de vos Ajahs vous ont-elles confié une tâche secrète ? En public, les chefs des Ajahs se montrent les dents, mais on les a vues comploter dans les coins, semble-t-il. Quoi qu'elles manigancent, l'Assemblée a le droit d'être au courant.

— Oh ! arrêtez, Talene.

La voix de Yukiri était toujours plus déconcertante que celle de Talene. Elle avait l'air d'une reine miniature, dans sa robe de soie noire ornée de dentelles ivoire, mais elle s'exprimait comme une paysanne placide. Elle prétendait que le contraste était utile dans les négociations. Elle sourit à Seaine et Pevara, comme une souveraine hésite sur le degré d'amabilité à manifester à ses sujettes.

— Je vous ai vues vous faufiler comme des furets dans un poulailler, dit-elle, mais j'ai tenu ma langue – vous pourriez coucher ensemble, pour ce que j'en sais, et ça ne me regarde pas – j'ai donc tenu ma langue jusqu'au moment où j'ai entendu Talene se plaindre des sœurs qui complotent dans les coins. J'en ai vu pas mal moi-même, et je suppose que certaines sont aussi les chefs de leur Ajah. Alors, dites-nous tout, si vous le pouvez. L'Assemblée a le droit de savoir.

— Nous ne partirons pas tant que vous n'aurez pas parlé, intervint Talene, plus véhémente que jamais.

Pevara eut un reniflement dédaigneux et croisa les bras.

— Si la supérieure de mon Ajah me disait deux mots, je ne vois pas pourquoi je vous les répéterais. Ce dont nous discutions, Seaine et moi, n'a rien à voir avec les Rouges ou les Blanches. Alors, allez fouiner ailleurs.

Mais elle ne lâcha pas la *saidar*. Et Seaine non plus.

— C'était inutile et je le savais bien, grommela Doesine depuis la porte. Pourquoi ai-je eu la fichue idée de me laisser embarquer là-dedans… Sapristi, heureusement que personne n'est au courant, ou on recevrait des torgnoles devant toute cette sacrée Tour.

Parfois, elle adoptait aussi le langage d'un garçon mal élevé.

Seaine se serait levée pour partir si elle n'avait craint que ses genoux la trahissent. Pevara se leva, elle, manifestant des signes d'impatience aux femmes qui se tenaient entre elle-même et la porte.

Saerin palpa la poignée de sa dague, les lorgnant bizarrement sans bouger d'un pouce.

— C'est une énigme, murmura-t-elle.

Soudain, elle avança, sa main libre plongeant dans le giron de Seaine, si vite que celle-ci en eut le souffle coupé. Elle essaya de maintenir la Baguette cachée dans ses jupes.

— J'aime les énigmes, déclara Saerin.

Seaine lâcha la Baguette et rajusta ses jupes.

L'apparition de la Baguette déchaîna un torrent de paroles, presque toutes se mettant à parler en même temps.

— Sang et cendres, gronda Doesine. Êtes-vous descendues ici pour élever de nouvelles sœurs ?

— Oh ! laissez tomber, Saerin, dit Yukiri en riant. Quoi qu'elles mijotent, c'est leur affaire.

Couvrant leurs deux voix, Talene aboya :

420

— Pourquoi sont-elles venues ici clandestinement si ça n'a rien à voir avec les chefs des Ajahs ?

Saerin fit un geste d'apaisement pour que le calme revienne. Bien qu'elles soient toutes Députées, c'était elle qui, à l'Assemblée, avait le droit de parler la première. Ses quarante ans d'ancienneté n'y étaient pas pour rien.

— Voilà la clé de l'énigme, dit-elle, caressant la Baguette du pouce. Pourquoi cela ?

Brusquement, l'aura de la *saidar* l'entoura elle aussi, et elle canalisa l'Esprit dans la Baguette.

— Sous la Lumière, je ne dirai pas un mot qui ne soit vrai. Je ne suis pas une Amie du Ténébreux.

Dans le silence qui suivit, un éternuement de souris aurait paru bruyant.

— Ai-je raison ? dit Saerin, lâchant le Pouvoir.

Elle tendit la Baguette à Seaine.

Pour la troisième fois, Seaine prêta le Serment contre le mensonge et répéta qu'elle n'était pas une Noire. Pevara fit de même, avec une dignité glaciale. Elle avait un regard d'aigle.

— C'est ridicule, dit Talene. Il *n'existe pas* d'Ajah Noire.

Yukiri prit la Baguette des mains de Pevara et canalisa.

— Sous la Lumière, je ne dirai pas un mot qui ne soit vrai. Je ne suis pas de l'Ajah Noire.

L'aura de la *saidar* s'éteignit autour d'elle et elle tendit la Baguette à Doesine.

Talene fronça les sourcils, dépitée.

— Écartez-vous, Doesine. Pour ma part, je ne tolérerai pas cette odieuse insinuation.

— Sous la Lumière, je ne dirai pas un mot qui ne soit vrai, dit Doesine, presque avec révérence, entourée du halo de la *saidar*. Je ne suis pas de l'Ajah Noire.

Pour les affaires sérieuses, son langage était aussi châtié que toute Maîtresse des Novices pouvait le souhaiter. Elle tendit la Baguette à Talene.

La femme aux cheveux d'or sursauta et recula comme devant un serpent venimeux.

— Le seul fait d'exiger ce Serment est une calomnie. Pire qu'une calomnie !

Une lueur sauvage brilla dans ses yeux. Impression irrationnelle probablement, mais que ressentit Seaine.

— Maintenant dégagez la voie, ordonna Talene avec toute l'autorité d'une Députée. Je m'en vais.

— Je ne crois pas, dit Pevara avec calme, et Yukiri acquiesça lentement de la tête.

Saerin serrait le manche de sa dague à s'en blanchir les phalanges.

Chevauchant dans les neiges profondes de l'Andor, pataugeant dans les congères, Toveine Gazal maudit le jour de sa naissance. Petite et potelée, avec une douce peau cuivrée et de longs cheveux noirs et brillants, elle avait paru jolie à beaucoup au cours des ans, mais personne n'avait jamais dit qu'elle était belle. Et surtout pas maintenant. Ses yeux noirs étaient à présent perçants, quand elle n'était pas en colère. Elle était furieuse aujourd'hui.

Quatre autres Rouges chevauchaient derrière elle, et vingt Gardes de la Tour les suivaient, en tuniques et capes sombres. Les hommes n'appréciaient pas que leurs armures soient arrimées sur les chevaux de bât, et ils scrutaient les forêts alentour comme s'attendant à une attaque imminente. Comment pouvaient-ils parcourir trois cents miles en Andor sans se faire remarquer, avec la Flamme de Tar Valon brillant sur leurs tuniques et leurs capes, c'est ce que Toveine n'imaginait pas. Heureusement, le voyage tirait à sa fin. Dans un jour, peut-être deux, avec les chevaux qui enfonçaient jusqu'aux genoux dans la neige, ils effectueraient leur jonction avec neuf groupes identiques au sien. Toutes les sœurs qui en faisaient partie n'étaient pas des Rouges, malheureusement, mais cela ne la troublait pas outre mesure. Toveine Gazal, autrefois Députée de l'Ajah Rouge, resterait dans l'histoire comme la femme qui avait détruit la Tour Noire.

Elle était sûre qu'Elaida croyait à sa reconnaissance, parce qu'elle lui avait donné cette chance, l'avait rappelée de l'exil et de la disgrâce, et lui avait offert cette occasion de rédemption. Elle renifla avec dédain. Si un loup avait regardé dans les profondeurs de sa capuche, il aurait eu peur. Ce qui avait été fait vingt ans plus tôt avait été nécessaire. Que la Lumière calcine tous ceux prétendant que l'Ajah Noire avait été impliquée ! Cela avait été nécessaire et juste. Mais Toveine Gazal avait perdu son siège à l'Assemblée, et avait été forcée de demander le pardon sous les verges, devant toutes les sœurs réunies, ainsi que les novices et les Acceptées, lesquelles apprenaient ainsi que les Députées, devaient aussi respecter la loi quelle qu'elle soit. Puis on l'avait envoyée, durant ces vingt dernières années, travailler dans les Collines Noires, à la ferme de Maîtresse Jara Doweel, qui considérait qu'une Aes Sedai purgeant sa peine en exil n'était en rien différente d'une autre servante peinant sous le soleil et dans la neige. Toveine déplaça ses mains sur les rênes ; elle sentait ses cals. Maîtresse Doweel était convaincue que tout le monde devait travailler dur, et lui avait imposé la même discipline que celle des novices ! Elle n'avait eu aucune pitié pour celle qui avait essayé d'esquiver le travail éreintant qu'elle avait partagé elle-même, et encore moins pour une femme qui s'était éclipsée discrètement pour se consoler avec un joli garçon. Telle avait été la vie de Toveine ces vingt dernières années. Pendant ce temps-là, Elaida s'était faufilée en toute impunité dans les vides juridiques, et s'était retrouvée comme une fleur sur le Siège de l'Amyrlin que Toveine avait convoité pour elle. Non, elle n'était pas reconnaissante. Mais elle avait appris à attendre son heure.

Brusquement, un homme de haute taille en tunique noire, ses cheveux noirs tombant jusqu'aux épaules, sortit de la forêt devant elle, soulevant des gerbes de neige.

— Inutile de lutter, annonça-t-il d'une voix ferme, levant une main gantée. Rendez-vous, et personne ne sera blessé !

Toveine, aussitôt rejointe par les sœurs, réagit.

— Emparez-vous de lui, dit-elle calmement. Vous feriez bien de vous lier. Il m'a isolée avec un écran.

Il semblait donc qu'un de ces Asha'man soit venu à elle. Quelle charmante attention !

Brusquement, elle réalisa que rien ne se passait, et cessa de regarder l'homme pour froncer les sourcils sur Jenare. Tout le sang s'était retiré de son visage.

— Toveine, dit-elle, moi aussi je suis isolée par l'écran.

— Moi aussi, renchérit Lemai, incrédule, et d'autres après elle, de plus en plus agitées.

Toutes isolées par un écran.

Des hommes en noir sortirent des arbres au ralenti, et les encerclèrent. Toveine en compta quinze. Les Gardes marmonnaient en colère, attendant l'ordre d'une sœur. Ils savaient seulement qu'une bande de fripouilles les attaquait. Toveine fit claquer sa langue avec irritation. Tous ces hommes en noir ne pouvaient pas canaliser, naturellement, mais apparemment tous les Asha'man qui en étaient capables étaient lancés contre elle. Elle garda son calme. Contrairement à certaines sœurs de son escorte, ce n'était pas la première fois qu'elle affrontait des hommes sachant canaliser. Le premier s'avança vers elle en souriant, apparemment persuadé qu'elles avaient obéi à son ordre ridicule.

— À mon commandement, dit-elle à voix basse, nous nous disperserons dans toutes les directions. Dès que vous serez assez loin pour que l'homme lâche son écran – les hommes pensaient toujours qu'il fallait voir la personne pour maintenir l'écran en place, ce qui signifiait qu'ils étaient obligés de la garder dans leur champ visuel – revenez sur vos pas pour aider les Gardes. Préparez-vous.

Élevant la voix, elle cria :

— Gardes, attaquez !

Poussant un rugissement, les Gardes s'élancèrent en brandissant leur épée, croyant entourer les sœurs pour les protéger. Tournant sa jument vers la droite, Toveine la talonna, et, couchée sur l'encolure de Moineau, se faufila entre deux Gardes médusés, puis entre deux très jeunes Asha'man qui en restèrent paralysés d'étonnement. Puis elle regagna le couvert des arbres, talonnant sa monture, la neige giclant de toutes parts, indifférente au risque que sa jument se casse une jambe. Elle aimait sa jument, mais la perte d'un cheval était chose courante. Derrière elle, on entendit des cris, et une voix, qui rugissait pour couvrir la cacophonie :

— Prenez-les vivantes par ordre du Dragon Réincarné ! Blessez une Aes Sedai, et vous en répondrez devant moi !

Par ordre du Dragon Réincarné. Pour la première fois, Toveine éprouva de la peur, un glaçon lui gelant le ventre. Le Dragon Réincarné. Elle cravacha de ses rênes l'encolure de Moineau. L'écran était toujours sur elle ! Pourtant, il y avait assez d'arbres entre elle et eux pour qu'ils ne la voient pas ! Ô Lumière, le Dragon Réincarné !

Elle râla, sentant quelque chose la frapper à la taille : une branche la fit tomber de sa selle. Elle regarda son cheval qui s'enfuyait aussi vite que le permettait la neige. Elle était suspendue, les bras collés au corps, ses pieds ballant à plus d'une toise du sol. Elle déglutit. Ce devait être la partie mâle du Pouvoir qui l'immobilisait. Avant ça, elle n'avait jamais été touchée par le *saidin*. Elle sentait un épais bandeau de néant lui enserrer la taille. Elle pensa sentir la souillure du Ténébreux. Et elle trembla, ravalant ses cris.

Un grand homme arrêta son cheval devant elle, et elle glissa doucement vers le sol jusqu'à ce qu'il la pose en amazone sur sa selle. Mais il ne semblait pas particulièrement s'intéresser à l'Aes Sedai qu'il avait capturée.

— Hardlin ! rugit-il. Norley ! Kajima ! Ici, bande de bons à rien ! Il était très grand, avec des épaules larges comme un manche de hache, comme aurait dit Maîtresse Doweel. Pas du tout comme les jolis garçons qu'aimait Toveine, empressés, reconnaissants et si facilement contrôlables. Une épée d'argent décorait d'un côté le haut col de sa tunique de drap noir, avec, de l'autre côté, une bizarre créature en or et en émail rouge. C'était un homme capable de canaliser. Il l'avait entourée d'un écran et l'avait fait prisonnière.

Le hurlement qui sortit de sa gorge stupéfia tout le monde, dont elle-même. Elle l'aurait retenu si elle avait pu, mais un autre suivit le premier, encore plus aigu, et un troisième, plus intense que le second, et un autre… Gesticulant comme une folle, elle se balança d'un flanc sur l'autre. C'était inutile contre le Pouvoir. Elle le savait dans un recoin de son esprit. Elle hurlait à pleins poumons, suppliait qu'on la sauve de l'Ombre. Elle se débattait comme une bête prise au piège.

Elle avait vaguement conscience que le cheval de l'homme galopait quand ses talons tambourinaient sur ses épaules. Elle entendit l'homme qui disait :

— Du calme, espèce de sac à charbon ! Du calme, ma sœur ! Je ne vais pas… Du calme, espèce de mule boiteuse ! Toutes mes excuses, ma sœur, mais c'est ce qu'on nous apprend !

Et il l'embrassa !

Elle n'eut qu'un battement de cœur pour réaliser que les lèvres de l'homme touchaient les siennes, puis elle ne vit plus rien, et une douce chaleur l'envahit. Du miel en fusion coulait en elle. Elle était une corde de harpe, vibrant si vite qu'elle en devenait invisible. Elle se sentait comme un vase de cristal très mince, que les vibrations allaient faire voler en éclats. La corde de harpe se rompit et le vase se pulvérisa.

— Aaaaaaaah !

Elle ne réalisa pas tout de suite qu'elle était l'auteur de ce cri. Un bref instant, elle ne put plus penser de façon cohérente. Haletante, elle leva les yeux sur un visage mâle, se demandant à qui il appartenait. Ah, oui, le grand. L'homme qui pouvait…

— J'aurais pu y arriver sans ce petit plus, soupira-t-il, flattant l'encolure de son cheval.

L'animal s'ébroua. Il ne galopait plus.

— Pourtant, je suppose que c'était nécessaire. Vous n'avez rien d'une épouse. Calmez-vous. Ne tentez pas de vous échapper, n'attaquez aucun homme en noir, et ne touchez pas la Source sauf si je vous en donne la permission. Quel est votre nom ?

— Toveine Gazal, dit-elle en clignant des yeux.

Pourquoi lui avait-elle répondu ?

— Ah, vous êtes là, dit un autre homme en noir chevauchant vers eux dans de grandes gerbes de neige.

Celui-là était plus à son goût – au moins s'il ne canalisait pas. Elle doutait que ce garçon aux joues roses se rasât plus de deux fois par semaine.

— Par la Lumière, Logain ! s'exclama le joli garçon, vous en avez pris une *deuxième* ? Le M'Hael ne sera pas content ! Je crois que ça ne lui plaît pas qu'on ne fasse aucune prisonnière. Enfin, il ne dira peut-être rien vu que vous êtes si proches…

— Proches, Vinchova ? ironisa Logain. Si le M'Hael le pouvait, je serais en train de sarcler les navets avec les nouveaux. Ou enterré sous eux dans le champ, ajouta-t-il dans un murmure dont elle pensa qu'il ne voulait pas qu'on l'entende.

Quoi qu'il ait compris, le joli garçon eut un éclat de rire incrédule. Toveine l'entendit à peine. Elle regardait l'homme qui la dominait de toute sa taille. Logain. Le faux Dragon. Mais il était mort ! Neutralisé et mort ! Et il la tenait devant lui sur sa selle. Pourquoi n'était-elle pas en train de hurler ou de le frapper ? Même sa dague aurait suffi, tant elle était proche de lui. Mais elle n'avait aucune envie de saisir la poignée d'ivoire. Pourtant, elle le pouvait, réalisat-elle. Ce bandeau autour de sa taille avait disparu. Elle aurait pu au moins glisser du cheval et tenter de… Elle n'en avait aucune envie.

— Qu'est-ce que vous m'avez fait ? demanda-t-elle.

Au moins, elle parvenait à maîtriser ses nerfs.

Faisant pivoter son cheval pour regagner la route, Logain le lui expliqua, et elle posa sa tête sur la large poitrine, et pleura. Elle se jura de faire payer ça à Elaida. Si Logain la libérait jamais, elle la ferait payer. Cette dernière pensée fut particulièrement amère.

27.

Le marché

Assise en tailleur dans un fauteuil à haut dossier richement orné de dorures, Min s'efforçait de s'absorber dans la lecture du traité d'Herid Fel ouvert sur ses genoux, intitulé *Raison et Déraison*. Ce n'était pas facile. Oh, le livre lui-même était fascinant ; les écrits de Maître Fel l'emportaient toujours dans des mondes de pensée qu'elle n'aurait jamais rêvé connaître quand elle nettoyait les écuries. Elle regrettait infiniment la mort de ce vieil homme si gentil. Elle espérait trouver dans ses livres la raison pour laquelle on l'avait assassiné. Ses boucles noires oscillèrent quand elle secoua la tête, puis elle se concentra sur sa lecture.

Le livre était fascinant, mais la pièce était oppressante. La petite salle du trône de Rand, au Palais du Soleil, était couverte de dorures, depuis les larges corniches jusqu'aux hauts miroirs remplaçant ceux qu'il avait fracassés, depuis les deux rangées de fauteuils identiques à celui dans lequel elle était assise, jusqu'au dais au bout de ces rangées et au Trône du Dragon siégeant dessous. C'était une monstruosité, dans le style de Tear vu par des artisans cairhienins, posée sur le dos de deux Dragons, avec deux autres

Dragons en guise d'accoudoirs, et d'autres grimpant sur le dossier, avec de grosses pierres de lune à la place des yeux. Le tout croulait sous l'or et l'émail rouge. Un énorme Soleil Levant entouré de rayons, serti dans les dalles polies du sol, ajoutait encore à la lourdeur de la décoration. Au moins, les feux crépitant dans les deux immenses cheminées, assez grandes pour qu'elle y tienne debout, répandaient une agréable chaleur, surtout avec la neige qui s'accumulait au-dehors. Et c'était les appartements de Rand, dont le confort à lui seul compensait toute sensation oppressante. Pensée irritante. Daignerait-il revenir un jour ? Pensée très irritante. Être amoureuse d'un homme demandait beaucoup d'introspection !

Remuant pour trouver une position confortable sur le dur fauteuil, elle s'efforça de lire. Mais son regard se portait constamment sur les hautes portes, chacune entourée de sa frise de Soleils Levants dorés. Elle espérait voir apparaître Rand tout en redoutant l'arrivée de Sorilea ou de Cadsuane. Machinalement, elle rajusta sa tunique bleu clair et tripota les petites fleurs blanches brodées sur les revers. D'autres s'enroulaient autour des manches et des jambes de ses chausses, si étroites qu'elle devait se contorsionner pour s'y introduire. Ce qui ne la changeait pas tellement des vêtements qu'elle avait toujours portés. Jusqu'à présent, elle avait échappé aux robes, malgré son amour des broderies, mais elle craignait beaucoup que Sorilea n'ait l'intention de l'accoutrer d'une jupe, même si la Sagette devrait la dépouiller de ses chausses de ses propres mains.

Sorilea savait tout sur elle et Rand. *Tout*. Elle se sentit rougir. Sorilea s'efforçait de juger si Min Farshaw était une… maîtresse… convenable pour Rand al'Thor. Le mot lui donnait bêtement envie de rire ; elle n'était pas une écervelée ! Elle avait l'impression d'être coupable et repensait à la tante qui l'avait élevée. *Non*, songea-t-elle, ironique. *La frivolité est sérieuse comparée à toi !*

Ou peut-être que Sorilea voulait savoir si Rand était convenable pour Min ; c'était l'impression qu'elle donnait, par moments. Les Sagettes acceptaient Min comme une des leurs, ou presque, mais ces dernières semaines, Sorilea l'avait pressée comme un citron, essorée comme un rouleau compresseur. La Sagette au visage parcheminé et aux cheveux blancs voulait tout savoir sur Min et sur Rand. Jusqu'à la poussière qu'il y avait au fond de ses poches ! Deux fois, Min avait tenté de se rebeller contre ces interrogatoires incessants, et deux fois Sorilea avait sorti des verges ! Cette terrible vieille la flanquait sans cérémonie sur la table la plus proche, et lui disait après que *cela* lui rafraîchirait peut-être la mémoire ! Et aucune des autres Sagettes ne lui manifestait la moindre commisération ! Par la Lumière, qu'est-ce qu'on endurait pour un homme ! De surcroît, elle ne pouvait pas l'avoir pour elle seule !

Cadsuane était tout à fait différente. La très digne Aes Sedai, aux cheveux aussi gris que ceux de Sorilea étaient blancs, semblait se soucier comme d'une guigne des rapports de Min et de Rand, mais elle passait énormément de temps au Palais du Soleil. L'éviter totalement était impossible, parce qu'elle circulait partout à sa guise. Et quand Cadsuane regardait Min, même brièvement. Min ne pouvait pas s'empêcher de voir en elle une femme capable de faire danser les taureaux et chanter les ours. Elle avait l'impression qu'à tout instant, cette femme allait pointer l'index sur elle et annoncer qu'il était temps que Min Farshaw apprenne l'art de balancer un ballon en équilibre sur son nez. Tôt ou tard, Rand devrait de nouveau affronter Cadsuane, et cette pensée lui nouait l'estomac.

Elle s'obligea à se pencher sur son livre. L'une des portes s'ouvrit, et Rand entra, le Sceptre du Dragon niché au creux de son bras. Il portait une couronne dorée de feuilles de laurier – ce devait être cette fameuse Couronne d'Épées dont tout le monde parlait –, des chausses moulantes qui mettaient ses jambes en valeur, et une tunique de soie verte brodée d'or qui lui seyait merveilleusement. Qu'il était beau !

Marquant sa page du billet dans lequel Maître Fel lui disait qu'elle était « trop jolie », elle referma le livre soigneusement, et le posa par terre à côté du fauteuil. Puis elle croisa les bras et attendit. Si elle avait été debout, elle aurait tapé du pied, mais elle ne voulait pas qu'il croie qu'elle sautait comme une puce juste parce qu'il reparaissait *enfin*.

Il la regarda un moment en souriant, se tiraillant le lobe de l'oreille pour une raison inconnue – il semblait fredonner ! – puis il pivota brusquement et fronça les sourcils vers la porte.

— Les Vierges ne m'avaient pas dit que vous étiez là. Elles ne m'ont pratiquement pas adressé la parole. Par la Lumière, elles semblaient prêtes à se voiler !

— Elles sont sans doute bouleversées, dit Min calmement. Elles se demandaient peut-être où vous étiez, comme moi, ou si vous étiez blessé, malade, ou mort.

Comme moi, pensa-t-elle avec amertume. Il eut l'air troublé.

— Je vous ai écrit, répondit-il lentement. Elle renifla avec dédain.

— Deux fois ! Avec tous vos Asha'man dont vous disposez, vous m'avez envoyé deux lettres. Si l'on peut appeler ça des lettres !

Il chancela comme si elle l'avait giflé – plutôt, comme si elle lui avait donné un coup de pied dans le ventre ! – et cligna des yeux. Elle se contrôla et se renfonça dans son fauteuil. Manifester de la sympathie à un homme au mauvais moment, et vous ne regagnerez jamais le terrain perdu. Une partie de son être mourait d'envie de le prendre dans ses bras, de le réconforter, de le débarrasser de toutes ses souffrances, d'apaiser toutes ses douleurs. Il en était rempli, bien qu'il les ignorât. Elle *ne devait pas* lui sauter au cou. Par la Lumière, il semblait indemne.

Quelque chose la prit doucement sous les coudes, la souleva du fauteuil. Ses bottes bleues pendillèrent au-dessus du sol, et elle flotta vers lui. Le Sceptre du Dragon flotta à l'écart. Ainsi, il pensait qu'un sourire arrangerait tout, la ferait changer d'attitude ? Elle ouvrit la bouche pour lui dire ce qu'elle pensait sans mâcher ses mots ! Refermant les bras sur elle, il l'embrassa.

Quand elle reprit son souffle, elle le regarda à travers ses cils.

— La première fois…

Elle déglutit pour s'éclaircir la voix.

— La première fois, Jahar Narishma est entré, essayant de pénétrer mes pensées comme à son habitude, et il a disparu après m'avoir donné un bout de parchemin. Voyons. Il disait : « J'ai conquis la couronne de l'Illian. Ne faites confiance à personne jusqu'à mon retour. Rand. » Un peu court pour une lettre d'amour, non ?

Il l'embrassa de nouveau.

Cette fois, elle mit plus longtemps à retrouver son souffle. Tout n'allait pas si mal.

— La deuxième fois, Jonan Adley m'a apporté un bout de papier qui disait : « Je reviendrai quand j'en aurai terminé ici. Ne faites confiance à personne. Rand. » Adley est entré pendant que j'étais dans mon bain, ajouta-t-elle, et il s'est rincé l'œil autant qu'il a pu.

Rand prétendait toujours qu'il n'était pas jaloux – comme s'il y avait un homme au monde qui ne le fût pas ! – mais elle avait remarqué qu'il fronçait les sourcils quand un homme la regardait. Et son ardeur était encore plus torride après. Elle se demanda où mènerait ce baiser ? Peut-être devraient-ils se retirer dans la chambre à coucher ? Non, elle ne lui ferait pas des avances, pas après…

Rand la reposa, le visage soudain morne.

— Adley est mort, dit-il.

Soudain, la couronne de laurier s'envola de sa tête, tourbillonnant sur toute la longueur de la salle comme s'il l'avait lancée. Juste au moment où Min pensa qu'elle allait s'écraser sur le dossier du Trône du Dragon, et peut-être même le transpercer, le large bandeau d'or s'immobilisa et se posa doucement sur le siège.

Min regarda Rand, le souffle coupé. Du sang luisait dans ses boucles roux sombre, au-dessus de l'oreille gauche. Tirant de sa manche un mouchoir bordé de dentelle, elle voulut lui essuyer la tempe, mais il lui saisit le poignet.

— C'est moi qui l'ai tué, déclara-t-il calmement.

Elle frissonna au son de sa voix. Calme, comme une tombe. La chambre à coucher était peut-être une très bonne idée. Et au diable si elle semblait l'aguicher. S'obligeant à sourire – et rougissant en pensant au grand lit – elle s'empara de sa chemise, prête à la lui arracher sur-le-champ en même temps que la tunique.

On frappa à la porte.

Elle écarta ses mains et recula d'un bond. Qui ce pouvait bien être ? Les Vierges annonçaient les visiteurs quand Rand était là, ou les introduisaient simplement.

— Entrez, dit-il tout haut, avec un sourire de regret qui la fit s'empourprer de nouveau.

Dobraine passa la tête par la porte, puis entra et referma le battant derrière lui. Le seigneur cairhienin était petit, à peine plus grand qu'elle, avec le devant de la tête rasé et le reste de ses cheveux gris lui tombant jusqu'aux épaules. Des raies bleu et blanc décoraient le devant de sa tunique presque noire, jusqu'au-dessous de la taille. Même avant de s'être acquis la faveur de Rand, il représentait une puissance dans le pays, avec laquelle il fallait compter. À présent, il y

régnait, au moins jusqu'à ce qu'Elayne puisse revendiquer le Trône du Soleil.

— Mon Seigneur Dragon, murmura-t-il. Ma Dame
Ta'veren.

— C'est une plaisanterie, murmura Min, voyant
Rand hausser un sourcil perplexe.

— Peut-être, dit Dobraine, haussant les épaules.
Pourtant, la moitié des dames nobles de la cité
s'habillent avec des couleurs vives, comme Dame
Min. Leurs chausses mettent leurs jambes en valeur, et
beaucoup d'entre elles portent aussi des tuniques qui
ne couvrent même pas leurs…

Il toussota discrètement en réalisant que les hanches
de Min étaient à peine dissimulées.

Elle eut envie de lui dire qu'il avait lui-même de
très jolies jambes, même si elles étaient noueuses,
mais se ravisa aussitôt. La jalousie de Rand était peut-
être un merveilleux activateur de flamme quand ils
étaient seuls. Cependant, elle ne souhaitait pas atteindre
Dobraine. Car il en était capable, elle en avait peur.
De plus, elle se dit que c'était une maladresse de la
part du Cairhienin. Le Seigneur Dobraine Taborwin
n'était pas homme à faire des plaisanteries douteuses.

— Ainsi, vous changez le monde, vous aussi, dit
Rand en souriant, lui tapotant le bout du nez.

Lui tapotant le nez ! Comme à une enfant qu'on
trouve amusante ! Pire, elle lui rendit son sourire
comme une idiote.

— Avec des méthodes plus agréables que les miennes,
semble-t-il, ajouta-t-il.

Son sourire juvénile s'évanouit.

— Est-ce que tout va bien à Tear et en Illian, mon Seigneur Dragon ? s'enquit Dobraine.

— À Tear et en Illian, tout va bien, répondit Rand, sinistre. Qu'avez-vous pour moi, Dobraine ? Asseyez-vous, mon ami. Asseyez-vous, dit-il, lui indiquant un fauteuil et s'asseyant lui-même.

— J'ai agi selon les instructions que vous me donniez dans vos lettres, dit Dobraine, prenant place en face de Rand, mais j'ai peu de bonnes nouvelles, j'en ai peur.

— Je vais nous chercher des rafraîchissements, dit Min d'une voix tendue.

Des lettres ? Ce n'était pas facile de marcher digne-ment avec des bottes à hauts talons. Elle s'était habituée à les porter, mais elles la déséquilibraient, quelques efforts qu'elle fît pour marcher droit. La colère la motiva néanmoins pour aller dignement jusqu'à une petite table posée sous l'un des grands miroirs, où attendaient un pichet et des gobelets en argent. Elle versa le vin aux épices, dont une bonne partie se répandit sur le plateau. Les servantes apportaient toujours des tas de gobelets, pour le cas où elle aurait des visiteurs, quoiqu'elle n'en reçût pas souvent, à part Sorilea ou quelques imbéciles femmes nobles. Le vin était à peine chaud, mais ces deux-là ne méritaient pas mieux. Elle avait reçu deux lettres, mais elle aurait parié que Dobraine en avait eu au moins dix ! Vingt ! Reposant bruyamment le pichet et les gobelets sur le plateau, elle prêta l'oreille à leur conversation. Qu'est-ce qu'ils avaient mijoté derrière son dos avec leurs douzaines de lettres ?

— Toram Riatin semble avoir disparu, dit Dobraine, mais la rumeur prétend qu'il est encore vivant ;

dommage. La rumeur dit aussi que Daved Hanlon et Jeraal Mordeth – Padan Fain, ainsi que vous l'appelez – ont déserté les rangs. Au fait, j'ai installé la sœur de Toram, Dame Ailil, dans de grands appartements, avec des domestiques fidèles.

À son ton, il voulait dire « fidèles envers lui ». Ailil ne pourrait pas changer de robe sans qu'il en soit informé.

— Je peux comprendre qu'elle soit ici, ainsi que le Seigneur Bertome et les autres, mais pourquoi le Haut Seigneur Weiramon et la Haute Dame Anaiyella ? Il va sans dire, naturellement, que leurs domestiques sont de confiance, eux aussi.

— Comment savoir quand une femme veut vous tuer ? demanda Rand, pensif.

— Quand elle sait votre nom ?

Dobraine n'avait pas l'air de plaisanter. Rand pencha pensivement la tête, puis opina. Opina ! Elle espéra qu'il n'était pas en train d'entendre des voix.

Rand fit un geste, comme pour balayer les femmes qui voulaient le tuer. Il prenait ainsi un risque, en présence de Min. Elle n'avait certes pas envie de le tuer, mais elle n'aurait rien contre les verges de Sorilea. Les chausses ne protégeaient guère.

— Weiramon est un imbécile qui commet beaucoup trop d'erreurs, dit Rand.

Dobraine acquiesça de la tête.

— J'ai fait une faute en pensant pouvoir me servir de lui. Mais il semble assez content de demeurer près du Dragon Réincarné. Quoi d'autre ?

Min lui tendit un gobelet, et il lui sourit malgré le vin qui se répandit sur son poignet. Peut-être pensa-t-il que c'était par accident.

— Pas grand-chose et beaucoup de choses, commença Dobraine, puis il se renfonça précipitamment dans son fauteuil pour éviter de renverser le vin du gobelet que Min lui tendit brusquement.

Sa brève expérience de serveuse de taverne ne lui avait pas plu.

— Merci, Dame Min, dit-il de bonne grâce, mais il la regarda de travers en prenant le gobelet.

Elle retourna calmement à la table prendre le sien.

— Je crains que Dame Caraline et le Haut Seigneur Darlin ne soient dans le palais de Dame Arilyn, ici dans la cité, poursuivit le seigneur cairhienin. Sous la protection de Cadsuane Sedai. Protection n'est peut-être pas le mot juste. On m'a refusé l'entrée quand je suis allé leur rendre visite, mais il paraît qu'ils ont tenté de quitter la cité et qu'on les y a ramenés comme des sacs. *Dans* un sac, ai-je même entendu dire une fois. Et connaissant Cadsuane, je serais tenté de le croire.

— Cadsuane, murmura Rand.

Min frissonna.

Au ton, il ne semblait pas vraiment effrayé, plutôt mal à l'aise.

— À votre avis, que devrais-je faire au sujet de Caraline et Darlin, Min ?

Assise à deux fauteuils de lui, Min sursauta quand elle entendit son nom. Avec regret, elle baissa les yeux sur le vin qui avait taché son plus beau corsage crème et ses chausses.

— Caraline soutiendra Elayne pour le Trône du Soleil, dit-elle, morose.

Pour du vin chaud, il semblait très froid. Elle doutait de pouvoir enlever les taches de sa blouse.

— Ce n'est pas une vision, mais je le crois.

Elle ne regarda pas vers Dobraine, mais il hocha sagement la tête. Tout le monde savait qu'elle avait des visions, maintenant. Avec pour résultat qu'un flot constant de dames nobles venaient la consulter pour connaître leur avenir, et faisaient la moue quand elle leur répondait qu'elle ne pouvait rien leur prédire. De toute façon, la plupart n'auraient pas été contentes du peu qu'elle voyait. Rien de bien grave, mais absolument pas les merveilles que les diseuses de bonne aventure prophétisaient à la foire.

— Quant à Darlin, à part le fait qu'il épousera Caraline quand elle l'aura pressé comme un citron et dévoré jusqu'à l'os, la seule chose que je puisse dire, c'est qu'un jour, il sera roi. J'ai vu une couronne sur sa tête, une couronne avec une épée sur le devant, mais je ne sais pas de quel pays elle vient. Ah, et encore, il mourra dans son lit et elle lui survivra.

Dobraine s'étrangla avec son vin, toussant, crachotant et s'essuyant la bouche avec un simple mouchoir de linon. La plupart de ceux qui *savaient* ne *croyaient* pas. Assez contente d'elle. Min but le vin qui restait dans son gobelet. Puis, ce fut *elle* qui s'étrangla, tirant vivement un mouchoir de sa manche pour se tamponner les lèvres. Par la Lumière, elle avait dû se verser la lie restée au fond du pichet !

Rand se contenta de hocher la tête, en contemplant son vin.

— Ainsi, me mettre des bâtons dans les roues est leur raison de vivre, murmura-t-il, d'une voix très douce, pour des mots sans aménité.

Il était dur comme une lame.

— Et que vais-je faire au sujet…

Brusquement, il se retourna dans son fauteuil, regardant vers les portes. L'une d'elles s'ouvrait. Il avait l'oreille très fine. Min n'avait rien entendu.

Aucune des deux Aes Sedai qui entrèrent n'était Cadsuane, et Min sentit ses épaules se détendre en remettant son mouchoir dans sa manche. Tandis que Rafela refermait la porte, Merana fit une profonde révérence à Rand. Les yeux noisette de la Sœur Grise notèrent la présence de Min et de Dobraine. Ce fut au tour de Rafela au visage poupin de déployer ses jupes bleu foncé. Ni l'une ni l'autre ne se redressèrent avant que Rand ne les y autorise du geste. Elles avancèrent vers lui d'un pas souple, affichant leur sérénité aussi solennellement qu'elles portaient leur robe. Sauf que la Sœur Bleue tripota son châle comme pour s'assurer qu'il était bien là. Min avait vu d'autres sœurs faire ce geste, parmi celles qui avaient juré allégeance à Rand. Ce ne devait pas être facile pour elles. Seule la Tour Blanche commandait les Aes Sedais, mais Rand leur fit signe du doigt, et elles approchèrent docilement. Les Aes Sedai s'adressaient en égales aux rois et aux reines, et peut-être parfois en supérieures, mais les

Sagettes les qualifiaient d'apprenties et exigeaient qu'elles obéissent deux fois plus vite que Rand ne le leur demandait.

Rien de tout cela ne transpirait sur le visage lisse de Merana.

— Mon Seigneur Dragon, dit-elle respectueusement. Nous venons juste d'apprendre que vous étiez rentré, et nous avons pensé que vous voudriez savoir comment cela s'est passé avec les Atha'an Miere.

Elle ne jeta qu'un coup d'œil en direction de Dobraine, mais il se leva immédiatement. Les Cairhienins rencontraient souvent des interlocuteurs qui préféraient s'entretenir en privé.

— Dobraine peut rester, dit sèchement Rand.

Avait-il hésité ? Il ne se leva pas. Les yeux bleus comme la glace, il était le Dragon Réincarné jusqu'au bout des ongles. Min lui avait dit que ces femmes lui appartenaient véritablement, que les cinq qui l'avaient accompagné sur le vaisseau du Peuple de la Mer lui appartenaient, qu'elles seraient absolument fidèles à leur Serment, et par conséquent qu'elles obéiraient à sa volonté. Pourtant il lui était difficile de faire confiance à une Aes Sedai. Elle comprit, mais il allait falloir qu'il apprenne comment.

— Comme vous voudrez, dit Merana, inclinant brièvement la tête. Rafela et moi, nous avons conclu un marché avec le Peuple de la Mer. Je dis « marché » parce que c'est le terme qu'ils emploient.

La différence était claire. Les mains posées sur ses jupes vertes à crevés gris, Merana prit une profonde inspiration. Elle en avait besoin.

— Harine din Togara Deux Vents, Maîtresse-des-Vagues du Clan Shodein, parlant au nom de Nesta din Reas Deux Lunes, Maîtresse-des-Vaisseaux des Atha'an Miere, et par conséquent engageant tous les Atha'an Miere, a promis de livrer tous les vaisseaux dont aura besoin le Dragon Réincarné, pour naviguer quand et où il le voudra, afin d'accomplir les missions qu'il définira.

Merana avait tendance à devenir un rien pontifiante quand aucune Sagette n'était présente, affectation qu'elles ne toléraient pas.

— En retour, Rafela et moi, parlant en votre nom, avons promis que le Dragon Réincarné ne changerait pas les lois des Atha'an Miere, comme il l'a fait pour…

Un instant, elle se troubla.

— Pardonnez-moi. J'ai l'habitude de rapporter les accords selon leurs termes exacts. Le mot qu'elles ont utilisé est « rampant », mais ce qu'elles voulaient dire, c'est ce que vous avez fait au Tear et au Cairhien.

Une question passa furtivement dans ses yeux. Peut-être se demandait-elle s'il avait fait la même chose en Illian. Elle avait manifesté du soulagement qu'il n'ait rien changé dans son Andor natal.

— Je pourrai vivre avec ça, je suppose, marmonna-t-il.

— Deuxièmement, dit Rafela, prenant la relève, et croisant ses mains potelées sur sa taille, vous devrez donner des terres aux Atha'an Miere, un carré d'un mile de côté dans chaque cité située sur des eaux navigables, que vous contrôlez actuellement ou que vous contrôlerez par la suite.

Elle pontifiait moins que sa compagne, mais à peine. Elle ne semblait pas totalement satisfaite de ce qu'elle disait. Elle était Tairene, après tout, et peu de peuples exerçaient un contrôle aussi strict sur le commerce que Tear.

— Dans ce domaine, les lois des Atha'an Miere ont la préséance sur toutes les autres. Cet accord doit aussi être ratifié par toutes les autorités portuaires, de sorte que…

Elle hésita. Son visage devint cendreux.

— Ainsi, cet accord me survivra ? dit Rand avec ironie.

Il s'esclaffa.

— Je peux vivre avec ça aussi.

— Toutes les cités situées sur des eaux navigables ? s'exclama Dobraine. Ici aussi ?

Il se leva d'un bond et se mit à faire les cent pas, renversant encore plus de vin que Min, sans paraître s'en apercevoir.

— Un mile carré ? La Lumière m'est témoin que leurs lois sont bizarres ! J'ai voyagé une fois sur un vaisseau du Peuple de la Mer, et *c'était* vraiment bizarre ! Et je ne parle pas des jambes nues ! Et que dire des droits de douane, des taxes d'amarrage…

Soudain, il se tourna vers Rand. Il fronça les sourcils sur les Aes Sedais qui ne lui accordèrent aucune attention, mais ce fut à Rand qu'il s'adressa, sur un ton frisant la brutalité.

— Elles ruineront le Cairhien en un an, mon Seigneur Dragon. Elles ruineront tous les ports où vous permettrez cela.

Min acquiesça en silence, mais Rand agita une main désinvolte en riant.

— C'est peut-être leur intention, mais je m'y connais un peu en affaires, Dobraine. Elles n'ont pas précisé qui choisirait les terres, alors elles ne seront pas obligatoirement au bord de l'eau. Elles devront acheter leur nourriture dans le pays, et vivre sous vos lois quand elles sortiront de leur domaine, de sorte qu'elles n'auront pas le loisir de se montrer trop arrogantes. Au pire, vous pourrez percevoir vos droits de douane quand leurs marchandises sortiront de leur… sanctuaire.

Il ne riait plus maintenant. Dobraine baissa la tête.

Min se demanda où il avait appris tout ça. Il parlait en monarque qui sait ce qu'il fait. Peut-être qu'Elayne lui avait donné des leçons.

— Le deuxième point appelle autre chose, dit Rand aux deux Aes Sedais.

Merana et Rafela se regardèrent, tripotèrent machinalement leurs jupes et leurs châles. Merana reprit la parole, d'un ton trop léger.

— Troisièmement, le Dragon Réincarné aura constamment près de lui une ambassadrice choisie par les Atha'an Miere. Harine din Togara Deux Vents s'est désignée elle-même. Elle sera accompagnée de sa Pourvoyeuse-de-Vent, de son Maître-à-l'Épée et d'une escorte.

— Quoi ? rugit Rand, se levant d'un bond.

447

Rafela poursuivit très vite, comme craignant d'être interrompue.

— Et quatrièmement, le Dragon Réincarné acceptera de se rendre promptement à toute convocation de la Maîtresse-des-Vaisseaux, dans la limite de deux fois au cours de trois années consécutives.

Elle termina un peu haletante, s'efforçant de souffler, exténuée.

Le Sceptre du Dragon s'envola derrière Rand, et il le rattrapa au vol sans regarder. Ses yeux n'étaient plus de glace maintenant. Ils flamboyaient.

— Une ambassadrice du Peuple de la Mer collée à mes basques ? rugit-il. Obéir à des convocations ?

Il brandit la pointe de lance sous leur nez, les glands vert et blanc oscillant follement au bout de leurs cordons.

— Il y a des gens qui attendent pour nous écraser tous, et qui y parviendront peut-être ! Les Réprouvés nous guettent ! Le Ténébreux attend son heure ! Pendant que vous y étiez, pourquoi n'avez-vous pas accepté que j'aille calfater leurs coques ?

Min avait l'habitude de calmer sa colère quand il s'emportait ainsi, mais cette fois-ci, elle se pencha dans son fauteuil et foudroya les Aes Sedais. Elle était totalement d'accord avec lui. Elles avaient donné toute l'écurie pour vendre un seul cheval !

Rafela chancela sous sa fureur, tandis que Merana se redressa, avec dans le regard un feu brun pailleté d'or.

— Vous nous blâmez, *nous* ? dit-elle d'un ton aussi glacial que son regard était brûlant.

C'était une Aes Sedai semblable à celles que Min avaient connues autrefois, plus royales que les reines, plus puissantes que les puissants.

— Vous étiez présent au début ; *ta'veren*, vous pouviez les plier à votre volonté, elles se seraient agenouillées devant vous ! Mais vous êtes parti ! Ça ne leur a pas plu d'être manœuvrées par un *ta'veren*. Quelque part, elles ont appris à tisser des écrans, et dès que vous avez quitté leur vaisseau, Rafela et moi nous sommes retrouvées entourées d'une garde mentale. Pour que nous ne puissions pas tirer avantage du Pouvoir, ont-elles dit. Plus d'une fois, Harine a menacé de nous pendre par les orteils au gréement, jusqu'à ce que nous devenions raisonnables, et pour ma part, je l'ai crue ! Estimez-vous heureux d'avoir les vaisseaux qu'il vous faut, Rand al'Thor. Harine ne vous en aurait accordé qu'une poignée ! Estimez-vous heureux qu'elle n'ait pas exigé vos bottes neuves et votre trône affreux ! Et au fait, elle vous a officiellement reconnu pour leur Coramoor, et puissiez-vous en avoir mal au ventre !

Min la regardait, médusée. Rand et Dobraine l'observaient, le Cairhienin bouche bée. Rafela remuait les lèvres sans émettre un son. D'ailleurs, le feu s'éteignit bientôt dans les yeux de Merana, qui s'exorbitèrent comme si elle entendait seulement ce qu'elle venait de dire.

Le Sceptre du Dragon tremblait dans le poing de Rand. Min l'avait vu furieux pour beaucoup moins que ça. Elle pria pour trouver un moyen d'éviter l'explosion, et n'en trouva aucun.

— Les mots qu'un *ta'veren* entend de ses collaborateurs, dit-il finalement, ne sont pas toujours ceux qu'il voudrait entendre, semble-t-il.

À son ton, il semblait calme. Min ne voulait pas penser… sain d'esprit.

— Vous avez bien travaillé, Merana. Je vous avais confié une mission impossible, mais vous vous en êtes bien tirées, vous et Rafela.

Les deux Aes Sedais chancelèrent, et, un instant, Min craignit qu'elles ne s'effondrent par terre, tant elles parurent soulagées.

— Au moins, nous avons pu cacher les détails à Cadsuane, dit Rafela, lissant ses jupes d'une main tremblante. Il n'y avait pas moyen d'éviter que certaines apprennent que nous avions conclu un accord *quelconque*, mais nous avons pu lui en cacher les détails.

— Oui, dit Merana, haletante. Elle nous a même entreprises sur le chemin du retour. Il est difficile de lui cacher quelque chose, mais nous avons réussi. Nous ne pensions pas que vous voudriez qu'elle…

Sa voix mourut devant le visage figé de Rand.

— Encore Cadsuane, dit-il d'un ton neutre.

Il fronça les sourcils sur la pointe de lance qu'il tenait à la main, puis la jeta dans un fauteuil comme se méfiant de ce qu'il pourrait en faire.

— Elle est au Palais du Soleil, n'est-ce pas ? Min, dites aux Vierges qui montent la garde d'aller porter un message à Cadsuane. À savoir qu'elle doit se rendre immédiatement auprès du Dragon Réincarné.

— Rand, je ne pense pas…, commença Min avec embarras, mais Rand l'interrompit fermement.

— Allez-y, Min, s'il vous plaît. Cette femme est un loup qui surveille les moutons. Je dois découvrir ce qu'elle veut.

Min se leva sans se presser, et traîna les pieds jusqu'à la porte. Elle n'était pas la seule à trouver que c'était une mauvaise idée. Ou du moins à souhaiter être ailleurs quand le Dragon Réincarné se trouverait face à face avec Cadsuane Melaidhrin. Dobraine la dépassa en sortant, la saluant à la hâte presque sans s'arrêter, et même Merana et Rafela quittèrent la salle avant elle, tout en faisant comme si rien ne les pressait. Tant qu'elles furent dans la salle, en tout cas. Quand Min passa la tête par la porte, elles avaient rattrapé Dobraine et détalaient en courant. Curieusement, la demi-douzaine de Vierges qui étaient devant la porte à l'arrivée de Min s'étaient multipliées et s'alignaient maintenant des deux côtés du couloir aussi loin que portait sa vue dans les deux directions. C'étaient de grandes femmes aux visages durs vêtues des gris et bruns des *cadin'sors*, la *shoufa* drapée sur la tête, avec le long voile noir devant le visage. Beaucoup tenaient leurs lances et leurs boucliers comme si elles attendaient une attaque. Certaines jouaient au jeu du « couteau, papier, pierre », et les autres les regardaient intensément.

Elles virent quand même Min arriver. Quand elle leur transmit le message de Rand, les signes en langage muet passèrent de proche en proche. Ensuite, deux sveltes Vierges partirent en courant. Les autres revinrent à la partie, jouant ou observant.

Se grattant la tête, perplexe, Min rentra dans la salle. Souvent, les Vierges la rendaient nerveuse. Pourtant celles-ci avaient toujours un mot pour elle, parfois respectueux comme si elles s'adressaient à une Sagette, parfois drôle, bien que leur humour fût étrange. Jamais elles ne l'avaient ignorée à ce point.

Rand était dans la chambre à coucher. Ce simple fait lui fit battre le cœur. Il avait ôté sa chemise, et sorti de ses chausses sa tunique blanche comme neige, délacée au cou et aux poignets. Assise au pied du lit, elle s'adossa à l'une des lourdes colonnes d'ébène, et remonta les pieds, croisant les chevilles. Voilà longtemps qu'elle n'avait pas eu l'occasion de voir Rand se déshabiller, et elle comptait en profiter.

Il s'interrompit, la regardant, immobile.

— Qu'est-ce que pourrait bien m'enseigner Cad-suane ? demanda-t-il enfin.

— Ce qu'elle sait. À vous et à tous les Asha'man, répondit-elle.

C'était dans une de ses visions.

— Je ne sais pas quoi, Rand. Je sais seulement que vous devez apprendre quelque chose d'elle. Vous tous.

Il s'était arrêté à sa chemise. Soupirant, elle poursuivit :

— Vous avez besoin d'elle, Rand. Vous ne pouvez pas vous permettre de la mettre en colère. Vous ne pouvez pas vous permettre de la chasser.

En fait, elle ne pensait pas que cinquante Myrd-draals et un millier de Trollocs parviendraient à *chasser* Cadsuane, mais le raisonnement était le même.

Le regard de Rand devint vague, et au bout d'un moment, il secoua la tête.

— Pourquoi devrais-je écouter un fou ? grommela-t-il entre ses dents.

Par la Lumière, croyait-il vraiment que Lews Therin Telamon parlait dans sa tête ?

— Si vous laissez quelqu'un croire que vous avez besoin de lui, Min, il aura une emprise sur vous. C'est une laisse pour vous attirer où il veut. Je ne vais pas me mettre moi-même la corde au cou pour une Aes Sedai, quelle qu'elle soit.

Lentement, il desserra les poings.

— Vous, Min, j'ai besoin de vous, dit-il simplement. Pas pour vos visions. Pour vous.

Qu'il soit réduit en cendres ! Il pouvait la bouleverser totalement avec quelques mots !

Avec un sourire aussi empressé que celui de Min, il saisit à deux mains le bas de sa chemise et se baissa pour la passer par-dessus sa tête. Croisant les mains à sa taille, elle se radossa pour regarder.

Les trois Vierges, qui entrèrent dans la chambre au pas de charge, n'arboraient plus le voile qui cachait leurs cheveux courts dans le couloir. Elles avaient les mains vides et ne portaient plus leur lourd ceinturon. C'est tout ce que Min eut le temps de remarquer.

Rand avait toujours la tête et les bras recouverts par la chemise. Somara aux cheveux de lin, une grande femme pour une Aiel, en saisit le tissu et le tordit, le piégeant à l'intérieur. Presque du même mouvement, elle lui envoya un coup de pied dans l'entrejambe. Avec un grognement étouffé, il se pencha un peu plus, chancelant.

Nesair aux cheveux de flammes, belle malgré les cicatrices blanches barrant ses joues bronzées, décocha un coup de poing dans son flanc droit, assez fort pour qu'il titube de côté.

Poussant un cri, Min s'élança. Elle ne comprenait pas cette folie, n'imaginait même pas ce que cela signifiait. Un couteau sortit de chacune de ses manches et elle se jeta sur les Vierges en hurlant :

— Au secours ! Oh, Rand ! Au secours !

La troisième Vierge, Nandera, se retourna comme une vipère, et planta son pied dans le ventre de Min, lui coupant le souffle. Ses couteaux tombèrent de ses mains engourdies, et elle fit la culbute par-dessus le pied de la Vierge grisonnante, atterrissant sur le dos dans un choc qui expulsa le peu d'air qui lui restait dans les poumons. S'efforçant de bouger et de respirer – s'efforçant de comprendre ! – elle ne put que rester là et regarder.

Les trois femmes ne firent pas les choses à moitié. Nesair et Nandera martelèrent Rand de leurs poings pendant que Somara l'obligeait à rester penché, piégé dans sa propre chemise. Encore et encore, elles martelèrent son ventre dur de coups bien placés. Min aurait ri d'un rire hystérique si elle avait eu le moindre souffle. Elles cherchaient à le battre jusqu'à ce que mort s'ensuive, et pourtant, elles évitaient soigneusement de frapper près de la blessure inguérissable de son flanc gauche traversée par la coupure à demi cicatrisée.

Elle savait à quel point les muscles de Rand étaient durs et puissants, mais personne ne pouvait résister à un tel traitement. Lentement, ses genoux fléchirent, et quand ils heurtèrent les dalles, Nandera et Nesair reculèrent. Elles hochèrent la tête, et Somara lâcha la chemise. Il tomba face contre terre. Elle l'entendit haleter, réprimer les gémissements qui lui montaient aux lèvres malgré ses efforts. S'agenouillant près de lui, Somara rabattit la chemise presque tendrement. Il resta allongé, la joue sur le sol, s'efforçant de respirer.

Nesair se baissa, l'empoigna par les cheveux et lui releva la tête d'une secousse.

— Nous avons gagné le droit de faire ça, gronda-t-elle, mais ce sont toutes les Vierges qui voulaient vous donner une bonne correction. J'ai quitté mon clan pour vous, Rand al'Thor. Je ne vous laisserai pas me cracher dessus !

Somara avança une main, comme pour rabattre en arrière les cheveux qui lui voilaient le visage, puis elle la retira.

— C'est ainsi que nous traitons un premier-frère qui nous déshonore, Rand al'Thor, dit-elle avec autorité. La première fois. La deuxième, nous utilisons le fouet.

Nandera dominait Rand de toute sa hauteur, les poings plantés sur les hanches et le visage de pierre.

— Vous êtes dépositaire de l'honneur des *Far Dareis Mais*, fils d'une Vierge, dit-elle d'un ton sinistre. Vous avez promis de nous emmener avec vous pour la danse des lances, et vous êtes parti vous battre en nous abandonnant. Vous ne ferez plus jamais ça.

Elle l'enjamba pour se diriger dignement vers la porte, suivie des deux autres. Seule Somara regarda en arrière, et si une lueur de compassion brilla un instant dans ses yeux bleus, il n'y en eut aucune nuance dans sa voix quand elle ajouta :

— Ne nous obligez pas à recommencer, fils d'une Vierge.

Le temps que Min parvienne à ramper jusqu'à lui, Rand s'était relevé à quatre pattes.

— C'est pas possible, elles sont folles, croassa-t-elle. Par la Lumière, ce qu'elle avait mal au ventre !

— Rhuarc va… !

Elle ne savait pas ce que Rhuarc allait faire. Quoi que ce fût, ça ne serait pas suffisant.

— Sorilea.

Sorilea les mettrait au pilori sous le soleil ! Pour commencer !

— Quand nous lui dirons…

— Nous ne dirons rien à personne, dit-il, comme s'il avait retrouvé son souffle, mais les yeux encore un peu exorbités. Elles ont le droit. Elles ont *gagné* ce droit.

Min ne connaissait que trop bien ce ton. Quand un homme décidait de s'entêter, il pouvait s'asseoir tout nu dans un carré d'orties et nier effrontément qu'elles lui piquaient le postérieur ! Elle l'aida à se relever, presque contente de l'entendre gémir. S'il décidait de se comporter en idiot, il méritait bien quelques bleus !

Il s'allongea précautionneusement sur le lit, et elle se blottit contre lui, non pas pour ce qu'elle avait espéré, mais c'était mieux que rien.

— Ce n'est pas ce que je comptais faire dans ce lit, murmura-t-il.

Elle n'était pas certaine d'être censée entendre.

— Ça me plaît autant d'être dans vos bras que... l'autre chose, dit-elle en riant.

Curieusement, il lui sourit, comme s'il savait qu'elle mentait. Sa Tante Miren disait que c'était l'un des trois mensonges qu'un homme pouvait croire d'une femme.

— Si je dérange, dit froidement une voix féminine, je pourrais revenir plus tard.

Min s'écarta brusquement de Rand, comme si elle s'était brûlée, mais quand il l'attira de nouveau contre lui, elle se laissa faire avec abandon. Elle reconnut l'Aes Sedai debout sur le seuil, une petite Cairhienine potelée, avec quatre fines raies de couleur sur son opulente poitrine, et des crevés blancs dans sa jupe noire. Daigian Moseneillin était l'une des sœurs arrivées avec Cadsuane. Et, de l'avis de Min, elle était presque aussi dominatrice que Cadsuane.

— Qui pouvez-vous bien être quand vous êtes chez vous ? dit Rand d'un ton languissant. Qui que vous soyez, on ne vous a jamais appris à frapper à une porte ?

Min réalisa que tous les muscles du bras qui l'étreignait étaient durs comme la pierre.

Au bout d'une fine chaîne d'argent, des pierres de lune pendaient sur le front de Daigian, et elles oscillèrent quand elle secoua la tête. À l'évidence, elle était mécontente.

— Votre requête a été dûment transmise à Cadsuane Sedai, dit-elle d'un ton encore plus froid que tout à l'heure. Et elle m'a demandé de vous présenter ses regrets. Elle désire beaucoup terminer la broderie à laquelle elle travaille. Peut-être pourra-t-elle vous voir un autre jour. Si elle en trouve le temps.

— Est-ce là ce qu'elle a dit ? demanda Rand d'un ton inquiétant.

Daigian eut un reniflement dédaigneux.

— Eh bien, je vais vous laisser… à ce que vous faisiez à mon arrivée.

Min se demanda ce qu'elle risquerait si elle giflait une Aes Sedai. Daigian la gratifia d'un regard glacial, comme si elle avait entendu sa pensée, et se retourna pour sortir.

Rand s'assit en étouffant un juron.

— Dites à Cadsuane qu'elle peut aller se perdre dans le Gouffre du Destin ! cria-t-il à la sœur qui sortait. Dites-lui qu'elle peut y pourrir !

— Ça ne va pas du tout, Rand, soupira Min. Vous avez besoin de Cadsuane. Elle n'a pas besoin de vous.

— Vraiment ? dit-il doucement. Elle frissonna.

Et dire que tout à l'heure, elle avait trouvé son ton inquiétant !

Rand se prépara soigneusement, renfilant sa tunique verte, et confia à Min des messages à faire porter par les Vierges. Au moins, elles pouvaient encore faire ça pour lui. Du côté droit, ses côtes lui faisaient presque aussi mal que ses blessures à gauche, et il avait l'impression qu'on lui avait tapé sur le ventre avec un battoir. Il leur avait fait une promesse. Seul dans sa chambre, il saisit le *saidin*, refusant que même Min le voie encore chanceler. Comment pouvait-elle se sentir en sécurité si elle le voyait s'affaler par terre ? Il devait être fort, dans son intérêt à elle. Il devait être fort, dans l'intérêt du monde. Ce paquet d'émotions tout au fond de sa tête, c'était Alanna qui lui rappelait le prix de l'imprudence. À présent, Alanna boudait. Elle devait avoir poussé une Sagette à sortir de ses gonds, parce qu'elle s'asseyait.

— Je pense toujours que c'est de la folie, Rand al'Thor, dit Min, tandis qu'il posait soigneusement la Couronne d'Épées sur sa tête.

Il n'avait certes pas besoin que ces épées minuscules le fassent saigner.

— Est-ce que vous m'écoutez ? Bon, si vous vous obstinez à partir, je viens avec vous. Vous avez avoué que vous aviez besoin de moi, et vous en aurez encore plus besoin pour accomplir ce que vous projetez !

Elle était sur ses grands chevaux, les poings sur les hanches, tapant du pied et les yeux flamboyants.

— Vous restez ici, dit-il avec fermeté.

Il ne savait pas encore ce qu'il voulait faire, et ne souhaitait pas qu'elle le voie s'effondrer. Il s'attendait à une discussion serrée.

Elle fronça les sourcils et cessa de taper du pied. Dans ses yeux, la colère fit place à l'inquiétude, qui s'évanouit immédiatement.

— Berger, vous êtes assez grand pour traverser la cour de l'écurie sans qu'on vous tienne par la main, je suppose. De plus, j'ai pris du retard dans mes lectures.

S'asseyant dans l'un des grands fauteuils dorés, elle ramena ses jambes sous elle et ramassa le livre qu'elle lisait à l'arrivée de Rand. Quelques instants plus tard, elle semblait totalement absorbée dans sa lecture.

Rand hocha la tête. C'était ce qu'il voulait ; qu'elle reste ici en sécurité. Mais elle n'était pas obligée de l'oublier complètement.

Six Vierges étaient accroupies dans le couloir devant la porte. Elles le regardèrent, sans dire un mot. Le regard de Nandera était plus froid que tous les autres. Ceux de Nesair et Somara n'étaient guère plus chaleureux. Il pensait que Nesair était une Shaido. Il devrait l'avoir à l'œil.

Les Asha'man attendaient aussi – dans la tête de Rand, Lews Therin marmonna des menaces de mort – tous, à part Narishma, avec le Dragon et l'Épée épinglés à leur col. Il ordonna sèchement à Narishma de monter la garde devant ses appartements, et il salua, poing sur le cœur, ses grands yeux noirs trop lucides et vaguement accusateurs. Rand n'imaginait pas que les Vierges passeraient leur colère sur Min, mais il ne voulait pas prendre de risque. Par la Lumière, il avait prévenu Narishma de tous les pièges qu'il avait tissés à la Pierre quand il l'avait envoyé chercher *Callandor*. Ce garçon imaginait des choses. Qu'il soit réduit en cendres, mais c'était un risque démentiel à prendre.

Seuls les fous n'ont jamais confiance en personne. Lews Therin semblait amusé. Et assez fou lui-même.

Les blessures inguérissables de Rand l'élançaient, elles semblaient entrer en résonance et se fondre en une douleur sourde.

— Montrez-moi où je peux trouver Cadsuane, ordonna-t-il.

Nandera se leva avec grâce et se mit en marche sans un regard en arrière. Il suivit et les autres lui emboîtèrent le pas, Dashiva et Flinn, Morr et Hopwil. Il leur donna rapidement ses instructions tout en marchant. Flinn essaya de protester, mais Rand le fit taire. Ce n'était pas le moment de céder. L'ancien Garde grisonnant était bien le dernier dont Rand attendait des protestations. De Morr ou Hopwil, peut-être. S'ils avaient perdu leur naïveté, ils étaient encore assez jeunes pour ne pas se raser tous les jours. Excepté Flinn. Les bottes souples de Nandera ne faisaient aucun bruit sur le sol, mais les pas des hommes résonnaient sous la voûte. Ses blessures battaient à tout rompre.

À présent, au Palais du Soleil, tout le monde connaissait de vue le Dragon Réincarné, ainsi que les hommes en noir. Les domestiques en livrée noire s'inclinaient profondément ou faisaient la révérence à leur passage, et se hâtaient de disparaître. La plupart des nobles s'empressaient presque autant de s'éloigner des cinq hommes capables de canaliser qui avançaient d'un pas résolu. Ailil les regarda passer, le visage indéchiffrable. Anaiyella. minaudait comme à son habitude. Quand Rand jeta un coup d'œil en arrière, elle le regardait du même air que Nandera. Bertome sourit en s'inclinant, sans joie ni plaisir.

Nandera garda le silence quand ils arrivèrent à destination, désignant une porte avec une de ses lances. Elle pivota sur ses talons et repartit d'où elle venait. Le *Car'a'corn* sans une seule Vierge pour le garder ! Pensaient-elles que quatre Asha'man suffisaient pour garantir sa sécurité ? Ou bien le départ de Nandera était-il un autre signe de son mécontentement ?

— Faites ce que je vous ai dit, dit Rand.

Dashiva sursauta comme s'il revenait à lui, et saisit la Source. La large porte aux sculptures verticales, s'ouvrit bruyamment sur un flot d'Air. Les trois autres embrassèrent le *saidin* et entrèrent, le visage sinistre.

— Le Dragon Réincarné, annonça Dashiva d'une voix forte, un peu amplifiée par le Pouvoir, Roi d'Illian, Seigneur du Matin, vient voir la femme Cadsuane Melaidhrin.

Rand entra, se redressant de toute sa taille. Il ne reconnut pas l'autre tissage que Dashiva avait créé, mais l'air semblait bourdonner de menace, donnait l'impression que quelque chose d'inexorable approchait.

— Je vous ai envoyé chercher, dit Rand.

Il n'eut pas besoin de tissage. Sa voix était suffisamment dure et implacable.

La Sœur Verte était assise près d'une petite table, un tambour à broder dans les mains. Des écheveaux de fils de toutes les couleurs s'échappaient des poches du panier posé sur la table. Elle était exactement comme dans son souvenir. Son visage énergique était couronné d'un chignon gris fer d'où pendaient des petits sujets en or, poissons et oiseaux, étoiles et lunes. Les yeux sombres paraissaient presque noirs dans son visage au teint clair. Des yeux froids et réfléchis. Lews Therin poussa un gémissement et s'enfuit à sa vue.

— Eh bien, dit-elle, posant son tambour à broder sur la table, je dois dire que j'ai vu mieux sans payer. Après tout ce que j'ai entendu dire de vous, mon garçon, je m'attendais au moins à des coups de tonnerre, des sonneries de trompettes, des éclairs fulgurants dans le ciel.

Calmement, elle considéra les cinq hommes aux visages de pierre, tous capables de canaliser, ce qui aurait dû suffire à troubler n'importe quelle Aes Sedai. Puis, elle regarda le Dragon Réincarné.

— J'espère qu'au moins l'un de vous va faire un numéro de jongleur, dit-elle. Ou d'avaleur de feu ? J'ai toujours aimé regarder les saltimbanques.

Flinn s'esclaffa avant de se ressaisir, puis il passa la main dans sa couronne de cheveux et sembla réprimer son amusement. Morr et Hopwil échangèrent un regard, l'air perplexe et un peu outré. Dashiva eut un sourire mauvais, et le tissage qu'il maintenait se renforça, au point que Rand eut envie de regarder par-dessus son épaule pour voir ce qui se ruait vers lui.

— Il suffit que vous sachiez que je suis qui je suis, lui dit Rand. Dashiva, allez tous m'attendre dehors.

Dashiva ouvrit la bouche pour protester. Cela ne faisait pas partie des instructions de Rand. Ils ne devaient pas trop intimider cette femme par leur présence. Il sortit, en grommelant entre ses dents. Hopwil et Morr suivirent avec empressement, coulant des regards en coin à Cadsuane. Flinn sortit dignement, malgré son boitillement. Il semblait toujours amusé !

Rand canalisa. Un fauteuil massif sculpté et orné d'un léopard, quitta sa place près du mur et tourbillonna au-dessus de leurs têtes avant de se poser comme une plume devant Cadsuane. En même temps, un lourd pichet d'argent s'éleva d'une longue table couverte d'une draperie dans un coin de la pièce, résonnant bruyamment quand il commença à chauffer. De la vapeur s'échappa de son bec et il s'inclina, tournant comme une toupie, tandis qu'une tasse en argent venait se placer sous son col pour recueillir le liquide sombre.

— Trop chaud, je crois, dit Rand.

L'une des hautes fenêtres s'ouvrit. Une rafale glaciale entra, charriant des flocons de neige. La tasse sortit par la fenêtre, puis rentra se poser dans sa main au moment où il s'asseyait. Il allait voir si elle restait calme avec un fou qui la dévisageait. Le liquide sombre était du thé, trop fort d'avoir bouilli, et amer à lui faire grincer les dents. Mais la température était parfaite. Les bourrasques hurlant dans la pièce et plaquant les tapisseries contre les murs lui donnèrent la chair de poule. Mais dans le Vide, ça lui semblait lointain, comme la peau d'un autre.

— La Couronne de Laurier est plus jolie que certaines autres, dit Cadsuane avec un faible sourire.

Les ornements de sa coiffure se balançaient au moindre souffle de vent, et des mèches folles s'échappaient de son chignon. Elle sembla ne pas s'en apercevoir, sauf pour attraper son tambour à broder sur la table avant qu'il ne s'envole.

— Je préfère ce nom. Mais vous ne pouvez pas me demander d'être impressionnée par des couronnes. J'ai fessé deux rois régnants et trois reines dans leur enfance. Ils n'ont pu s'asseoir pendant un jour ou deux, et ont reçu ainsi une bonne leçon. Vous voyez donc pourquoi les couronnes ne m'impressionnent pas.

Rand desserra ses mâchoires. Les grincements de dents ne servaient à rien. Il ouvrit grands les yeux, pour avoir l'air dément.

— La plupart des Aes Sedais évitent le Palais du Soleil, lui dit-il. Sauf celles qui m'ont juré allégeance. Et celles que je garde prisonnières.

Par la Lumière, qu'est-ce qu'il allait faire de ces captives ? Tant que les Sagettes les empêchaient de se mettre dans ses pattes, tout allait bien.

— Les Aiels semblent penser que je devrais pouvoir aller et venir à ma guise, dit-elle distraitement, considérant son tambour comme si elle avait envie de se remettre à broder. À cause d'une aide insignifiante que j'ai apportée à un enfant ou un autre, bien que je ne comprenne pas pourquoi quiconque peut le trouver digne d'intérêt, à part sa mère.

Rand fit un nouvel effort pour ne pas grincer des dents. Cette femme lui *avait* sauvé la vie, elle et Damer Flinn, à lui et à beaucoup d'autres qui plus est. Dont Min. C'est pourquoi il avait encore une dette envers Cadsuane. Qu'elle soit réduite en cendres !

— Je voudrais que vous soyez ma conseillère. Je suis roi d'Illian maintenant, et les Aes Sedais ont toujours été conseillères des rois.

Elle jeta un regard dédaigneux sur sa couronne.

— Certainement pas. Trop souvent à mon goût, une conseillère est le témoin silencieux des erreurs de celui qu'elle conseille. Elle doit aussi recevoir des ordres, ce pour quoi je ne suis pas du tout douée. Une autre ferait-elle l'affaire ? Alanna, par exemple ?

Malgré lui, Rand se redressa. Était-elle au courant du liage ? Merana avait dit qu'il était difficile de lui cacher quelque chose. Non, il s'occuperait plus tard de ce que ses « fidèles » Aes Sedais racontaient à Cadsuane. Par la Lumière, ce qu'il souhaitait que Min se soit trompée, pour une fois ! Mais il respirerait de l'eau avant que ça arrive.

— Je…

Il ne pouvait pas lui dire qu'il avait besoin d'elle. Pas de laisse !

— Et si vous n'aviez pas à prêter serment ?

— Ça pourrait marcher, je suppose, dit-elle, dubitative, scrutant sa maudite broderie.

Elle leva les yeux sur lui, réfléchissant.

— Vous semblez… mal à l'aise. Je n'aime pas dire à un homme qu'il est effrayé, même quand il a des raisons de l'être. Mal à l'aise à cause d'une sœur que vous n'avez pas transformée en toutou obéissant, et qui pourrait vous tendre un piège ? Je peux vous faire quelques promesses ; peut-être qu'elles vous tranquilliseront. J'exigerais que vous m'écoutiez, bien sûr – faites-moi gaspiller ma salive, et il vous en cuirait –

mais je ne vous obligerais pas à faire ce que je veux. Je ne tolérerais pas que quiconque me mente, c'est certain – ça aussi, c'est quelque chose qui vous gêne –, mais je ne vous demanderais pas non plus de me confier les plus profondes aspirations de votre cœur. Eh oui, quoi que je fasse, ce serait pour votre bien, pas pour celui de la Tour Blanche. Pour le vôtre. Maintenant, cela calme-t-il vos craintes ? Pardon, votre malaise.

Se demandant s'il devait rire, Rand la dévisagea.

— Est-ce qu'on vous apprend ça ? demanda-t-il. À faire en sorte qu'une promesse sonne comme une menace, je veux dire ?

— Oh, je vois. Vous voulez des règles. La plupart des garçons sont comme ça, quoi qu'ils disent. Très bien. Voyons. Je ne supporte pas l'incivilité. Vous seriez donc courtois envers moi, mes amis et mes hôtes. Cela suppose que vous n'en fassiez pas l'objet de votre canalisage, au cas où vous ne l'auriez pas deviné, et que vous dominiez vos colères qui, paraît-il, sont spectaculaires. Et cela vaut aussi pour vos... compagnons en tunique noire. Il serait dommage que j'aie à vous fesser pour quelque sottise que l'un d'eux aurait faite. Cela vous suffit-il ? Je peux établir d'autres règles, si besoin est.

Rand posa sa tasse près du fauteuil. Le thé était toujours amer, et avait refroidi. La neige commençait à s'accumuler sous les fenêtres.

— C'est moi qui suis censé devenir fou, car vous l'êtes déjà, Aes Sedai.

Il se leva et se dirigea à grands pas vers la porte.

467

— J'espère que vous n'avez pas essayé d'utiliser *Callandor*, dit-elle complaisamment derrière lui. Il paraît qu'elle n'est plus à la Pierre. Vous êtes parvenu à vous échapper une fois, mais vous ne réussirez peut-être pas deux.

Il s'arrêta net, regardant par-dessus son épaule. Elle enfonçait sa maudite aiguille dans le tissu tendu sur son tambour ! Une bourrasque entra, l'entourant d'un tourbillon de neige, et elle ne leva même pas la tête.

— Que voulez-vous dire par échapper ?

— Quoi ? dit-elle sans lever les yeux. Oh ! Peu de gens, même à la Tour, connaissaient la vraie nature de *Callandor* avant que vous la retiriez de la Pierre. Mais il y a des choses étonnantes cachées dans les coins poussiéreux de la Bibliothèque de la Tour. Je suis allée y farfouiller il y a quelques années, quand j'ai commencé à soupçonner que vous tétiez votre mère. Juste avant de décider de repartir en retraite. Les bébés sont de petites choses dégoûtantes, et je ne voyais pas comment vous trouver avant que vous cessiez d'avoir des fuites par les deux bouts.

— Que voulez-vous dire ? demanda-t-il, presque grossièrement.

Cadsuane leva alors les yeux, et, malgré son chignon défait et la neige qui couvrait sa robe, elle avait l'air d'une reine.

— Je vous ai dit que je ne tolère pas le manque de respect. Si vous revenez me demander mon aide, j'attends que vous la demandiez *poliment*. Et j'exigerai des excuses pour votre comportement d'aujourd'hui !

— Que voulez-vous dire au sujet de *Callandor* ?

— Elle est imparfaite, répondit-elle sèchement. Il lui manque les sauvegardes qui permettent d'utiliser les autres *sa'angreals* sans danger. Apparemment, elle amplifie la souillure, qui induit des pensées délirantes. Tant que c'est un homme qui s'en sert, en tout cas. La seule façon pour vous d'utiliser l'Épée-Qui-N'est-Pas-Une-Épée, sans risquer de vous tuer ou de tenter la Lumière seule sait quelle folie, c'est de vous lier avec deux femmes, dont l'une guide les flux.

S'efforçant de ne pas courber les épaules, il sortit à grands pas. Ainsi, ce n'était pas uniquement l'étrangeté du *saidin* autour d'Ebou Dar qui avait tué Adley. Il l'avait assassiné à l'instant où il avait envoyé Narishma quérir *Callandor*.

La voix de Cadsuane le poursuivit.

— N'oubliez pas, mon garçon. Vous devez demander poliment et vous excuser. Et il se peut que j'accepte, si vos excuses semblent vraiment sincères.

Rand l'entendit à peine. Il avait espéré se servir une nouvelle fois de *Callandor*, et qu'elle serait assez puissante. Maintenant, il ne restait plus qu'une chance, et elle le terrifiait. Il lui sembla entendre la voix d'une autre femme, celle d'une morte. *Vous pourriez défier le Créateur.*

28.

Épine pourpre

Le cadre semblait mal choisi pour l'explosion que craignait Elayne. Pont d'Harlon était un village de taille moyenne, avec trois auberges et suffisamment de maisons pour que personne n'ait à coucher dans le foin. Ce matin-là, quand Elayne et Birgitte descendirent à la salle commune, Maîtresse Dill, la corpulente aubergiste, leur adressa un sourire chaleureux et une révérence aussi profonde que le permettait son volume. Avec la neige qui recouvrait les routes, Maîtresse Dill était aux anges parce que son auberge affichait complet, et elle faisait des courbettes à tout le monde, et pas seulement à une Aes Sedai. À leur entrée, Aviendha avala à la hâte les dernières bouchées de pain et de fromage de son petit déjeuner, épousseta les miettes tombées sur sa robe verte, et attrapa sa cape pour les rejoindre.

Dehors, le soleil, telle une grosse boule jaune pâle, pointait juste au-dessus de l'horizon. Seuls quelques nuages blancs et duveteux dérivaient dans un ciel merveilleusement bleu. Un beau temps pour le voyage.

Adeleas montait péniblement la rue enneigée, traînant par le bras une femme de la Famille, Garenia Rosoinde. Celle-ci était une Saldaeane aux hanches

470

étroites, qui avait exercé le métier de marchande durant les vingt dernières années, bien qu'elle ne parût guère plus âgée que Nynaeve. Auparavant, son nez busqué lui avait donné l'air énergique d'une femme dure en affaires, qui ne cédait pas sur les prix. À présent, ses yeux en amande étaient exorbités, et sa mâchoire s'affaissait en une lamentation muette. Un groupe de femmes de la Famille les suivaient, retroussant leurs jupes dans la neige et chuchotant entre elles, rejointes par d'autres qui arrivaient de toutes les directions. Reanne et le reste du Cercle du Tricot venaient devant, l'air sombre, sauf Kirstian, qui semblait encore plus pâle que d'habitude. Alise était là, elle aussi, le visage impassible.

Adeleas s'arrêta devant Elayne, et poussa Garenia si brutalement qu'elle tomba à quatre pattes dans la neige, où elle resta prostrée, continuant ses lamentations. Les femmes de la Famille se regroupèrent derrière elle, toujours plus nombreuses.

— Je vous l'amène parce que Nynaeve est occupée ailleurs, dit la Sœur Brune à Elayne.

Elle voulait dire par là que Nynaeve profitait de quelques instants d'intimité avec Lan. Pour une fois, pas l'ombre d'un sourire n'effleura ses lèvres.

— Silence, mon enfant ! dit-elle sèchement à Garenia, qui réprima immédiatement ses gémissements.

Adeleas hocha la tête avec approbation.

— Elle ne s'appelle pas Garenia Rosoinde, dit-elle. Je l'ai finalement reconnue. C'est Zarya Alkaese, une novice qui s'est enfuie juste avant que Vandene et moi ayons décidé de nous retirer pour écrire notre histoire du monde. Elle l'a admis quand je l'ai mise devant les faits. Je m'étonne que Careane ne se soit pas plus tôt souvenue d'elle ; elles ont été novices ensemble pendant deux ans. La loi est claire, Elayne. Une fugitive doit être remise en blanc dès que possible, et soumise à la discipline la plus stricte jusqu'à ce qu'elle puisse réintégrer la Tour pour être châtiée comme il convient. Elle ne pensera plus à s'enfuir après ça !

Elayne hocha lentement la tête, cherchant ce qu'elle pourrait répondre. Que Garenia – Zarya – pensât à s'enfuir de nouveau ou non, on ne la laisserait pas faire. Elle était très puissante dans le Pouvoir ; la Tour ne la lâcherait pas, même si elle consacrait le reste de sa vie à gagner le châle. Elayne se rappela quelque chose qu'avait dit cette femme la première fois qu'elle l'avait vue, qu'elle n'avait pas compris sur le moment. Comment Zarya pourrait-elle accepter de redevenir novice après avoir passé soixante-dix ans de sa vie en toute indépendance ? Les chuchotements des femmes de la Famille ressemblaient à présent à des grondements.

Elle n'eut pas le loisir de réfléchir longtemps. Soudain, Kirstian se jeta à genoux, saisissant d'une main l'ourlet de la robe d'Adeleas.

— Moi aussi, dit-elle avec sérénité, ce qui parut étonnant étant donné sa pâleur. J'ai été inscrite dans le livre des novices il y a près de trois cents ans, et je me suis enfuie moins d'un an après. Je me soumets au châtiment... et je vous demande miséricorde.

Au tour d'Adeleas aux cheveux blancs d'écarquiller les yeux. Kirstian prétendait s'être enfuie de la Tour quand elle n'était elle-même qu'un nourrisson, voire

472

avant sa naissance ! La plupart des sœurs ne croyaient pas vraiment aux âges que revendiquaient les femmes de la Famille. Kirstian semblait en pleine force de l'âge.

Malgré tout, Adeleas se ressaisit rapidement. Quel que fût l'âge de Kirstian, Adeleas était Aes Sedai depuis la nuit des temps. Elle avait donc le privilège de l'âge et de l'autorité.

— S'il en est ainsi, mon enfant, dit-elle, d'une voix à peine troublée, nous devrons vous mettre en blanc vous aussi, je le crains. Vous serez punie quand même, mais votre aveu spontané vous vaudra quelque indulgence.

— C'est pourquoi je l'ai fait.

Elle eut du mal à déglutir, affaiblissant son ton. Elle était presque aussi puissante que Zarya – aucune femme du Cercle du Tricot n'était faible – et elles tenaient à la garder.

— Je savais que vous me découvririez tôt ou tard.

Adeleas hocha la tête comme si c'était l'évidence même, mais Elayne se demanda comment elle aurait fait. Kirstian Chalwin ne portait sans doute pas ce nom à sa naissance. La plupart des femmes de la Famille croyaient les Aes Sedais omniscientes. Dans le passé, du moins.

— Sottises ! intervint la voix rauque de Sarainya Vostovan, au-dessus des murmures.

Elle n'était pas assez puissante pour devenir Aes Sedai, ni assez âgée pour occuper un rang élevé dans la hiérarchie de la Famille. Elle était pourtant sortie du rang pleine de défi.

473

— Pourquoi devrions-nous les livrer à la Tour Blanche ? Nous avons aidé des femmes à s'enfuir, et nous avons bien fait ! Ça ne fait pas partie des règles !

— Contrôlez-vous ! dit sèchement Reanne. Alise, occupez-vous de Sarainya, je vous prie. Il semble qu'elle oublie une grande partie des règles dont elle se réclame.

Alise regarda Reanne, le visage toujours indéchiffrable. Alise appliquait les règles de la Famille d'une main de fer.

— Cela ne fait pas partie de nos règles de livrer les fugitives, Reanne, dit-elle.

Reanne sursauta comme si elle l'avait frappée.

— Et comment proposez-vous de les garder ? demanda-t-elle finalement. Nous avons toujours protégé les fugitives, jusqu'à ce que nous soyons certaines qu'elles n'étaient plus pourchassées. Et si elles étaient retrouvées, nous laissions les sœurs les reprendre. Voilà la *règle*. Quelle autre règle proposez-vous de violer ? Voudriez-vous que nous nous déclarions *contre* les Aes Sedais ?

Cette idée lui semblait ridicule, mais Alise continua à la regarder en silence.

— Oui ! cria une voix qui venait du groupe. Nous sommes nombreuses, et elles ne sont que quelques-unes !

Elayne embrassa la *saidar*, tout en sachant que la voix anonyme avait raison – les femmes de la Famille étaient trop nombreuses. Elle sentit Aviendha embrasser le Pouvoir, et Birgitte se préparer.

Se secouant comme si elle revenait à elle, Alise eut une remarque plus pratique, et certainement plus efficace.

— Sarainya, dit-elle à voix haute, vous viendrez me trouver ce soir à l'étape, avec des verges que vous couperez vous-même avant notre départ. Vous aussi, Asra ; j'ai reconnu votre voix !

Puis, tout aussi fort, elle s'adressa à Reanne :

— Je me présenterai devant vous quand nous nous arrêterons ce soir, m'en remettant à votre jugement. Je ne vois personne se préparer !

Les femmes de la Famille se dispersèrent rapidement pour aller rassembler leurs affaires. Elayne en vit certaines discuter en s'éloignant. Quand elles franchirent le pont sur la rivière gelée serpentant près du village, avec Nynaeve qui n'en croyait pas ses oreilles d'avoir raté la scène du matin, et qui balayait les alentours d'un regard furibond, comme cherchant quelqu'un à rabrouer, Sarainya et Asra portaient des verges – comme Alise –, et Zarya et Kirstian s'étaient débrouillées pour trouver des robes blanches qu'elles avaient revêtues sous leur cape noire. Les Pourvoyeuses-de-Vent les montraient du doigt en riant à gorge déployée. Mais beaucoup de femmes de la Famille parlaient encore par petits groupes, se taisant quand une sœur ou une femme du Cercle du Tricot les regardait. Et leurs regards s'assombrissaient quand ils tombaient sur une Aes Sedai.

Huit jours de plus à patauger dans la neige quand il ne neigeait pas, ou à grincer des dents dans une auberge quand il neigeait. Il faudrait encore supporter les bouderies de la Famille, et les regards noirs dont elles gratifiaient les sœurs, subir les Pourvoyeuses-de-Vent qui se pavanaient orgueilleusement aussi bien devant les sœurs que devant la Famille. Le matin du neuvième jour, Elayne regretta qu'elles ne se soient pas toutes sauté à la gorge.

Elle se demandait si elles parviendraient à couvrir les dix derniers miles les séparant de Caemlyn sans qu'il y ait un meurtre. Puis Kirstian frappa à la porte et entra sans attendre la réponse. Sa robe de drap blanc n'était pas de la teinte courante que portaient les novices. Elle avait retrouvé sa dignité, comme si l'avenir devait compenser le présent. Elle esquissa une révérence et il y avait de l'anxiété dans ses grands yeux presque noirs.

— Nynaeve Sedai, Elayne Sedai, le Seigneur Lan vous demande de venir immédiatement, dit-elle, hors d'haleine. Il a dit que je ne devais en parler à personne, et vous non plus.

Elayne et Nynaeve échangèrent des regards avec Aviendha et Birgitte. Nynaeve grommela entre ses dents quelque chose sur le Lige, qui ne savait pas distinguer la vie privée de la vie publique, mais il était clair avant qu'elle rougisse qu'elle n'en croyait pas un mot. Elayne sentit Birgitte se concentrer, flèche encochée cherchant déjà sa cible.

Kirstian ignorait ce que voulait Lan, elle savait seulement où elle devait les conduire. À la petite hutte du Carrefour de Cullen, où Adeleas avait accompagné Ispan la veille. Lan les attendait devant la porte, les yeux aussi froids que l'air extérieur, et

476

ne voulut pas laisser passer Kirstian. Quand Elayne entra, elle comprit pourquoi.

Adeleas gisait sur le flanc, près d'un tabouret renversé, une tasse sur le plancher grossier, non loin de son bras tendu. Elle avait les yeux fixes, et une flaque de sang coagulé se répandait sous sa gorge tranchée. Ispan, allongée sur un petit lit de camp, découvrait les dents en un rictus, et elle fixait le plafond, horrifiée, les yeux exorbités. Un pieu en bois gros comme le poignet était planté entre ses seins. Le marteau qui, à l'évidence, avait servi à l'enfoncer, était par terre à côté du lit, à côté d'une grosse tache sombre qui se prolongeait dessous.

Elaync sc rctint dc vomir.

— Par la Lumière ! souffla-t-elle. Par la Lumière ! Qui a pu faire une chose pareille ? *Comment* quelqu'un a-t-il pu faire une chose pareille ?

Aviendha secoua la tête, éberluée, et Lan ne se posa même pas la question. Il se contenta de regarder dans toutes les directions à la fois, comme s'il s'attendait au retour, par l'une des deux minuscules fenêtres, ou bien à travers les murs, de celui qui, ou de ce qui, avait commis ces crimes. Birgitte dégaina sa dague, regrettant de ne pas avoir son arc. Cette flèche encochée était plus présente que jamais dans la tête d'Elayne.

Nynaeve s'immobilisa, étudiant l'intérieur de la hutte. Il n'y avait pas grand-chose à voir, à part l'évidence. Un deuxième trépied, une table avec une lanterne à la flamme vacillante, une théière verte et une seconde tasse, une grossière cheminée de pierre avec des cendres froides dans le foyer. C'était tout. La hutte était si petite que Nynaeve n'eut qu'un pas à faire pour atteindre la table. Après avoir plongé le doigt dans la théière, elle le toucha du bout de la langue, puis cracha vigoureusement et vida tout le contenu du récipient sur la table. Elayne cligna des yeux, étonnée.

— Qu'est-ce qui s'est passé ? demanda froidement Vandene depuis la porte.

Lan se déplaça pour lui barrer le chemin, mais elle l'arrêta d'un geste. Elayne voulut la prendre dans ses bras, mais un nouveau geste la tint à distance. Les yeux de Vandene restèrent fixés sur sa sœur, calmes dans un visage serein d'Aes Sedai. La morte sur le lit aurait aussi bien pu ne pas être là.

— Quand je vous ai tous vus venir par ici, j'ai pensé... Nous savions que nous n'avions plus beaucoup d'années devant nous, mais...

Sa voix semblait la sérénité même, mais ce n'était qu'une apparence.

— Qu'avez-vous trouvé, Nynaeve ?

Elles furent décontenancées de voir de la compassion sur le visage de Nynaeve. Pointant le doigt, elle montra les feuilles de thé sans les toucher. Il y avait de petits fragments blancs parmi les feuilles détrempées.

— C'est de la racine d'épine pourpre, dit-elle, s'efforçant de prendre un ton naturel sans y réussir. C'est doux, et ça ne se sent pas dans le thé à moins de savoir ce que c'est, surtout si on y a mis beaucoup de miel.

Vandene hocha la tête, sans quitter sa sœur des yeux.

— Adeleas s'était mise à aimer le thé très sucré à Ebou Dar.

— Quelques gouttes apaisent la souffrance, dit Nynaeve. Mais cette quantité… cette quantité tue lentement. Quelques gorgées ont dû suffire.

Prenant une profonde inspiration, elle ajouta :

— Elles sont sans doute restées conscientes pendant des heures. Paralysées, mais conscientes. Ou bien celui qui a fait ça ne voulait pas prendre le risque que quelqu'un vienne trop tôt avec un antidote – quoique je n'en connaisse pas pour une décoction si forte – ou bien il voulait que l'une ou l'autre sache qui les tuait.

Elayne déglutit, choquée par cette déclaration, et Vandene se contenta de hocher la tête.

— Ispan, sans doute, puisqu'on lui a consacré plus de temps.

La Sœur Verte aux cheveux blancs réfléchissait à voix haute, s'efforçant de résoudre une énigme. Trancher une gorge est plus rapide qu'enfoncer un pieu dans le cœur. Son calme donna la chair de poule à Elayne.

— Adeleas n'aurait jamais accepté un breuvage d'une personne étrangère, pas ici avec Ispan. Ces deux faits identifient son assassin, en un sens. Un Ami du Ténébreux, et qui appartient à notre groupe. L'un de nous.

Elayne sentit deux frissons, le sien, et celui de Birgitte.

— L'un de nous, acquiesça Nynaeve avec tristesse.

Aviendha passa son pouce sur la lame de sa dague, et pour une fois, Elayne n'y trouva rien à redire.

Vandene demanda à rester quelques instants seule avec sa sœur. Assise par terre, elle berçait déjà Adeleas dans ses bras avant que les autres ne sortent. Jaem, le vieux Lige de Vandene, attendait dehors avec une Kirstian grelottante.

Soudain, une lamentation perçante s'éleva dans la hutte, c'était le cri déchirant d'une femme qui a tout perdu. Nynaeve voulut revenir sur ses pas, mais Lan lui posa la main sur le bras, et le vieux Jaem se planta devant la porte, le regard guère plus amène que celui de Lan. Il n'y avait rien d'autre à faire que de les laisser, Vandene pour pleurer sa sœur, Jaem pour la protéger. Et partager sa peine, réalisa Elayne, sentant dans sa tête ce nœud d'émotions qu'était Birgitte. Elle frissonna, et Birgitte la prit par les épaules. Aviendha fit signe à Nynaeve de les rejoindre. Le meurtre auquel Elayne pensait avec tant de légèreté ces derniers temps, s'était réalisé, et un membre de leur groupe était un Ami du Ténébreux. Le jour lui parut glacial à briser les os, mais la présence chaleureuse de ses amies la réchauffa.

Les dix derniers miles funèbres les séparant de Caemlyn furent couverts en deux jours, à cause de la neige. Même les Pourvoyeuses-de-Vent observèrent un silence respectueux. Les femmes de la Famille cessaient de bavarder, à l'approche d'une sœur ou d'une femme du Cercle du Tricot. Vandene, qui avait installé la selle damasquinée d'argent de sa sœur sur son cheval, semblait aussi sereine qu'elle l'était devant la tombe d'Adeleas, alors qu'il y avait dans les yeux de Jaem une promesse de mort qui hantait sans doute aussi le cœur de Vandene. Elayne n'aurait pas été plus heureuse de voir les murailles et les tours de Caemlyn si cette vue lui avait donné la Couronne de Roses et ressuscité Adeleas.

Même à Caemlyn, l'une des plus grandes cités du monde, leur groupe ne passa pas inaperçu. À l'intérieur des murailles de pierre grise hautes de cinquante pieds, ils attirèrent l'attention pendant leur traversée de la Cité Neuve par de larges avenues surpeuplées et encombrées de charrettes et de chariots. Les boutiquiers, sur le seuil de leur magasin, les regardaient, bouche bée. Les cochers arrêtaient leurs attelages pour les dévisager. D'immenses Aiels et de grandes Vierges les lorgnaient à chaque coin de rue, semblait-il. Les gens semblaient indifférents à la présence des Aiels, contrairement à Elayne. Elle aimait Aviendha comme elle-même, voire plus, mais elle ne voyait pas avec plaisir une armée d'Aiels en armes arpenter les rues de Caemlyn.

La Cité Intérieure, entourée de hautes murailles blanches rayées d'argent, rappela à Elayne qu'elle était revenue chez elle. Les rues épousaient les courbes des collines, chaque hauteur offrant un nouveau panorama de parcs et de monuments couverts de neige, de tours revêtues de céramiques multicolores étincelant au soleil de l'après-midi. Puis le Palais Royal se dressa devant eux, assemblage de hautes flèches, de dômes dorés et de sculptures. La Bannière d'Andor flottait sur presque toutes les hauteurs, le Lion Blanc en champ de gueules. Et sur les autres sommets, on voyait la Bannière du Dragon ou la Bannière de la Lumière.

481

Arrivée devant les hautes grilles dorées du Palais, Elayne s'avança seule dans sa robe d'équitation tachée par le voyage. La tradition et la légende affirmaient que les femmes qui approchaient du Palais en splendide équipage échouaient toujours. Elle avait prévenu clairement qu'elle entrerait seule, mais elle regretta qu'Aviendha et Birgitte ne l'aient pas contredite. Devant les grilles, la moitié des deux douzaines de gardes étaient des Vierges Aieles, les autres étaient des hommes casqués en tuniques bleu foncé avec un grand dragon rouge et or sur la poitrine.

— Je suis Elayne Trakand, annonça-t-elle à voix haute, surprise de son calme.

Sa voix portait loin, et sur toute la place, les badauds cessèrent leurs conversations pour la regarder. L'ancienne formule lui monta spontanément aux lèvres.

— Au nom de la Maison Trakand, en ma qualité de descendante d'Ishara, je viens revendiquer le Trône du Lion d'Andor, s'il plaît à la Lumière.

Les grilles s'ouvrirent toutes grandes.

Ce ne serait pas facile, bien sûr. Même la possession du Palais ne suffisait pas à tenir le trône d'Andor. Confiant ses compagnons aux soins d'une Reene Harfor estomaquée – et très heureuse de voir le Palais entre les mains compétentes de la Première Femme de Chambre, ronde et aussi majestueuse qu'une reine – et de toute une armée de domestiques en livrées rouge et blanc, Elayne se hâta vers la Grande Salle, la salle du trône d'Andor. Seule. Cela ne faisait pas partie du rituel, pas encore. Elle aurait dû aller se changer, et revêtir la robe de soie rouge au corsage brodé de perles et aux dragons blancs s'enroulant autour des manches, mais elle se sentait poussée par une force irrésistible. Et pour une fois, Nynaeve n'eut pas d'objection.

Des colonnes blanches de vingt toises de haut s'alignaient des deux côtés de la Salle du Trône, vide pour le moment. Cela ne durerait pas longtemps. La claire lumière du jour entrant par les hautes fenêtres se mêlait aux reflets multicolores des vitraux du plafond, où le Lion Blanc d'Andor voisinait avec des scènes de victoires andoranes et des portraits d'anciennes reines, en commençant par Ishara, aussi noire que toute Atha'an Miere, aussi autoritaire que toute Aes Sedai. Aucune souveraine d'Andor ne pouvait s'égarer en gouvernant sous les yeux des ancêtres qui avaient construit cette nation.

Elle redoutait de voir l'énorme monstruosité du trône, tout en dragons dorés, qu'elle avait vue sous le dais au bout de la Salle dans le *Tel'aran'rhiod*. Il n'était pas là, louée soit la Lumière. Le Trône du Lion ne reposait plus sur un haut socle comme un trophée, mais avait repris sa place légitime sous le dais. C'était un fauteuil massif, sculpté et doré, à la taille d'une femme. Le Lion Blanc en pierres de lune sur champ de rubis, dominerait la tête de celle qui s'y assiérait. Aucun homme ne pouvait se sentir à l'aise sur ce trône parce que, selon la légende, il saurait qu'il avait scellé sa perte. Elayne trouvait plus vraisemblable que ses créateurs se soient assurés qu'un homme n'y *tiendrait* pas facilement.

Montant les marches de marbre blanc de l'estrade, elle posa la main sur un accoudoir. Elle n'avait pas le droit de s'y asseoir elle-même, pas encore. Pas tant qu'elle ne serait pas reconnue comme la Reine. Mais prêter serment sur le Trône du Lion était une coutume aussi ancienne que l'Andor. Elle dut résister à l'envie de tomber à genoux et de pleurer sur le siège. Elle s'était peut-être résignée à la mort de sa mère, ce trône raviva malgré tout sa douleur. Elle ne pouvait pas craquer maintenant.

— Sous la Lumière, j'honorerai votre mémoire, Mère, dit-elle doucement. J'honorerai le nom de Morgase Trakand, et je ne ferai rien qui déshonorerait la Maison Trakand.

— J'ai ordonné aux gardes d'éloigner les curieux et les courtisans. J'ai pensé que vous voudriez être seule un moment.

Elayne se retourna lentement et vit Dyelin Taravin aux cheveux d'or qui avançait vers elle. Dyelin avait été l'un des premiers soutiens de sa mère dans sa quête pour le trône. Elle était plus grisonnante que dans son souvenir, et avait davantage de pattes d'oie autour des yeux, mais elle était toujours belle. C'était une femme forte et puissante.

Elle s'arrêta au pied de l'estrade et leva les yeux.

— Voilà deux jours que j'entends dire que vous êtes vivante, mais je ne l'ai pas cru jusqu'à maintenant. Vous venez donc accepter le trône de la main du Dragon Réincarné ?

— Je viens revendiquer le trône de droit, Dyelin, et de ma propre main. Le Trône du Lion n'est pas un colifichet qu'on reçoit d'un homme.

Dyelin hocha la tête, comme si c'était l'évidence même. Ce qui l'était d'ailleurs, pour n'importe quel Andoran.

— De quel côté êtes-vous, Dyelin. Pour ou contre Trakand ? J'ai souvent entendu votre nom en venant.

— Puisque vous revendiquez le trône de droit, je suis pour.

Peu de gens pouvaient prendre un ton aussi ironique. Elayne s'assit sur la dernière marche, et fit signe à son aînée de la rejoindre.

— Il y a quelques obstacles, naturellement, reprit Dyelin, resserrant ses jupes pour s'asseoir. Il y a déjà eu plusieurs prétendantes, comme vous le savez peut-être. Naean et Elenia. Que j'ai bel et bien enfermées pour une accusation de trahison que tout le monde semble accepter. Pour le moment. Le mari d'Elenia se démène beaucoup en sa faveur, quoique discrètement, et Arymilla a annoncé sa candidature, la dinde. Elle a quelques partisans, mais rien qui puisse vous inquiéter. Le vrai danger – en plus des Aiels qui arpentent toute la ville en attendant le retour du Dragon Réincarné – peut venir d'Aemlyn, Arathelle, et Pelivar. Pour le moment, Luan et Ellorien vous soutiendront, mais elles pourraient passer dans le camp de ces trois-là.

Cette liste succincte avait été débitée sur le même ton qu'elle aurait employé pour l'achat d'un cheval. Elle connaissait les intentions de Naean et Elenia, mais ignorait que Jarid croyait toujours aux chances de sa femme de monter sur le trône. Arymilla *était* une idiote de penser pouvoir être acceptée, quels que soient ses partisans. Mais les cinq derniers noms

485

étaient inquiétants. Chacun avait été un partisan convaincu de sa mère, comme Dyelin, et chacun était le chef d'une puissante Maison.

— Ainsi, Arathelle et Aemlyn désirent le trône, murmura Elayne. J'ai du mal à le croire d'Ellorien ? Pas pour elle-même.

Pelivar pouvait agir en faveur d'une de ses filles, mais Luan n'avait que des petites-filles encore bien trop jeunes.

— Vous parlez comme s'il était possible qu'ils s'unissent. Les cinq Maisons. Derrière qui ?

Ce serait un sérieux danger.

Souriante, Dyelin posa son menton dans sa main.

— Ils croient que c'est *moi* qui devrais monter sur le trône. Maintenant, que pensez-vous faire au sujet du Dragon Réincarné ? Il est absent depuis quelque temps, mais il peut se matérialiser n'importe quand, semble-t-il.

Elayne ferma les yeux un moment. Quand elle les rouvrit, elle était toujours assise sur l'estrade dans la Salle du Trône, et Dyelin lui souriait encore. Son frère se battait pour Elaida, et son demi-frère faisait partie des Blancs Manteaux. Elle avait rempli le Palais de femmes qui pouvaient s'opposer d'un instant à l'autre, sans compter que l'une d'elles était une Amie du Ténébreux, peut-être même une Sœur Noire. Et la menace la plus sérieuse qu'elle affrontait, en revendiquant le trône, venait d'une femme affirmant qu'elle soutenait Elayne. Le monde était complètement fou. Autant y ajouter sa folie.

— J'ai l'intention d'en faire mon Lige, dit-elle.

Elle poursuivit, sans donner à Dyelin le temps de ciller :

— Et j'espère aussi l'épouser. Mais cela n'a rien à faire avec le Trône du Soleil. La toute première chose que je veux faire…

À mesure qu'elle continuait, Dyelin riait de plus en plus fort. Elayne aurait bien voulu savoir si c'était de plaisir ou parce qu'elle voyait s'aplanir le chemin menant au Trône du Lion. Au moins, elle savait à quoi s'en tenir maintenant.

Entrant dans Caemlyn à cheval, Daved Hanlon ne put s'empêcher de penser à ce que rapporterait le pillage de cette cité. Au cours de sa vie militaire, il avait vu bien des villages et des villes pillés, dont, une fois, vingt ans plus tôt, Cairhien après le départ des Aiels. Il était étrange que ces Aiels n'aient apparemment pas touché à Caemlyn. Si les plus hautes tours de Cairhien n'avaient pas été incendiées, il aurait été difficile de savoir qu'ils y étaient venus. De l'or à profusion, entre autres choses, attendait qu'on le ramasse, et de nombreux hommes étaient disponibles pour procéder à la récolte. Il voyait ces larges rues pleines de cavaliers et de fuyards, de marchands opulents qui auraient donné tout leur or pour qu'on les épargne, de minces jeunes filles et des femmes potelées si apeurées qu'elles n'auraient même pas eu la force de gémir, et encore moins de se débattre. Il avait vécu ces scènes, et il espérait les revivre. Mais pas à Caemlyn, s'avoua-t-il en soupirant. S'il avait pu désobéir aux ordres qui l'avaient mené là, il aurait recherché une ville moins riche, mais plus facile à piller.

Ses instructions étaient claires. Il déposa son cheval à l'écurie du *Taureau Rouge*, dans la Cité Neuve, et parcourut à pied le mile le séparant d'une haute maison en pierre, la demeure d'un riche marchand qui ne faisait pas étalage de son or. Il la reconnut grâce au dessin peint sur la porte, représentant un cœur rouge dans une main d'or. Le costaud qui le fit entrer n'était pas un domestique, avec ses articulations noueuses et ses yeux mornes. Sans un mot, le géant le précéda dans les profondeurs de la maison, puis ils descendirent dans les caves. Hanlon remua son épée dans son fourreau. Il avait vu au cours de son existence des hommes et des femmes dégénérés qui étaient allés d'eux-mêmes à leur exécution. Il ne se considérait pas comme un demeuré. Il n'avait cependant pas très bien réussi. Il avait obéi aux ordres. Cela ne suffisait pas toujours.

Dans la cave, aux murs en grossiers moellons, éclairée par des lampes dorées disposées tout autour, ses yeux se posèrent d'abord sur une jolie femme en robe de soie écarlate bordée de dentelle, aux cheveux retenus dans un vaporeux filet de guipure. Il ne savait pas qui était cette Dame Shiaine, mais ses ordres stipulaient qu'il devait lui obéir. Il lui fit sa plus belle révérence, en souriant. Elle se contenta de le regarder, attendant qu'il remarque ce qu'il y avait d'autre dans la pièce.

Cela ne risquait guère de lui échapper. À part quelques tonneaux, il n'y avait qu'une large et lourde table très curieusement décorée. Deux ovales étaient découpés dans le plateau, et de l'un d'eux, sortaient la tête et les épaules d'un homme, la tête renversée en arrière, et maintenue dans cette position par des courroies en cuir clouées à la table et attachées à un bloc de bois serré entre ses dents. Une femme, dans la même posture, occupait l'autre découpe. Sous la table, ils étaient à genoux, les poignets attachés aux chevilles. Ils étaient immobilisés pour n'importe quelle sorte de plaisir. L'homme grisonnait et avait un visage de seigneur, bien qu'il roulât des yeux effarés. Les cheveux de la femme, étalés sur la table, étaient noirs et luisants, avec un visage un peu long au goût d'Hanlon.

Soudain, il reconnut le visage de la femme, et porta par réflexe la main à son épée. Il s'efforça de lâcher la poignée. C'était un visage d'Aes Sedai. Il jugea qu'une Aes Sedai qui se laissait attacher ainsi n'était pas dangereuse.

— Ainsi donc, vous avez un peu de cervelle, dit Shiaine.

Il reconnut à son accent qu'elle était noble. Elle en avait l'allure impérieuse, quand elle contourna la table pour venir scruter le visage de l'homme.

— J'ai demandé au Grand Maître Moridin de m'envoyer un homme doué d'un soupçon de cervelle. Le pauvre Jaichim ici présent manquait un peu d'expérience.

Hanlon fronça les sourcils et se reprit immédiatement. Ses ordres venaient de Moghedien elle-même. Qui, par le Gouffre du Destin, était Moridin ? Peu importait. Ses ordres venaient de Moghedien, et ça suffisait.

Le géant tendit à Shiaine un entonnoir, qu'elle mit dans un trou pratiqué dans le bloc en bois que ce

Jaichim serrait entre ses dents. Ses yeux semblaient prêts à jaillir de leurs orbites.

— Le pauvre Jaichim ici présent a échoué lamentablement, dit Shiaine, souriant comme un renard qui regarde un poulet. Moridin désire qu'il soit puni. Le pauvre Jaichim n'aime pas son brandy.

Elle recula légèrement pour mieux l'admirer, puis Hanlon sursauta quand le géant s'approcha avec un tonneau. Hanlon se dit qu'il aurait peut-être été capable de le soulever tout seul, alors que le géant le maniait comme une plume. L'homme attaché gémit, puis un flot de liquide sombre se déversa dans l'entonnoir, transformant son cri en gargouillement. Une odeur de brandy emplit la pièce. Attaché comme il l'était, l'homme parvint à se débattre, réussissant à soulever la table d'un côté. Le brandy continuait à couler. Des bulles se formaient dans l'entonnoir quand il essayait de crier ou de hurler. Le flot ne s'arrêtait pas. Ses gesticulations ralentirent, puis cessèrent. Ses yeux vitreux et exorbités fixaient le plafond, et du brandy dégouttait de ses narines. Le géant s'interrompit quand le tonneau fut complètement vide.

— Je crois que le pauvre Jaichim n'a plus soif, dit Shiaine avec un rire ravi.

Hanlon hocha la tête. Il supposa qu'elle disait vrai.

Shiaine n'en avait pas terminé. Elle fit un geste, et le géant arracha à son clou l'une des courroies maintenant le bâillon de l'Aes Sedai. Hanlon pensa que le bloc de bois avait ébranlé quelques-unes de ses dents en sortant de sa bouche. Si c'était le cas, elle ne perdit pas de temps à s'en plaindre. Elle se mit à s'égosiller avant même que l'homme n'ait lâché la courroie.

— Je vous obéirai ! hurla-t-elle. J'obéirai ainsi que le Grand Maître l'a ordonné ! Il m'a entourée d'un écran qui disparaîtra si j'obéis ! Il me l'a dit ! Laissez-moi vous le prouver ! Je ramperai ! Je suis un ver de terre et vous êtes le soleil ! Oh, s'il vous plaît ! S'il vous plaît !

Shiaine mit un terme à ses gémissements, en lui posant la main sur la bouche.

— Comment saurai-je que vous n'échouerez pas une nouvelle fois, Falion ? Vous avez échoué une fois, et Moridin a laissé votre châtiment à ma discrétion. Il m'a donné une autre assistante ; ai-je besoin d'en avoir deux comme vous ? Je vous donnerai peut-être une seconde chance de plaider votre cause, Falion, mais dans ce cas, vous devrez me présenter des arguments convaincants. J'exigerai un enthousiasme *sincère*.

Falion se remit à supplier, dès que Shiaine retira sa main, faisant des promesses extravagantes. Bientôt, elle ne fut plus que pleurs et gémissements quand on lui replaça son bâillon, qu'on recloua la courroie et que l'entonnoir de Jaichim fut planté dans le bloc de bois au-dessus de sa gorge béante. Le géant posa un autre tonneau sur la table, près de sa tête. L'Aes Sedai frappée de folie, roulait des yeux déments et se débattait sous la table à la faire trembler.

Hanlon fut impressionné. Une Aes Sedai devait être plus difficile à briser qu'un gros marchand ou sa fille joufflue. Elle avait quand même bénéficié de l'aide d'une des Élues, semblait-il. Réalisant que Shiaine l'observait, il s'arrêta de sourire en regardant Falion. La première règle était de ne jamais offenser ceux que les Élus plaçaient au-dessus de lui.

— Dites-moi, Hanlon, aimeriez-vous poser vos mains sur une reine ?

Il se lécha les babines malgré lui pour la première fois.

29.

Une tasse de sommeil

— N'agissez pas sans réfléchir, Rand, dit Min.

S'obligeant à rester assise, elle croisa les jambes, agitant machinalement le pied, sans pouvoir contenir l'exaspération qui s'entendit dans sa voix.

— Allez la voir ! Parlez-lui !

— Pourquoi ? demanda-t-il sèchement. Je sais quelle lettre croire maintenant. C'est mieux comme ça. Elle est en sécurité maintenant ; à l'abri de tous ceux qui voudraient me frapper à travers elle ! À l'abri de moi-même ! C'est mieux comme ça !

En bras de chemise, il arpentait la salle entre les deux rangées de fauteuils devant le Trône du Dragon, les poings serrés, foudroyant à travers les vitres les nuages noirs qui ensevelissaient Cairhien sous un nouveau tapis de neige.

Min échangea des regards avec Fedwin Morr, debout devant les grandes portes sculptées de soleils dorés. À présent, les Vierges laissaient passer sans les annoncer ceux qui ne représentaient pas une menace évidente. Mais le solide gaillard refuserait l'entrée à ceux que Rand ne désiraient pas voir ce matin-là. Il portait l'Épée et le Dragon épinglés sur son col noir, et

Min savait qu'il avait déjà vu plus de batailles et d'horreurs que bien des hommes trois fois plus âgés, alors qu'il n'était encore qu'un adolescent. Aujourd'hui, jetant des regards inquiets à Rand, il paraissait plus jeune que jamais. Aux yeux de Min, l'épée qu'il portait au côté semblait toujours déplacée.

— Le Dragon Réincarné est un homme, Fedwin, dit-elle. Et comme n'importe quel homme, il est sombre parce qu'il pense qu'une certaine femme ne veut plus le revoir.

Écarquillant les yeux, le jeune homme sursauta comme si elle l'avait pincé. Rand abandonna son air renfrogné. La seule chose qui empêcha Min d'éclater de rire, c'est de savoir qu'il dissimulait une souffrance aussi réelle qu'un coup de poignard, et que son amusement l'aurait blessé. En apprenant cet événement, Rand était resté comme frappé par la foudre. Taim avait apporté la nouvelle à Caemlyn à l'aube, mais tout de suite après son départ, Rand avait quitté son air accablé et avait commencé… Ça !

Se levant, elle rajusta sa tunique vert clair, croisa les bras et le regarda en face.

— Qu'est-ce que ça peut être d'autre ? demanda-t-elle calmement.

Bien qu'elle aimât Rand, elle avait envie de lui frictionner vigoureusement les oreilles après une telle matinée.

— Vous n'avez pas mentionné Mat deux fois, et vous ne savez même pas s'il est vivant.

— Mat est vivant, gronda Rand. Je le saurais s'il était mort. Croyez-vous que je sois… !

Il serra les dents, ne se résignant pas à prononcer le mot.

— Boudeur, termina-t-elle. Bientôt, vous ferez la moue. Certaines femmes trouvent les hommes plus jolis quand ils font la moue. Je n'en fais pas partie.

C'en était assez. Son visage s'assombrit.

— Ne vous êtes-vous pas démené pour qu'elle monte sur le trône d'Andor ? Qui lui appartient de droit, ajouterai-je. N'avez-vous pas dit que vous vouliez qu'elle possède Andor intact, et non ravagé comme le Tear et le Cairhien ?

— Oui, je l'ai dit ! rugit-il. Et maintenant qu'il est à elle, elle veut m'en évincer. Parfait ! Et ne venez pas me dire de me taire ! Je ne suis pas… !

Il réalisa qu'il l'était, et ferma brusquement la bouche. Un grondement sourd sortit de sa gorge. Morr s'absorba dans la contemplation d'un de ses boutons, qu'il tripota entre ses doigts. Il l'avait fait souvent, ce matin.

Min resta calme. Elle n'allait pas le gifler, et il était trop grand pour qu'elle lui donne la fessée.

— Andor est à elle, exactement comme vous le désiriez, dit-elle, s'efforçant d'adopter un ton calme. Aucun Réprouvé ne la pourchasse maintenant qu'elle a déchiré vos bannières.

Une lueur menaçante apparut dans les yeux de Rand. Elle poursuivit quand même.

— Exactement ce que vous désiriez. Et vous ne croyez quand même pas qu'elle va prendre le parti de vos ennemis. Andor suivra le Dragon Réincarné, et vous le savez. Et donc, la seule raison que vous avez de vous mettre dans cet état, c'est que vous croyez qu'elle ne veut pas vous voir. Allez la trouver, imbécile !

La suite était plus difficile.

— Avant que vous ayez dit deux mots, elle vous embrassera.

Par la Lumière, elle aimait Elayne presque autant qu'elle aimait Rand. Comment une simple femme pouvait-elle rivaliser avec une reine aux cheveux d'or qui avait toute une puissante nation à ses pieds ?

— Je ne suis pas... en colère, dit Rand d'une voix tendue.

Et il se remit à faire les cent pas. Min eut envie de lui donner un coup de pied au derrière.

Une porte s'ouvrit, et Sorilea aux cheveux blancs écarta Morr, alors même qu'il regardait Rand pour voir s'il devait la laisser passer. Rand ouvrit la bouche – avec colère, malgré ses dénégations – et cinq femmes en lourdes robes noires trempées de neige fondue suivirent la Sagette, les mains croisées, les yeux baissés, leurs capuches cachant leurs visages. Leurs pieds étaient emmaillotés de chiffons.

Min sentit son cuir chevelu la picoter. Devant ses yeux, des images et des auras dansèrent et s'évanouirent, remplacées par d'autres auras autour de Rand et des six femmes. Elle avait espéré qu'il avait oublié que ces cinq femmes étaient vivantes. Au nom de la Lumière, que voulait cette méchante vieille ?

Sorilea fit un geste dans un cliquetis de bracelets d'or et d'ivoire, et les cinq s'alignèrent sur le Soleil Levant serti dans le sol. Rand parcourut la rangée, rabattant les capuchons, révélant les visages qu'il considéra d'un œil froid.

Toutes les femmes en robes noires étaient crasseuses, leurs cheveux aplatis et collés par la sueur. Elza Penfell, une Sœur Verte, le fixa droit dans les yeux. Nesune Bihara, une Brune mince, le dévisagea avec autant d'intensité qu'il le fit lui-même. Sarene Nemdhal, si belle malgré sa crasse qu'on aurait pu croire naturel son air d'éternelle jeunesse, semblait ne tenir que par un cheveu le sang-froid de son Ajah Blanche. Beldaine Nyram, trop nouvellement élevée au châle pour avoir cette beauté intemporelle, tenta un sourire défaillant qui s'évanouit sous le regard scrutateur de Rand. Erian Boroleos, pâle et presque aussi ravissante que Sarene, se troubla, puis se força à affronter ce regard glacial. Ces deux dernières étaient des Vertes, et toutes les cinq avaient fait partie du commando qui avait enlevé Rand sur l'ordre d'Elaida et qui l'avaient torturé pendant qu'elles tentaient de le transporter à Tar Valon. Parfois, Rand se réveillait encore en sueur, haletant, criant qu'il ne voulait pas être enfermé, battu. Min vit une lueur passer dans ses yeux, et elle espéra que ce n'était pas le désir de tuer.

— Ces femmes sont devenues des *da'tsangs*, Rand al'Thor, dit Sorilea. Je crois qu'elles ressentent leur honte jusqu'au plus profond d'elles-mêmes. Erian Boroleos fut la première à me demander d'être battue, matin et soir, comme vous l'avez été. À présent, elles l'ont toutes réclamé. Leur requête a été entendue. Chacune souhaite vous servir au mieux de ses capacités. Le *toh* de leur trahison ne sera jamais épuisé, dit-elle d'un ton sévère, car, pour les Aiels, la trahison de l'enlèvement était pire que ce qu'elles avaient fait après, mais elles ont conscience de leur honte et elles veulent essayer. Nous avons décidé de nous en remettre à votre décision.

Min fronça les sourcils. S'en remettre à sa décision ? Les Sagettes laissaient rarement à un autre le choix qu'elles pouvaient faire elles-mêmes. Sorilea *jamais*. La vigoureuse Sagette rajusta tranquillement son châle sur ses épaules, et regarda Rand comme si cette démarche n'avait aucune importance. Elle lança un regard glacial à Min, qui comprit soudain que si elle disait un mot de trop, cette vieille femme aurait sa peau. Elle connaissait Sorilea mieux qu'elle n'aurait voulu.

Elle se mit à étudier les images qui apparaissaient et disparaissaient autour de ces femmes. Comme elles se touchaient presque, Min ne distinguait pas avec exactitude si une image appartenait à l'une ou à sa voisine. Au moins, les auras ne mentaient jamais. *Ô Lumière, faites que je comprenne au moins une partie de ce que je vois*, pensa-t-elle.

Rand accueillit l'annonce de Sorilea avec froideur. Il se frotta lentement les mains, puis examina les hérons dans ses paumes. Il étudia l'un après l'autre le visage de chaque Aes Sedai. Finalement, il se focalisa sur Erian.

— Pourquoi ? demanda-t-il d'une voix douce. J'ai tué deux de vos Liges. Pourquoi ?

Min grimaça. Rand possédait bien des qualités, mais il était rarement doux. Erian était l'une de celles qui l'avaient battu plus d'une fois.

La pâle Illianere se redressa. Des images dansèrent, des auras brillèrent, puis s'évanouirent. Rien que Min pût interpréter. Malgré son visage crasseux et ses longs cheveux noirs ternis par la sueur, Erian se redressa avec toute son autorité d'Aes Sedai et le regarda dans les yeux. Sa réponse fut simple et directe.

— Votre enlèvement fut une erreur. J'y ai beaucoup réfléchi. Vous devez livrer la Dernière Bataille, et nous devons vous aider. Si vous ne m'acceptez pas, je le comprendrai, mais je vous aiderai en tout ce que vous demanderez si vous l'autorisez.

Rand la dévisagea, impassible.

Il posa la même question, réduite au seul mot « pourquoi », à chacune, et leurs réponses furent aussi différentes que les femmes.

— L'Ajah Verte est celle des batailles, lui dit fièrement Beldeine, et malgré ses yeux cernés et les taches de boue sur ses joues, elle avait l'air d'une Reine des Batailles.

Il faut dire que, chez les Saldaeanes, c'était presque une seconde nature.

— Quand vous irez à la Tarmon Gai'don, les Vertes devront être là. Je vous suivrai, si vous m'acceptez.

Par la Lumière, elle était capable de faire son Lige d'un Asha'man ! Comment... ? Non ; ça n'avait pas d'importance pour le moment.

— Ce que nous avons fait était logique à l'époque.

La sérénité distante, que Sareine s'imposait d'une main de fer, fit place à l'inquiétude. Elle secoua la tête.

— Je dis cela pour expliquer, non pour me disculper. Les circonstances ont changé. Pour vous, l'attitude logique pourrait être de…

Elle eut une respiration saccadée. Des images et des auras, une histoire d'amour tumultueuse, en plus ! Cette femme était de glace, malgré sa beauté. Savoir qu'un homme pourrait la faire fondre n'était utile en rien !

— De nous renvoyer en captivité, reprit-elle. Ou même de nous exécuter. Pour moi, la logique doit être de vous servir.

Nesune pencha la tête, et ses yeux presque noirs semblaient vouloir enregistrer tout ce qui concernait Rand. Une aura rouge et vert parlait d'honneur et de gloire. Un immense édifice apparut au-dessus de sa tête, et disparut. Une bibliothèque qu'elle fonderait.

— Je veux vous étudier, dit-elle simplement. Je ne peux guère le faire en portant des pierres ou en creusant des trous. Ces travaux laissent beaucoup de temps pour réfléchir, mais vous servir me semble une juste compensation pour ce que je pourrai apprendre.

Rand fut reconnaissant face à cette franchise, mais son expression ne changea pas.

La réponse la plus surprenante vint d'Elza, dans sa forme plus que dans le fond. Tombant à genoux, elle leva sur Rand des yeux fiévreux, le visage rayonnant de ferveur. Des auras fulgurèrent, et des images se succédèrent, sans rien apprendre à Min.

— Vous êtes le Dragon Réincarné, dit-elle dans un souffle. Vous devez être là pour la Dernière Bataille.

Je dois vous aider. Tout ce qui sera nécessaire, je le ferai.

Et elle se prosterna, face contre terre, baisant les dalles. Même Sorilea eut l'air abasourdie, et la mâchoire de Sarene s'affaissa. Morr reprit une attitude impassible puis se remit aussitôt à tripoter son bouton. Min pensa qu'il pouffait nerveusement entre ses dents.

Pivotant sur les talons, Rand s'éloigna à grands pas, s'arrêtant à mi-chemin du Trône du Dragon où son sceptre et la couronne d'Illian reposaient sur sa tunique rouge brodée d'or. Il paraissait si sombre que Min eut envie de se jeter dans ses bras. À la place, elle continua à étudier les Aes Sedais et Sorilea. Elle n'avait jamais rien vu d'utile dans les auras de cette mégère.

Brusquement, Rand se retourna, revenant vers les femmes si vite que Beldeine et Sarene reculèrent. Sur un geste impérieux de Sorilea, elles reprirent leur place.

— Accepteriez-vous d'être enfermées dans une boîte ? demanda-t-il d'une voix rauque et rocailleuse. Bouclées dans un coffre toute la journée, battues avant d'y entrer et battues en en sortant.

C'était ce qu'elles lui avaient fait subir.

— Oui, gémit Elza, la bouche contre les dalles. S'il le faut, je l'accepterai !

— Si vous l'exigez, articula Erian d'une voix tremblante, et le visage hagard. Les autres acquiescèrent lentement de la tête.

Stupéfaite, Min les dévisagea, serrant les poings dans ses poches. Qu'il ait envie de leur rendre la

501

pareille semblait presque normal, mais Min ne devait pas le laisser faire. Elle le connaissait mieux que lui-même et savait dans quelles circonstances il était dur comme une lame, et quand il était vulnérable, malgré ses dénégations. S'il se vengeait ainsi, il ne se pardonnerait jamais. Mais comment l'en empêcher ? La fureur déformait son visage, et il secoua la tête comme il faisait toujours quand il entendait cette voix dans sa tête. Il marmonna tout haut un mot qu'elle comprit : *Ta'veren*. Sorilea le considérait avec calme, comme Nesune. Pas même la perspective d'être enfermée dans un coffre n'ébranlait la Sœur Brune. À part Elza, toujours prostrée, gémissante et baisant les dalles, les autres avaient les yeux caves, comme si elles s'imaginaient recroquevillées et ligotées comme il l'avait été.

Au milieu de toutes les images jaillissant autour de Rand et des femmes, une aura fulgura soudain, bleu et jaune teintée de vert, qui les engloba tous. Min sut ce qu'elle signifiait. Elle soupira, mi-surprise, mi-soulagée.

— Elles vous serviront, chacune à sa façon, Rand, dit-elle vivement. Je l'ai vu.

Sorilea le servirait ? Soudain, Min se demanda ce que signifiait exactement le « à sa façon ». Les mots lui venaient avec la vision, mais elle ne savait pas toujours ce qu'ils signifiaient. Mais elles *serviraient* ; c'était certain.

Rand observa les Aes Sedais en silence, la fureur refluant sur son visage. Quelques-unes regardèrent Min en haussant les sourcils, s'émerveillant manifestement que ses mots aient tant de poids. Pour la plupart, elles regardaient Rand, osant à peine respirer. Même Elza souleva la tête pour lever les yeux sur lui. Sorilea lança un bref regard à Min, hochant imperceptiblement la tête. Elle l'approuvait, pensa Min. La vieille femme prétendait-elle que le résultat de leur démarche lui était indifférent ?

Rand parla enfin.

— Vous pouvez me jurer allégeance, comme l'ont fait Kiruna et les autres, ou retourner là où les Sagettes vous gardent. Je n'accepterai rien de moins.

Malgré une nuance d'exigence dans sa voix, il semblait lui aussi indifférent au résultat, les bras croisés, les yeux impatients. Le Serment qu'il exigeait d'elles leur monta spontanément aux lèvres.

Min n'attendait pas des protestations, mais elle fut quand même surprise quand Elza se releva sur les genoux, et que les autres s'agenouillèrent. À l'unisson, cinq Aes Sedais de plus jurèrent sous la Lumière et sur leur espoir de salut de servir fidèlement le Dragon Réincarné jusqu'à ce que la Dernière Bataille commence et se termine. Nesune prononça le Serment comme si elle en pesait chaque mot, Sarene comme si elle énonçait un principe de logique, Elza avec un large sourire triomphant. Elles jurèrent toutes. Combien d'Aes Sedais rassemblerait-il autour de lui ?

Le Serment terminé, Rand parut perdre tout intérêt à la scène.

— Trouvez-leur des robes et mettez-les avec vos autres apprenties, dit-il distraitement à Sorilea.

Il fronçait les sourcils.

— À votre avis, vous aurez combien d'apprenties ?

Min faillit sursauter, car cela faisait écho à sa propre pensée.

— Autant qu'il sera nécessaire, ironisa Sorilea. Je crois qu'il en viendra d'autres.

Elle frappa dans ses mains, fit un geste, et les cinq sœurs se relevèrent d'un bond. Seule Nesune eut l'air étonnée de leur empressement à obéir. Sorilea sourit, d'un sourire satisfait pour une Aiele, et Min se dit que ce n'était pas à cause de l'obéissance des cinq femmes.

Hochant la tête, Rand se détourna. Il se remettait déjà à faire les cent pas, recommençait à froncer les sourcils à cause d'Elayne. Min se rassit dans son fauteuil, regrettant de ne pas avoir un livre de Maître Fel à lire, ou tout autre livre qu'elle pourrait lui lancer à la tête.

Sorilea poussa les sœurs en noir vers la porte. Quand la dernière fut sortie, elle fit une pause, tenant d'une main le battant, et se retourna pour regarder Rand qui s'éloignait d'elle en direction du trône doré. Elle était songeuse.

— Cette femme, Cadsuane Melaidhrin, est de nouveau sous ce toit aujourd'hui, dit-elle enfin. À mon avis, elle croit que vous avez peur d'elle, Rand al'Thor, à la façon dont vous l'évitez.

Sur ce, elle sortit.

Immobile, Rand contempla le trône un long moment. Brusquement, il se secoua et couvrit la distance qui le séparait de la Couronne d'Épées. Sur le point de la poser sur sa tête, il hésita, puis la reposa sur le siège. Enfilant sa tunique, il laissa la couronne et le sceptre à leur place.

— Je vais aller voir ce que veut Cadsuane, annonça-t-il. Elle ne vient pas au palais tous les jours simplement pour le plaisir de patauger dans la neige. M'accompagnerez-vous, Min ? Peut-être aurez-vous une vision.

Elle se leva encore plus vite que les Aes Sedais tout à l'heure. Une visite à Cadsuane serait sans doute aussi agréable qu'une visite à Sorilea, mais n'importe quoi valait mieux que de rester là toute seule. De plus, peut-être qu'elle *aurait* une vision. Fedwin leur emboîta le pas, le regard vigilant.

Les six Vierges montant la garde dans le haut couloir voûté se levèrent, mais aucune ne les suivit. Somara était la seule que connût Min ; elle lui fit un petit sourire, et gratifia Rand d'un regard désapprobateur. Les autres lui lancèrent des regards noirs. Les Vierges avaient accepté ses explications, à savoir qu'il était parti sans elles pour que tout le monde croie aussi longtemps que possible qu'il était toujours à Cairhien, mais elles voulaient toujours savoir pourquoi il ne les avait pas envoyé chercher après. Rand n'avait rien eu à répondre. Il marmonna quelque chose entre ses dents et accéléra son allure. Min dut presser le pas pour rester à sa hauteur.

— Observez attentivement Cadsuane, Min, dit-il. Et vous aussi, Morr. En bonne Aes Sedai, elle manigance quelque chose, mais que je sois réduit en cendres si je comprends quoi. Je ne sais pas. Il y a…

Un mur de pierre sembla frapper Min dans le dos ; elle crut entendre rugir, craquer. Puis Rand la retourna – gisait-elle sur le sol ? – et baissa les yeux sur elle, ces yeux bleus comme le matin où elle voyait de la peur pour la première fois. Mais la peur disparut quand elle s'assit en toussant. L'atmosphère était poussiéreuse. Puis elle vit le couloir.

Les Vierges n'étaient plus devant les appartements de Rand. Les portes elles-mêmes avaient disparu, avec la plus grande partie du mur et un trou presque aussi grand béait dans le mur opposé. Elle voyait clairement que les appartements de Rand avaient été dévastés. De gros tas de gravats jonchaient le sol, et le plafond était ouvert sur le ciel. La neige tombait en tourbillons sur les flammes dansant au milieu des décombres. L'une des colonnes d'ébène de son lit pointait, en feu, au milieu des pierres écroulées. On aurait dit qu'un énorme marteau avait fracassé le Palais du Soleil. S'ils avaient été dans la Salle du Trône, au lieu d'aller voir Cadsuane... Min frissonna.

— Qu'est-ce..., commença-t-elle d'une voix trem-blante, puis elle renonça à cette question inutile.

N'importe quel imbécile pouvait comprendre ce qui s'était passé.

— Qui ? demanda-t-elle à la place.

Couverts de poussière, les cheveux en bataille, les deux hommes semblaient avoir été traînés par terre tout le long du couloir, et peut-être l'avaient-ils été. Ils se trouvaient à une bonne dizaine de toises plus loin des portes que dans son souvenir. Au loin, des cris angoissés s'élevèrent, se répercutant le long des couloirs. Aucun des deux hommes ne lui répondit.

— Puis-je vous faire confiance, Morr ? demanda Rand.

Fedwin le regarda dans les yeux.

— Jusqu'à la mort, mon Seigneur Dragon, répondit-il simplement.

— Alors, voilà ce que je vous confie, dit Rand, effleurant la joue de Min, puis il se releva brusquement. Protégez-la au prix de votre vie, Morr.

Sa voix se fit dure comme l'acier, sinistre comme la mort.

— S'ils sont toujours dans le palais, ils sentiront que vous créez un portail, et ils frapperont avant que vous n'ayez fini. Ne canalisez pas à moins d'y être forcé, et soyez sur vos gardes. Descendez-la au quartier des domestiques, et tuez tous ceux qui tenteront d'arriver jusqu'à elle. Qui que ce soit !

Avec un dernier regard à Min – Ô Lumière, en tout autre moment, elle aurait pensé qu'elle pouvait mourir heureuse après un tel regard ! – il partit en courant, loin des ruines. Loin d'elle. Celui qui avait tenté de le tuer allait le pourchasser à présent.

Morr lui tapota le bras d'une main poussiéreuse et dit avec un sourire juvénile :

— Ne vous en faites pas, Min. Je vais veiller sur vous.

Mais qui allait s'occuper de Rand ? « Puis-je vous faire confiance ? » avait-il demandé à ce garçon qui avait été parmi les premiers à le rejoindre pour apprendre. Par la Lumière, qui pourrait assurer la sécurité de Rand ?

Rand posa une main contre le mur pour saisir la Source. C'était absurde de ne pas vouloir que Min le voie chanceler maintenant, après cette tentative d'assassinat. Mais c'était ainsi. Pas n'importe qui. Un homme. Demandred, ou peut-être Asmodean ayant retrouvé ses capacités. Peut-être les deux ; il avait remarqué quelque chose de bizarre, comme si le tissage venait de différentes directions. Il avait senti le canalisage trop tard pour intervenir. S'il avait été dans ses appartements, il serait mort. Il était prêt à mourir. Mais pas Min, pas elle ! Elayne se trouvait en meilleure posture, maintenant qu'elle s'était retournée contre lui. Oh, Lumière, elle était contre lui !

Il saisit la Source, et le *saidin* l'inonda de froid en fusion et de chaleur glaçante, de vie et de douceur, de souillure et de mort. Son estomac se noua. Deux couloirs apparurent devant lui. Un instant, il crut voir un visage, dans son esprit. Un homme, vibrant, méconnaissable, disparu. Il flottait dans le Vide, creux et rempli du Pouvoir.

Vous ne gagnerez pas, dit-il à Lews Therin. *Si je meurs, vous mourrez aussi !*

J'aurais dû renvoyer Ilyena, murmura Lews Therin en réponse. *Elle aurait vécu !*

Écartant la voix, Rand se faufila le long des couloirs du Palais aussi furtivement qu'il le put, à pas légers, rasant les murs, contournant les coffres et les vitrines dorés contenant des fragiles porcelaines et des statuettes d'ivoire. Ses yeux cherchaient ses assaillants. Ses ennemis ne seraient satisfaits que lorsqu'ils auraient trouvé son cadavre. Ils seraient très prudents à l'approche de ses appartements, au cas où il aurait survécu par quelque coup du destin en sa qualité de *ta'veren*. Ils attendraient, pour voir s'il remuait. Dans le vide, il était aussi uni avec le Pouvoir qu'un homme pouvait l'être sans périr. Dans le Vide, comme avec une épée, il était un avec ce qui l'entourait.

Des clameurs et des cris frénétiques s'élevaient dans toutes les directions, certains demandant ce qui s'était passé, d'autres criant que le Dragon Réincarné était devenu fou. Le paquet d'émotions dans sa tête qu'était Alanna lui apporta un peu de réconfort. Elle était sortie du palais depuis le matin, et se trouvait peut-être hors des murs de la cité. Il aurait bien aimé que Min soit partie aussi. Par moments, il croisait des hommes et des femmes dans les couloirs, presque tous des domestiques en livrée noire, qui couraient, tombaient, se relevaient et recommençaient à courir. Eux ne le voyaient pas. Avec le Pouvoir en lui, il entendait le moindre chuchotement. Y compris la course légère des bottes souples frôlant les dalles.

Adossé à un mur près d'une longue table couverte de porcelaine, il tissa vivement le Feu et l'Air autour de lui, et s'immobilisa dans un repli de Lumière.

Des Vierges apparurent, en un flot continu, voilées, et passèrent en courant sans le voir. Il se dirigea vers ses appartements. Il ne pouvait pas les laisser l'accompagner. Certes, il leur avait fait la promesse de les laisser combattre, mais sans pour autant les conduire à l'abattoir. Quand il trouverait Demandred et Asmodean, les Vierges risqueraient de mourir. Somara, du Pic Daryne était déjà là. Une promesse qu'il avait dû faire et qu'il devait tenir. Pour cela, il méritait la mort !

Les aigles et les femmes ne sont en sécurité qu'en cage, énonça Lews Therin comme s'il faisait une citation. Puis il se mit à pleurer quand les dernières Vierges disparurent.

Rand continua à avancer, décrivant de plus larges cercles autour de ses appartements. Le Repli de Lumière utilisait très peu de Pouvoir – si peu que personne ne pouvait sentir l'usage du *saidin* avant d'arriver droit sur lui – et il s'en servait quand quelqu'un était sur le point de l'apercevoir. Ses attaquants n'avaient pas ciblé ses appartements à l'aveuglette. Ils avaient des Yeux-et-Oreilles au Palais. C'était peut-être un effet du *ta'veren* qui l'avait fait sortir de la Salle du Trône, si toutefois celui-ci pouvait agir sur lui ou était-ce le hasard ? En tirant le Dessin, il risquait probablement de se mettre à la portée de ses ennemis, alors qu'ils le croyaient mort ou mourant. Lews Therin gloussa à cette pensée. Rand le sentait se frotter les mains.

Il dut se cacher derrière le Pouvoir encore trois fois quand des Vierges voilées passèrent en courant, et une autre quand il vit Cadsuane enfiler le couloir devant lui, avec six Aes Sedais sur les talons, et sans personne d'autre qu'il reconnût. Elles semblaient à l'affût. Bien qu'il ne redoutât pas la sœur aux cheveux gris, il attendit qu'elle et ses amies soient hors de vue pour lâcher le tissage qui le dissimulait. Lews Therin ne réagit pas à la vue de Cadsuane. Il observa un silence de mort jusqu'à ce qu'elle ait disparu.

Rand s'écarta du mur, une porte s'ouvrit juste à côté de lui, et Ailil passa la tête dans l'entrebâillement. Il ne savait pas qu'elle était si près de ses appartements. Derrière se tenait une femme à la peau sombre, avec de gros anneaux d'or dans les oreilles, et une fine chaîne en or barrant sa joue gauche jusqu'à son nez, à laquelle pendaient quantité de médaillons. Shalon, Pourvoyeuse-de-Vent de Harine din Togara, l'ambassadrice des Atha'an Miere s'était installée au palais avec son escorte, dès que Merana l'avait informée du marché. Elle était accompagnée par une femme qui voulait peut-être sa mort. Quand elles le virent, elles sursautèrent.

Il se montra aussi gentil qu'il le put. Il devait agir vite. Quelques instants après l'ouverture de la porte, il bordait dans son lit Ailil étendue à côté de Shalon. Peut-être ne faisaient-elles pas partie du complot. Sécurité vaut mieux que regrets. Les yeux rageurs au-dessus de leurs bouches bâillonnées par les écharpes d'Ailil, les deux femmes se débattaient dans les bandes de draps avec lesquelles il leur avait attaché les mains et les pieds. L'écran qu'il avait noué sur Shalon tiendrait un ou deux jours avant de se dénouer, mais quelqu'un les trouverait et trancherait leurs liens avant longtemps. Inquiet au sujet de cet écran, il entrebâilla la porte pour vérifier qu'il n'y avait personne, et sortit vivement, se hâtant dans le couloir désert. Il ne pouvait pas laisser la Pourvoyeuse-de-Vent libre de canaliser, mais imposer un écran à une femme ne se faisait pas avec des miettes de Pouvoir. Si l'un de ses assaillants avait été proche... Il ne rencontra personne. À cinquante toises des appartements d'Ailil, le couloir débouchait sur un balcon en marbre bleu, avec, à chaque extrémité, un large escalier menant à une salle carrée au haut plafond voûté. Des tapisseries de dix toises de long décoraient les murs, avec des motifs d'oiseaux s'envolant vers le ciel selon des lignes géométriques. En contrebas, se tenait Dashiva, regardant autour de lui en s'humectant les lèvres, l'air hésitant. Gedwyn et Rochaid étaient avec lui ! Lews Therin se remit à parler de tuer.

—... vous dis que je n'ai rien senti, disait Gedwyn. Il est mort !

Dashiva aperçut Rand en haut des marches.

Le visage de Dashiva se déforma. Il canalisait. Sans avoir le temps de réfléchir, Rand tissa sans savoir quoi ; c'étaient peut-être des souvenirs de Lews Therin. Il n'était même pas sûr d'être l'auteur du tissage ou si Lews Therin lui avait arraché le *saidin* – Air, Feu et Terre enroulés autour de lui. Le feu jaillissant de Dashiva explosa, fracassant le marbre, projetant Rand dans le couloir, roulant et bondissant dans son cocon.

La barrière arrêterait tout sauf le Malefeu. Y compris l'air pour respirer. Rand la lâcha, rampant sur le sol, dans un bruit d'explosion vibrant dans l'air, et entouré des blocs de marbre qui retombaient. Comme pour la respiration, il la lâcha, parce que ce qui pouvait maintenir le Pouvoir à l'extérieur le pouvait à l'intérieur. Avant la fin de sa glissade, il canalisa Feu et Air, mais d'une façon différente. De minces fils rouges sortirent de sa main gauche, se déployant comme s'ils tranchaient dans la pierre qui le séparait de l'endroit où il avait vu Dashiva et les autres. De sa main droite surgirent des boules de flammes, Feu et Air, plus vite qu'il ne pouvait les compter et elles brûlaient la pierre avant d'exploser dans la pièce. Des grondements assourdissants faisaient sans cesse trembler le Palais. La poussière qui était retombée se souleva de nouveau et des blocs de marbre rebondirent.

Aussitôt, il se releva et se remit à courir, repassant devant les appartements d'Ailil. Un homme qui restait à la même place courtisait la mort. Il était prêt à mourir, mais pas tout de suite. Grondant intérieurement, il emprunta un nouveau couloir, descendit un escalier de service et atteignit le dernier niveau.

Avec mille précautions, il retourna à l'endroit où il avait vu Dashiva lancer ses tissages mortels à la moindre apparition.

J'aurais dû les tuer tous dès le début, haleta Lews Therin. *J'aurais dû les tuer tous !*

Rand l'abandonna à sa rage.

La grande salle semblait avoir été dévastée par un déluge de feu. Il ne restait des tapisseries que quelques fragments calcinés léchés par les flammes. De grands sillons de dix pieds de large avaient été creusés dans les sols et les murs. Les escaliers que Rand s'apprêtait à descendre se terminaient par un effondrement de dix pieds. Aucune trace des trois hommes. Pourtant, ils ne pouvaient pas avoir été complètement consumés. Il devait en rester quelque chose.

Un domestique en tunique noire passa prudemment la tête par une minuscule porte à côté de l'escalier à l'autre bout de la salle. Ses yeux tombèrent sur Rand, se révulsèrent, et il s'évanouit. Une servante sortit d'un couloir, puis resserra ses jupes et repartit en courant d'où elle était venue, hurlant à pleins poumons que le Dragon Réincarné massacrait tout le monde au Palais.

Rand sortit discrètement de la salle en grimaçant. Il était très fort pour effrayer les gens qui ne pouvaient rien contre lui. Très fort pour détruire.

Détruire ou être détruit, dit Lews Therin en riant. *Quand c'est votre choix, quelle est la différence ?*

Quelque part dans le Palais, quelqu'un canalisa suffisamment pour créer un portail. Dashiva et les autres fuyaient-ils ? Ou voulaient-ils qu'il le croie ?

Il enfilait les couloirs du Palais, sans se cacher. Tout le monde avait fui. Les rares domestiques qu'il aperçut s'enfuyaient en hurlant. Couloir après couloir, il se mit en chasse, plein de *saidin* à exploser, plein de feu et de glace qui essayaient de l'annihiler à l'instar de Dashiva, plein de la souillure qui voulait s'insinuer dans son âme. Il n'avait pas besoin des délires et des rires démentiels de Lews Therin pour avoir le désir de tuer.

Un éclair sombre frappa devant lui. Sa main se leva d'elle-même, des traînées de feu explosèrent, détruisant l'angle où les deux couloirs se croisaient. Rand laissa le tissage s'apaiser, sans le lâcher. Avait-il tué ?

— Mon Seigneur Dragon, cria une voix venant de derrière les gravats, c'est moi Narishma ! Et Flinn !

514

— Je ne vous avais pas reconnus, mentit Rand. Venez ici.

— Je crois que vous avez le sang trop chaud pour l'instant, répondit la voix de Flinn. Attendons que tout le monde soit un peu calmé.

— Oui, dit Rand.

Avait-il vraiment voulu tuer Narishma ? L'emprise de Lews Therin ne constituait pas une excuse.

— Oui, c'est sûrement mieux. Pour le moment.

Il n'y eut pas de réponse. Entendit-il des bottes qui s'éloignaient ? Il se força à abaisser les mains et repartit dans une autre direction.

Pendant des heures, il fouilla tout le Palais à la recherche des restes de Dashiva et des autres. Les couloirs, les grandes salles, et même les cuisines, étaient déserts. Il ne trouva rien. Il réalisa qu'il avait quand même appris une chose. La confiance était une dague, dont la poignée était aussi tranchante que la lame.

Puis il ressentit la souffrance.

Au plus profond des entrailles du Palais du Soleil s'ouvrait la petite pièce aux murs de pierre. Il y faisait chaud malgré l'absence de cheminée, mais Min avait froid. Trois lampes dorées posées sur une petite table en bois diffusaient assez de lumière. Rand avait dit qu'à partir de cette pièce, il pouvait la faire sortir même si quelqu'un déracinait le Palais jusqu'à ses fondations. Au ton, il n'avait pas plaisanté.

La couronne d'Illian sur les genoux, elle regarda Rand, qui observait Fedwyn. Elle resserra les mains sur la couronne, puis la lâcha aussitôt, les doigts piqués par les petites épées cachées dans les feuilles de laurier. Il était étrange que la couronne et le sceptre aient survécu, alors que le Trône du Dragon lui-même n'était plus qu'un tas informe de bois doré au milieu des décombres. À côté de son fauteuil, une grande sacoche en cuir, avec le ceinturon et l'épée au fourreau posés dessus, contenait ce qu'il avait pu sauver de la destruction. Des choix étranges pour la plupart, pensa-t-elle.

Nigaud sans cervelle, pensa-t-elle, *ne pas penser à ce qui vous attend ne le fera pas disparaître.*

Rand était assis par terre en tailleur, toujours couvert de poussière et d'écorchures, sa tunique déchirée. Son visage aurait pu être sculpté dans la pierre. Il observait Fedwin sans ciller. Le garçon était assis par terre, lui aussi, les jambes écartées. La langue entre les dents, il se concentrait sur la construction d'une tour avec des cubes en bois. Min soupira.

Elle se rappela l'horreur qui s'était emparée d'elle quand elle avait réalisé que son « garde » avait à présent l'esprit d'un petit enfant. Elle était triste – par la Lumière, il n'était qu'adolescent ! Ce n'était pas juste ! –, mais elle espérait que Rand l'isolait toujours d'un écran. Il n'avait pas été facile de convaincre Felwin de jouer avec ces cubes au lieu de détruire le mur pierre par pierre pour construire une tour où elle serait en sécurité. Après, c'était *elle* qui l'avait gardé, jusqu'à l'arrivée de Rand. Ô Lumière, ce qu'elle avait envie de pleurer ! Sur le sort de Rand encore plus que sur celui de Fedwin.

— Vous vous cachez dans les profondeurs, semble-t-il.

Dès que la voix qui venait de la porte s'était tue, Rand s'était aussitôt levé, affrontant Mazrim Taim. Comme d'habitude, l'homme au nez busqué était en tunique noire, des dragons bleu et or s'enroulant autour des manches. Contrairement aux autres Asha'man, il n'avait ni l'Épée ni le Dragon épinglés à son haut col. Son visage sombre était aussi impassible que celui de Rand. Les yeux rivés sur Taim, Rand semblait grincer des dents. Subrepticement, Min remua un couteau dans sa manche. Autant d'images et d'auras dansaient autour de l'un et de l'autre, mais ce ne fut pas la vision qui l'inquiéta soudain. Elle avait déjà vu un homme sur le point d'en tuer un autre. C'était ce à quoi elle assistait à présent.

— Vous venez ici en tenant le *saidin*, Taim ? demanda Rand, avec beaucoup trop de douceur.

Taim ouvrit les mains, et Rand ajouta :

— Voilà qui est mieux.

Mais il ne se détendit pas.

— C'est uniquement parce que je croyais pouvoir être poignardé par accident en traversant tous ces couloirs pleins d'Aieles, se justifia Taim. Elles semblent très agitées.

Il ne quittait pas Rand des yeux. Min était sûre qu'il l'avait vue dégager son couteau.

— C'est compréhensible, bien sûr, dit-il doucement. J'ai du mal à exprimer ma joie de vous trouver vivant après avoir vu le Palais. Je suis venu faire mon rapport sur les déserteurs. Normalement, ça n'aurait pas été nécessaire, mais en l'occurrence, il s'agit de Gedwyn, Rochaid, Torval et Kisman. Ils étaient

517

mécontents au sujet des événements de l'Altara, mais je n'aurais jamais pensé qu'ils iraient si loin. Je n'ai vu aucun des hommes que j'avais laissés avec vous.

Un instant, son regard se porta sur Fedwin.

— Y a-t-il… d'autres… pertes ? Je vais emmener celui-là avec moi, si vous voulez.

— Je leur avais dit de rester hors de ma vue, dit Rand d'une voix dure. Et je vais m'occuper de Fedwin. Fedwin Morr, Taim ; pas celui-là.

Il recula jusqu'à la petite table et prit une tasse posée au milieu des lampes. Min retint son souffle.

— La Sagesse de mon village était capable de tout guérir, dit Rand, s'agenouillant près de Fedwin.

Il parvint à sourire au garçon sans quitter Taim des yeux. Fedwin eut un joyeux sourire et voulut prendre la tasse, mais Rand la garda dans sa main et le fit boire lui-même.

— Elle en sait plus sur les simples qu'aucune personne de ma connaissance. Avec elle, j'ai acquis quelques notions sur les herbes : celles qui sont bienfaisantes et celles qui sont toxiques.

Fedwin soupira quand Rand lui retira la tasse et le serra sur son cœur.

— Dors, Fedwin, murmura-t-il.

Il semblait effectivement que l'adolescent allait s'endormir. Ses yeux se fermèrent. Sa poitrine se souleva et s'abaissa lentement. Jusqu'au moment où elle ne bougea plus. Le sourire ne quitta jamais ses lèvres.

— Un petit quelque chose dans le vin, dit Rand, allongeant doucement Fedwin par terre.

Les yeux de Min la picotèrent, mais elle ne pleurerait pas. Non, elle ne pleurerait pas !

— Vous êtes plus dur que je ne pensais, murmura Taim.

Rand lui sourit, avec un rictus sauvage.

— Ajoutez Corlan Dashiva à votre liste de déserteurs, Taim. La prochaine fois que je viendrai à la Tour Noire, je veux voir sa tête pendue à votre Arbre au Traître.

Puis il se ressaisit, de nouveau maître de lui et dur comme la pierre.

— Retournez à la Tour Noire et ne revenez pas ici.

Debout, Rand fit face à Taim par-dessus le cadavre de Fedwin.

— Je vais sans doute bouger beaucoup pendant un certain temps.

Taim s'inclina à peine.

— À vos ordres.

Quand la porte se referma derrière lui, Min poussa un long soupir.

— Inutile de perdre un temps précieux, marmonna Rand.

S'agenouillant devant elle, il lui prit la couronne et la glissa dans la sacoche.

— Min, je croyais être la meute de chiens qui pourchasse le loup. Désormais, il semble que je sois le loup.

— Que vous soyez réduit en cendres ! dit-elle dans un souffle.

Lui saisissant les cheveux à deux mains, elle le regarda dans les yeux. Ces yeux tantôt bleus, tantôt gris, comme un ciel à l'aube. Et secs.

519

— Vous pouvez pleurer, Rand al'Thor. Vous n'allez pas fondre si vous pleurez !

— Je n'ai pas non plus de temps pour les larmes, Min, dit-il avec douceur. Parfois, le chien attrape le loup et le regrette. Parfois, il se retourne, ou attend en embuscade. Mais d'abord, le loup doit s'enfuir.

— Quand partons-nous ? demanda-t-elle.

Elle ne lâcha pas ses cheveux. Elle ne le lâcherait jamais. Jamais.

30.

Commencements

Resserrant d'une main sa pelisse autour de lui, Perrin laissa Steppeur marcher à son pas. Le soleil de ce milieu de matinée ne dispensait aucune chaleur, et les ornières enneigées de la route conduisant à Abila rendaient la marche difficile. Lui et sa douzaine de compagnons ne la partageaient qu'avec deux lourds chars à bœufs et quelques paysans vêtus de drap sombre. Ils avançaient courbés vers l'avant, baissant la tête, retenant leur chapeau ou leur bonnet à chaque rafale de vent, concentrant leurs regards sur le chemin pour voir où ils mettaient les pieds.

Derrière lui, il entendit Neald faire une plaisanterie grivoise à voix basse. Grady grogna en réponse, et Balwer eut un reniflement pudibond. Aucun des trois ne semblait affecté par ce qu'ils avaient vu et entendu depuis un mois qu'ils avaient passé la frontière de l'Amadicia, ou par ce qui les attendait. Edarra tançait vertement Masuri parce qu'elle avait laissé sa capuche se rabattre en arrière. Edarra et Carelle avaient toutes les deux enroulé leur châle sur leur tête et autour de leurs épaules, en plus de leur cape. Malgré la nécessité de monter à cheval, elles avaient refusé de renoncer à leurs jupes volumineuses, maintenant retroussées jusqu'aux genoux, et révélant leurs bas noirs. Le froid ne semblait pas les gêner le moins du monde ; juste l'étrangeté de la neige. Carelle mit en garde Seonid au cas où elle montrerait son visage.

Elle risquait au bas mot une bonne raclée, comme elle et la Sagette le savaient très bien. Perrin n'avait pas besoin de regarder en arrière pour savoir que les Liges des trois sœurs, qui fermaient la marche, s'attendaient à dégainer à tout instant pour leur dégager la voie. C'était ainsi depuis l'aube, quand ils avaient quitté le camp. Il passa un pouce ganté sur la hache pendue à sa ceinture, puis resserra sa pelisse avant qu'un nouveau coup de vent ne s'y engouffre. Si cela tournait mal, les Liges seraient justifiés.

Sur la gauche, non loin de l'endroit où la route traversait un pont de bois, sur une rivière gelée serpentant aux limites de la ville, des poutres calcinées sortaient de la neige en haut d'une grande plate-forme de pierre entourée de congères. Ayant proclamé tardivement son allégeance au Dragon Réincarné, le seigneur local avait eu de la chance d'être seulement fouetté et dépouillé de tous ses biens. Des hommes qui se tenaient près du pont regardèrent les cavaliers approcher. Perrin n'aperçut aucune présence de casques ou d'armures, mais chacun serrait une lance ou une arbalète presque aussi fort que sa cape. Ils ne parlaient pas entre eux. Ils regardaient, leur souffle s'évaporant en volutes glacées devant leur visage. Il y avait d'autres gardes, tout autour de la ville, postés à chaque porte, et dans tous les espaces entre deux édifices.

C'était le territoire du Prophète, bien que les Blancs Manteaux et l'armée du Roi Ailron en tiennent encore de vastes étendues.

— J'ai eu raison de ne pas l'emmener, marmonna-t-il, mais je le paierai cher.

— Bien sûr que vous paierez, grogna Elyas.

Pour un homme qui n'était pas monté à cheval depuis quinze ans, il manœuvrait bien son hongre gris souris. En jouant aux dés avec Galenne, il avait gagné une cape doublée de renard noir. Aram, chevauchant de l'autre côté de Perrin, lorgna sombrement Elyas qui l'ignora. Ils ne s'entendaient pas très bien.

— On paie toujours, tôt ou tard, avec n'importe quelle femme, qu'on la possède ou non. Mais j'avais raison, non ?

Perrin hocha la tête. À contrecœur. Cela ne lui semblait toujours pas normal d'écouter les conseils d'un autre sur la façon de se comporter avec sa femme, même si ceux-ci étaient prudents ou indirects. Bien sûr, élever la voix devant Faile était aussi difficile que de ne pas l'élever devant Berelain, mais il avait réussi assez souvent avec cette dernière, et plusieurs fois avec la première. Il avait suivi les conseils d'Elyas à la lettre. Enfin, la plupart. Du mieux possible. L'odeur piquante de la jalousie surgissait toujours à la vue de Berelain, mais par ailleurs, l'odeur de la souffrance avait disparu à mesure qu'ils avançaient lentement vers le sud. Quand même, il était mal à l'aise. Ce matin, quand il lui avait dit fermement qu'elle ne venait pas avec lui, elle n'avait pas protesté ! À l'odeur, elle était même… contente ! Et aussi, entre autres émotions, étonnée. Et comment pouvait-elle être contente et furieuse en même temps ? Rien de tout cela n'avait transpiré sur son visage, mais le nez de Perrin ne mentait jamais. Parfois, il lui semblait que, plus il en apprenait sur les femmes, moins il en savait !

Les gardes du pont froncèrent les sourcils en tripotant leurs armes quand les sabots de Steppeur frappèrent les planches du tablier avec un bruit creux. C'était le bizarre mélange habituel des partisans du Prophète, individus aux visages crasseux en tuniques de soie trop grandes pour eux, voyous balafrés, apprentis aux joues roses, anciens marchands et artisans qui semblaient dormir depuis des mois dans leurs vêtements de drap. Leurs armes semblaient bien entretenues. Certains avaient les yeux fiévreux ; les autres, méfiants, un visage de bois. En plus de leur odeur crasseuse, ils sentaient à la fois l'impatience, l'anxiété, la ferveur et la crainte.

Ils ne firent pas un geste pour leur barrer le passage, se contentèrent de regarder, presque sans ciller. D'après ce que savait Perrin, toutes sortes de femmes, depuis les dames vêtues de soie jusqu'aux mendiantes en haillons, se pressaient autour du Prophète dans l'espoir que se soumettre à lui en personne leur vaudrait des bénédictions supplémentaires. Ou peut-être une protection accrue. C'est pourquoi il venait par ce chemin, avec seulement une poignée de compagnons. Il effraierait Masema s'il le fallait et si Masema pouvait être effrayé, mais il préférait tenter d'arriver jusqu'à lui sans se battre. Il sentit les yeux des gardes dans son dos jusqu'à ce qu'ils aient tous franchi le pont et se soient engagés dans les rues pavées d'Abila. Mais quand la tension s'estompa, il n'en éprouva aucun soulagement.

Abila était une ville de bonne taille, avec plusieurs hautes tours de garde et de nombreux édifices à quatre étages, dont un sur deux au toit d'ardoise. Ici et là, des tas de pierres et de poutres se dressaient entre deux maisons, là où on avait rasé une auberge ou une boutique. Le Prophète désapprouvait les richesses acquises par le commerce autant qu'il désapprouvait la débauche et ce que ses disciples appelaient une vie immorale. Il désapprouvait beaucoup de choses, et le faisait savoir par des exemples spectaculaires.

Les rues étaient encombrées de monde. Seuls Perrin et ses compagnons étaient à cheval. La neige piétinée s'était transformée en une boue glacée noirâtre où ils enfonçaient jusqu'aux chevilles. Beaucoup de chars à bœufs avançaient lentement dans la foule, mais il y avait peu de chariots bâchés, et pas une seule calèche. À part ceux qui portaient des vêtements de soie, de rebut ou volés, la plupart étaient en drap élimé. Beaucoup pressaient le pas. Comme tous ceux rencontrés sur la route, ils baissaient la tête. Ceux qui ne se pressaient pas étaient des groupes désordonnés d'hommes en armes. Dans les rues, les odeurs dominantes étaient celles de la crasse et de la peur. Perrin en eut la chair de poule. Au moins, sortir de cette ville sans murailles ne poserait pas plus de problèmes que d'y entrer.

— Mon Seigneur, murmura Balwer, arrivant à la hauteur d'un tas de gravats.

Il attendit à peine que Perrin acquiesce de la tête avant de tourner son cheval et de partir dans une tout autre direction, voûté sur sa selle, sa cape brune étroitement serrée autour de lui. Perrin ne craignait pas que le petit homme sec s'en aille tout seul, même ici. Pour un secrétaire, il récoltait un nombre d'informations surprenant au cours de ses incursions solitaires. Il semblait savoir ce qu'il avait à faire.

Écartant Balwer de ses pensées, Perrin s'attela à ce qu'il avait à faire, *lui*.

Il ne fallut qu'une question, posée à un jeune homme dégingandé au visage extatique, pour apprendre où logeait le Prophète, et trois autres à des passants pour trouver la maison du marchand, quatre étages de pierre grise avec des chambranles et des sculptures de marbre blanc. Masema désapprouvait la recherche de la richesse, mais il ne refusait pas de se servir de celle des autres. Pourtant, Balwer disait qu'il avait souvent couché dans des fermes qui prenaient l'eau, et qu'il en était tout aussi satisfait. Masema ne buvait que de l'eau, et partout où il allait, il engageait une pauvre veuve pour lui préparer ses repas, bons ou mauvais, qu'il mangeait sans se plaindre. Mais l'homme avait fait trop de veuves pour que cette charité compte beaucoup aux yeux de Perrin.

Les multitudes qui se pressaient dans les rues étaient absentes devant la haute maison, mais elles étaient remplacées en nombre presque égal par des gardes. Ceux qui ne ricanèrent pas avec insolence dévisagèrent Perrin, l'air renfrogné. Les deux Aes Sedais, baissant la tête, cachèrent leur visage dans les profondeurs de leur capuche, d'où sortait la buée blanche de leur haleine. Du coin de l'œil, Perrin vit Elyas caresser la longue poignée de son couteau. Il eut du mal à ne pas toucher sa hache.

— J'ai un message du Dragon Réincarné pour le Prophète, annonça-t-il.

Comme personne ne bougeait, il ajouta :

— Je m'appelle Perrin Aybara. Le Prophète me connaît.

Balwer l'avait prévenu du danger qu'il y avait à prononcer le nom de Masema, ou de nommer Rand autrement que le Dragon Réincarné. Il ne venait pas pour provoquer une émeute.

Se prévaloir de connaître Masema éveilla le regard des gardes. Plusieurs se regardèrent, écarquillant les yeux, et l'un d'eux entra dans la maison en courant. Les autres le dévisagèrent comme s'il était un saltimbanque. Quelques instants plus tard, une femme se présenta à la porte. Élégante, les tempes argentées, en robe à haut col de fin drap bleu, elle aurait pu être l'épouse du marchand. Masema ne jetait pas à la rue ceux qui lui offraient l'hospitalité, mais leurs domestiques finissaient généralement dans l'une des bandes qui « répandaient la gloire du Seigneur Dragon ».

— Si vous voulez bien me suivre, Maître Aybara, dit la femme. Vous et vos amis, je vous conduirai auprès du Prophète du Seigneur Dragon. Que la Lumière illumine son nom.

Le ton était calme, mais la terreur dominait dans son odeur.

Ordonnant à Neald et aux Liges de garder les chevaux jusqu'à leur retour, il suivit la femme avec les autres. L'intérieur était sombre, avec peu de lampes allumées, et guère plus chaud que la rue. Même les Sagettes semblaient préoccupées, et si leur odeur n'était pas celle de la peur, elle en était aussi proche que celle des Aes Sedais. Grady et Elyas sentaient la méfiance, la chair de poule et les oreilles basses. Curieusement Aram sentait l'impatience. Perrin espéra qu'il n'envisageait pas de tirer l'épée qu'il portait sur le dos.

La grande salle couverte de tapis où la femme les introduisit, avec des feux flambant à chaque bout de la pièce, aurait pu être le cabinet de travail d'un général. Toutes les tables et la moitié des sièges étaient couverts de cartes et de papiers. Perrin eut assez chaud pour repousser sa cape en arrière, regrettant de porter deux chemises sous sa tunique. Mais ce fut Masema, debout au milieu de la pièce, qui attira immédiatement son regard, comme l'aimant attire le fer. Cet homme sombre et renfrogné avait le crâne rasé, avec une pâle cicatrice triangulaire sur une joue, et portait une tunique grise fripée et des bottes éculées. Ses yeux profondément enfoncés dans les orbites brûlaient d'un feu noir, et son odeur… Le seul mot que trouva Perrin pour désigner cette odeur, dure comme l'acier, tranchante comme une lame et vibrante d'une intensité sauvage, fut « folie ». Et Rand croyait pouvoir le mettre en laisse ?

— Ainsi, vous voilà, gronda Masema. Je ne croyais pas que vous oseriez montrer votre face. Je sais ce que vous avez mijoté ! Hari me l'a dit il y a plus d'une semaine, et je me suis informé.

Un homme remua dans un coin de la pièce. Perrin se reprocha de ne pas avoir remarqué plus tôt l'homme aux petits yeux et au nez proéminent. La tunique de soie verte d'Hari était beaucoup plus élégante que celle qu'il portait quand il avait nié collectionner les oreilles. Il se frotta les mains et gratifia Perrin d'un sourire pervers. Il garda le silence tandis que Masema poursuivait.

La voix du Prophète devint plus véhémente à mesure qu'il parlait, non parce qu'il était en colère, mais parce qu'il semblait vouloir imprimer au fer rouge toutes ses paroles dans la chair de Perrin.

— Je vous connais, assassins qui êtes venus rejoindre le Seigneur Dragon. Je sais que vous avez tenté de vous tailler un royaume ! Oui, je suis au courant de Manetheren ! De votre ambition ! De votre avidité de gloire ! Vous avez tourné le dos à…

Soudain, les yeux de Masema s'exorbitèrent, et pour la première fois, la colère flamba dans son odeur. Hari émit un son étranglé et s'efforça de se fondre dans le mur. Seonid et Masuri avaient rejeté leur capuche en arrière, et, le visage nu, calme et grave, elles étaient à l'évidence des Aes Sedais pour quiconque connaissait leurs semblables. Perrin se demanda si elles tenaient le Pouvoir. Il aurait parié que les Sagettes le tenaient. Edarra et Carelle regardaient calmement dans toutes les directions à la fois. S'il avait jamais vu des femmes prêtes à se battre, c'était bien elles. D'ailleurs, Grady portait sa vigilance comme sa tunique noire ; peut-être tenait-il le Pouvoir, lui aussi. Elyas s'appuyait contre un mur près des portes ouvertes, apparemment aussi calme que les sœurs, mais son odeur révélait qu'il était prêt à mordre. Aram dévisageait Masema avec étonnement. Ô Lumière !

— Ainsi, cela aussi est vrai ! dit sèchement Masema postillonnant d'indignation. Avec les rumeurs répugnantes qui se répandent sur le Seigneur Dragon, vous osez chevaucher avec ces… ces…

— Elles ont juré allégeance au Seigneur Dragon, Masema, l'interrompit Perrin. Elles le servent ! Le servez-vous ? Il m'envoie pour arrêter les massacres. Et pour vous amener jusqu'à lui.

Comme personne ne lui avait proposé un siège, il poussa une pile de papiers d'un fauteuil et s'assit. Il espéra que les autres s'assiéraient aussi, sachant qu'il était plus difficile de hurler en position assise.

Hari ouvrit des yeux ronds. Masema était presque tremblant. Parce qu'il s'était assis sans y être invité ? Certainement.

— J'ai renoncé au nom des hommes, dit Masema avec froideur. Je suis simplement le Prophète du Seigneur Dragon, puisse la Lumière l'illuminer et le monde s'agenouiller devant lui.

À son ton, le monde et la Lumière regretteraient également son échec.

— Il y a beaucoup à faire ici. De grandes choses. Tous doivent obéir quand le Seigneur Dragon appelle. En hiver, voyager prend toujours du temps. Un délai de quelques semaines ne fera pas grande différence.

— Je peux vous amener à Cairhien aujourd'hui même, dit Perrin. Une fois que le Seigneur Dragon vous aura parlé, vous pourrez revenir de la même façon et être de retour dans quelques jours.

Si Rand le laissait revenir. Masema eut un mouvement de recul. Découvrant les dents, il foudroya les Aes Sedais.

— Par quelque stratagème du Pouvoir ? Je ne veux pas être touché par le Pouvoir ! Pour des mortels, c'est blasphématoire !

Perrin faillit en rester bouche bée.

— Le Dragon Réincarné canalise, mon ami !

— Le Seigneur Dragon, béni soit-il, n'est pas un homme ordinaire, Aybara ! gronda Masema. Il est la Lumière faite chair ! Je me rendrai à sa convocation, mais je ne veux pas être touché par l'ordure que manient ces femmes !

Se renversant dans son fauteuil, Perrin soupira. S'il était aussi hostile envers les Aes Sedais, qu'est-ce que ce serait quand il apprendrait que Grady et Neald pouvaient canaliser, eux aussi ? Un instant, il se demanda s'il ne vaudrait pas mieux l'assommer et... Des hommes circulaient dans le couloir, s'arrêtant un instant pour jeter un coup d'œil dans la pièce. Il suffirait que l'un d'eux pousse un cri pour qu'Abila soit transformée en abattoir.

— Alors, nous irons à cheval, Prophète, dit-il d'un ton acide.

Par la Lumière, Rand voulait que cette entrevue reste secrète jusqu'à l'arrivée de Masema ! Comment serait-ce possible s'ils allaient jusqu'à Cairhien à cheval ?

— Mais sans délai. Le Seigneur Dragon est très impatient de vous voir.

— Moi aussi je suis très impatient de parler avec le Seigneur Dragon, que son nom soit béni par la Lumière.

Il eut un bref coup d'œil vers les Aes Sedais, qu'il tenta de dissimuler en souriant à Perrin. Mais son odeur était… sinistre.

— Vraiment très impatient.

— Ma Dame voudrait-elle que je demande à l'un des soigneurs de lui amener un faucon ? demanda Maighdin.

L'un des quatre fauconniers d'Alliandre, tout aussi maigres que leurs oiseaux, transféra un jeune mâle au chaperon emplumé de son perchoir devant sa selle sur son poignet gainé de cuir et le lui tendit. Le faucon aux pointes des ailes bleues se percha sur le poignet gainé de cuir vert d'Alliandre. Cet oiseau lui était réservé. Alliandre connaissait sa place en tant que vassale, et Faile comprenait qu'elle ne veuille pas renoncer à son oiseau favori.

Alors elle secoua simplement la tête, et Maighdin s'inclina sur sa selle et éloigna sa jument rouanne d'Hirondelle, assez loin pour ne pas s'immiscer dans son intimité, mais suffisamment près pour que Faile n'ait pas à élever la voix pour l'appeler. La femme de chambre aux cheveux d'or pleine de dignité s'était révélée aussi compétente et stylée que Faile l'avait espéré. Du moins l'était-elle devenue après avoir appris que, quelle que soit leur situation auprès de leur ancienne maîtresse, Lini était la première de sa domesticité, et qu'elle n'hésitait pas à se servir de son autorité. Curieusement, il avait quand même fallu une séance de verges, mais Faile feignait de ne pas le savoir. Seule une imbécile humiliait ses servantes. Il y avait toujours le problème de Maighdin et Tallanvor, bien sûr. Elle était certaine que Maighdin partageait son lit, et si elle en avait la preuve, elle les marierait, dût-elle lâcher Lini sur eux. Enfin, cela n'avait guère d'importance et ne devait pas gâcher sa matinée.

La chasse au faucon était une idée d'Alliandre. Faile avait approuvé cette promenade dans la forêt clairsemée, où la neige recouvrait le sol d'un tapis vallonné et s'accumulait en couches épaisses sur les branches nues. Le vert des arbres qui avaient encore leurs feuilles semblait plus éclatant. L'air était vif et sentait le printemps.

Bain et Chiad avaient insisté pour l'accompagner. Elles étaient accroupies non loin, *shoufa* enroulée sur la tête, et elles la regardaient, l'air mécontent. Sulin aurait voulu venir avec les Vierges au grand complet, mais avec toutes les histoires qui couraient sur les déprédations commises par les Aiels, tous les Amadiciens fuyaient ou portaient la main à leur épée à la seule vue d'un Aiel. Il devait y avoir une part de vérité dans ces histoires, sinon ils n'auraient pas été aussi nombreux à reconnaître un Aiel. La Lumière seule savait qui ils étaient et d'où ils venaient. Pourtant, même Sulin affirmait que, qui fussent-ils, ils s'étaient déplacés vers l'est, peut-être jusqu'en Altara.

À proximité d'Abila, vingt des soldats d'Alliandre et autant de Gardes Ailés mayeners suffisaient comme escorte. Les rubans de leurs lances, rouges ou verts, flottaient à la brise. Seule la présence de Berelain lui pourrissait la vie. Quoiqu'il était assez amusant de la voir grelotter dans son manteau rouge bordé de fourrure, épais comme deux couvertures. Il n'y avait pas de véritable hiver à Mayene. La température de ce jour était celle d'une belle fin d'automne. En Saldaea, au cœur de l'hiver, le froid pouvait geler les chairs nues, qui devenaient dures comme du bois. Faile eut envie de rire.

Par miracle, son mari, son loup bien-aimé, avait commencé à se comporter comme il le devait. Au lieu de crier sur Berelain ou de fuir devant elle, Perrin tolérait maintenant ses flatteries friponnes, comme il aurait accepté un enfant jouant à ses pieds. Et, mieux encore, elle n'avait plus besoin de ravaler sa colère quand elle était furieuse. Quand elle criait, il criait aussi en retour. Elle savait qu'il n'était pas Saldaean. Cela avait été dur pour elle de penser au fond de son cœur qu'il la croyait trop faible pour s'opposer à lui. Quelques jours plus tôt, au dîner, elle lui avait fait remarquer que Berelain allait jaillir hors de sa robe si elle se penchait un peu plus sur la table. Enfin, elle n'irait pas si loin ; pas avec Berelain. Cette traînée croyait toujours pouvoir le conquérir. Le matin même, il s'était montré intraitable, n'admettant aucune protestation, sans élever la voix ; le genre d'homme dont une femme sait qu'elle doit être forte si elle veut le mériter et l'égaler. Naturellement, elle devrait l'asticoter un peu à ce sujet. Un homme autoritaire, c'est merveilleux, tant qu'il ne se met pas en tête de commander tout le temps. Rire ? Elle avait envie de chanter !

— Maighdin, je crois qu'après tout, je…

Maighdin fut là immédiatement, avec un sourire interrogateur. Faile laissa sa phrase en suspens à la vue de trois cavaliers, poussant leurs chevaux dans la neige aussi vite qu'ils pouvaient avancer.

— Au moins, il y a beaucoup de hases, ma Dame, dit Alliandre, en faisant approcher au pas Hirondelle sa jument blanche. Mais j'avais espéré... Qui sont-ils ?

Son faucon remua sur son gant de cuir, faisant tinter les clochettes.

— Mais on dirait que ce sont vos gens, ma Dame.

Faile hocha la tête, l'air sombre. Elle les reconnut, elle aussi. Parelean, Arrela et Lacile. Mais que faisaient-ils ici ?

Tous les trois s'arrêtèrent devant elle, leurs chevaux haletants et en sueur. Parelean écarquillait les yeux autant que son pommelé. Lacile, le visage caché dans les profondeurs de sa capuche, déglutissait avec effort, et le visage sombre d'Arrela était gris cendre.

— Ma Dame, de mauvaises nouvelles, dit Parelean d'un ton pressant. Le Prophète Masema a eu des entrevues avec les Seanchans !

— Les Seanchans ! s'exclama Alliandre. Pourtant, même lui ne peut pas croire qu'*ils* vont se rallier au Seigneur Dragon !

— C'est peut-être plus simple, dit Berelain, talonnant sa jument blanche trop voyante, pour se placer de l'autre côté d'Alliandre.

En l'absence de Perrin, elle avait choisi une robe d'équitation bleu foncé qui était assez sobre, et boutonnée jusqu'au menton. Elle grelottait toujours.

535

— Masema déteste les Aes Sedais, et les Seanchans font prisonnières toutes les femmes capables
de canaliser.

Faile fit claquer sa langue, contrariée. Mauvaises
nouvelles, en effet, si elles étaient vraies. Et elle pouvait seulement espérer que Parelean et les autres
auraient le bon sens de prétendre les avoir entendues
par hasard. Elle avait besoin d'une certitude, et vite.
Perrin était peut-être déjà auprès de Masema.

— Quelles preuves avez-vous, Parelean ?

— Nous avons parlé à trois fermiers qui ont vu une
grande créature volante atterrir il y a quatre jours, ma
Dame. Elle amenait une femme qui fut conduite chez
Masema où elle resta trois heures.

— Nous avons pu suivre sa trace jusqu'à la maison
où réside Masema à Abila, ajouta Lacile.

— Les trois hommes pensaient tous que la créature
volante était une Engeance de l'Ombre, intervint
Arrela. Ils semblaient assez dignes de confiance.

Pour elle, affirmer qu'un homme n'appartenant pas
aux *Chai Faile* était digne de confiance, c'était l'équivalent d'être franc comme l'or pour tout autre.

— Je crois que je dois me rendre à Abila, dit Faile,
rassemblant les rênes d'Hirondelle. Alliandre, prenez
Berelain et Maighdin avec vous.

En n'importe quelle autre circonstance, voir Berelain pincer les lèvres l'aurait amusée.

— Parelean, Arrela et Lacile m'accompagneront…

Un homme hurla. Tout le monde sursauta.

À cinquante toises, un soldat d'Alliandre en tunique
verte dégringola de sa selle. Quelques instants plus

tard, un Garde Ailé tomba, une flèche plantée dans la gorge. Des Aiels voilés apparurent au milieu des arbres, brandissant leurs arcs en courant. D'autres soldats tombèrent. Bain et Chiad se tenaient là, un voile noir cachant leur visage jusqu'aux yeux. Elles avaient leurs lances dans le dos, coincées dans les courroies de l'étui de leur arc. Elles les dégagèrent en douceur, tout en regardant Faile. Ils étaient encerclés par des Aiels, par centaines semblait-il, comme un nœud coulant qui se resserrait. Des soldats montés abaissèrent leurs lances, formant leur propre cercle autour de Faile et des autres. Des lacunes y apparurent aussitôt que les flèches des Aiels commencèrent à trouver leurs cibles.

— Quelqu'un doit porter cette nouvelle de Masema au Seigneur Perrin, dit Faile à Parelean et aux deux femmes. L'un de vous doit le rejoindre ! Galopez comme le feu !

Son regard embrassa Alliandre et Maighdin. Et aussi Berelain.

— Vous toutes, galopez comme le feu ou mourez ici !

Attendant à peine leurs acquiescements, elle planta ses talons dans les flancs d'Hirondelle, traversant le cercle inutile des soldats.

— Galopez ! cria-t-elle.

Quelqu'un devait porter la nouvelle à Perrin.

— Galopez !

Couchée sur l'encolure d'Hirondelle, elle cravacha la jument. Ses sabots agiles projetant des gerbes de neige, Hirondelle galopa, légère comme l'oiseau dont elle portait le nom. Pendant une centaine de foulées,

Faile crut qu'elle allait s'échapper. Puis Hirondelle trébucha et tomba, dans le craquement sec d'une jambe cassée. Faile fut projetée lourdement par terre, ses poumons vidés quand elle plongea tête la première dans la neige. S'efforçant de respirer, elle se releva péniblement et tira un couteau de sa ceinture. Hirondelle avait henni avant de trébucher, avant cet affreux craquement.

Un Aiel voilé se matérialisa au-dessus d'elle comme sortant de nulle part, lui frappant le poignet d'une main raide. Ses doigts soudain gourds lâchèrent le couteau, et avant qu'elle n'ait eu le temps d'en tirer un autre de la main gauche, l'Aiel fondait sur elle.

Elle se débattit, lançant coups de poing et coups de pied, et allant même jusqu'à mordre, mais l'Aiel était aussi large que Perrin, avec une tête de plus et aussi robuste que lui, semblait-il. La facilité avec laquelle il la maîtrisa aurait pu la faire pleurer de rage. Il la dépouilla d'abord de tous ses couteaux qu'il coinça derrière son ceinturon, puis se servit de l'un d'eux pour couper ses vêtements. En moins de temps qu'il n'en faut pour le dire, elle se retrouva nue dans la neige, les coudes attachés derrière le dos avec l'un de ses bas, l'autre autour du cou servant de laisse. Elle n'eut d'autre choix que de le suivre, grelottante et titubant dans la neige. Elle avait la chair de poule. Par la Lumière, comment avait-elle pu penser que la température était clémente ? Par la Lumière, si seulement quelqu'un avait pu s'échapper avec les nouvelles sur Masema ! Il fallait aussi prévenir Perrin de sa capture ; elle pourrait trouver le moyen de s'échapper. Les nouvelles sur Masema étaient plus importantes.

Le premier cadavre qu'elle vit fut celui de Parelean. Il était étalé sur le dos, son épée dans sa main tendue, et du sang tachait sa belle tunique aux manches à rayures de satin. Elle vit ensuite des tas de corps, des Gardes Ailés avec leurs plastrons rouges, les soldats d'Alliandre aux casques vert foncé, un fauconnier, un fauconneau chaperonné battant vainement des ailes contre les jets toujours emprisonnés dans la main du cadavre. Mais elle ne perdit pas espoir.

Les premiers prisonniers qu'elle découvrit, à genoux parmi les Aiels, des hommes et des Vierges avec leur voile pendant sur la poitrine, furent Chiad et Bain, nues toutes les deux, leurs mains libres posées sur leurs genoux. Du sang coulait sur le visage de Bain et dans ses cheveux de flamme. La joue gauche de Chiad était rouge et enflée, et ses yeux gris étaient un peu vitreux. Elles se tenaient, très droites, impassibles et sans honte. Quand le grand Aiel la jeta à terre brutalement près d'elles, elles se levèrent.

— Ce n'est pas régulier, Shaido, grommela Chiad en colère.

— Elle ne suit pas le *ji'e'toh*, aboya Baird. Vous ne pouvez pas en faire une *gai'shaine*.

— Les *gai'shaines* vont se taire, dit distraitement une Vierge grisonnante.

Bain et Chiad lancèrent à Faile des regards de regret, puis se rassirent calmement pour attendre. Pelotonnée sur elle-même pour cacher un peu sa nudité, Faile ne savait pas si elle devait rire ou pleurer.

Elle était avec les deux femmes qu'elle aurait choisies entre mille pour l'aider à s'échapper, et ni l'une ni l'autre ne lèveraient le petit doigt à cause *du ji'e'toh*.

— Je le répète, Efalin, maugréa celui qui l'avait capturée, c'est une folie. Nous avançons comme des tortues dans cette… neige.

Il écorcha le mot.

— Il y a trop d'hommes armés dans les parages. Nous devrions filer vers l'est, sans prendre d'autres *gai'shains* qui nous ralentissent.

— Sevanna veut d'autres *gai'shains*, Rolan, répondit la Vierge grisonnante.

Mais elle fronçait les sourcils, et ses yeux gris et durs se firent un instant désapprobateurs.

Grelottante, Faile cligna des yeux en réalisant ce qu'elle venait d'entendre. Par la Lumière, le froid lui ralentissait l'esprit ! Sevanna. Shaido. Ils devaient être à la Dague du Meurtrier-des-Siens, aussi loin d'ici que possible sans franchir l'Échine du Monde ! Mais à l'évidence, ils n'y étaient pas. Une chose que Perrin devait aussi savoir, une raison de plus de s'échapper le plus vite possible. Cela semblait peu probable, accroupie nue dans la neige comme elle l'était, à se demander quelle partie de son anatomie allait geler la première. La Roue vengeait cruellement Berelain, dont les grelottements l'amusaient tant tout à l'heure. En fait, il lui tardait de revêtir une des grossières robes de drap noir que portaient les *gai'shains*. Ses geôliers ne se préparaient pas à partir. Il y avait d'autres prisonniers à ramener au camp. Il y eut d'abord Maighdin, nue et attachée comme Faile, se débattant à chaque pas. La Vierge qui la poussait faucha brusquement ses jambes sous elle. Maighdin tomba sur le derrière, les yeux tellement exorbités que Faile aurait ri si elle ne l'avait pas plainte. Venait ensuite Alliandre, pliée en deux pour se protéger, puis Arrela, paralysée par sa nudité, qui était traînée par deux Vierges. Enfin, un autre grand Aiel parut, portant sous son bras comme un paquet une Lacile qui se débattait furieusement.

— Les autres sont morts ou en fuite, dit l'homme, lâchant la petite Cairhienine qui tomba à côté de Faile.

— Sevanna devra se contenter de ça, Efalin. Elle attache trop d'importance à la capture d'individus vêtus de soie.

Faile n'opposa pas de résistance quand on la fit lever et qu'on la mit au travail dans la neige à la tête des autres prisonniers. Elle était trop accablée de stupeur pour résister. Parelean mort, Arrela et Lacile captives, ainsi qu'Alliandre et Maighdin. Par la Lumière, il fallait que quelqu'un prévienne Perrin au sujet de Masema ! Quel coup du sort ! Elle était là, grelottante et serrant les mâchoires pour ne pas claquer des dents, nue comme un ver et attachée, en route vers une captivité incertaine. En plus, elle devait espérer que cette femelle en chaleur – cette traînée pulpeuse – de Berelain, s'était échappée et pourrait rejoindre Perrin ! De tous les événements du jour, celui-là lui parut le pire !

Sur Daihair, Egwene remonta au pas la colonne des nouvelles initiées, les sœurs à cheval au milieu des chariots, Acceptées et novices à pied malgré la neige. Un beau soleil brillait dans un ciel sans nuages, mais une légère buée s'élevait des narines de son hongre. Sheriam et Siuan chevauchaient derrière elle, discutant tranquillement à propos des informations reçues des Yeux-et-Oreilles de Siuan. Egwene avait pensé que la femme aux cheveux de flamme était une Gardienne efficace après avoir appris qu'elle n'était pas élue Amyrlin. De jour en jour, Sheriam remplissait plus assidûment ses devoirs. Chesa suivait sur sa jument au cas où l'Amyrlin aurait besoin de quelque chose. Contrairement à sa maîtresse, elle maugréait au sujet de Meri et Selame, qui s'étaient enfuies, les ingrates mégères, la laissant assumer le travail de trois. Elles avançaient lentement, et Egwene évitait soigneusement de regarder la colonne.

Un mois de recrutement, un mois pendant lequel le livre des novices avait été ouvert à toutes, et avait attiré des candidates en nombre surprenant. Un flot continu de femmes impatientes de devenir Aes Sedais, de tous les âges, dont certaines avaient parcouru des centaines de miles, arrivait jusqu'à elles. Maintenant, la colonne comportait deux fois plus de novices qu'avant. Presque mille ! La plupart ne porteraient jamais le châle, pourtant leur nombre attirait tous les regards. Certaines pourraient poser des problèmes mineurs, et l'une d'elles, une grand-mère du nom de Sharina, avec un potentiel supérieur à celui de Nynaeve, avait stupéfié tout le monde. Elle ne cherchait pas à éviter la vue d'une mère et d'une fille se chamaillant parce qu'un jour la fille serait beaucoup plus puissante que la mère, ou celle des femmes nobles qui regrettaient d'avoir demandé à être testées, ou les regards d'une franchise inquiétante de Sharina. Cette femme aux cheveux gris respectait toutes les règles à la lettre, et manifestait à chacune le respect qui lui était dû. Elle avait gouverné sa grande famille par la seule force de sa présence, et même certaines sœurs s'écartaient prudemment de son chemin. Celles qu'Egwene n'avait pas envie de voir, c'étaient les jeunes femmes qui les avaient rejointes deux jours plus tôt. Les deux sœurs qui les avaient amenées avaient été frappées de stupeur en constatant qu'Egwene était l'Amyrlin. Leurs protégées n'arrivaient pas à y croire, pas Egwene al'Vere, la fille du maire du Champ d'Emond ! Elle ne désirait pas punir quiconque, mais elle devrait s'y résoudre si elle en voyait encore une lui tirer la langue.

Gareth Bryne avait aligné son armée en une large colonne, cavaliers et fantassins s'étirant à perte de vue au milieu des arbres. Le pâle soleil se reflétait sur les plastrons, les casques et les pointes de lances. Les chevaux frappaient la neige de leurs sabots avec impatience.

Bryne avança au pas sur son solide alezan pour la rejoindre avant qu'elle effectue sa jonction avec les Députées qui l'attendaient dans une vaste clairière devant les deux colonnes. Il lui sourit à travers la visière de son casque. Un sourire rassurant, se dit-elle.

— Belle matinée, Mère, dit-il.

Elle hocha la tête, et il la suivit, au côté de Siuan. Qui ne se mit pas immédiatement à lui cracher dessus. Egwene ne savait pas exactement quel arrangement Siuan avait conclu avec lui, mais maintenant elle grommelait rarement, et jamais en sa présence. Egwene était bien contente qu'il soit là maintenant. Le

Siège d'Amyrlin ne pouvait pas faire savoir à son général qu'elle avait besoin qu'il la rassure, mais elle en ressentait la nécessité ce matin-là.

Les Députées avaient aligné leurs montures à la lisière de la forêt, et treize autres sœurs avaient arrêté leurs chevaux un peu à l'écart, observant attentivement les Députées. Romanda et Lelaine éperonnèrent leurs montures presque en même temps. Egwene ne put s'empêcher de soupirer à leur approche, leurs capes flottant derrière elles, les sabots soulevant des gerbes de neige. L'Assemblée lui obéissait parce qu'elle n'avait pas le choix. Dans les domaines concernant la guerre contre Elaida, elles s'exécutaient, mais, par la Lumière, ce qu'elles pouvaient discutailler sur ce qui concernait ou non cette guerre ! Quand cela n'avait rien à voir avec la guerre, obtenir d'elles quelque chose était aussi difficile qu'arracher les dents à un canard ! À l'exception de Sharina, elles auraient trouvé le moyen d'arrêter le recrutement de femmes de tous les âges. Même Romanda était impressionnée par Sharina.

Toutes deux s'arrêtèrent devant elle. Avant qu'elles aient pu ouvrir la bouche, Egwene parla.

— Il est temps de passer à l'action, mes filles, sans perdre de temps à des discours futiles. Allez.

Romanda renifla doucement, et Lelaine parut sur le point de l'imiter.

Elles firent pivoter leurs montures ensemble, puis se foudroyèrent mutuellement du regard. Les événements du mois écoulé avaient renforcé leur aversion mutuelle. Lelaine rejeta la tête en arrière avec colère, et Romanda eut une ombre de sourire à la commissure des lèvres. Egwene faillit sourire, elle aussi. Cette animosité réciproque était encore sa plus grande force à l'Assemblée.

— Le Siège d'Amyrlin vous ordonne de commencer, annonça Romanda, levant une main majestueuse.

L'aura de la *saidar* brilla autour des treize sœurs proches des Députées, les englobant toutes. De grandes fentes argentées apparurent au milieu de la clairière, tournant sur elles-mêmes et s'élargissant en un portail de dix toises de haut et cent de large. Il neigeait aussi de l'autre côté. Le vent apporta vers elles quelques flocons. Des officiers crièrent des ordres, et les premières unités de cavalerie lourde passèrent. La neige tourbillonnant au-delà du portail était trop dense pour voir loin, mais Egwene imagina les Remparts Étincelants de Tar Valon et la Tour Blanche.

— C'est commencé, Mère, dit Sheriam, d'un ton presque étonné.

— C'est commencé, acquiesça Egwene.

Et, la Lumière aidant, Elaida tomberait bientôt. Elle était censée attendre que Bryne lui annonce qu'il avait fait passer suffisamment de soldats, mais elle ne put se retenir. Talonnant Daishar, elle franchit le portail, débouchant dans la neige au milieu de la plaine où le Mont du Dragon se détachait, noir et fumant, sur le ciel blanc.

31.

Après

La brise et les neiges d'hiver ralentissaient le commerce à travers les contrées, jusqu'au printemps. Pour trois pigeons envoyés par les marchands, deux étaient victimes des faucons ou des aléas climatiques. Là où la glace ne couvrait pas les rivières, les vaisseaux naviguaient toujours, et la rumeur volait plus vite que l'éclair. Un millier de rumeurs, chacune projetant des graines qui germaient dans la neige et la glace comme dans un sol fertile.

À Tar Valon, prétendaient certaines, de grandes armées s'étaient affrontées, des rivières de sang avaient coulé dans les rues, et les Aes Sedais rebelles avaient planté la tête d'Elaida a'Rohan au bout d'une pique. Non, Elaida avait fermé la main, et les rebelles qui avaient survécu rampaient servilement à ses pieds. Il n'y avait pas eu de rebelles, pas de scission à la Tour Blanche. C'était la Tour Noire qui avait été anéantie, par la volonté et la puissance des Aes Sedais. Les Asha'man pourchassaient les Asha'man à travers toutes les nations. La Tour Blanche avait fait voler en éclats le Palais du Soleil à Cairhien, et le Dragon Réincarné lui-même était maintenant vassal du Siège d'Amyrlin, son outil et sa marionnette. Certaines rumeurs disaient au contraire que les Aes Sedais étaient ses vassales, vassales des Asha'man, mais peu de gens y croyaient, et ils étaient tournés en ridicule.

Les armées d'Artur Aile-de-Faucon étaient revenues revendiquer son Empire disparu depuis longtemps, et les Seanchans balayaient tout devant eux, chassant même de l'Altara le Dragon Réincarné vaincu. Non, c'était lui qui avait rejeté les Seanchans à la mer, détruisant totalement leur armée. Ils avaient emmené le Dragon Réincarné avec eux, pour qu'il s'agenouille devant l'Impératrice. Le Dragon Réincarné était mort, et la nouvelle provoquait autant de fêtes que de lamentations, autant de joie que de pleurs.

À travers toutes les nations, ces histoires se déployaient comme des toiles d'araignée se superposant à d'autres toiles d'araignée. Les hommes et les femmes faisaient des projets d'avenir, croyant connaître la vérité. Ils faisaient des projets, et le Dessin les absorbait, tissant l'avenir prophétisé.

GLOSSAIRE

Note sur les dates de ce glossaire : Le Calendrier Toman (imaginé par Toma dur Ahmid) fut adopté approximativement deux siècles après la mort du dernier Aes Sedai mâle, pour répertorier les années après la Destruction du Monde (DM). Tant d'archives avaient été détruites au cours de la Guerre Trolloque que, quand elle cessa, de nombreuses discussions s'élevèrent quant à savoir en quelle année l'on était selon l'ancien système. Un nouveau calendrier, proposé par Tiam de Gazar, célébra la disparition de la menace que représentaient les Trollocs, chaque année étant suivie de la mention Année Libre (AL). Le Calendrier Gazaran fut largement accepté une vingtaine d'années après la Guerre Trolloque. Artur Aile-de-Faucon tenta d'établir un nouveau calendrier, basé sur la Fondation de son Empire (FE, Fondation de l'Empire), mais seuls les historiens s'y réfèrent. Après les morts et les destructions causées par la Guerre des Cent Ans, un troisième calendrier fut établi par Uren din Jubai Goéland Planant, érudit du Peuple de la Mer, et promulgué par la Panarch Farede de Tarabon. Le calendrier Farede, datant de la fin arbitrairement fixée de la Guerre des Cent Ans, et enregistrant les années du Nouvel Âge (NA), est actuellement en usage.

Asha'man : (1) Dans l'Ancienne Langue, « Gardien » ou « Gardiens », mais toujours gardien de la justice et de la vérité. (2) Nom donné collectivement, et indiquant aussi un rang, aux hommes venus à la Tour Noire, près de Caemlyn en Andor, pour apprendre à canaliser. Leur entraînement se concentre sur les différentes façons d'utiliser le Pouvoir Unique comme une arme, et, en une autre déviation des usages de la Tour Blanche, une fois qu'ils ont appris à saisir le *saidin*, la partie mâle du Pouvoir, on exige qu'ils accomplissent tous les travaux et corvées à l'aide du Pouvoir. Lors de son enrôlement, la nouvelle recrue reçoit le nom de Soldat ; il porte une tunique noire à haut col, à la mode andorane. Une fois élevé au rang de Consacré, il acquiert le droit de porter une épingle d'argent, appelée l'Épée, sur son col. La promotion au rang d'Asha'man lui donne le droit de porter une épingle représentant un Dragon, en or et émail rouge, sur son col, du côté opposé à l'Épée. Bien que beaucoup de femmes, y compris les épouses, s'enfuient quand elles apprennent que leur partenaire peut canaliser, bon nombre d'hommes de la Tour Noire sont mariés, et utilisent une variante du lien du Lige pour renforcer l'union avec leur femme. Le même lien, modifié pour contraindre à l'obéissance, est utilisé depuis peu pour lier les Aes Sedais capturées.

Avant-Courriers, les. *Voir* Hailene.

Balwer, Sebban : Autrefois officiellement secrétaire particulier de Pedron Niall, et secrètement son maître espion. Pour des raisons personnelles, il a aidé Morgase à échapper aux Seanchans en Amador, et est actuellement employé comme secrétaire par Perrin t'Bashere Aybara et Faile ni Bashere t'Aybara.

Capitaine-à-l'Épée. *Voir* LANCE-CAPITAINE.

Cercle du Tricot, le : Dirigeantes de la Famille. Comme aucune Femme de la Famille n'a jamais rien su de la hiérarchie des Aes Sedais – connaissance qui n'est communiquée à une Acceptée que lorsqu'elle a passé les tests la qualifiant pour le châle – elles n'attachent pas d'importance à la puissance dans le Pouvoir, mais donnent beaucoup d'importance à l'âge, une ancienne étant toujours supérieure à une plus jeune. Le Cercle du Tricot (terme choisi, comme celui de Famille, parce qu'il est inoffensif), correspond aux treize Femmes de la Famille les plus âgées résidant à Ebou Dar, la plus ancienne portant le titre d'Aînée. D'après leurs règles, toutes devront démissionner quand leur tour viendra de quitter la cité, mais jusque-là, elles jouissent de l'autorité suprême sur la Famille, à un degré que pourrait leur envier tout Siège d'Amyrlin. *Voir aussi* FAMILLE.

***Cha Faile* :** (1) Dans l'Ancienne Langue, « la serre du faucon ». (2) Nom adopté par les jeunes Cairhienins et Tairens dans leurs tentatives pour se conformer aux règles du *ji'e'toh*, et qui ont juré allégeance à Faile ni Bashere t'Aybara. En secret, ils sont également ses éclaireurs et ses espions.

Compagnons : Formation militaire d'élite de l'Illian, actuellement commandée par le Premier Capitaine Demetre Marcolin. Les gardes du corps du Roi d'Illian sont toujours des Compagnons, et ils gardent également les points clés de toute la nation. De plus, au cours d'une bataille, les Compagnons sont traditionnellement utilisés pour attaquer les positions les plus puissantes de l'ennemi, pour exploiter ses faiblesses, et, si nécessaire, pour couvrir la retraite du Roi. Contrairement à d'autres formations d'élite, les étrangers (à l'exception des Tairens, des Altarans et des Murandiens) y sont non seulement les bienvenus mais peuvent atteindre les grades les plus élevés, comme le peuvent aussi les roturiers, ce qui est très inusité. L'uniforme des Compagnons consiste en une tunique verte, un plastron portant les Neuf Abeilles de l'Illian, et un casque conique à visière pourvue de barreaux d'acier. Le Premier Capitaine arbore quatre galons d'or aux poignets de sa tunique et trois minces plumes d'or à son casque. Le Second Capitaine a trois galons d'or aux poignets et trois plumes d'or à bout vert. Les Lieutenants ont deux galons jaunes aux manches et deux minces plumes vertes, les Sous-Lieutenants un galon jaune et une unique plume verte. Les Porte-Bannières se reconnaissent à deux galons jaunes brisés aux poignets et une unique plume jaune, les hommes du rang à un seul galon jaune brisé.

Consolidation, la : Quand les armées envoyées par Artur Aile-de-Faucon sous le commandement de son fils Luthair, abordèrent au Seanchan, elles découvrirent une mosaïque changeante de nations souvent en guerre les unes contre les autres, où régnait souvent une Aes Sedai. Sans aucun équivalent de la Tour Blanche, les Aes Sedais travaillaient dans leur propre intérêt en utilisant le Pouvoir. Formant de petits groupes, elles intriguaient constamment les unes contre les autres. En grande partie, ce furent ces intrigues continuelles et les guerres qu'elles engendrèrent parmi ces myriades de nations, qui permirent aux armées venant de l'est de l'Océan d'Aryth de commencer la conquête de tout un continent, et à leurs descendants de la terminer. Cette conquête, au cours de laquelle les descendants des armées originelles devinrent autant Seanchans que les peuples conquis, prit plus de neuf cents ans et est appelée la Consolidation.

Corenne : Dans l'Ancienne Langue, « le Retour ». Nom donné par les Seanchans à la fois à la flotte de milliers de vaisseaux et aux centaines de milliers de soldats, artisans et autres, transportés par ces vaisseaux, qui viendront après les Avant-Courriers pour reprendre les territoires volés aux descendants d'Artur Aile-de-Faucon. *Voir aussi* Avant-Courriers.

Da'covale : (1) Dans l'Ancienne Langue, « Celui qui est possédé » ou « Personne qui est une possession ». (2) Chez les Seanchans, le terme est souvent utilisé, avec celui de propriété, à la place d'esclave. Chez les Seanchans, l'esclavage a une histoire longue et insolite, les esclaves ayant la possibilité de s'élever à des situations de grandes puissance et autorité, y compris sur les individus libres. *Voir aussi* So'jhin.

Défenseurs de la Pierre, les : Formation militaire d'élite de Tear. Le Capitaine de la Pierre (commandant des Défenseurs) est Rodrivar Tihera.

Seuls les Tairens sont acceptés parmi les Défenseurs, et les officiers sont généralement de naissance noble, quoique issus de Maisons mineures ou de branches mineures de grandes Maisons. Les Défenseurs ont pour tâche de tenir la grande forteresse appelée la Pierre de Tear, située dans la cité de Tear, de défendre la cité, et de remplir toutes les fonctions de la police, en lieu et place d'une garde municipale ou autre. Sauf en temps de guerre, leurs fonctions les éloignent rarement de la cité. De plus, comme d'autres unités d'élite, ils constituent le noyau autour duquel l'armée est formée. L'uniforme des Défenseurs consiste en une tunique noire aux manches matelassées rayées noir et or à manchettes noires, en un plastron bruni, et en un casque cerclé à visière pourvue de barreaux d'acier. Le Capitaine de la Pierre arbore trois courtes plumes blanches à son casque et, à ses poignets, trois galons d'or entrelacés sur fond blanc. Les Capitaines ont deux plumes blanches et un seul galon d'or sur manchettes blanches, les Lieutenants une seule plume blanche et un seul galon noir sur manchettes blanches, et les Sous-Lieutenants une seule courte plume noire et des manchettes blanches sans galon. Les Porte-Bannières ont des manchette dorées, et les hommes du rang des manchettes rayées noir et or.

Der'morat' : Dans l'Ancienne langue, « Maître Soigneur ». Parmi les Seanchans, le suffixe indique un soigneur d'expérience hautement qualifié, de l'un des animaux exotiques, un homme qui en forme d'autres, comme dans *der'morat'raken*. Les *der'morats* peuvent jouir d'un statut social relativement élevé, le plus élevé étant celui des *der'sul'dams, qui entraînent les sul'dams*, qui sont d'un rang égal à celui d'officiers haut gradés. *Voir aussi* MORAT'.

Fain, Padan : Autrefois Ami du Ténébreux, actuellement davantage et pire qu'un Ami du Ténébreux, et ennemi des Réprouvés autant que de Rand al'Thor, qu'il hait avec passion. Dernière apparition sous le nom de Jeraal Mordeth, conseiller du Seigneur Toram Riatin dans sa rébellion contre le Dragon Réincarné à Cairhien.

Famille, la : Pendant les Guerres Trolloques, voilà plus de deux mille ans (vers 1000-1350 DM), la Tour Blanche continua à maintenir ses principes, rejetant toutes les femmes qui n'étaient pas à la hauteur de leurs exigences. Un groupe de ces femmes, craignant de retourner chez elles en pleine guerre, s'enfuirent à Barashta (près du site actuel d'Ebou Dar) aussi loin des combats qu'il était possible à l'époque. Adoptant les noms de Famille et Femmes de la Famille, elles restèrent cachées et donnèrent asile à d'autres refusées. Avec le temps, leurs contacts avec les femmes renvoyées de la Tour amenèrent aussi des contacts avec des fugitives, et même si les raisons exactes n'en seront peut-être jamais connues, elles se mirent aussi à accepter des fugitives. Elles firent de grands efforts pour empêcher ces femmes d'apprendre quoi que ce soit sur la Famille, jusqu'à ce qu'elles soient certaines que les Aes Sedais n'allaient pas fondre sur la Famille pour les reprendre. Après tout, tout le monde savait que les fugitives sont toujours reprises tôt ou tard, et les Femmes de la Famille savaient qu'à moins de garder leur existence secrète, elles seraient elles-mêmes sévèrement punies.

Bien que la Famille ne l'ait jamais su, la Tour connut son existence presque depuis le début, mais la poursuite des guerres ne lui laissa pas le temps de s'occuper d'elle. À la fin des guerres, la Tour réalisa qu'il n'était peut-être pas dans son intérêt d'anéantir la Famille. Avant cette époque, la majorité des fugitives étaient parvenues à retrouver leur liberté, quelle que fût la propagande de la Tour, mais quand la Famille commença à les aider, la Tour sut exactement où allaient les fugitives et neuf sur dix furent reprises. Comme les Femmes de la Famille entraient et sortaient de Barashta (et plus tard d'Ebou Dar) pour cacher leur existence et leur nombre, ne restant jamais plus de dix ans en un même lieu afin que personne ne remarque qu'elles ne vieillissaient pas à un rythme normal, la Tour croyait qu'elles étaient peu nombreuses, et d'autant plus qu'elles gardaient toujours profil bas. Afin d'utiliser la Famille comme un piège à fugitives, la Tour décida de la laisser tranquille, contrairement à tout autre groupe au cours de l'histoire, et de garder secrète l'existence de la Famille, uniquement connue des Aes Sedais confirmées.

La Famille n'a pas de lois, mais des règles fondées sur celles des novices et des Acceptées de la Tour Blanche, et en partie sur la nécessité de conserver le secret de leur existence. Comme on peut s'y attendre étant donné les origines de la Famille, leurs règles sont fermement imposées à tous ses membres.

Les contacts récents entre Aes Sedais et Femmes de la Famille, quoique uniquement connus d'une poignée de sœurs, ont provoqué chez elles de nombreux chocs, dont le fait qu'il y a deux fois plus de Femmes de la Famille que d'Aes Sedais, et que certaines ont cent ans de plus que toute Aes Sedai ayant vécu depuis avant les Guerres Trolloques. L'effet de ces révélations, à la fois sur les Aes Sedais et sur les Femmes de la Famille, est encore matière à conjectures. *Voir aussi* FILLES DU SILENCE et CERCLE DU TRICOT.

Filles du Silence, les : Au cours de l'histoire de la Tour Blanche (plus de trois mille ans) femmes qui en ont été renvoyées parce qu'elles ne voulaient pas accepter leur sort et avaient tenté de former des clans. Ces groupes – du moins la plupart d'entre eux – furent dispersés par la Tour Blanche dès qu'ils étaient repérés, et leurs membres punis, sévèrement et publiquement, pour s'assurer que toutes avaient compris la leçon. Les membres du dernier groupe dispersé se donnèrent le nom de Filles du Silence (794-798 NE). Les Filles du Silence consistaient en deux Acceptées et vingt-trois femmes qu'elles avaient rassemblées et formées. Toutes furent ramenées à Tar Valon et punies, et les vingt-trois furent inscrites dans le livre des novices. Une seule d'entre elles parvint à être élevée au châle. *Voir aussi* FAMILLE.

Gardes de la Mort : Formation militaire d'élite de l'Empire Seanchan, qui inclut à la fois des humains et des Ogiers. Les humains membres de la Garde de la Mort sont tous des *da'covales*, nés esclaves et choisis très jeunes pour servir l'Impératrice, dont ils sont la propriété personnelle. D'une loyauté fanatique et d'une fierté farouche, ils arborent souvent les corbeaux tatoués sur leurs épaules, marque des *da'covales* de l'Impératrice. Leur casque et leur armure sont laqués vert foncé et rouge sang, leur bouclier est laqué noir, et leurs lances et leurs épées ornées de glands noirs. *Voir aussi* DA'COVALE.

Hailene : Dans l'Ancienne Langue, « Avant-Courrier » ou « Ceux qui viennent devant ». Les Seanchans appliquent ce terme à la force expéditionnaire massive envoyée de l'autre côté de l'Océan d'Aryth pour reconnaître les territoires où Artur Aile-de-Faucon régnait autrefois. Maintenant sous le commandement de la Haute Dame Suroth, et leur nombre grossi par les recrues des pays conquis, les Hailenes ont largement dépassé leur objectif originel.

Hanlon, Daved : Ami du Ténébreux, autrefois commandant des Lions Blancs au service du Réprouvé Rahvin lorsqu'il tenait Caemlyn sous le nom de Seigneur Gaebril. À partir de là, Hanlon amena les Lions

Blancs à Cairhien, avec ordre de fomenter la rébellion contre le Dragon Réincarné. Les Lions Blancs furent détruits par une « bulle de mal » et Hanlon a reçu l'ordre de retourner à Caemlyn dans un but inconnu à ce jour.

Hiérarchie du Peuple de la Mer : Les Atha'an Miere ou Peuple de la Mer, sont gouvernés pas la Maîtresse-des-Vaisseaux des Atha'an Miere. Elle est assistée de la Pourvoyeuse-de-Vent de la Maîtresse-des-Vaisseaux et par le Maître-des-Armes. Au-dessous d'eux viennent les Maîtresses-des-Vagues, chacune assistée de sa Pourvoyeuse-de-Vent et de son Maître-à-l'Épée. Encore au-dessous viennent les Maîtresses-des-Voiles (Capitaines d'un navire), chacune assistée de sa Pourvoyeuse-de-Vent et de son Maître-de-Cargaison. La Pourvoyeuse-de-Vent de la Maîtresse-des-Vaisseaux a autorité sur toutes les Pourvoyeuses-de-Vent de son clan. De même, le Maître-des-Armes a autorité sur tous les Maîtres-à-l'Épée, qui eux-mêmes ont autorité sur tous les Maîtres-de-Cargaison de leur clan. Le rang n'est pas héréditaire chez le Peuple de la Mer. La Maîtresse-des-Vaisseaux est élue à vie par les Douze Premières des Atha'an Miere, les douze plus anciennes Maîtresses-des-Vagues de clan. Une Maîtresse-des-Vagues de clan est élue par les douze plus anciennes Maîtresses-des-Voiles de clan, appelées simplement les Douze Premières, terme également utilisé pour désigner les plus anciennes Maîtresses-des-Voiles présentes où que ce soit. Elle peut également être destituée par un vote de ces mêmes Douze Premières. En fait, à part la Maîtresse-des-Vaisseaux, tout le monde peut être destitué, et même dégradé jusqu'à rang de matelot de pont, pour méfaits, lâcheté ou autres crimes. De même, la Pourvoyeuse-de-Vent d'une Maîtresse-des-Vagues ou de la Maîtresse-des-Vaisseaux qui décède devra nécessairement servir une femme de moindre rang, son rang personnel rabaissé d'autant. La Pourvoyeuse-de-Vent de la Maîtresse-des-Vaisseaux a autorité sur toutes les Pourvoyeuses-de-Vent, et la Pourvoyeuse-de-Vent d'une Maîtresse-des-Vagues de clan a autorité sur toutes les Pourvoyeuses-de-Vent de son clan. De même, le Maître-des-Armes a autorité sur tous les Maîtres-à-l'Épée et tous les Maîtres-de-Cargaison, et un Maître-à-l'Épée a autorité sur le Maître-de-Cargaison de son clan.

Hommes d'armes : Soldats devant allégeance ou fidélité à un seigneur ou une dame particulier.

Ishara : Première reine d'Andor (environ 994-1020 AL). À la mort d'Artur Aile-de-Faucon, Ishara convainquit son mari, l'un des principaux généraux d'Artur Aile-de-Faucon, de lever le siège de Tar Valon et de l'accompagner à Caemlyn avec autant de soldats qu'il pouvait en enlever à l'armée. Alors que d'autres s'efforçaient de conquérir tout l'Empire d'Aile-de-Faucon et échouaient, Ishara ne visa que la conquête d'une petite partie de l'Empire, et réussit. Aujourd'hui, presque toutes les maisons nobles d'Andor ont un peu de sang d'Ishara, et le droit de revendiquer le trône dépend à la fois de leur qualité de descendants directs, et du nombre de ramifications familiales remontant jusqu'à elle.

Lance-Capitaine : Dans la plupart des pays, et dans des circonstances normales, les Dames nobles ne commandent pas elles-mêmes leurs troupes au combat, mais engagent un soldat professionnel, presque toujours un roturier, qui est responsable de l'entraînement et du commandement de ses hommes d'armes. Selon le pays, cet homme peut recevoir le titre de Lance-Capitaine, Capitaine-à-l'Épée, Maître d'Écurie, ou Maître-des-Lanciers. Des rumeurs surgissent parfois sur des rapports plus intimes que ceux de maîtresse à serviteur, ce qui est peut-être inévitable. Parfois, ces rumeurs sont vraies.

Légion du Dragon, la : Large formation militaire, uniquement composée de fantassins, jurant allégeance au Dragon Réincarné, et entraînée par Davram Bashere selon des principes mis au point par lui-même et Mat Cauthon, principes qui diffèrent nettement de l'emploi habituel des hommes de pied. Alors que beaucoup se portent volontaires d'eux-mêmes, d'autres sont rassemblés par les recruteurs de la Tour Noire, qui réunissent d'abord en un même lieu des hommes prêts à suivre le Dragon Réincarné, et seulement après les avoir amenés par un portail près de Caemlyn, trient et gardent ceux à qui ils peuvent apprendre à canaliser. Les autres – de loin les plus nombreux – sont envoyés dans les camps d'entraînement de Bashere.

Maître d'Écurie. *Voir* LANCE-CAPITAINE.

Maître-des-Lanciers. *Voir* LANCE-CAPITAINE.

Marath'damane : Dans l'Ancienne Langue, « Celles qui doivent être tenues en laisse » et aussi « Celle qui doit être tenue en laisse ». Les Seanchans appliquent ce terme à toute femme capable de canaliser qui ne porte pas le collier de *damane*.

Mera'din : Dans l'Ancienne Langue, « les Sans-Frères ». Nom adopté collectivement par les Aiels qui ont abandonné leur clan et leur tribu pour se rallier aux Shaidos, parce qu'ils ne pouvaient pas accepter Rand al'Thor, homme des Terres Humides, pour le *car'a'carn*, ou parce qu'ils refusaient d'accepter ses révélations concernant l'histoire et l'origine des Aiels. Déserter le clan et la tribu pour quelque raison que ce soit est anathème chez les Aiels, c'est pourquoi leurs propres sociétés de guerriers chez les Shaidos ne voulurent pas les accepter, et ils formèrent la société des Sans-Frères.

Morat' : Dans l'Ancienne Langue, « Soigneur ». Terme utilisé chez les Seanchans pour les soigneurs d'animaux exotiques, tels que les *morat'rakens*, soigneurs ou cavaliers de *rakens*, appelés également pilotes. *Voir aussi* DER'MORAT'.

Poings du Ciel, les : Infanterie légère et légèrement armée des Seanchans, transportés au combat sur le dos des créatures volantes nommées *to'rakens*. Tous sont des hommes ou des femmes de petite taille, principalement à cause du poids limite que peut transporter un *to'raken* sur n'importe quelle distance. Considérés comme les plus coriaces des soldats, on les utilise principalement pour les raids, les attaques surprises sur les arrières de l'ennemi, et partout où la rapidité d'amener les combattants en position est un facteur capital.

Prophète, le : Plus officiellement Prophète du Seigneur Dragon. Autrefois connu sous le nom de Masema Dagar, soldat shienaran, il eut une révélation et décida qu'il avait été appelé pour répandre la parole du Dragon Réincarné. Il croit que rien – absolument rien ! – n'est plus important que de reconnaître le Dragon Réincarné comme la Lumière faite chair, et d'être prêt à l'appel du Dragon Réincarné ; lui et ses disciples ne reculent devant aucun moyen pour forcer quiconque à chanter les louanges du Dragon Réincarné. Renonçant à toute appellation autre que celle de « Prophète », il a provoqué le chaos dans une grande partie du Gealdan et de l'Amadicia, dont il contrôle de vastes régions.

Réprouvés, les : Nom donné aux treize puissants Aes Sedais, hommes et femmes, ralliés à l'Ombre pendant l'Ère des Légendes, et piégés dans la prison du Ténébreux lors du scellement du Forage. Quoiqu'on ait longtemps cru qu'ils étaient les seuls à avoir abandonné la Lumière durant la Guerre de l'Ombre, en fait, ils n'étaient pas les seuls ; ces treize étaient seulement les plus haut placés. Le nombre des Réprouvés (qui se donnent le nom d'Élus) s'est cependant réduit depuis leur réveil à l'époque présente. Les survivants connus sont Demandred, Semirhage, Graendal, Mesaana, Moghedien, plus deux qui ont été réincarnés dans de nouveaux corps et ont reçu les nouveaux noms d'Osan'gar et Aran'gar. Récemment, un homme qui se fait appeler Moridin est apparu, et il est peut-être un autre de ces Réprouvés sortis de la tombe par le Ténébreux. Il est possible qu'il en soit de même pour la femme qui se fait appeler Cyndane, mais étant donné qu'Aran'gar était un homme ramené à la vie en tant que femme, les conjectures sur l'identité de Moridin et Cyndane sont vaines jusqu'à plus ample informé.

Retour, le. *Voir* CORÉENNE.

Sage-Femme : Titre honorifique donné à Ebou Dar à des femmes réputées pour leur incroyable capacité à guérir presque toutes les blessures. Une Sage-Femme se reconnaît généralement à sa large ceinture rouge. Bien que certains aient remarqué que beaucoup de Sages-Femmes, en fait la plupart, n'étaient pas originaires de l'Altara et encore moins d'Ebou Dar, ce qu'on ignorait jusqu'à récemment, et qui n'est encore connu que d'un petit nombre, c'est que toutes les Sages-Femmes sont en fait des Femmes de la Famille, utilisant diverses versions de la Guérison, et que les herbes et cataplasmes qu'elles prescrivent ne servent que de couverture. La Famille ayant fui Ebou Dar après la prise de la cité par les Seanchans, il n'y reste plus aucune Sage-Femme. *Voir aussi* FAMILLE.

Sang, le : Terme utilisé par les Seanchans pour désigner les nobles. On peut être noble de naissance, ou anobli.

Sei'mosiev : Dans l'Ancienne Langue, « baisser les yeux » ou « yeux baissés ». Chez les Seanchans, dire que quelqu'un est « *sei'mosiev* » signifie qu'il a perdu la face. *Voir aussi* SEI'TAER.

Sei'taer : Dans l'Ancienne Langue, « regard droit » ou « regard direct ». Chez les Seanchans, se réfère à l'honneur et à la capacité de regarder quelqu'un dans les yeux. Il est possible d'« être » ou d'« avoir » *sei'taer*, ce qui signifie que la personne a de l'honneur et n'a pas perdu la face ; il est aussi possible de « gagner » ou de « perdre » le *sei'taer*. *Voir aussi* SEI'MOSIEV.

Shen an Calhar : Dans l'Ancienne Langue « La Bande de la Main Rouge ». (1) Groupe légendaire de héros ayant accompli de nombreux exploits et morts finalement lors de la défense de Manetheren quand le pays fut détruit pendant les Guerres Trolloques. (2) Formation militaire rassemblée presque par hasard par Mat Cauthon, et organisée selon les principes des forces militaires à l'époque où l'on considère que les arts militaires ont atteint leur apogée, à savoir, à l'époque d'Artur Aile-de-Faucon et des quelques siècles qui l'ont immédiatement précédée.

So'jhin : La traduction la plus proche de l'Ancienne Langue serait « une hauteur au milieu des bas-fonds », quoique certains traduisent « à la fois ciel et vallée », entre plusieurs autres possibilités. *So'jhin* est le terme appliqué par les Seanchans aux serviteurs héréditaires de haut rang. Ils sont *da'covales*, propriétés, pourtant ils occupent des postes d'autorité considérable et parfois de pouvoir. Même ceux du Sang adoptent profil bas devant les *so'jhins* de la Famille Impériale, et parlent aux so'jhins de l'Impératrice elle-même comme à des égaux. *Voir aussi* SANG et DA'COVALE.

Sondage : (1) La capacité d'utiliser le Pouvoir Unique pour diagnostiquer un état de santé ou une maladie. (2) Capacité de découvrir des gisements de minerais à l'aide du Pouvoir Unique. Le fait que cette capacité soit perdue depuis longtemps parmi les Aes Sedais explique que le terme soit appliqué à une autre.

Photocomposition Nordcompo
59650 Villeneuve-d'Ascq

Achevé d'imprimer par GGP Media GmbH, Pößneck
en octobre 2008
pour le compte de France Loisirs,
Paris